SANG
ET
ORCHIDÉES

NORMAN KATKOV

SANG
ET
ORCHIDÉES

roman

TRADUIT DE L'AMÉRICAIN
PAR FRANÇOISE ET GUY CASARIL

UNE ÉDITION SPÉCIALE DE LAFFONT CANADA LTÉE
EN ACCORD AVEC LES ÉDITIONS DU SEUIL.

TITRE ORIGINAL : *Blood and Orchids.*
ISBN : 0-451-13187-8, St. Martin's/Marek, New York.
© 1983, Norman Katkov.

ISBN : 2-02-008735-9.
© Mai 1985, Éd. du Seuil pour la traduction française.

ISBN 2-89149-352-4

A Mervyn Nelson
qui a déterminé l'itinéraire de ce voyage.

Mon grand-père m'a raconté qu'au moment où les premiers missionnaires sont arrivés les îles se sont vidées de leur population dans la mer pour les accueillir. Les mères nageaient avec leurs nouveau-nés, et les vieillards gagnaient les bateaux en pirogue. Mon grand-père m'a raconté que les gens ont couvert les missionnaires de tellement de fleurs qu'on voyait à peine leurs visages. Quand les missionnaires sont descendus à terre avec leurs enfants, ils ont été accueillis ainsi que de nouveaux frères et sœurs. Tous, sans exception. Mon grand-père disait que les gens des îles avaient traité les missionnaires comme un immense bienfait venu de l'océan. Mais les missionnaires n'étaient pas contents. Ils voyaient le mal partout dans ces îles souriantes. Toutes ces chairs nues. Tous ces rires. Ces agapes, ces chants et ces jeux. Les missionnaires avaient le devoir d'extirper le mal. Aussitôt, ils nous ont pris nos dieux pour mettre les leurs à la place. Ensuite, ils nous ont pris notre terre. Ils nous ont pris notre reine et notre palais. Ils nous ont obligés à nous habiller comme eux et à nous comporter comme eux. Mais ils ne nous ont pas permis d'être comme eux. Ni d'être avec eux, sauf pour travailler dans leurs champs ou dans leurs cuisines. Ils nous ont détruits. Nous étions, sur ces îles, un peuple libre et doux, qui ne songeait qu'à aimer. Ils ont excommunié l'amour. Les fils des missionnaires ont apporté les canons et la police, puis la marine a fait le reste.

Princesse Luahiné

AVANT-PROPOS

L'archipel volcanique d'Hawaï, annexé par les États-Unis à la fin du siècle dernier, ne devint le cinquantième État de l'Union qu'en 1959. Pendant une soixantaine d'années, ce fut un « Territoire », dont les habitants, quoique citoyens américains, n'étaient pas représentés au Congrès. A l'époque où se déroule ce roman, les droits des insulaires étaient en principe protégés par une Déclaration des droits promulguée en 1924, mais, pour les Américains, Hawaï n'était qu'une base maritime avancée dans le Pacifique, bien placée pour surveiller le Japon.

Honolulu, la capitale, cosmopolite, avec sa plage justement célèbre de Waikiki, sur l'île d'Oahu, réunissait déjà la moitié de la population totale de l'archipel extrêmement composite, car, au fond originel polynésien, s'étaient ajoutés des Chinois, des Japonais et des émigrants d'origine européenne. En revanche, Hawaï — la « grande île » — et ses petites sœurs Maui et Kauai demeuraient, en 1930, des paradis tropicaux presque aussi vierges que lors de leur découverte par le capitaine Cook.

Les mots hawaïens que l'on trouve dans ce roman sont passés, pour la plupart, dans la langue courante américaine. En polynésien, le *u* se prononce *ou* et toutes les voyelles se prononcent séparément (*Kauai* : Ka-ou-a-i).

Aloha : bienvenue, bonjour, au revoir, amour, affection, gentillesse... *Aloha* est le mot de passe d'Hawaï et le symbole de sa joie de vivre.

Haolé : Blanc, Caucasien, par rapport aux ethnies océaniennes et asiatiques.

Hula : danse hawaïenne traditionnelle.

Kanaka : littéralement « être humain »; désigne non seulement les Hawaïens, mais tous les Polynésiens, Micronésiens et Mélanésiens (dont « nos » Canaques de Nouvelle-Calédonie).

Léi : guirlande, couronne ou collier de fleurs, de feuilles ou de coquillages; symbole d'affection.

Loco (origine espagnole) : fou, dérangé.

Luau : grand repas collectif hawaïen avec musique et danses.

Okoléhao : littéralement « fesses de fer » ; désignait les chaudrons des baleiniers, puis les alambics et enfin un tord-boyaux distillé à partir de racines de taro ou de ki.

Ukulélé : la guitare « hawaïenne » ; c'est une guitare à quatre cordes d'origine portugaise introduite dans l'archipel par un officier anglais, Edward Purvix, qui, étant petit et nerveux, reçut des Hawaïens le sobriquet de mouche *(uku)* sauteuse *(lélé)*. Le nom est resté à l'instrument.

PREMIÈRE PARTIE

A Honolulu, un samedi de septembre 1930 en début de soirée. Maddox déboucha de Beretania Street et s'arrêta devant le palais Iolani. Il était seul dans une petite conduite intérieure noire appartenant à la police d'Honolulu. Curt Maddox était un gradé de la police en civil mais il opérait dans tous les services. Il descendait toujours au centre ville le samedi soir, avant que les soldats et les matelots — ceux de la marine de guerre et ceux des cargos relâchant dans le port — ne fassent le plein d'*okoléhao,* le whisky de contrebande que l'on distillait partout sur le Territoire. Les « histoires » du week-end commençaient plus tard, quand les hommes allaient chez les filles, à la sortie des « maisons » ou même, les mauvais jours, dans les maisons elles-mêmes. Maddox aimait Honolulu, les vieux quartiers et le palais Iolani tout particulièrement. Il n'avait pas changé.

C'était l'édifice qui intéressait Maddox, non son histoire. Maddox avait trente-six ans, et le dernier monarque, la reine Liliuokalani, avait quitté le palais, contrainte et forcée par la marine des États-Unis, en janvier 1893, un an avant la naissance de Maddox. Martin Snelling, le gouverneur du Territoire, occupait présentement les lieux, mais Maddox ne parvenait pas à se l'imaginer en train de siéger dans le palais. Avant sa nomination, Martin Snelling était comptable. Pour Maddox, il le demeurait.

Dans le noir, Maddox ouvrit la portière et posa un pied sur le marchepied, espérant que la voiture se rafraîchirait un peu. La nuit était chaude. Maddox ôta son chapeau, un feutre gris foncé trop lourd pour une soirée pareille. Il s'appuya à la banquette et contempla par la portière ouverte le palais à un étage et ses deux portiques superposés. La symétrie du palais lui plaisait : large escalier au centre, entrée voûtée avec deux colonnes de chaque côté, la répétition du même motif au premier étage, l'immense dôme couronnant l'édifice...

A peine commençait-il à se détendre qu'il entendit un klaxon lancer une série d'appels brefs. Des phares tracèrent un vaste arc de cercle tandis que la voiture tournait, suivie par d'autres phares. La première voiture guidait la deuxième en lui donnant des instructions à coups de klaxon. Elles roulaient lentement. Quand elles passèrent à la hauteur de Maddox, il entendit des gloussements, puis un petit cri de femme suivi de gros rires. Des jeux innocents, mais ils avaient troublé la paix de Maddox. Il remonta la jambe et referma la portière. Il y avait soudain trop de monde dans les jardins du palais Iolani.

De l'avis de Maddox, il y avait trop de monde à Honolulu. Il était un « indigène », comme n'importe quel Hawaïen, comme n'importe quel Chinois, Japonais, Tahitien, Samoan, Portugais, Philippin, Coréen ou Fidjien né dans le Territoire, et l'énorme immigration des dix années précédentes l'emplissait d'une sorte de rancœur, violente et continue. Sans cet afflux, croyait-il, jamais Honolulu ne serait la ville cloaque qu'elle était devenue.

Au cours de ces dix ans, la population d'Honolulu s'était accrue de plus de 50 000 habitants. Maddox connaissait le chiffre de 1920 : 81 820. Il était agent en uniforme à l'époque et il estimait déjà que la ville était surpeuplée. Maintenant, près de 138 000 personnes vivaient ici, au même endroit. Chaque fois qu'un nouvel immigrant descendait d'un bateau, un ancien habitant était écarté... Maddox s'engagea dans King Street pour contourner le palais. Il aurait aimé lancer un filet dans l'océan pour bloquer l'accès de la baie, du cap Koko à la pointe Kaéna.

Il y avait maintenant des lumières partout. Honolulu était aussi éclatante à minuit qu'à midi. Maddox avait lu dans l'*Outpost Dispatch,* le journal du matin, qu'Honolulu avait à peu près la même population que Tulsa, Salt Lake City et Paterson dans le New Jersey. Mais aucune de ces villes n'avait à se protéger des marins et des soldats — en plus des cambrioleurs ordinaires travaillant du mauvais côté de la barrière vingt-quatre heures sur vingt-quatre. Maddox tourna dans Bishop Street qui descendait vers la mer et la tour Aloha, dressée sur le quai où accostaient les bateaux de luxe.

Vers le front de mer, la nuit devint encore plus lumineuse. En 1930, les arrivées et les départs de bateaux étaient toujours l'occasion de galas, que ce fût à minuit ou au petit matin. Il y avait des *ukulélés* partout, des *léis* éparpillés comme des feuilles mortes ; les passagers repartaient chargés de souvenirs, sans compter ceux qui étaient encore à vendre autour de la tour Aloha et sur le quai même. Le bateau était toujours au grand pavois, illuminé de la poupe à la proue. Maddox se demanda si le paquebot venait d'accoster ou appareillait. Il avait passé sa vie entière avec le Pacifique sous les yeux et le ressac dans les oreilles, mais il restait étranger aux choses de la mer. Il évitait l'océan. Aussi loin que remontaient ses souvenirs ou presque, il avait vécu dans les rues d'Honolulu, dans les arrière-cours de la ville. C'était son univers.

Il venait sur les quais parce qu'il aimait la tour Aloha, qui marquait l'entrée d'Honolulu et souhaitait la bienvenue aux arrivants. Maddox trouvait très beau l'obélisque et ses quatre horloges — aussi imposant et majestueux ici, à Honolulu, que dans le désert d'Égypte. Contrairement au palais Iolani, la tour faisait partie de la vie de Maddox. Il avait grandi en lisant l'heure sur les horloges et, contre toute logique, il éprouvait une fierté de propriétaire à l'égard de la gardienne du port.

Oui, le bateau s'en allait. Maddox regarda s'avancer les taxis chargés de bagages. Plus près, il distingua la foule : des passagers descendaient d'autres taxis ; des femmes comptaient leurs valises ; des camelots se faufilaient partout et vendaient de tout ; deux flics en uniforme, hawaïens l'un et l'autre, essayaient de maintenir une voie libre pour que les voitures puissent rebrousser chemin. Maddox conduisait lentement, en observant tout ce qui se passait. Il entendit le clop-clop, clop-clop, mais ne tourna la tête qu'au moment où il faillit rentrer dans les chevaux. Il écrasa la pédale du frein pour leur laisser le passage. La voiture cahota et il s'accrocha au volant à deux mains.

Le phaéton passa, élégant, tiré par deux chevaux bais assortis. Des bêtes splendides, magnifiquement dressées. Les harnais s'ornaient d'argent et les animaux portaient de petits grelots tintant doucement à chaque pas. Mais les cris et les clameurs de joie des occupants du phaéton étouffaient le chant des grelots. Des hommes et des femmes qui raccompagnaient des amis au bateau. Ils se tournèrent vers Maddox.

— Prends donc un cheval ! cria un homme.

— Gare, ou attention à tes orteils ! lança un autre.

— Retiens tes chevaux ! hurla quelqu'un.

A ces derniers mots, ils se tordirent tous de rire. Maddox sourit. Leur bonne humeur était contagieuse.

Le conducteur siffla et les chevaux avancèrent. A la lumière de ses phares, Maddox reconnut l'homme qui tenait les rênes : Hugh Osgood. Ainsi, c'était le phaéton d'Osgood. Maddox entrevit son épouse. Ils avaient à peu près l'âge de Maddox. Il se rappelait leurs noces : on l'avait envoyé à l'église. C'était encore un « bleu » à l'époque et il y avait toute une armée de flics de service cet après-midi-là. *Tout le monde* assistait à ce mariage, des gens venus d'Hawaï, la grande île, de Maui, de Kauai et même des États-Unis... Maddox les regarda s'éloigner, le sourire aux lèvres, heureux de leur bonheur. Il vit les chevaux obliquer brusquement et se diriger droit vers la tour. Maddox rit. Osgood allait conduire la voiture sur le quai et déposer ses amis au pied de la passerelle. Si la passerelle avait été assez large, Hugh Osgood aurait sans doute conduit son phaéton jusque sur le pont du bateau. Maddox prit son chapeau et tourna le volant pour se glisser, lentement, au milieu de la cohue des véhicules, voitures particulières, taxis et camionnettes contournant la tour. Il traça un large cercle, puis remonta doucement vers le quartier commercial, au cœur de la ville, tout en songeant à Hugh Osgood.

Hugh Osgood est comme un roi, songeait Maddox. Sa femme et lui sont comme roi et reine. Ils *vivent* comme roi et reine. Tout le monde connaît leur demeure. Tout le palais Iolani entrerait dans une des ailes de leur maison. Et la foule de leurs domestiques suffirait à peupler le palais. Maddox n'en était pas certain, mais il aurait volontiers parié qu'aucun roi d'Hawaï n'avait vécu aussi bien qu'Osgood. Et la situation de Hugh Osgood n'était pas unique sur le Territoire. Personne, à présent, ne portait de couronne à Hawaï, mais, en un sens, une forme de royauté en avait remplacé une autre. Et les nouveaux souverains étaient infiniment plus puissants. Ils possédaient toute la terre *et* l'argent. Il n'y avait pas un seul roi à Hawaï maintenant, mais au moins cinq, et chaque monarque avait son propre royaume. Martin Snelling se trouvait dans ce qui fut jadis la chambre du roi Kalakana, au palais Iolani, parce que Harvey Koster avait choisi l'ancien comptable comme gouverneur.

Leonard Fairly, de trop petite taille pour être admis à l'examen physique qu'on fait passer aux policiers d'Honolulu, était devenu chef de la police parce que le père de Hugh Osgood désirait qu'il le soit. Leonard Fairly était employé civil au bureau des personnes disparues quand Jay Osgood avait fait de lui un flic. Leonard Fairly avait l'air ridicule en uniforme et on l'avait donc confiné dans les bureaux. Jamais il n'avait participé à une patrouille à pied, jamais il n'avait conduit une voiture de ronde, jamais, de toute sa carrière, il ne s'était servi d'un 38 réglementaire. Maddox savait, de source sûre, que Fairly n'avait jamais arrêté personne, même pas un chauffard grillant un feu rouge, et pourtant il était parvenu en haut de l'échelle, petit bonhomme dans un grand fauteuil et qui donnait les ordres. Maddox essayait d'éviter Fairly et, tant que c'était réciproque, il n'avait aucune raison de se plaindre.

Le service comprenait 284 flics, en comptant le chef et Maddox. 138 étaient des Hawaïens cent pour cent. La plupart des autres avaient du sang hawaïen ou chinois. On ne comptait que 33 *Haolés* — Blancs —, mais c'étaient eux qui commandaient. Maddox ne faisait qu'un seul reproche aux Osgood et aux Koster. Peu lui importait le nombre de Japonais et de Chinois qu'ils avaient importés pour travailler sur les domaines et les plantations, surtout dans les autres îles. Il ne se souciait que d'Honolulu. Il aurait aimé qu'ils empêchent les masses d'immigrants de s'installer ici. Parfois, on avait l'impression que le monde entier envahissait l'île, comme si chacun pouvait s'asseoir tranquillement sous un cocotier et s'éventer avec des palmes le reste de ses jours en regardant le *hula*.

Maddox était presque arrivé au Punchbowl, éminence massive au sommet aplati qui s'élève non loin du quartier des affaires. Il n'était qu'à deux ou trois rues de Papakoléa, vaste faubourg hawaïen où il se rendait rarement. Certaines familles de Papakoléa vivaient dans des cabanes construites avec de vieilles caisses d'emballage et, le samedi soir, faisaient leur cuisine dehors avec des bidons d'essence en guise de réchauds. Parfois deux ou trois familles s'entassaient dans les quelques pièces d'une masure. Le taux de mortalité était deux fois plus élevé à Papakoléa que chez les Hawaïens des autres îles. Mais ce n'était pas le problème de Maddox. Il ne s'intéressait à un Hawaïen que si celui-ci cherchait des « histoires ».

Fini le tour de ville pour ce soir. Maddox fit demi-tour, vers les tripots et les filles. Il s'arrêta dans Merchant Street près d'un cinéma, sur le trottoir. Deux marins de la police navale passèrent près de la voiture. Leurs matraques blanches se balançaient à leurs poignets. Ils étaient vêtus de blanc et portaient des guêtres. Ils avaient des ceintures tressées et un étui à la hanche contenant un 45 automatique. Lorsqu'ils arrivèrent à l'angle, prêts à traverser le carrefour, deux hommes de la police militaire apparurent sur la gauche de Maddox. Ils portaient des brassards comme leurs homologues de la marine, ainsi que des guêtres, des ceinturons tressés et des étuis de hanche avec de gros automatiques 45 en acier bleuté. Les deux soldats faisaient balancer, eux aussi, leurs matraques.

— On va à l'abattoir ? demanda Maddox à haute voix.

Il ne remarqua pas le jeune homme grand et mince, en complet sombre, qui marchait en boitant. Son soulier gauche grattait le trottoir. Il suivit les soldats puis s'arrêta pour poster des lettres dans la boîte du carrefour, en face du cinéma.

Le jeune homme qui boitait s'appelait Tom Haléhoné. Il avait vingt-trois ans et habitait Papakoléa, où il était né. Avocat exerçant depuis moins de deux mois, il avait loué dans le quartier un bureau contenant une table, trois chaises et un téléphone. Sur la porte, on lisait THOMAS HALÉHONÉ en lettres gothiques, avec au-dessous : AVOCAT ET CONSEILLER JURIDIQUE. Chaque fois qu'il entrait et sortait de son bureau, Tom Haléhoné lisait ces mots avec un plaisir secret, qui lui faisait un peu honte. Tom se rendait à son bureau le samedi parce qu'il n'avait aucun autre endroit où aller et parce que la pièce minuscule constituait son refuge, son sanctuaire. L'infirmité de Tom était un préjudice qui avait fait de lui un exilé depuis sa tendre enfance. Il avait entendu le grattement sec, infamant, de son soulier sur le trottoir pendant toute sa vie. Un bruit clair, démoralisant, un affront et une humiliation, qui suscitait aujourd'hui encore en lui la même angoisse et le même dégoût que le jour où il avait découvert qu'il ne pourrait pas marcher comme tous ses camarades de jeu. Déconcerté, effaré, il avait levé les yeux vers sa mère et son père ; leur silence lui avait appris qu'il était taré. Infirme. Et c'était aussi irréversible que le respect de soi-même qu'il avait perdu à sa naissance.

Tom avait passé l'après-midi et le début de la soirée à écrire des lettres à d'anciens camarades de la faculté de droit, à San Francisco. Il s'attarda près de la boîte aux lettres. Il n'avait aucun but précis. Ayant déjeuné tard, il ne sentait pas la faim et il était trop tôt pour rentrer à la maison. Après l'université, Tom était retourné chez ses parents, mais son séjour à San Francisco l'avait changé. L'insularité de Papakoléa, le monde étroit dans lequel ses parents vivaient, appartenaient désormais à un passé révolu, et il se sentait déplacé, mal à l'aise, avec sa mère et son père. Il se dirigea vers le cinéma les yeux fixés sur l'énorme affiche de la façade. Il enfonça une main dans sa poche et compta les pièces en s'avançant vers la caisse.

Maddox décrocha le radiotéléphone de son support métallique, sur le tableau de bord, et appuya sur le bouton noir.

— Maddox.

— Pas grand-chose, capitaine, répondit le standardiste dans la salle radio du quartier général de la police. Il y a un moment, un peu de chambard dans Nuuanu Street. Des marins d'un cargo chinois qui tapaient sur des têtes. C'est tout ce que je sais.

— Je suis au centre ville, dit Maddox avant de raccrocher.

Il vit un jeune homme ramasser de la monnaie à la caisse et se retourner pour entrer dans le cinéma. Il avait une « patte folle ». Il marchait comme s'il rebondissait sur le sol.

A cinq kilomètres de là, après Waikiki, sur la plage, se trouvait la Whispering Inn, construite de bric et de broc, sur pilotis, à une cinquantaine de mètres de l'eau. Pour y accéder, les voitures tournaient dans un chemin de terre à une seule voie. Il n'y avait pas de parc de stationnement bien délimité. Les voitures se dispersaient au petit bonheur autour du bâtiment de bois. Certains se garaient même sous les pilotis, qui n'avaient aucune utilité pratique. Jamais la marée haute n'atteignait la Whispering Inn. Le premier propriétaire avait choisi les pilotis pour sacrifier à l'exotisme.

Il y avait des lanternes japonaises partout. Les tables étaient installées sur le pourtour de la grande salle pour dégager la piste de danse. L'estrade de l'orchestre, utilisée uniquement le samedi soir, s'adossait au mur de la cuisine. Au-dessus, des lumières tombaient sur des carrés de verre de couleur sans cesse en mouvement, pour, disait-on, « donner de l'ambiance ».

Ce soir-là, la Whispering Inn était envahie par un groupe de jeunes officiers de marine affectés à Pearl Harbor. Aucun des officiers présents n'avait un grade supérieur à celui de lieutenant, et la plupart étaient des enseignes faisant leur première campagne. Le groupe qui organisait la soirée avait garanti au propriétaire de l'auberge une certaine somme d'argent, et chaque officier participant avait payé d'avance pour le dîner et le bal. Les hôtes avaient apporté à la Whispering Inn tous les alcools — clandestins —, de l'*okoléhao* acheté à des trafiquants et du gin distillé par les officiers ou, dans certains cas, leurs épouses... On avait commencé de boire avant la tombée de la nuit, soit dans les maisons où s'étaient formées les caravanes de voitures pour aller à l'auberge, soit dès l'arrivée. On en était encore au milieu du dîner et pourtant très peu d'hommes et de femmes possédaient encore toute leur lucidité.

Deux des invités de la soirée s'étaient esquivés pour un moment. Ils étaient sortis séparément, comme convenu à la demande instante de l'un d'eux, et ils se trouvaient assez loin de l'auberge, vers l'arrière, au-delà du dernier groupe de voitures garées au hasard.

On ne pouvait pas les voir et, à cause de la musique forcenée de l'orchestre, on ne pouvait pas non plus les entendre, bien qu'ils fussent en train de parler avec véhémence et passion, rancœur et désir, peur, rage et dégoût. Quand l'orchestre cessa de jouer, ils se turent et l'homme, le lieutenant Bryce Partridge, frappa la femme de toutes ses forces avec sa main ouverte ; le coup était si violent qu'il faillit en perdre l'équilibre lui-même. Le bruit parut aussi sec qu'un coup de feu.

La femme était Hester Anne Ashley Murdoch. Elle avait vingt et un ans et jamais, de toute sa vie, personne ne l'avait frappée. Jamais elle n'avait ressenti de douleur physique. Jamais elle n'avait ne serait-ce qu'assisté à un acte de violence. Jamais elle n'avait entendu une porte claquer.

— Quel genre de salade tu me racontes ? lança Bryce Partridge.

Ils avaient bu tous les deux, mais Hester beaucoup moins, et uniquement pour éviter les critiques.

— Tu voudrais me faire croire que c'était le grand amour de ta vie ? cria-t-il, hors de lui.

La violence de la gifle avait mis le visage d'Hester en feu. La nuit devint plus sombre. La tête lui tournait. A la douleur s'ajoutait une impression de dévastation : Bryce était devenu un autre homme.

— Je t'aime, dit-elle. Tu disais que tu m'aimais.

— Oui, oui, nous nous aimons, répondit Bryce. Mais pas de menaces...

Il leva le bras et elle rentra la tête dans les épaules, mais il se borna à tendre l'index vers elle.

— Pas de menaces, répéta-t-il.

— Mais je suis enceinte.

Il fallait qu'elle lui fasse comprendre. Ils étaient liés l'un à l'autre, à présent. Ils devaient affronter la situation ensemble. Ils devaient tout dire à Gerald et à Ginny, à la face du monde. Ils devaient affronter le monde. Hester ne craignait rien, du moment que Bryce restait à ses côtés.

— Il faut faire quelque chose ! insista-t-elle.

Elle entendit Bryce respirer à fond.

— Ce n'est pas mon genre, Hester. Tout ce que je peux faire, c'est payer. Je paierai.

Elle avait un inconnu en face d'elle. Pendant tout l'été, Bryce s'était montré tendre et doux. Il avait fait de chaque jour une joie et de chaque nuit une extase.

— Tu m'as promis ! cria-t-elle.

Il pivota sur lui-même. Ils étaient seuls. Il se retourna pour affronter la jeune femme.

— Je n'ai rien promis. Jamais. On parlait, c'est tout. J'ai seulement dit que, si la situation était différente, nous aurions pu, toi et moi... *Aurions pu.*

Il secoua la tête.

— A présent, il n'y a qu'une solution, dit-il, le faire sauter, et vite.

Hester eut envie de se boucher les oreilles. Chaque mot de Bryce était un coup de couteau, une torture.

— Je t'aime, dit-elle. Je n'aime pas Gerald, c'est toi que j'aime. Je n'ai jamais aimé que toi. Je ne veux pas d'avortement. Je te veux. Je veux ton...

Il la coupa.

— Tu ne me coinceras pas avec ça, Hester. Je ne laisserai personne me saborder à quatre semaines de la liste des promotions !

— Tu n'as jamais été sincère, n'est-ce pas ? demanda Hester. Ce n'était pas seulement Ginny, c'était la marine.

— Bien sûr, c'est la marine ! dit Bryce. Tu n'as donc rien appris sur moi ? C'est ce que je suis ! *Tout* ce que je suis ! Je suis la marine !

— Tu salis tout, dit Hester. Et maintenant, je me sens sale, moi aussi.

Elle tendit le bras vers lui, mais il lui frappa le poignet avec le dos de la main. Très fort.

— Tu ne saccageras pas ma vie, lança-t-il en se rapprochant. Ne me fais pas d'ennuis, Hester. Ne fais pas ça. Tu n'es pas tombée ici sur le coin réservé aux gentlemen. Crois-moi.

Il s'éloigna en direction de la Whispering Inn, ce qui la prit au dépourvu. Il la plaquait ! Elle le perdait ! Il allait partir pour toujours ! Elle ne pouvait pas supporter ça ! Il lui avait révélé sa vraie personnalité au cours de ces quelques mois brefs. Il avait fait d'elle une nouvelle femme. Elle était transformée, elle accueillait chaque journée avec allégresse, avec passion. Hester était fille unique. Son père, qu'elle adorait, était mort avant son sixième anniversaire et elle avait été élevée par une mère qui attendait d'elle des exploits. Le comportement, le rituel que sa mère exigeait d'elle l'avaient enfermée dans un monde clos. Le père d'Hester adorait les livres et lui en avait lu depuis ses plus jeunes années. Elle avait donc pu s'évader : elle était devenue une lectrice omnivore, insatiable. Une droguée de lecture en permanence. Elle ne connaissait vraiment la paix que seule avec un livre. Elle était mince, avec un visage agréable, une bouche charnue et des yeux bleu clair. Elle aurait pu être séduisante, mais elle n'avait aucune confiance en elle et elle se croyait gauche. Pour sa mère, beauté était synonyme de classe, et ses critiques et suggestions constantes avaient fait d'Hester une révoltée silencieuse qui supportait tout avec résignation. Hester s'était trouvée réduite à une sorte de servitude par une mère qui avait besoin de la sécurité d'une présence dès son réveil. Hester avait essayé de lui échapper. Elle avait cru que Gerald la sauverait, mais il avait échoué, leur mariage n'avait abouti à rien. Hester avait compris qu'elle était condamnée au bout de quelques semaines.

Bryce avait tout changé. Depuis le début de l'été, Hester vivait dans un nuage. La voix de Bryce lui donnait des frissons. A sa vue, elle tremblait. Quand elle sentait les mains, la bouche, le corps de Bryce contre le sien, le corps de Bryce dans le sien, elle n'était plus elle-même. Elle devenait plus qu'humaine. Elle se croyait immortelle. Chaque heure, tout ce qu'ils faisaient, se transformait en acte audacieux, en mélodrame. Elle ne pouvait plus retourner à son existence morne. Elle ne pouvait plus se passer de Bryce. Il représentait sa seule chance.

— Bryce ! Attends-moi...

Elle courut derrière lui, maladroite sur les hauts talons, qu'elle ne portait presque jamais.

— Bryce, tu ne peux pas me quitter !

Il ne s'arrêta pas. Il s'en *fichait !*... Toute une vie de soumission silencieuse se mua soudain en une rage effrénée.

— Quel beau cadeau de bienvenue je vais faire à ta précieuse Ginny, lança-t-elle en le rattrapant.

Aussitôt il se jeta sur elle, un bras autour de la taille, l'autre main crispée sur le poignet de la jeune femme.

— Oh non ! dit-il. Non, sûrement pas ! Ne tourne pas autour de Ginny, hein ?

Il lui tira la tête en arrière et se pencha au-dessus d'elle, lui bloquant la vue.

— Pas un mot à Ginny, Hester ! souffla-t-il. Je t'ai dit que je paierai. Tu n'obtiendras rien d'autre.

— Mais tu ne paies rien ! cria-t-elle, le cœur brisé. C'est moi qui paie. Je suis la seule à payer. Et je veux vous voir payer aussi, tous les deux.

Elle se débattit de toutes ses forces pour lui échapper. Elle était devenue une autre personne, un être différent. Elle lui lança un coup de pied.

Bryce ne lâcha pas prise, malgré la douleur. Elle le frappa de nouveau, le griffa, puis leva son bras libre pour le gifler. Elle était comme possédée. Des années de frustrations faisaient d'elle soudain une forcenée prête à se venger sur une inconnue, Ginny Partridge.

— Ginny ! se mit-elle à crier, de toutes ses forces. Ginny ! Ginny !

Sans lui lâcher la taille, Bryce, le poing droit serré, la frappa au visage. La tête d'Hester bascula en arrière et du sang apparut aussitôt. Elle poussa un long gémissement. Il la frappa de nouveau. Elle chancela et se mit à courir vers l'auberge. Bryce la rattrapa et lui prit le bras comme s'il allait la faire danser. Il tira brusquement, elle perdit l'équilibre et, au moment où elle pivotait, il la frappa encore, en plein visage. Elle trébucha mais parvint à se redresser. Elle porta les mains à ses joues. Du sang coulait de ses blessures. Elle s'enfuit sans rien voir, tournant le dos à l'auberge.

Bryce Partridge la suivit. Il n'avait plus sa raison. Il la frappa dans le dos, en se servant de son bras et de son poing comme d'un marteau. Elle tomba à genoux puis à quatre pattes. Elle saignait. Elle sentait comme des milliers de piqûres d'aiguille sur son visage. Elle se mit à ramper mais il ne la laissa pas s'échapper. Il se pencha pour la soulever de terre à deux mains et il la remit debout pour la frapper encore, sans fin, avec ses deux poings. La présence de cette femme était une provocation. Il fallait qu'il l'élimine. Seule l'apparition de phares, très loin sur la gauche — une voiture arrivant de Waikiki —, sauva Hester. Bryce la laissa s'écrouler et s'éloigna, haletant, les bras pesants. Il essuya son front en sueur avant de se diriger vers l'auberge, épuisé. Il savait qu'il courait un grand danger, un danger imminent. Une fois de plus, il avait succombé à la rage qui faisait de lui une bête sauvage, la rage que, depuis son enfance, il avait tenté de contenir.

Depuis près de deux ans, depuis la nuit où, à Newport, deux petits durs l'avaient provoqué — il les avait laissés tous les deux dans la neige fondue du caniveau —, Bryce avait réussi à garder son démon sous clé. Mais ce soir, la femme qu'il venait d'abandonner avait menacé de le détruire.

Il recouvra ses forces, respira plus facilement et cessa de trembler de tout son corps. La folie s'apaisa et il revint progressivement à son état normal. L'orchestre se remit à jouer. Bryce entendit des voix du côté de l'auberge et aperçut devant lui, tout près, un homme et une femme qui cherchaient sans doute un coin discret. Bryce pivota brusquement pour qu'ils ne voient pas son visage, sans même se rendre compte qu'ils lui tournaient le dos et s'éloignaient vers la mer. Il fallait qu'il examine ses vêtements, ses mains, ses cheveux, ses chaussures. Hester avait perdu du sang. Sans quitter l'ombre, il contourna l'auberge pour rejoindre sa voiture. Il utiliserait la lumière du plafonnier pour s'arranger.

— Reprends-toi, dit-il à haute voix. Reprends-toi !

Il avait du sang sur les mains, sur les doigts, sur les ongles. Il humecta son mouchoir sur sa langue et ses lèvres, puis frotta. Il essuya l'alliance, large et élégante, de sa main gauche. Le cou tendu pour se voir dans le rétroviseur, il se donna un coup de peigne.

— Tu ne peux pas filer, dit-il à son visage. *Tu ne peux pas filer !*

Il descendit de voiture. Il avait besoin de Ginny. *Besoin.* Il fallait qu'il soit avec sa femme tout de suite, avant qu'Hester ne revienne. Il n'avait qu'une chance, *une seule !* Tout nier. Nier tout ce qu'Hester dirait, toutes les accusations qu'elle lancerait. Il n'avait pas quitté l'auberge. Il était resté à l'intérieur depuis son arrivée. Il était aux toilettes. Il n'avait laissé Ginny seule que deux ou trois minutes...

Il attendit dans le noir, caché entre les pilotis. L'orchestre ne jouait pas. Bryce ne pouvait pas entrer avec la piste de danse vide et chacun assis à sa table, les yeux fixés sur lui. Dès qu'il entendit la musique, il s'élança.

Tout le monde dansait. La piste était envahie. Bryce s'avança directement au milieu des danseurs, à la recherche de sa femme, tout en balbutiant « Pardon », « Désolé », « Il faut que je passe », puis il tomba soudain sur Ginny. Elle était devant lui, le dos tourné. Il posa la main sur l'épaule de son cavalier.

— A mon tour, vieux, dit-il en souriant.

Elle vint dans ses bras. Il sentit son corps, qu'il connaissait si bien, et il eut envie de fermer les yeux. Il savait ce qu'il raconterait à présent. Il était resté avec sa femme.

— Aux toilettes, dit-il, répondant à la question muette de Ginny.

— Bon retour, lui murmura Ginny à l'oreille.

Elle l'embrassa et il sentit sa langue. Ginny Partridge ne pouvait pas être plus près de Bryce, mais elle se serra davantage. Les sept mois précédents, jusqu'à la veille, avaient été pour elle un cauchemar. Leur séparation l'avait laissée aussi désemparée et désespérée, en un sens, que sa mère minée par le cancer. Quand Bryce avait reçu son ordre d'affectation à Pearl Harbor, Ginny était retournée à Duluth, chez ses parents, dans sa chambre de jeune fille. Son père était malade et vieux lui aussi, et elle ne pouvait pas refuser sa supplication : « Reste encore un peu, Ginny. Ce ne sera pas long. » Mais Ginny n'avait pas pu attendre la mort de sa mère. Elle ne se sentait nullement coupable d'avoir quitté Duluth. Pour sa mère, la vie était de toute façon terminée, alors que, pour Ginny, elle ne faisait que commencer. Or la vie de Ginny se trouvait près de Bryce.

Ginny Partridge était une grande femme bien en chair, sans réelle beauté. Elle avait des traits quelconques, assez accusés. Des lèvres pleines. Un nez presque romain. De grosses mains. Des cheveux longs tirés en arrière et remontés en chignon. Mais elle possédait une certaine grâce physique. Et du style. Dès qu'elle marchait, qu'elle se déplaçait, elle devenait sexuellement attirante. Les hommes la regardaient — et la désiraient.

Ginny et Bryce évoluaient au centre de la piste. En plein milieu d'une chanson, Ginny cessa de danser. Elle lui prit la main et le conduisit à leur table.

— Fatiguée ? demanda Bryce, tendu, aux aguets.

Il surveillait la porte, guettant le retour d'Hester, prêt à l'affronter pour le cas où elle les attaquerait, lui et sa femme qu'il n'avait pas quittée de la soirée.

— Je ne peux pas supporter d'être aussi près de toi, chuchota Ginny.

— Ça passera, répondit Bryce, mais ils savaient tous les deux la vérité.

Bryce connaissait les secrets de Ginny, le plaisir pur qu'elle prenait dans le noir entre ses bras. Avec elle, parce qu'il se réglait sur elle, il se montrait brutal, vulgaire et exigeant, mais Ginny faisait de même. Elle le réveillait souvent ensuite, elle le réveillait par des caresses en murmurant des mots destinés à lui faire de l'effet, rivalisant avec lui dans la vulgarité.

Elle lui murmura quelque chose.

— Salut ! lança-t-il à quelqu'un ; puis à elle : Tu t'amuses bien ? Elle hocha la tête et lui serra le bras.

— C'est ta grande soirée, dit-il. La fête est pour toi : « Bienvenue, Ginny. »

— Bryce, j'adore tout ça, dit-elle. Toi, Hawaï, notre petite maison, cette soirée.

Ils parvinrent à leur table, prévue pour six et désertée. Elle se tourna vers les jeunes gens sur la piste de danse.

— Ils sont tous si gentils, dit-elle.

Il écarta sa chaise.

— Gentils, oui, répondit-il sur le ton d'un constat.

Il connaissait chaque officier présent à la Whispering Inn. Il connaissait les capacités de la plupart. Il avait navigué avec presque tous, ceux de grade plus élevé et ceux de grade inférieur. Il pouvait noter chacun d'eux au premier regard et il n'avait pas besoin de consulter leurs certificats médicaux. C'étaient tous des hommes « bien » : des officiers de la marine des États-Unis, sortis de l'École navale — et Bryce Partridge estimait que cela constituait la référence la plus noble, la plus remarquable et la plus brillante à laquelle un homme pût prétendre.

— C'est une merveilleuse soirée, dit Ginny.

Elle lui prit la main et l'embrassa, mais ne la lâcha pas. Elle posa le pouce sur l'alliance de Bryce.

— Tu as vu tes doigts ? dit-elle. Tu t'es fait mal ?

— Ce n'est rien, répondit-il en essayant de retirer sa main.

Elle la retint.

— Que s'est-il passé, Bryce ?

Il tira brusquement et se dégagea.

— Je t'ai dit qu'il ne s'est rien passé.

Il cacha ses deux mains et sourit à sa femme.

— J'ai cogné les murs de désespoir, murmura-t-il.

— C'est fini, dit Ginny. Pour toujours.

— Quelqu'un a vu Hester ? Ma femme ?

Ginny leva les yeux. En face d'elle, de l'autre côté de la table, l'homme mince en complet sombre d'homme d'affaires était ivre. Bryce prit Ginny par l'épaule.

— Je t'ai déjà présenté le lieutenant, dit-il. Gerald Murdoch.

— Enchanté de vous avoir à bord, dit Gerald.

Il était l'un des deux seuls participants de la soirée portant complet et cravate. Il s'inclina au-dessus de la chaise.

— Votre mari est un bon officier, lança-t-il.

— Est-ce un toast ? dit Bryce en posant la main sur la bouteille d'*okoléhao*.

Il n'aimait pas l'alcool et s'en méfiait.

— Gerald ? demanda-t-il.

Gerald hocha la tête, ce qui le fit tituber légèrement. Bryce le servit. Gerald leva son verre.

— Votre santé, dit-il.

Ils burent, puis Gerald recula, sans poser le verre, et claqua des talons.

— A l'amiral !

— Et comment donc, Gerald, répliqua Bryce avec un sourire complice à Ginny. A l'amiral !

Gerald finit son verre.

— Pas vu Hester ?

Bryce haussa les épaules et leva les deux mains en un geste d'impuissance.

— Hester, l'Américaine fantôme, dit Gerald en s'inclinant devant Ginny. M'accorderez-vous cette danse, madame Partridge ?

— Vous êtes sûr que je peux vous confier ma femme ? lui demanda Bryce, toujours souriant.

Il les regarda s'éloigner en dansant puis leur tourna le dos. Il plaça les deux mains à la hauteur de son ventre et examina ses doigts. Il se leva de sa chaise, face à l'entrée. *Où était-elle passée ?*

Une demi-heure plus tard environ, une voiture pleine de jeunes gens tourna dans le chemin de terre conduisant à la plage. Devant eux, sur la droite, se dressait la masse de la Whispering Inn. La voiture était une Ford décapotable 1929 jaune et noir, tape-à-l'œil, astiquée à miroir, les chromes des pare-chocs et des phares étincelants. Joe Liliuohé, vingt-cinq ans, était au volant, mais la voiture appartenait à sa sœur. Elle en était propriétaire depuis un mois et, ce soir-là, pour la première fois, elle avait laissé un autre — Joe Liliuohé — la conduire. Joe et ses trois copains s'étaient cotisés pour remplir le réservoir d'essence et il était bien entendu (Joe avait imposé cette condition aux autres) qu'ils referaient le plein avant de rendre la décapotable à Sarah. Joe savait à quel point elle tenait à sa Ford. Ils avaient baissé la capote. Harry Pohukaïna et Mike Yoshida étaient à l'arrière, et David Kwan à côté de Joe Liliuohé. Aucun d'eux n'avait jamais possédé de voiture. Ni aucun membre de leur famille, à l'exception de la sœur de Joe — quoique le père de Mike

Yoshida, chauffeur de poids lourds, eût parfois ramené chez lui le fourgon de son employeur.

Ils roulaient sans arrêt depuis 6 heures et demie. Tous leurs amis et relations avaient pu leur lancer des regards d'envie. Ils étaient allés partout. Et Joe Liliuohé, faute de mieux, était arrivé là, près de la Whispering Inn, au bord de nulle part. Il n'avait pas d'autre destination et il se préparait à rebrousser chemin quand David Kwan cria :

— Arrête !

Joe tenait le volant, mais David Kwan s'y suspendit.

— Arrête, Joe ! Arrête !

En un seul mouvement, Joe écarta la main de David d'un coup de poing et écrasa le frein. Il vit enfin, dans les phares mais assez loin, la femme tassée sur elle-même, avec un grand bras tendu au-dessus de la masse de ses cheveux comme pour implorer de l'aide.

— Nom de Dieu ! dit Joe en sautant de la décapotable.

David Kwan se leva en s'accrochant au rebord du pare-brise. Mike Yoshida et Harry Pohukaïna étaient toujours debout.

— C'est une *Haolé,* lança Harry.

Ils s'étaient arrêtés pour une Blanche.

— Filons d'ici, ajouta-t-il aussitôt.

Il avait peur. Ils avaient peur tous les trois.

Joe Liliuohé avait peur lui aussi, mais cette femme était couchée là, bon Dieu ! peut-être morte ou malade. Il n'avait jamais vu de mort. Il contourna le corps inerte pour essayer de voir le visage. Il éprouvait une sorte de nausée, mais il fallait qu'il fasse quelque chose. Il se demanda si elle respirait.

— Est-ce qu'elle respire ? lui lança David, en s'arrêtant trois mètres derrière lui.

— Joe, on ferait mieux de dégager, dit Harry Pohukaïna, qui se tenait derrière David avec Mike Yoshida.

— On peut téléphoner, dit Mike.

— Mais sans donner nos noms, prévint Harry Pohukaïna.

— Fermez vos grandes gueules, dit Joe, furieux contre eux, bien qu'il eût, lui aussi, une envie folle de déguerpir.

Seulement, il ne pouvait pas. Il ne pouvait pas la laisser là, comme ça. L'estomac noué, tremblant de tous ses membres, il s'accroupit, tendit la main vers le bras blanc dressé et saisit le poignet de la femme. Il entendit un bruit dans son dos et vit les jambes de David.

— Tu sais reconnaître quand quelqu'un est mort ? demanda Joe.

— Filons d'ici, Harry, dit Mike Yoshida.

Harry ne bougea pas. Mike non plus.

— Il faut la retourner, lança Joe. Aidez-moi.

David recula, jusqu'à ce qu'il bute dans Mike Yoshida. Joe passa un bras sous la tête de la femme et glissa l'autre sous ses genoux. Lentement, doucement, il retourna le corps.

— Oh! bon Dieu, regardez sa figure! dit David.

Mike Yoshida s'avança pour voir, en se penchant en avant comme s'il se trouvait au bord d'une falaise. Harry le rejoignit au bord de la falaise.

— Qu'est-ce qu'on lui a fait? demanda Mike, saisi d'horreur.

Quand Harry vit la femme, il sentit ses membres se raidir, glacés soudain.

— C'est Hester Ashley! dit-il, maudissant son sort.

Quelle idée, aussi, de se trouver avec Joe. Et dans la voiture de sa sœur!

— Je file!

— Hester Ashley?

Mike n'arrivait pas à le croire. Il se pencha de nouveau au bord de la falaise.

— C'est elle! Joe, je te dis qu'il faut foutre le camp, et vite.

— Fous le camp si tu veux, répondit Joe. Mais, en attendant, ferme ta grande gueule.

La tête de la jeune femme avait remué contre son bras. Il baissa les yeux. Un son émana du corps.

— Sa jambe a bougé! lança David. J'ai vu sa jambe bouger!

— Il faut la conduire à l'hôpital, dit Joe.

— On peut téléphoner à une ambulance, proposa Harry Pohukaïna.

— Fais ce que tu veux, merde! dit Joe. Aide-moi, Dave.

— Mais Joe, c'est Hester Ashley, dit David.

— Je le ferai tout seul. Je la conduirai à l'hôpital et je reviendrai. Hester Ashley ou pas, je m'en fous. On ne peut pas s'en aller en abandonnant un être humain dans cet état.

Il la tira vers lui, tout près pour pouvoir la soulever, puis il se leva avec elle. Il avait une trouille bleue.

— Ouvre la portière, Dave, merde!

David s'élança d'un bond et Joe porta Hester jusqu'à la voiture. En se penchant pour la déposer, il s'écorcha le bras à un bon Dieu de machin qui dépassait, mais il serrait la jeune femme contre lui et elle n'eut aucun mal. Il l'installa sur le siège avant.

— Je reviens tout de suite, dit-il aux autres.

— Je t'accompagne, proposa David.

— On ne va pas rester ici, hein? dit Mike.

— Traînez pas! leur lança Joe. Par ici, de mon côté.

Il fit basculer en avant le siège du conducteur.

— Dépêchez-vous, bon Dieu de merde.

Il avait envie d'en finir au plus vite. Il ne voulait pas conduire avec la fille de Doris Ashley à ses côtés pendant le reste de la nuit.

Quand les trois autres furent assis sur la banquette arrière, l'un d'eux dit :

— Remonte la capote, Joe.

— Bon sang, oui. Avant qu'on nous repère, lança un autre.

Mais Joe faisait déjà demi-tour pour gagner l'hôpital de la Miséricorde. Il entendit la musique qui venait de la Whispering Inn.

— Je ne remonte pas la capote. Ma sœur veut qu'on laisse sa voiture décapotée.

Il lança un coup d'œil à Hester Ashley. Le visage de la jeune femme lui donna envie de vomir.

— Et puis elle risque de claquer pendant que je trafiquerais cette fichue capote.

David Kwan se pencha en avant. Il ne pouvait pas supporter la vue du visage d'Hester, mais il ne pouvait s'empêcher de la regarder.

— Qu'est-ce qui s'est passé, tu crois ?

— Des coups de poing, dit Joe.

— De poing ?

Harry Pohukaïna eut envie de sauter sur la route.

— Écrase le champignon, Joe, dit-il. Je t'en prie.

Joe roulait déjà très vite. Il ne voulait pas pendre le risque d'accélérer davantage. Il tournait à gauche, à droite, choisissant les rues sans circulation, se traçant un chemin sinueux vers l'hôpital.

— Je le vois, s'écria Mike Yoshida, qui s'était presque mis debout sur la banquette. Tu le vois, Joe ?

Joe ne répondit pas. Il arrivait par l'arrière de l'hôpital en longeant une rangée d'immenses lauriers-roses. Ils virent tous le large tapis de lumière qui s'étendait jusqu'au milieu de la rue. Une grande enseigne disait : ENTRÉE DES URGENCES. Joe appuya sur le frein. A la hauteur de l'enseigne, il tourna. Une voiture pie de la police était stationnée près des doubles portes battantes du service des urgences.

— Laisse-moi là, dit Harry Pohukaïna.

— Putain de Vierge, les flics ! s'écria Mike Yoshida.

Aucun des quatre jeunes gens ne vit Hester se redresser sur le siège avant. Elle avait senti le courant d'air frais sur son visage en sang. Pendant le premier instant de sa prise de conscience, elle ne se souvint de rien. Même pas de Bryce Partridge. La souffrance, violente, palpitante, déchirante, l'accablait. Elle sentait sa peau brûler, comme en feu. Ses joues semblaient piquées par des milliers d'épingles barbelées. Ses dents lui faisaient mal. Elle avait les lèvres tuméfiées. Elle essaya d'ouvrir la bouche — quand elle y parvint, elle eut envie de crier de douleur. Elle vit l'inconnu à côté d'elle et entendit une voix lancer :

— Vite, avant que les flics nous voient !

Elle se retourna et vit à l'arrière les trois visages sombres. Elle entendit David Kwan dire :

— Elle est réveillée, Joe.

Harry Pohukaïna était paralysé de peur, de terreur. Il vit Joe tendre la main vers Hester en disant :

— Je vais vous aider.

Hester voulut hurler. Elle griffa la portière. Il fallait qu'elle s'enfuie avant qu'il ne se remette à la frapper.

— Vous êtes blessée, dit Joe. Nous sommes à l'hôpital de la Miséricorde. Je vais vous aider à entrer.

— Ne me touchez pas ! cria-t-elle en ouvrant la porte. Reculez !

Elle était comme folle. Elle descendit de voiture et s'accrocha à la portière ouverte, trop faible pour s'éloigner.

— Oh ! bon Dieu, Joe, je t'en supplie, filons, supplia Harry. Elle est cinglée.

— Comment serais-tu, toi, si on t'avait fait ça ? Je vais l'aider jusqu'à la porte de l'hôpital, dit Joe.

Il glissa sur l'autre siège. Hester s'écarta de la décapotable d'un pas chancelant.

— Au secours ! cria-t-elle. Au secours !

Quelqu'un allait se porter à son aide, c'était forcé. Sinon, il la battrait. Elle fit un pas. Il la tuerait. Oui, elle allait mourir, elle en était certaine. Puis elle le vit nettement et elle sut aussitôt qu'il ne lui avait fait aucun mal. C'était Bryce qui l'avait battue. Hester se souvint alors de tout, y compris du bébé en elle.

David Kwan vit la porte des urgences s'ouvrir. Un infirmier, en blanc, la bloqua en position ouverte. Puis David Kwan vit le flic à côté de l'infirmier, et derrière les deux hommes un docteur, en blanc lui aussi, qui s'occupait d'un type sur une table de la salle des urgences. David bondit vers Joe et jeta les deux bras autour de lui.

— Un flic ! Il vient... dit-il.

Joe le repoussa. David sauta dans la voiture, suivi par Joe. L'infirmier sortait déjà de la salle.

— Vite, vite ! dit David. Marche arrière !

Le flic, derrière l'infirmier, avait repéré la décapotable jaune et noir. L'infirmier atteignit Hester Ashley au moment où la petite Ford élégante reculait dans la rue, vers la zone d'ombre.

— Ne me frappez pas ! cria Hester, puis elle perdit conscience.

L'infirmier, qui se nommait Peter Monji, la rattrapa à l'instant où elle s'écroulait.

— Aidez-moi ! Donnez-moi un coup de main ! cria-t-il.

Le flic vit la Ford s'éloigner. Il s'élança vers Peter Monji et saisit la jeune femme. Les deux hommes se dirigèrent vers la porte d'un pas hésitant, en soutenant Hester.

— Vous avez vu ce qu'ils lui ont fait ? demanda Peter Monji.

Le flic regarda le visage de la femme. De la viande hachée. Il se pencha davantage. C'était une Blanche. Ils arrivèrent près de la porte ouverte et, dans la lumière vive, le flic dit :

— Attendez...

Il s'arrêta. C'était Hester Ashley.

— Où va-t-on la mettre ? demanda-t-il.

Il fallait qu'il appelle le quartier général pour qu'on prévienne Curt Maddox.

A cinq rues de là, David Kwan dit :

— Rentrons à la maison, Joe, d'accord ?

Joe hocha la tête, mais David ne put pas le voir dans le noir.

— Joe ?

— Qu'est-ce que vous en pensez, les gars ? demanda Joe.

Il entendit les murmures d'assentiment sur le siège arrière. La soirée s'achevait sur un échec total. Joe était impatient de ramener la décapotable à Sarah. Il prit la direction du Punchbowl. Ils habitaient à Papakoléa tous les quatre. Ils roulèrent en silence, pensant chacun de leur côté à Hester Ashley, à son visage, à ce monde étrange, incompréhensible pour eux, dans lequel un homme était capable de mutiler une femme.

— J'essaie d'effacer son visage mais il est toujours là, devant moi, dit Mike Yoshida.

— Ouais, d'accord. Alors, boucle-la, dit Harry Pohukaïna.

Il essaya de ne plus voir le visage de la femme, mais n'y parvint pas. Il se redressa sur la banquette et passa le bras par-dessus la portière. Il repéra avant les autres l'ivrogne qui descendait du trottoir en titubant. David toucha le bras de Joe pour le prévenir.

— Je le vois, dit Joe.

Il était sûr de dépasser l'ivrogne sans problème, mais, l'instant suivant, l'homme pivota et fonça droit sur la décapotable. Il avait du mal à garder son équilibre et il semblait près de tomber à chaque pas. Joe donna un coup de volant et fit une embardée vers la gauche de la rue. Il n'était qu'à quelques mètres d'un carrefour. Avant que Joe ne puisse retourner du bon côté, une Oakland noire, grosse comme une maison, surgit de la rue latérale et fonça sur la décapotable.

Les deux voitures freinèrent sec, projetant leurs occupants en tous sens. L'Oakland était pleine de marins en civil, et le conducteur se pencha par la portière jusqu'à la taille pour insulter Joe, qui se leva et montra du doigt l'ivrogne qu'il avait évité. Le marin ne cessa pas pour autant et inclut bientôt la mère de Joe dans ses insultes. Joe sauta par-dessus la portière fermée de la décapotable et Harry Pohukaïna le suivit aussitôt tout en enroulant un mouchoir autour de sa main.

Les quatre portières de l'Oakland s'ouvrirent en même temps. Sept marins en jaillirent, mais la décapotable était déjà vide. Joe prit la tête de sa bande et organisa le combat.

— Qu'ils ne s'approchent pas de la voiture, dit-il en s'avançant vers le conducteur de l'Oakland.

L'homme savait se battre. Il toucha Joe trois fois avant que celui-ci ne puisse placer un crochet. Mais les marins avaient beaucoup bu au cours des heures précédentes, alors que Joe et ses gars ne buvaient jamais. Les quatre jeunes indigènes n'auraient donc eu aucun problème, malgré leur infériorité numérique, si le combat s'était déroulé ailleurs et à un autre moment. Mais on était samedi soir, dans le centre d'Honolulu. Marins et soldats envahissaient les rues. La nouvelle de la bagarre, amplifiée et déformée, se répandit comme une traînée de poudre : des *beach boys* attaquaient la marine.

Des coups de sifflet stridents retentirent. La police militaire et la police navale convergèrent vers le combat. Des agents en uniforme, à pied ou par deux dans les voitures pie, prirent la direction du tapage.

Maddox entendit à sa radio le standardiste du commissariat central répéter l'endroit de la bagarre. Mais il avait déjà appris ce qui était arrivé à Hester Ashley et il se rendit à l'hôpital de la Miséricorde.

La plupart des combattants s'enfuirent. Joe et ses copains furent pris au piège, encerclés par des marins et des soldats, par la police navale, la police militaire et les flics qui survenaient à chaque instant au carrefour. La procédure qui suivit était classique. Tous les hommes saisis dans la rafle qui présentaient leur carte d'identité militaire étaient jetés dans des véhicules de l'armée et de la marine, qui les conduisaient au trou. Pour les civils, il y avait les paniers à salade de la police d'Honolulu.

Joe Liliuohé n'avait qu'un seul souci, mais il était de taille : la voiture de sa sœur. Il fallait qu'il protège la décapotable. En se tortillant au milieu de la cohue, tête baissée pour passer inaperçu, il parvint à gagner la Ford. Mike Yoshida le rejoignit.

— Ils ont mis la main sur Harry et David, dit Mike.

Joe lança le moteur et passa en marche arrière ; il espérait reculer suffisamment pour pouvoir contourner l'Oakland. Il faillit réussir. Il était déjà en première quand un des marins de l'Oakland l'aperçut.

— C'est lui qui a commencé ! lança-t-il en le montrant du doigt.

Trois flics s'élancèrent vers la décapotable en même temps.

— Je prends le volant, dit l'un d'eux.

A une rue de là, Tom Haléhoné sortait du cinéma, étourdi par le bruit de moteurs emballés et de boîtes de vitesses torturées, par les cris et les coups de sifflet. Un agent bondit d'une voiture pie qui venait d'arriver. Apercevant Tom, il l'accrocha à la hauteur de la boîte aux lettres. Il glissa sa longue matraque derrière le bras de Tom et tourna légèrement.

— Bouge et je te casse le bras, dit-il.

Il l'aurait fait.

— J'étais au cinéma, expliqua Tom. Je viens de sortir.

— Tout le monde vient de sortir, répondit le flic en tirant sur la matraque, provoquant dans le bras de Tom une souffrance atroce.

Tom entendit une voix de femme crier :

— Lâchez-le !

L'agent poussait déjà Tom vers un panier à salade, dans la rue.

— Lâchez-le ! répéta la voix.

Une minuscule bonne femme perchée sur des talons d'une hauteur stupéfiante apparut devant Tom et le flic. C'était la caissière du cinéma.

— Il était dans la salle comme il l'a dit, déclara la jeune femme.

— Et vous vous figurez que je vais vous croire !

— Vous avez intérêt. Vous avez intérêt à ôter vos pattes de cet homme.

— Du vent, ou vous venez avec lui, répondit le flic.

— Essayez donc ! cria-t-elle. Je vois votre insigne : 382. Vous êtes 382. Arrêtez-moi, allez ! Et quand j'en aurais fini avec vous, vous le regretterez amèrement.

Elle attendit.

— Alors ? Vous m'arrêtez ou non ?

Le flic retira sa matraque blanche, libéra Tom et s'en fut.

— Des bêtes sauvages ! dit-elle.

Elle repartit vers sa caisse. Tom la suivit et, quand elle entendit le raclement de son soulier gauche sur le pavé, elle baissa les yeux. Puis elle releva la tête et regarda droit devant elle. Rien de ce que le flic avait infligé à Tom ne l'avait fait souffrir autant que ce regard-là.

— Merci, lui dit Tom. Il allait m'emmener en prison.

Ils arrivèrent à la caisse. La jeune femme se glissa à l'intérieur et referma la porte à clé avant de grimper sur son tabouret.

— Oh ! tout l'argent que j'ai laissé...

— Vous allez avoir des ennuis ? demanda Tom, et il s'en voulut d'avoir parlé.

Elle l'avait sauvé et il ne pouvait l'aider en rien. Tom savait qu'elle avait tout appris sur lui quand elle avait baissé les yeux sur son pied.

— Je vais bien. Pensez plutôt à vous, dit-elle.

Il se força donc à sourire et à s'éloigner de la caisse. Quand il traversa l'entrée du cinéma, en pleine lumière, avec dans ses oreilles le bruit de son soulier sur le béton, il sentit le regard de la jeune femme qui le suivait.

— C'est un homme qui lui a fait ça, dit le Dr Frank Puana.

Hester était allongée sur la table de la salle des urgences, encore inconsciente et tout habillée. Le Dr Puana, responsable du service des urgences à partir de 6 heures du soir, avait donné à Hester un anesthésique local, de la procaïne, avec une aiguille calibre 25, pour insensibiliser les lacérations de son visage avant de commencer le nettoyage des plaies. La malade souffrait beaucoup et il désirait la ménager ; d'autre part, il ne voulait aucun geste brusque, volontaire ou non, quand il se mettrait à suturer. Frank Puana avait décidé d'éviter toute cicatrice. Il savait qu'il avait un don particulier, et il aurait travaillé avec la même minutie si Hester Anne Ashley Murdoch avait été une femme de ménage.

Depuis le premier examen, la patiente avait repris conscience à plusieurs reprises. Frank Puana avait nettoyé les plaies avec une solution saline, en se servant d'une seringue pour irriguer les chairs déchirées et sanguinolentes. Par miracle, aucun os ne semblait brisé, mais le visage de la jeune femme se réduisait à une masse de contusions et d'ecchymoses. Des lacérations partout, de l'oreille au nez, sur le menton, le long de chaque joue, près de la bouche, verticales, horizontales. Partout des plaies profondes, des déchirures.

— On dirait le travail d'un ouvre-boîtes, dit Maddox.

— Peut-être une bague, répondit Frank. Une chevalière.

L'infirmier, Peter Monji, s'avança avec une aiguille enfilée de soie noire. Frank avait déjà effectué trente points de suture et il lui en restait encore au moins autant. Il cousait sur deux niveaux : d'abord une ligne de sutures sous-cutanées, puis une deuxième rangée, juste au-dessous de l'épiderme. Il voulait être certain qu'une fois la peau refermée en surface, elle ne s'écarterait pas en dessous.

— Combien étaient-ils dans la voiture ? La décapotable ? demanda Maddox.

— Trois ou quatre. Au moins trois, répondit Peter Monji, ajoutant aussitôt : Je n'en suis pas sûr. Il faisait nuit noire...

Maddox se pencha de nouveau vers Hester. Les yeux de la jeune femme étaient deux grosses boules bleu-noir, la chair enflée formait des plis qui écrasaient les paupières. Les lèvres saillaient ; la lèvre inférieure pendait, déchirée.

— Une chevalière, dit Maddox. Et un sac à main ? Est-ce qu'elle avait un sac à main ?

— Vous la voyez telle qu'elle est arrivée, capitaine, dit Frank. Voulez-vous vous écarter, je vous prie ?

Il avait hâte de se remettre à coudre, d'en finir rapidement pour pouvoir donner à la patiente les 60 milligrammes de phénobarbital qui la calmeraient et la soulageraient un peu de la brûlure atroce de ses plaies.

Frank se pencha au-dessus d'Hester. La soie noire pendait de l'aiguille qu'il tenait à la main. Peter prit la place de Maddox de l'autre côté de la table.

— Aucune nouvelle de son mari ? demanda Maddox.

— Aucune nouvelle de personne, dit Frank.

Il se redressa, l'aiguille enfilée à la main, fixa du regard le capitaine et attendit. Frank ne pouvait pas travailler et parler en même temps, et il se trouvait dans *sa* salle d'urgences, non au commissariat de police.

— Autre chose ? dit-il.

Maddox quitta la pièce sans répondre. Sa voiture était devant l'entrée, tournée vers la porte.. Maddox monta et décrocha le radiotéléphone.

— Ici Maddox. Je vais chez les Ashley.

Windward, la demeure des Ashley, était un monument d'Honolulu. Tout le monde en avait vu des photographies dans les journaux mais très peu d'habitants d'Hawaï avaient pénétré à l'intérieur. Une grille de fer, de deux mètres cinquante de haut, courait le long de Kahala Avenue sur presque deux kilomètres. Derrière la grille s'élevait une haie d'hibiscus s'élevant au-dessus des piques de la clôture. La maison se dressait sur une hauteur, face à l'est (vers la métropole), citadelle dominant la mer.

Pour ses dîners, Doris Ashley choisissait toujours un motif, un thème. Elle consacrait beaucoup de temps et d'attention à ses soirées. Une réception à *Windward* était toujours intime et pleine d'imprévu. Doris prenait plaisir aux réactions de surprise ravie de ses invités. Depuis la mort de Preston Lord Ashley, jamais Doris Ashley n'avait reçu plus de douze invités en même temps. Ce soir-là, ils étaient huit.

Deux des quatre hommes qui dînaient à *Windward* ce samedi-là détenaient à eux seuls plus de 100 000 hectares de terre arable, productive, riche, couverts de canne à sucre et d'ananas. En 1930, les *Haolés,* les Blancs, possédaient dans le Territoire au moins un million d'hectares de terres agricoles, seize fois plus que les Hawaïens, seuls détenteurs de la terre quand le capitaine James Cook avait « découvert » les îles en 1778.

Le sujet de conversation à *Windward* était, comme toujours, la terre et le besoin urgent de main-d'œuvre pour cultiver les plantations et les domaines. Les Hawaïens ne constituaient plus depuis longtemps une source suffisante de main-d'œuvre : l'archipel n'offrait plus d'hommes valides se soumettant sans se plaindre. Ils avaient été décimés, notamment par les maladies vénériennes, la grippe et la pneumonie, bienfaits apportés par les bateaux des Blancs et par les hommes qui en avaient débarqué.

Les gros propriétaires fonciers et les régisseurs des plantations avaient pris conscience très tôt de cette menace pour la production. Bien avant 1920, ils s'étaient tournés vers le Japon en quête de nouveaux travailleurs agricoles robustes. Les Japonais étaient venus par milliers ; mais les *Haolés* avaient vite appris que ces immigrants étaient d'une trempe différente. Les Japonais se montraient indépendants. Et récalcitrants. Ils se révoltaient contre les conditions très dures de travail et de logement imposées par les propriétaires et les régisseurs des plantations. Ils s'organisaient et devenaient un groupe uni, agressif, qui exigeait des salaires plus élevés et des conditions de travail plus humaines... Quand ces requêtes étaient repoussées, les Japonais quittaient les champs. Ils se mettaient en grève. De plus en plus souvent jusqu'au jour où, en 1920, tous les Japonais s'étaient mutinés en masse. La grève de 1920 avait été un épisode long, amer et onéreux. Les propriétaires s'étaient crus menacés. Leurs plantations et leurs domaines constituaient des fiefs privés et les nouveaux venus avaient, avec succès, battu en brèche leur autorité. Les propriétaires avaient compris aussitôt qu'il leur fallait de nouveaux travailleurs, souples et soumis.

Ils s'étaient de nouveau tournés vers l'Orient. Mais le Congrès des États-Unis venait de voter la loi d'exclusion des Chinois. Les *Haolés* résolurent de se débarrasser malgré tout de ce qu'ils appelaient la « menace japonaise ».

La campagne pour importer de la main-d'œuvre chinoise dans les îles fut une entreprise officielle et unanime du Territoire. La Législature territoriale vota 21 000 dollars de crédits pour envoyer une délégation à Washington. Ces hommes devaient convaincre le Congrès que le Territoire avait un besoin vital de main-d'œuvre chinoise malgré la loi interdisant l'immigration. A Washington, ils proposèrent un compromis : on autoriserait l'immigration des Chinois pour cinq ans ; on ne les utiliserait que pour des travaux agricoles et domestiques ; leur nombre n'excéderait pas 21 % de la population et on ne leur permettrait pas de quitter le Territoire pour la métropole.

Plusieurs membres de la délégation du Territoire comparurent devant une commission de la Chambre des représentants pour défendre leur affaire. Un député posa une question :

— Supposez qu'un Chinois, pendant son séjour de cinq ans à Hawaï, épouse une citoyenne américaine et refuse de rentrer dans son pays ?

— Nous le ramènerons en Chine, répondit le délégué du Territoire.

— De force ?

— De force si nécessaire.

Le député John E. Raker, de Californie, ajouta :

— Si un enfant était né de cette union, arracheriez-vous cet homme à son enfant, né dans ce pays ? Le sépareriez-vous de sa famille contre son gré pour le renvoyer dans son pays ? Désirez-vous que le Congrès vote une loi de ce genre et la fasse appliquer à l'archipel d'Hawaï ?

— Oui, je le désire, répondit le délégué.

La délégation perdit. Un échec complet. Mais ni les délégués ni les hommes qu'ils représentaient ne se jugèrent battus. Ils transigèrent avec les Japonais, discutèrent avec leurs meneurs et cédèrent un peu de terrain — le moins possible. Les Japonais obtinrent le droit de négocier de façon collective mais les hommes en face d'eux faisaient bloc, et ils contrôlaient les offres d'emploi.

En 1930, ils demeuraient extrêmement puissants. Le sucre faisait la loi dans le Territoire et l'influence des gros planteurs était étayée et renforcée par les hommes qui dirigeaient les entreprises industrielles et commerciales des îles.

Ensemble, ils constituaient une oligarchie toute-puissante et inaccessible, qui se perpétuait grâce à son immense richesse et exerçait ses pouvoirs à travers trois institutions décisives : le délégué du Territoire au Congrès des États-Unis, le gouverneur du Territoire et la Législature du Territoire. En contrôlant ces hommes, l'oligarchie contrôlait Hawaï.

Dix ans plus tôt, en 1920, Royal M. Mead, de l'Association des planteurs de sucre d'Hawaï, avait déclaré à une autre commission de la Chambre des représentants, à Washington : « La question de savoir qui doit dominer ne se pose pas. La race blanche, les Blancs, les Américains d'Hawaï dominent et continueront de dominer... Personne ne le contestera. »

Les huit invités du dîner de Doris Ashley, en ce samedi de septembre 1930, auraient volontiers levé leur verre à la déclaration de Royal Mead. Doris Ashley aurait levé le sien avec eux.

On dînait toujours tard à *Windward,* car Doris Ashley restait fidèle aux habitudes de la métropole. Il était beaucoup plus de 8 heures quand elle s'avança au milieu du salon pour lancer :

— Attention ! Attention !

Elle leur fit traverser la salle à manger et les conduisit dans la cuisine, où le couvert était mis pour neuf personnes sur une table nue. L'arôme du bœuf bouilli et du chou, des légumes mijotés, était prenant, irrésistible. Amelia et Theresa, les deux servantes hawaïennes, avaient été bannies du sanctuaire.

Doris Ashley prit un tablier sur sa chaise et l'attacha sur sa robe du soir, tout en annonçant qu'elle servirait elle-même le repas qu'elle avait cuisiné.

— Nous allons déguster un vrai pot-au-feu à l'ancienne mode de Nouvelle-Angleterre, exactement comme à la maison dans mon enfance !

Doris Moeller Ashley était née dans le Bronx et n'avait jamais mis les pieds au-delà des faubourgs de New York jusqu'à l'âge de vingt-trois ans. Mais l'aristocratique Nouvelle-Angleterre — Boston, Back Bay, Cape Cod, Vineyard, Nantucket — revenait souvent sur ses lèvres et faisait partie de la biographie qu'elle s'était forgée avec soin.

Ses hôtes, enchantés, se pressèrent autour d'elle lorsqu'elle souleva les couvercles des casseroles pour leur offrir un avant-goût du festin. La vapeur qui s'élevait des cocottes, les arômes délicieux, la vaste cuisine étincelante, la table accueillante, tout concourait à créer une ambiance joyeuse. Doris Ashley s'était surpassée. Ils s'assirent, la maîtresse de maison au bout de la table. Un doigt se tendit vers l'orchidée, au centre.

— Un admirateur secret, Doris ?

Une fleur magnifique, entièrement blanche, l'élégance absolue. Un invité assura qu'elle lui faisait songer à des ailes d'ange ; une femme déclara que l'orchidée évoquait plutôt une crinière de cheval. Doris Ashley estimait que les fleurs étaient des objets utiles, comme les tapis et les fauteuils. Elle utilisait les fleurs, mais uniquement pour la couleur. Elle attendit que le silence se fasse, puis elle prit l'enveloppe qu'elle avait posée contre le vase, sortit la carte se trouvant à l'intérieur et l'agita lentement au-dessus de sa tête pour attirer l'attention.

— Vous avez sous les yeux mon orchidée personnelle, dit-elle avant de lire à haute voix : « *Cattleya warneri alba,* variété *Doris A.* » Je viens d'entrer dans les annales du Territoire, continua-t-elle en remettant la carte dans l'enveloppe. Grâce à Delphine Lansing.

Tout le monde, dans la cuisine, connaissait Delphine Lansing, et son nom suscita une série de commentaires amusés, condescendants : sur sa taille, sur ses aspirations sociales déçues, sur son idiot de mari.

— Pas étonnant qu'elle cultive des fleurs, dit quelqu'un.

Delphine Lansing, à qui son père avait légué une fortune, possédait les plus beaux jardins et les plus grandes serres privées d'Honolulu...

Ils étaient encore dans la cuisine, en train de prendre le café et les fruits en bavardant, quand on sonna à la porte. Doris Ashley n'aimait pas les surprises. Qui pouvait bien venir à cette heure tardive et sans être annoncé ? Hester et Gerald avaient peut-être quitté leur soirée avant la fin, ou Hester rentrait peut-être toute seule... Mais Hester ne sonnait jamais ; la porte n'était jamais fermée à clé. Doris Ashley se leva pour remplir les tasses. Quand Amelia parut, elle se trouvait à l'autre bout de la table.

— Continuez ! Continuez, dit-elle.

Elle quitta la cuisine pour rejoindre la servante.

— C'est la police, chuchota Amelia.

Doris Ashley vit un homme de grande taille, en complet sombre, debout dans le vestibule. Il était mince, avec des cheveux noirs comme un Hawaïen. Il entendit son pas et se retourna. Mme Ashley s'arrêta sur place. L'homme qui lui faisait face ne manquait pas d'élégance. Il portait un costume propre et repassé. Ses cheveux étaient bien coiffés. Il avait le ventre plat, aucune trace de la bedaine molle associée, pour Doris Ashley, au souvenir de son père. Et pourtant le visiteur fit surgir devant elle, avec une précision effarante, l'image d'Herman Moeller en train d'attendre à la porte, tous les samedis soir, pour prélever la moitié du salaire de sa fille.

— Je suis Curt Maddox, madame Ashley, dit l'homme. Désolé de vous déranger, mais je ne voulais pas téléphoner ni envoyer quelqu'un d'autre.

Doris Ashley s'avança, essayant d'oublier son père. Elle s'arrêta au pied de l'escalier.

— Il s'agit de votre fille, dit Maddox. Elle a été blessée. Gravement... Vous voulez vous asseoir ? ajouta-t-il en voyant Doris Ashley devenir très pâle.

Elle eut très peur soudain, et son masque se décomposa.

— Ne me dissimulez rien.

Maddox se prépara à la soutenir au cas où elle s'évanouirait.

— Je vous ai dit que c'était grave, mais elle va bien. Elle ira très bien. Votre fille a été battue.

— *Battue ?*

Doris Ashley s'accrocha à la rampe. Maddox était assez près pour la retenir.

— Oui, madame. Elle se trouve à l'hôpital de la Miséricorde. Je l'ai vue. J'ai déjà eu sous les yeux ce genre de plaies. Elle a été battue. Son visage...

Il se tut. Mme Ashley n'en aurait pas supporté davantage. Elle ne répondit pas. Elle s'écarta de l'escalier, comme pour se faire pardonner sa faiblesse. Maddox la vit se ressaisir ; ses joues reprirent des couleurs.

— Elle est sortie ce soir avec son mari, dit-elle.

— Elle est seule. Un agent de police se trouvait à l'hôpital quand elle est arrivée. Quelqu'un l'a... abandonnée, pourrait-on dire... déposée à l'entrée des urgences. L'agent a vu plusieurs hommes dans une voiture. J'en saurai davantage quand je commencerai mon enquête, mais je voulais d'abord vous avertir.

— Merci d'être venu, monsieur...

— Capitaine, madame Ashley. Capitaine Maddox. Si vous le désirez, je vous escorterai à l'hôpital.

— Oui. Non. J'ai des invités, dit Doris Ashley d'une seule traite.

Il fallait qu'elle réfléchisse. Qu'elle réfléchisse.

— Voulez-vous que je les prévienne ? dit Maddox.

— Non, non, non, non, dit Doris Ashley.

Elle était chez elle. Elle ne pouvait pas se dérober. Elle refusait de se dérober. Mais elle avait besoin d'aide. Elle baissa la voix, parlant presque sur le souffle.

— Que vais-je leur dire ?

— Votre fille a eu un accident. N'ajoutez rien d'autre, répondit Maddox. « Ma fille a eu un accident. »

Doris Ashley garda le silence comme si elle répétait la phrase. Elle quitta Maddox sans lui répondre.

Maddox vit le groupe traverser le salon pour partir. Jamais il n'avait parlé à un seul des invités de Doris Ashley, mais il reconnut tous les hommes et la plupart des femmes. Les femmes se pressaient autour de Doris, mais Maddox vit qu'elle les écartait. Elle raccompagna tout le monde à la porte, qu'elle ouvrit. Ils passèrent devant Maddox comme s'il n'existait pas. Quand ils furent partis, Doris Ashley lui dit :

— Attendez-moi, je vous prie.

Elle monta l'escalier. Maddox se tourna vers le salon, qui occupait toute la largeur de la maison. Le mur du fond était constitué d'une série de doubles portes vitrées donnant sur une vaste terrasse, éclairée par la lune. Une servante en uniforme rangeait, en se déplaçant sans bruit. Maddox rêva de s'installer dans ce salon pendant quelques jours, sans téléphone. Il entendit des pas.

Elle redescendait, avec un manteau léger sur une autre robe. Elle avait une pochette et il remarqua une paire de gants dans une main. Maddox connaissait l'âge de Doris Ashley parce que Harvey Koster, le témoin de Preston Lord Ashley à son mariage, le lui avait appris. Doris Ashley avait quarante-neuf ans. Elle était mince — ce qui plaisait à Maddox. Elle était raide et droite comme un I. Tête haute — peut-être la raison pour laquelle sa peau paraissait si lisse. Il l'avait toujours crue plus grande, mais elle donnait sans doute cette impression par sa façon de se tenir. Et elle avait le sens de la toilette !

— Je suis prête, dit-elle.

Dehors, Maddox ouvrit la portière avant de sa voiture et la tint pour faire entrer Doris Ashley. Elle ouvrit elle-même la portière arrière et s'installa sur la banquette. Maddox eut l'impression de recevoir une gifle. Quand ses fonctions le mettaient en rapport avec des personnes de la haute société, il restait toujours sur ses gardes. Il avait appris à laisser glisser leurs commentaires et leurs affronts. Il essayait de se souvenir que c'étaient eux, et non lui, qui avaient des ennuis. Mais Doris Ashley l'avait blessé. Elle lui avait donné l'impression qu'il puait.

Il franchit les grilles de *Windward*. Assise derrière lui, Doris Ashley ne pouvait plus effacer de son esprit l'image d'Herman Moeller. Son père, l'appartement crasseux du Bronx avec son odeur rance de saucisses et de ragoût, de choucroute et de bière, sa mère qu'elle avait appris très vite à mépriser pour sa soumission à la tyrannie d'Herman Moeller, ses deux frères aînés qui détestaient leur père mais lui ressemblaient davantage chaque jour... Tout remontait en elle tandis qu'elle roulait vers son calvaire, à l'hôpital de la Miséricorde, et elle se trouva submergée par son passé.

Herman Moeller travaillait, mangeait et dormait. Il n'ouvrait la bouche que pour parler d'argent. Il croyait à une catastrophe imminente, et son portefeuille, dissimulé sous l'oreiller quand il se couchait, était l'obsession permanente de son existence. Il permit aux frères de Doris de terminer leurs études secondaires avant de les envoyer chercher un emploi, mais jamais il n'aurait accordé un tel privilège à une femme, une fille. A dix ans, Doris Moeller commença à travailler tous les samedis à l'épicerie du quartier. L'été suivant, elle travailla pendant toute la durée des vacances scolaires. Herman Moeller aurait voulu qu'elle reste à l'épicerie, mais Doris Moeller refusa. Si elle n'avait pas le droit de retourner à l'école, elle ne travaillerait pas. Herman Moeller la persécuta pendant deux ans, l'accueillant chaque jour avec des menaces et des avertissements, et, quand elle eut douze ans, il lui posa un ultimatum : elle devait choisir entre quitter l'école ou la maison paternelle. La fillette s'enfuit dans la cuisine. Sa mère lui murmura : « C'était comme ça là-bas, dans notre ancien pays. » Doris vécut sous la botte de son père jusqu'à l'âge de seize ans.

Doris Moeller organisa son évasion avec ordre et méthode. Tout d'abord, elle trouva une place dans un atelier de confection de la Quatorzième Rue, à Manhattan. Elle était bonne couturière ; sa mère lui avait donné d'excellentes leçons. Elle loua une chambre chez des particuliers, à Chelsea, sur les bords de l'Hudson. Un samedi soir, après avoir donné à son père la moitié de son salaire de l'épicerie, elle attendit que ses parents soient endormis, rangea ses vêtements dans deux valises de carton qu'elle avait cachées, puis écrivit, sans mot d'adieu, un billet à Herman Moeller : « Je pars et ne reviendrai pas. »

Un mois après son départ, Doris Moeller s'inscrivit à des cours du soir de sténographie et de dactylographie. Elle allait directement de l'atelier à son école et, quand elle retournait dans sa chambre, elle faisait ses exercices de sténo. Il y avait deux machines à écrire dans les bureaux de son patron et on lui permit de les utiliser. Elle passait l'heure du déjeuner devant sa machine sans un regard pour les autres cousettes — elles ressemblaient trop à l'univers qu'elle avait quitté. Elle était la meilleure élève de sa classe et, à la fin du cours, son professeur de sténo la recommanda pour un emploi.

Doris Moeller entra donc dans un cabinet juridique de Wall Street. Pour la fille du Bronx, les bureaux cossus, les voix assourdies, les murs lambrissés, la salle à manger particulière, les hommes vêtus avec recherche, les femmes élégantes placées sous l'autorité de la secrétaire de direction, Miss Whaley, furent de prime abord une révélation. Doris Moeller avait découvert son monde.

Dès les premiers jours, elle fut excellente dans son travail. Elle débuta dans le pool des dactylos et tapa à la machine des dossiers, des contrats, des formulaires juridiques de toute sorte. Mais, à la différence des autres filles, elle lisait et assimilait ce qu'elle tapait. Et elle ne négligeait pas l'aspect « relations personnelles » de sa nouvelle vie : elle fréquentait surtout les secrétaires des associés du cabinet. Certaines avaient de la classe et Doris apprit par elles à s'habiller, à se comporter et même ce qu'elle devait commander dans un restaurant. Pour ces nouvelles amies, elle commença à se fabriquer une autobiographie. Elle était née à Boston, où elle avait grandi, dans une vieille famille qui avait connu des revers financiers, ce qui la forçait à gagner sa vie. Elle mentait de façon d'autant plus convaincante qu'elle avait envie de croire à ses histoires.

Elle apportait à son travail une minutie germanique et Miss Waley ne tarda à la remarquer. Un an plus tard, Doris quitta Chelsea pour emménager à Murray Hill, près de l'appartement de Miss Whaley, et, peu après, elle devint secrétaire d'un des associés du cabinet. Une réussite totale.

Les hommes ? Elle était grande, élancée, belle, et elle ne manquait jamais de chevaliers servants. Mais ils n'étaient pas du genre dont elle rêvait — ils ne ressemblaient ni à son patron, ni aux autres avocats du cabinet, ni aux clients avec qui elle entrait en relation chaque jour.

Doris Moeller resta donc libre et sans attaches. Son salaire augmenta. Elle loua un appartement plus spacieux. La toilette prit de plus en plus d'importance pour elle et elle devint bientôt l'arbitre des élégances au bureau. Elle noua des amitiés, mais toujours avec des femmes comme elle, célibataires et indépendantes.

Les années passèrent. Doris Moeller n'était pas malheureuse. Elle avait remporté, par sa détermination et son application, une immense victoire : elle s'était évadée de son milieu sordide et misérable pour devenir une personne d'importance, compétente et respectée. Elle avait vingt-six ans quand Miss Whaley partagea avec elle son grand secret : la secrétaire de direction allait prendre sa retraite et elle recommanderait Doris Moeller pour lui succéder. La fille du Bronx avait atteint le sommet. Au cours de la même semaine, Preston Lord Ashley d'Honolulu (Hawaï) entra dans le cabinet juridique et dans la vie de Doris.

Preston Lord Ashley avait quarante-six ans, presque vingt ans de plus que Doris Moeller. Comme tant d'autres, il était fils et petit-fils d'hommes ayant fait fortune dans l'archipel. Il était venu en métropole pour un long voyage d'affaires, et Doris Moeller apprit qu'il s'était lancé dans cette entreprise à regret. Preston Ashley n'était à l'aise qu'à Honolulu.

Les patrons de Doris Moeller étaient les correspondants à New York des avocats de Preston Ashley à Hawaï. Comme il avait hâte de terminer ses affaires et de rentrer chez lui, il demeurait au bureau du matin au soir. Doris s'aperçut très vite que Preston Ashley était un homme timide et sensible, aussi se montra-t-elle serviable et prévenante à l'égard du visiteur. Trois jours après son arrivée à New York, il l'invita à dîner. Il lui dit que la ville était si immense, le rythme de vie si infernal, que cela l'effrayait. Peut-être Doris Moeller pourrait-elle, en quelque manière, le réconcilier avec New York ?...

Elle entendait ce genre de sérénade depuis dix ans. Ils arrivaient toujours de la province, ils étaient toujours seuls, toujours mélancoliques. Et toujours mariés. Mais quelque chose de particulier en Preston Ashley, une espèce de désenchantement peut-être, lui fit rompre la règle qu'elle s'était imposée. Elle accepta.

Le premier soir, elle apprit que Preston Ashley ne s'était jamais marié. Elle apprit beaucoup de choses sur Hawaï, car il ne parlait de rien d'autre. Mais elle découvrit aussi que c'était un vrai gentleman. Un homme cultivé. Un lecteur insatiable. Et, oui, un homme seul. Ils passèrent ensemble les dix dernières soirées de son séjour à New York. Pas une seule fois il ne l'embrassa et, quand il lui fit ses adieux, au bureau, il lui serra la main. Doris Moeller tomba de haut. Elle avait entrevu le paradis, mais il lui avait été refusé. Pourtant, quatre jours plus tard, elle reçut un télégramme de San Francisco.

MA CHÈRE DORIS. VOUS AVEZ OCCUPÉ CONSTAMMENT MES PENSÉES. PENDANT QUE JE TRAVERSAIS LE CONTINENT LES ROUES SUR LES RAILS SEMBLAIENT RÉPÉTER VOTRE NOM COMME POUR VOUS APPELER. MAIS C'ÉTAIT MOI QUI APPELAIS. JE NE PEUX PAS ET NE VEUX PAS VOUS OUBLIER. JE SAIS QUE JE SUIS BEAUCOUP PLUS ÂGÉ MAIS IL FAUT QUE JE PARLE. JE VOUS AIME. VOULEZ-VOUS M'ÉPOUSER ?

Elle alla le rejoindre à San Francisco. Ils s'embarquèrent pour Hawaï dans des cabines séparées et ils se marièrent dans la semaine qui suivit leur arrivée à Honolulu.

Doris Ashley avait une place assurée dans la société : au sommet. On les recherchait. Avec Doris à ses côtés, Preston se montra moins ours. Ils construisirent *Windward* ensemble. Quand la maison fut terminée, quand ils furent bien installés, Doris annonça qu'elle désirait un enfant.

Elle souhaitait une fille. Une petite fille à qui elle pourrait donner tout ce qui lui avait été refusé. Elle rêvait de créer une princesse. Et elle désirait aussi une compagne pour ses vieux jours. Doris Ashley était une femme raisonnable et pragmatique. Son mari avait vingt ans de plus qu'elle. Elle était restée seule la majeure partie de sa vie. Elle n'avait pas l'intention de passer ses dernières années dans la même solitude.

Preston Ashley se montra hésitant. Il invoqua son âge. En toute chose, il manquait d'ardeur. Doris Ashley avait accepté cette carence majeure et s'en accommodait. Mais elle refusa ses protestations. Hester Anne Ashley naquit l'année où Doris Ashley eut vingt-huit ans.

Hester fut une enfant adorée. Son père était charmé par sa présence et sa mère ne pouvait la quitter un instant. Qu'aurait pu obtenir la gouvernante avec des parents aussi gâteux ? Hester Anne Ashley était née dans un univers de conte de fées, entre un père indulgent et une mère dont l'autorité était tempérée par son adoration.

Ce soir-là, vingt et un ans plus tard, dans la voiture avec Maddox, Doris Ashley eut l'impression, en quittant *Windward,* de revivre sa vie entière. « Battue », avait dit le détective. « Battue, battue, battue. » Le mot continuait de résonner dans son esprit. Il fallait qu'elle soit forte, pour elle-même et pour son enfant.

Quand Maddox s'arrêta devant l'entrée des urgences, Doris Ashley lui lança :

— Je trouverai le chemin. Mon gendre est, devrait être, à la Whispering Inn. Vous savez sans doute où cela se trouve. Une soirée de la marine. Des officiers et leurs épouses. Voulez-vous le prévenir ? Le lieutenant Murdoch.

Le jeune homme en chemise hawaïenne et pantalon blanc qui avait envoyé un serveur à la recherche du lieutenant Murdoch attendait dans la cuisine de la Whispering Inn. Il était de petite taille, mince et sec, avec des cheveux blonds bouclés coupés court. En voyant arriver Gerald Murdoch, il sourit.

— Quelle surprise, hein, mon lieutenant ?

— Duane ?... Un problème ? demanda Gerald en franchissant les portes battantes de la cuisine.

Duane York était matelot de deuxième classe à bord du *Bluegill,* le sous-marin de Gerald, affecté à la salle des torpilles qu'il commandait.

— Tout est parfait, mon lieutenant, répondit Duane en souriant de plus belle. Impec... Enfin, presque.

— Je vais arranger ça, lança Gerald en palpant sa veste, à la recherche de sa poche.

— Pas d'argent, mon lieutenant, dit Duane. Je suis à flot pour l'argent. Si je suis venu, c'est que je me demandais si je ne pourrais pas me servir de votre voiture.

— Bien sûr, ma voiture, répondit Gerald en enfonçant la main dans la poche de son pantalon. Un rendez-vous ce soir, Duane ?

Duane York avait souvent demandé et obtenu le coupé.

— J'espère bien, répondit-il en faisant un clin d'œil.

Les mains de Gerald passèrent d'une poche à l'autre.

— Mon lieutenant... dit Duane en montrant les clés de la voiture dans la main droite de Gerald.

— Vous avez raison, répondit Gerald en lui donnant les clés. Attendez une minute. Ne bougez pas.

Il enfonça de nouveau la main dans sa poche et en sortit quelques billets froissés.

— Rien à faire, mon lieutenant. Merci quand même.

— Bonne chasse, dit Gerald.

Il lui lança une claque sur l'épaule, fit en titubant un demi-tour à droite et sortit de la cuisine d'un pas mal assuré. Duane York le suivit des yeux.

— Le meilleur officier de toute la marine, dit-il à haute voix, sans se soucier de savoir si quelqu'un pouvait l'entendre.

Au moment où il franchit à son tour les portes battantes de la cuisine, l'orchestre se remit à jouer.

Comme la Whispering Inn était construite sur pilotis, on accédait à l'entrée par un large escalier de bois. Maddox gara sa voiture parallèlement aux marches. Il vit sortir de l'auberge un petit bonhomme osseux ne correspondant pas du tout à l'idée qu'il se faisait d'un officier de marine. Duane York, quant à lui, était beaucoup trop pressé pour remarquer qui que ce fût. Il franchit les cinq dernières marches d'un bond. Maddox monta l'escalier jusqu'aux doubles portes. Cette fois, il n'ôta pas son chapeau. Il se trouvait sur son territoire.

Il passa brusquement de l'obscurité aux lumières colorées et à la musique violente. L'endroit était plein à craquer. Il sentit des relents d'alcool de contrebande et de bière frelatée. Il vit deux jeunes cesser de danser et se diriger vers les portes et l'obscurité. Il leur barra le passage.

— Montrez-moi Gerald Murdoch, je vous prie.

Gerald se trouvait à l'autre bout de l'auberge, face à la mer. Il avait pris le verre de quelqu'un sur la table de quelqu'un, mais il n'avait pas envie de boire davantage. Il avait envie de s'allonger et de fermer les yeux. Seulement, il ne pouvait pas partir sans voiture. Et il n'avait plus de voiture. Il n'avait même plus de femme. Hester était quelque part sur la plage en train de réciter des poèmes aux tortues. Il eut envie de jeter son verre par terre. Quand il se retourna pour le poser, Maddox parut devant lui.

— Lieutenant Murdoch?... Curt Maddox, dit-il en tendant la main. Je suis policier.

Il regarda les mains de Gerald, cherchant une chevalière...

Bryce Partridge caressait doucement les cheveux de la nuque de

Ginny quand il aperçut Gerald avec un homme de grande taille coiffé d'un chapeau. Ils se dirigeaient droit sur lui.

— Ginny, dit Bryce.

Il la souleva de la chaise et l'attira vers lui. Elle sentit les mains de son mari se crisper sur ses bras et l'emprisonner.

— Écoute-moi, Ginny.

Elle ouvrit la bouche, surprise, et il répéta, d'une voix basse et dure :

— Écoute. Il faut que je te dise quelque chose.

Elle représentait son seul espoir. Tout ce qui lui restait. Si elle ne l'aidait pas, il était fini. Il ignorait complètement le parti qu'elle prendrait quand il lui avouerait, mais il n'avait pas le choix.

— Ne me demande rien. Ne me réponds pas. Ne m'interromps pas. C'est une question de vie ou de mort. Toute ma vie, ma carrière.

Les deux hommes arrivaient près de la table.

— Tout risque de s'écrouler, mon ange. Tout dépend de toi. Pendant que tu étais aux États-Unis...

— Bryce, lança Gerald, Ginny.

Bryce, serré contre son épouse, attendit le coup. Si Gerald lui lançait un direct, Bryce jouerait la surprise; il traiterait Gerald comme un copain éméché. Gerald et le grand type s'arrêtèrent.

— Désolé, mais il faut que je parte, dit Gerald.

Il tendit la main à Ginny et, quand elle la prit, il s'inclina légèrement.

— Vous souhaite beaucoup de chance et de bonheur ici, dit-il en serrant ensuite la main de Bryce. Bonne nuit, vieux.

Bryce sentit la sueur dans son dos.

— Déjà parti ? demanda-t-il. Ça ne va pas ?

— Hester, expliqua Gerald. Rien de grave.

Il ne pouvait tout de même pas infliger ses problèmes personnels à ses amis.

— Transmets-lui notre affection, dit Bryce. D'accord, vieux ?

— Je n'y manquerai pas.

Gerald s'inclina de nouveau, puis s'éloigna vers la porte avec le grand type au chapeau. Ginny tira Bryce par le bras.

— Et maintenant, *vieux,* finis ce que tu as commencé, lui dit-elle.

— Je t'aime plus que tout sur cette douce planète.

— Une question de vie ou de mort, disais-tu.

Il se serra contre elle pour sentir sa cuisse.

— J'étais mort sans toi, mon ange.

Il posa la main sur les reins de Ginny et remonta doucement.

— Nous sommes seuls, à présent, capitaine, dit Gerald dans la voiture de Maddox. Pas de public. Alors ? Quel genre d'accident ? Où est-elle ? C'est de ma femme que vous parlez !

— Elle se trouve à l'hôpital de la Miséricorde, répondit Maddox. Elle est sérieusement touchée mais tout ira très bien. Elle se remettra. Elle a été battue.

— *Battue !*

— Tout ce que je peux vous dire pour l'instant, c'est qu'une bande de jeunes dans une voiture l'ont déposée à l'hôpital. Ils l'ont laissée devant la salle des urgences et ils ont filé.

— *Une bande de jeunes !*

Gerald vit devant lui des hommes sans visage, immenses, massifs, mal rasés, sales, avec des dents manquantes et des mains comme des battoirs. Où l'avaient-ils trouvée ? Où Hester était-elle allée ? Pourquoi avait-elle abandonné la soirée, quitté l'auberge ? Elle partait toujours ailleurs, avec un livre, avec un sac de raisins secs ou de noix, avec un panier pour cueillir des fleurs sauvages. Elle était toujours seule, toujours en retard, toujours en train de s'excuser. Gerald se mit à la haïr pour ce qu'elle avait fait — et, l'instant suivant, il retourna sa haine contre lui-même. Il se sentit accablé de honte, de culpabilité. Hester était dans un *hôpital*. Des hommes l'avaient *tabassée*. Et il en était responsable. Elle n'aimait pas les soirées. Il n'aurait pas dû l'emmener. Il aurait dû y aller seul ou pas du tout. Il ne se pardonnait pas sa faute.

— Dites-moi la vérité, je vous prie.

— C'est ce que j'ai fait, lieutenant, répondit Maddox. Elle va aller très bien. Ce n'est pas moi qui le prétends, c'est le médecin de l'hôpital qui l'affirme. Elle ira très bien, répéta-t-il en regardant l'officier de marine assis très raide, comme en état d'hypnose.

— Je suppose que vous ne savez pas qui lui a fait ça, dit Gerald.

— Accordez-nous quelques heures, lieutenant, dit Maddox. Cela vient juste de se produire.

En descendant de la voiture de Maddox, devant la porte des urgences, Doris Ashley leva la main droite et remonta son manteau sur son épaule gauche. Elle n'avait pas froid. Ce geste était une simple réaction ancienne, presque un réflexe. Elle cessait d'être maîtresse d'elle-même et elle ne pouvait pas le supporter. Elle lutta de toute sa volonté, de toutes ses ressources, de tout son être. Il fallait absolument qu'elle surmonte sa faiblesse. Il fallait qu'elle soit prête. Elle attendit près de la salle des urgences que Maddox ait disparu et que le bruit de la voiture se soit estompé. Était-elle prête ? Elle se dit : « Il le faut » et ouvrit la porte.

La lumière crue l'aveugla. Elle ferma les yeux. Elle entendit une voix d'homme dire :

— Une minute.

Quand elle put voir de nouveau, une silhouette en blanc était penchée au-dessus de la table d'examen pour essuyer la surface métallique.

— D'accord, dit l'infirmier Peter Monji en roulant le torchon en boule avant de le lancer dans la corbeille. Le docteur revient de suite.

Il s'éloigna d'un pas puis se figea. Il se retourna lentement, comme s'il se trouvait soudain dans une maison hantée.

— Vous êtes sans doute venue pour votre fille, dit-il. On l'a mise ailleurs, madame Ashley. Je vais vous expliquer, euh... vous conduire.

En reculant pour lui laisser le passage, il buta contre la table d'examen. Au même instant, le Dr Frank Puana parut sous la voûte. Frank reconnut aussitôt Doris Ashley, mais, avant qu'il ait pu la saluer, Peter lui annonça :

— Mme Ashley, docteur. Je la conduis à l'étage.

— Je vais le faire, répondit Frank. Je suis le Dr Puana, madame Ashley. C'est moi qui ai soigné votre fille. Je la quitte à l'instant.

Il s'écarta.

— Nous pouvons prendre cet ascenseur.

Doris Ashley traversa la salle des urgences et monta au deuxième étage avec le docteur, qui parlait sans cesse, expliquant en détail les soins qu'il avait prodigués à Hester. Ils arrivèrent devant une porte. Une pancarte VISITES INTERDITES était fixée sous le numéro 346.

— Bien entendu, cela ne s'applique pas à la famille, dit Frank. Je veux qu'elle se repose le plus possible.

Il tendit la main vers la poignée de la porte, mais Doris dit :

— J'aimerais être seule avec ma fille, docteur.

Cela faisait trop longtemps que des yeux étrangers la regardaient.

L'hôpital de la Miséricorde était vétuste. Des chambres vastes et nues, très hautes de plafond. Le lit de fer à une place, peint en blanc, se trouvait au milieu de la pièce, contre le mur en face de la porte. Près du lit, une grande lampe blanche articulée, une table et une chaise. L'abat-jour de métal autour de l'ampoule, détourné du lit, dessinait un cercle de lumière sur le parquet et le mur. Hester était dans la pénombre.

Doris Ashley s'avança lentement, sur la droite d'Hester, tendant le cou pour la voir. Au pied du lit, elle poussa un gémissement, leva la main comme pour se protéger et détourna la tête. Presque aussitôt, elle baissa le bras et se força à regarder le lit.

Les bras d'Hester reposaient sur la couverture. Elle avait rampé sur plusieurs mètres, craignant que Bryce ne revînt à la charge, jusqu'au chemin de terre où elle avait perdu conscience. Ses ongles étaient déchiquetés. Ses bras étaient à vif du coude au poignet. Les yeux de Doris Ashley remontèrent jusqu'au visage de sa fille et virent ce qu'on lui avait fait. Malgré tous ses efforts pour se retenir, elle se mit à sangloter, ainsi qu'un enfant dans la nuit.

Hester entendit un bruit et ouvrit les yeux. Quelqu'un ! Une masse au-dessus d'elle... Elle voulut crier mais la douleur était trop atroce. Elle avait du mal à voir. Mille étincelles la blessaient sous ses paupières. Elle perçut une présence à ses côtés.

— Non... Je vous en supplie... Je vous en supplie, murmura-t-elle.

— Mon petit, c'est moi. C'est maman. Maman est là, répondit Doris Ashley. Je suis près de toi, mon bébé.

— Maman. *Maman...* sanglota Hester. Ne le laisse pas... Je t'en supplie...

— Oui, oui... Je suis là, maintenant.

Elle s'assit au bord du lit et se mit à parler doucement. Elle retrouva les mots de la nursery. Les yeux d'Hester se fermèrent puis s'ouvrirent brusquement, pleins de terreur.

— Oui, mon bébé. Oui...

Doris glissa la main sous celle d'Hester comme pour soulever une fleur tombée. Elle sentit les doigts d'Hester se refermer autour des siens.

— Je ne te quitterai pas.

Elle regarda le visage de sa fille. Elle se devait de constater ce qu'ils avaient fait à son bébé. La haine s'empara d'elle. Elle se mit à trembler de haine et de rage. « Des *hommes !* » avait dit l'officier de police, le capitaine. « Des *hommes !* », répéta Doris Ashley. « Non, des bêtes *sauvages !* Des fauves ! » Ils avaient tout détruit. Ils avaient surgi comme un cyclone, comme un raz de marée, comme un tremblement de terre pour détruire la vie de Doris Ashley. Elle était chez elle, à *Windward,* avec ses amis, dans sa cuisine avec ses amis, et ils étaient gais, ils riaient. Tout le monde riait. Tout le monde avait adoré son pot-au-feu. Puis un policier avait pénétré dans sa maison, dans *Windward !* Un *policier !* Devant ses *amis !* Elle avait dû congédier ses amis, les renvoyer chez eux. Elle se rappela leur silence, leur départ, leurs visages sans expression. Maintenant, ils devaient tous parler d'elle, du policier qui était venu à *Windward* et qui avait mis un terme à la soirée. Tout le monde parlerait d'elle à présent, dans tout Honolulu, dans tout le Territoire. Doris Ashley eut envie de protester, de crier. Elle se raisonna. Se donna un avertissement. Il fallait qu'elle reste maîtresse d'elle-même. Si elle ne gardait pas son calme, elle était perdue — elles étaient toutes les deux perdues. Elle se tourna vers Hester, sa pauvre fille mutilée. Elle posa son autre main sur la main crispée de la jeune femme.

— Peux-tu me parler, mon bébé ? Hester ? Mon petit ? Tu ne veux rien ? Un verre d'eau ?

Hester distinguait à peine sa mère. Comme si elle lui apparaissait derrière un rideau de fumée. Elle serra la main de Doris plus fort.

— Reste ici...

— Je suis ici, mon bébé. Maman est avec toi. Maman ne te quittera pas. Hester ? Raconte-moi ce qui s'est passé. Comment c'est arrivé. Où étais-tu ? Tu étais avec Gerald. Tu es sortie avec Gerald. Qui étaient ces *hommes* ?

Hester répondit, mais Doris Ashley n'entendit pas clairement, ne comprit pas.

— Répète, mon bébé. Dis-moi pourquoi ces hommes t'avaient prise dans leur voiture, les hommes qui t'ont fait ça ?

— N'ont rien fait, dit Hester.

A chaque mot, la douleur augmentait. Elle avait l'impression que sa peau tendue allait se déchirer.

— Ma figure... ajouta-t-elle en gémissant de douleur.

— Je vois ce qu'ils ont fait, mon bébé, dit sa mère. Il faut que tu me racontes tout, pour qu'on puisse les punir.

Elle attendit.

— Les hommes dans la voiture, mon bébé. Les hommes qui t'ont conduite à l'hôpital et qui t'ont jetée sur le trottoir comme... un déchet.

— Non... Ils ne l'ont pas fait... Ils m'ont trouvée, dit Hester. Ils ont dû me trouver.

— Où, mon petit ? Je sais que tu souffres, mais il faut que tu m'aides pour que la police puisse les arrêter.

De nouveau, elle attendit une réponse qui ne vint pas.

— Hester, ce sont des criminels. Ils sont coupables d'un acte criminel.

— Non, non... dit Hester, puis elle se tut.

Elle regarda vers le haut, espérant que la douleur diminuerait, mais on eût dit des coups de couteau. Elle bougea et sa mère réapparut derrière le rideau de fumée.

— Pas coupables... Ils ne m'ont pas touchée, pas frappée. Ils ne m'ont fait aucun mal.

— Mais ce sont eux... insista Doris Ashley. Tu étais...

Elle s'arrêta, comprenant soudain que l'horreur ne faisait que commencer. Elle était mal assise. Elle voulut déplacer ses jambes, mais elle glissa et dut se rattraper au matelas.

— Hester...

— Je me suis éloignée en rampant. C'est ce qui a dû se passer. J'avais sans doute perdu conscience. Où est le docteur ? Je t'en prie, demande quelque chose au docteur, un cachet, n'importe quoi.

— Oui, mon petit, oui.

Elle ne pouvait pas se dérober. Il fallait qu'elle écoute. Elle ne pourrait se défendre que si elle apprenait la vérité. Elle soupçonnait déjà la vérité : Gerald Murdoch. C'était en fait un parfait inconnu.

Hester s'était montrée cachottière dès le début. Elle avait rencontré Gerald à la réception de l'amiral. Le jeune officier était venu la chercher régulièrement à *Windward,* mais comme Hester était toujours prête à partir ils s'en allaient aussitôt. Hester avait très peu parlé de Gerald jusqu'au jour où, bien décidée à échapper à l'emprise de sa mère, elle avait annoncé qu'elle allait l'épouser.

— Hester, tu dois tout me dire pour que je puisse te protéger. C'est Gerald qui t'a fait ça ?

— Pauvre Gerald... Non, jamais.

Doris devait être certaine.

— Ce n'est pas Gerald. Tu m'affirmes que ce n'est pas Gerald ? Elle attendit.

— Mon bébé, réponds-moi.

— Je t'ai répondu.

— Mon visage. Appelle le docteur, je t'en supplie.

— Oui, mon petit. Je te promets de l'appeler. Dis-moi seulement qui t'a fait ça. Ni ces hommes ni Gerald... Alors qui ? Pourquoi quelqu'un ferait-il une chose pareille ? Qui est coupable ?

— Moi, répondit Hester. C'est moi la coupable, parce que c'est moi qui suis enceinte.

— Enceinte, dit doucement Doris Ashley comme si elle répétait la composition d'une recette de cuisine.

Elle se leva du lit et tendit la main droite pour tirer sur son manteau. Pendant un instant, elle demeura dans les limbes. Comme une personne qui vient de recevoir une blessure grave — une balle ou un coup de couteau — ou bien de faire une chute terrible. La violence du choc n'avait pas encore produit son effet. Elle savait qu'Hester était enceinte, elle savait qu'Hester avait été battue... Elle alla au pied du lit et se tourna vers la porte. Son esprit demeura vide, puis la lumière se fit soudain : le père n'était pas Gerald. C'était certain. Hester avait fait ça ! Hester était responsable !

La porte s'ouvrit et une infirmière apparut, plusieurs serviettes sur le bras, bien déterminée à voir la malade.

— Sortez!

Doris Ashley s'élança vers la porte. L'infirmière fit un bond en arrière, dans le couloir. Doris Ashley tira la porte vers elle d'un geste sec puis ferma le verrou d'une main qui tremblait. Elle se retourna vers le lit, où gisait sa malédiction. Elle traversa la pièce et s'arrêta près de la lampe.

— As-tu dit que tu étais enceinte? *Enceinte?*

Les lèvres d'Hester remuèrent.

— Oui, j'ai entendu, continua Doris Ashley en élevant la voix. J'ai bien entendu. Tu es enceinte, mais pas de Gerald, n'est-ce pas? Naturellement! Naturellement, le père n'est pas ton mari! Naturellement, tu es fatiguée de ton mari. Après tout, cela fait plus d'un an que vous êtes mariés! Tu es allée traîner dans des pâturages plus verts. Un homme ne suffisait pas pour Hester! Il t'en fallait davantage. Il t'en fallait toute une écurie.

Elle haletait. Elle se sentit faible soudain. Elle avait besoin d'aide, mais personne au monde ne pouvait l'aider. Elle était seule. Désormais, elle serait toujours seule. Tout le monde apprendrait ce qu'avait fait Hester. Tout le monde abandonnerait Doris Ashley, la laisserait tomber. Honolulu l'éviterait comme la peste. Si elle invitait ses anciens amis à *Windward,* ils s'excuseraient. Personne ne viendrait. Doris Ashley serait mise au ban. *Windward* se transformerait en mausolée. Doris Ashley eut envie de protester, de crier, de dire au monde que ce n'était pas sa faute, mais elle était épuisée. La révélation d'Hester l'avait laissée sans force. Elle se rappela qu'il y avait une chaise près du lit et elle regarda autour d'elle comme si elle était perdue. La chaise était à côté d'elle. Doris Ashley remonta les pans de son manteau et s'assit, ou plutôt se laissa tomber sur la chaise.

— Tu nous as détruites, dit-elle. Qui est-ce, l'homme?

Elle crut entendre Hester et se pencha en avant.

— Qui?

— Bryce Partridge, dit Hester à sa mère penchée au-dessus d'elle. Il s'appelle Bryce Partridge. Il est à bord du *Bluegill,* le même sous-marin que Gerald. Arrête, maintenant. Je t'en prie.

Hester ferma les yeux. Doris Ashley, pour récupérer ses forces, garda le silence. Elle vit dans sa tête deux Gerald, deux officiers, deux silhouettes quelconques sans importance, interchangeables. Quelqu'un comme Gerald avait entraîné Doris Ashley au bord de la catastrophe. Un officier de marine, un de ces milliers d'hommes sans visage, l'avait fait accourir dans cette chambre d'hôpital tel un poulet à la tête tranchée. Elle s'était conduite comme une mégère, comme sa mère qu'elle avait effacée de sa mémoire pendant plus de la moitié de sa vie. Encore heureux que l'infirmière ne l'ait pas vraiment vue. Il fallait qu'elle se reprenne! Son avenir était en jeu. Elle se pencha de nouveau au-dessus du lit.

— Pourquoi t'a-t-il battue, mon bébé?

Doris Ashley posa des questions jusqu'à ce qu'elle sache toute l'histoire. Bryce Partridge méritait la mort. Il n'appartenait pas au genre humain. Bryce Partridge devait passer au peloton d'exécution. Elle allait téléphoner à l'amiral... Seulement jamais, *jamais* elle ne pourrait parler d'une chose pareille à l'amiral, ni à quiconque sur terre. A partir de cet instant, sa vie, le reste de sa vie, dépendait du secret qu'elle partageait avec Hester.

— Nous n'avons qu'un seul espoir, mon bébé, dit-elle.

Quand Hester entendit la proposition de sa mère, elle eut envie de fuir. De disparaître à jamais.

— Ils sont innocents! protesta-t-elle.

— Comment peux-tu en être certaine? Tu étais inconsciente. Ils ont pu faire n'importe quoi pendant que tu étais inconsciente.

— Ils n'ont rien fait! insista Hester. Ce n'est pas vrai.

— Ils ont pu t'emmener dans un endroit désert avant de te ramener ici, dit Doris Ashley en posant la main sur celle de sa fille. Je vais t'aider, mon petit. Je suis le seul être humain sur terre en mesure de t'aider, mon bébé. Je te protégerai. J'affronterai tout le monde à ta place. Souviens-toi, je suis innocente, *moi*. Entièrement *innocente*. Et je serai avec toi. A tes côtés. Maman s'occupera de tout ce qui pourra survenir si tu nous viens en aide maintenant. Il faut que tu nous sauves maintenant.

— Je ne peux pas... dit Hester.

Elle s'interrompit. Elle s'enfonçait, s'enfonçait.

— C'est notre seule chance, mon bébé. Si nous ne restons pas unies maintenant, comme un seul être, jamais nous ne survivrons à l'épreuve.

— Ils m'ont seulement conduite à l'hôpital, répondit Hester. Ils m'ont sauvée.

— Non! dit Doris Ashley. *Non!* C'est moi qui te sauve! C'est moi qui affronte le monde à ta place! Ta mère ne s'est pas fait engrosser par je ne sais quel... marin. Mais je ne t'abandonnerai pas! Je serai avec toi. Je parlerai pour toi. Oui, je parlerai à ta place, mon bébé, répéta-t-elle en baissant les yeux vers sa fille. Tout ce que je dirai viendra de toi.

Elle se leva. Hester souleva le bras, Doris Ashley le sentit contre elle un instant, puis il retomba.

— Attends, dit Hester.

Mme Ashley s'éloigna du lit.

— Ils n'ont rien fait, lança Hester au dos qui s'éloignait. Ils sont innocents, ajouta-t-elle au moment où sa mère posait la main sur la poignée de la porte.

Doris Ashley quitta la chambre. Elle resta debout contre la porte jusqu'au moment où Gerald et le capitaine Maddox sortirent de l'ascenseur.

— Comment va-t-elle ? demanda Gerald.

— Elle s'est endormie. Enfin.

— A-t-elle dit quelque chose ?

— C'est horrible, Gerald. Cela paraît incroyable. Et nous sommes en 1930 !

Elle se tourna vers le capitaine.

— Ma fille a été violée.

— Est-ce le docteur qui l'affirme ? demanda Maddox.

— C'est ce que j'affirme. Ce qu'Hester affirme. Les quatre hommes ont violé ma fille, répondit Doris Ashley.

Dans sa voiture, devant la porte des urgences, Maddox décrocha le radiotéléphone du tableau de bord et posa le pouce sur le bouton noir.

— Maddox. Qui se trouvait à l'hôpital de la Miséricorde en début de soirée ? Son nom ?...

— Roy Pabst, dit le standardiste.

— Roy Pabst. Convoquez-le. Je veux lui parler. J'arrive.

— Capitaine, si c'est au sujet de la fille Ashley, nous tenons les types.

— *Quoi ?* lança Maddox d'un ton rogue.

— Ils sont ici. Avec leur voiture. Ils sont au violon. Ils se sont bagarrés avec des marins... Capitaine ?

— Ouais. Demandez à quelqu'un d'apporter les rapports d'arrestation sur mon bureau.

Il reposa le radiotéléphone à sa place.

— Au violon ! dit-il à haute voix. Comme c'est drôle !

Il se dirigea vers le centre ville et tourna dans Merchant Street vers le commissariat central, à l'angle de Bethel Street. La décapotable se trouvait sur le parking. Il prit sa lampe torche dans la boîte à gants et examina la Ford. Elle avait l'air de sortir de la vitrine du concessionnaire. Pas une tache sur les sièges. Tout avait l'air absolument neuf.

Maddox se rendit à la salle d'écrou. Quand un détenu était enfermé, on lui prenait tout : son argent, ses cigarettes, ses bijoux, même sa montre-bracelet. On plaçait les objets dans des enveloppes jaunes au format 22 × 30 sur lesquelles on faisait l'inventaire du contenu. Maddox examina les enveloppes où se trouvaient les effets des quatre jeunes gens. Aucun d'eux n'avait de chevalière ou de bague.

Il monta au premier étage par l'ascenseur, entra dans son bureau et tendit la main vers l'interrupteur. La pièce était aussi grise et froide qu'une cellule de prison. Un bureau métallique et un fauteuil pivotant. Derrière, deux fenêtres pourvues de stores vénitiens. Un téléphone démodé sur le bureau, en général vide. Maddox remarqua aussitôt les procès-verbaux d'arrestation qu'il avait réclamés au standardiste. Près du bureau se trouvait un autre fauteuil métallique et, sur un côté, à angle droit par rapport à la porte, une table de bois rectangulaire avec quatre autres sièges. Sur le mur au-dessus de la porte, une grosse pendule électrique ronde. Maddox lut les quatre rapports puis les feuilleta pour retrouver les noms des détenus.

— Joe Liliuohé, dit-il à haute voix en se penchant pour décrocher le téléphone. Maddox. Il y a un nommé Joe Liliuohé au violon. Faites-le monter.

Maddox ôta sa veste et la déposa sur le dossier de son siège. Il lança son chapeau sur une chaise et déboutonna son gilet. Quand le guichetier fit entrer Joe Liliuohé, Maddox se tenait devant le bureau, appuyé au rebord métallique.

— Merci, dit Maddox au maton, qui sortit.

Maddox hocha la tête d'un air las et se frotta les joues avec sa main droite.

— Ah! mon petit vieux. Vous m'en faites voir de dures! dit-il à Joe, debout au milieu de la pièce. Si seulement vous alliez vous coucher comme tout le monde, je ne passerais pas autant de nuits blanches.

Il s'était transformé en ami de tous les hommes, un ami accablé de travail mais d'une patience à toute épreuve.

— Tu t'appelles Joe... dit-il, marquant un temps avant d'ajouter : Liliuohé. Tu sais qui je suis?

— Je l'ai lu sur la porte, répondit Joe. Le capitaine Curtis Maddox.

— Curt Maddox.

Joe suivit des yeux le grand flic qui s'écartait du bureau et se dirigeait vers la table rectangulaire. Il tendit le bras comme pour prendre Joe par l'épaule.

— Mets-toi à l'aise, dit-il.

Il s'arrêta près de la table et leva les bras au ciel.

— Vieux, je suis fatigué.

Il tira une chaise parallèlement à la table, s'assit et allongea les jambes, chevilles croisées. Il montra une autre chaise à Joe, mais Joe ne bougea pas.

— D'accord, tu es un dur, dit Maddox.

— Non. Sûrement pas, lieute... capitaine, répondit Joe. J'ai une peur bleue. Je tremble en dedans... Toute ma vie, autant que je m'en souvienne, je n'ai entendu qu'un conseil : « Évite la police ! » Je l'ai évitée. Jamais je n'ai rien fait de mal. Et pourtant on m'a arrêté. Et je suis ici.

Maddox tendit l'index vers Joe.

— Eh ! Mais je me souviens de toi ! s'écria-t-il, en tapant du poing sur la table (il mentait). Tu joues au rugby.

Joe acquiesça.

— Je savais que je t'avais déjà vu, lança Maddox d'un ton de triomphe.

Il avait identifié Joe Liliuohé en lisant son nom sur le procès-verbal d'arrestation.

— Écoute, Joe, je serai direct avec toi. Il faut que nous bavardions. J'ai des questions à te poser. Veux-tu t'asseoir, nom d'une pipe !

Maddox, du bout du pied, écarta une chaise de la table. Joe s'avança et s'assit en face de Maddox, qui croisa les mains sur son ventre.

— Cette bagarre avec les marins, dit-il, c'était à la fin de votre virée, n'est-ce pas ? Où étiez-vous, avant ?

— Pourquoi ? On n'a rien fait de mal, dit Joe.

Maddox garda le silence.

— On a fait un tour.

Maddox ne répondit pas. Joe se tortilla sur sa chaise.

— On s'est cotisés pour payer l'essence et on est partis. En ville, puis du côté du Pali, puis on est revenus, on est descendus à Waikiki et vers Diamond Head. C'est la voiture de ma sœur qui est là, dit-il en montrant la fenêtre. Elle a fait des économies pendant plus de trois ans pour cette voiture. Le pire, c'est que je n'ai pas cessé de l'embêter pour qu'elle me la prête. C'est la première fois, et voilà où je finis. Avec la voiture.

— Des filles avec vous, ce soir, Joe ? demanda Maddox.

— Des filles ? Non, dit Joe. Nous étions seuls. Tous les quatre.

— Quatre jeunes gars en décapotable qui évitent les filles, dit Maddox en secouant la tête. Ça sonne faux.

— Nous n'évitions personne, dit Joe.

— Les choses ont sans doute changé depuis que j'avais ton âge, répondit Maddox. Tu voudrais me faire croire que vous n'avez même pas *pensé* à des filles ?

— Je vous l'ai dit. C'est la première fois que ma sœur me laisse conduire sa voiture. Je ne pensais qu'à une chose : ne pas la cabosser.

Il s'arrêta. Il avait l'impression de se trouver dans une chambre froide.

— Vous voulez parler de la femme que nous avons trouvée ? dit-il.

— *Une femme ? Trouvée ?*

— Dans la nature, du côté de la Whispering Inn. Elle était étalée au milieu du chemin. Juste devant nous. Sans connaissance. Son visage. C'était... de la bouillie. Quelqu'un l'avait tabassée. Je n'ai jamais rien vu de pareil dans ma vie. Je ne pouvais pas la laisser en plan. Alors nous... Je l'ai conduite à l'hôpital. A l'hôpital de la Miséricorde.

— Donc, il y avait des filles avec vous ce soir, dix Maddox. Une fille. Une seule.

Joe se pencha en avant.

— Pas au sens où vous l'entendez, non. Je vous l'ai expliqué. Elle était étalée sur le chemin comme un chien écrasé.

— Et tu as eu pitié d'elle, dit Maddox.

— Elle aurait fait pitié à n'importe qui, répliqua Joe. Si vous l'aviez vue...

— Je l'ai vue... Je suis allée à l'hôpital. Tu as raison, Joe. On dirait qu'elle est tombée dans un hachoir à saucisses. Pourquoi quelqu'un ferait-il une chose pareille à une femme ?

— Je vous ai tout raconté, dit Joe, ajoutant aussitôt : Attendez ! Je l'ai reconnue d'après sa photo dans les journaux. Hester Ashley.

— Hester Ashley Murdoch, ajouta Maddox. Réfléchis encore un peu, Joe. Que s'est-il passé d'autre ce soir ?

Jo bondit de sa chaise.

— Rien d'autre ! Elle était sur la route ! Je ne pouvais pas la laisser au milieu de la route ! Je l'ai conduite à l'hôpital.

— Toi et tes trois copains...

— Oui, moi et mes trois copains ! Elle a repris connaissance en arrivant à l'hôpital, elle est sortie de la voiture et c'est tout.

— J'aimerais bien, dit Maddox. Ma parole, j'aimerais bien que ce soit tout, Joe.

Il se redressa sur sa chaise et croisa les jambes.

— Mais il y a davantage. Elle a été violée.

— Elle a...

La voix de Joe avait un son creux. A l'intérieur, il tremblait. Il regarda autour de lui comme s'il voulait prendre la fuite, puis il s'effondra sur sa chaise.

— C'est un mensonge, dit-il.

Maddox regarda le joueur de rugby. Il était suffisamment affolé, à présent. Ce n'était pas un vrai dur.

— Je vais te dire une chose, Joe. On a toujours intérêt à avouer ce qu'on a fait.

— Nous n'avons rien fait. Nous l'avons trouvée évanouie sur le bord du chemin. Elle était inconsciente.

— C'est ton histoire ? demanda Maddox. Tu as l'intention de t'y tenir ?

— Ce n'est pas une histoire, répondit Joe d'une voix suppliante. Je vous ai dit la vérité.

— Mais tu en as oublié une partie. Une partie de la vérité.

— Non !

Il se tortilla sur son siège de tout son corps, vers la gauche, vers la droite, en se balançant. La chaise était devenue sa prison.

— Peut-être que ce n'est pas *toi*. Peut-être que tes trois copains avaient la braguette chaude ce soir. Peut-être qu'ils...

— C'est faux !

— ... ont eu besoin d'un coup de main du trois-quarts centre, le grand costaud capable de percer une ligne de défense avec trois hommes à ses basques. Peut-être que tu as seulement maintenu la femme pendant qu'ils...

— Vous êtes fou !

— ... faisaient leur affaire. Le viol et les coups, parce que tu avais beau la maintenir, elle ne cessait...

— Personne ne l'a touchée ! Aucun de nous.

— ... de gigoter, ce qui gênait tes copains pour ce qu'ils avaient en tête, alors ils ont dû la frapper pour qu'elle reste tranquille. Et ils l'ont *beaucoup* frappée.

Joe se figea. Il ne se balançait plus. Il était au bout du rouleau, pareil à un animal vaincu par un labyrinthe. Il parut se tasser sur sa chaise.

— Nous n'avons rien fait, balbutia-t-il d'une voix presque inaudible.

Maddox décroisa les jambes et se pencha en avant, tout près de Joe.

— Parfois, un complice arrive à s'en tirer sans trop de bobo, dit-il. Mais il faut qu'il nous raconte tout, qu'il ne dissimule rien.

— Je vous ai tout raconté.

Maddox continua comme si Joe n'avait pas parlé.

— Si tu déposais sous serment, mon petit Joe, tu pourrais même ressortir de cette pièce comme un homme libre.

Joe regarda le parquet, ses chaussures, puis le parquet, ses lacets, ses chaussures, puis encore le parquet.

— Joe ?

— Nous ne l'avons pas touchée, répondit Joe au parquet. Ni moi. Ni Harry. Ni Mike. Ni David.

— Vous l'avez portée dans votre voiture.

Joe leva les yeux.

— C'est tout ce que nous avons fait. Ce que *j'ai* fait. C'est moi qui l'ai fait. Tout seul. Ils avaient peur de s'approcher d'elle, et même de la regarder, parce que c'était Hester Ashley. Ils avaient envie de partir. Ils voulaient que je file. J'ai refusé. Je n'ai pas pu. Elle était inconsciente. Vous ne pourrez pas me faire dire autre chose, parce qu'il n'y a rien d'autre, rien d'autre à dire.

— Peut-être me suis-je trompé, dit Maddox. Peut-être bandais-tu autant que tes copains ?

La tête de Joe retomba. Il voulut se boucher les oreilles.

— Combien d'entre vous l'ont frappée ? demanda Maddox.

— Aucun, dit Joe en le regardant dans les yeux. Devant Dieu, nous ne l'avons pas touchée.

— Mais quand vous êtes arrivés à l'hôpital, vous l'avez jetée hors de la voiture et vous avez décampé.

— Je vous l'ai déjà dit : quand nous sommes arrivés à l'hôpital, elle s'est réveillée. Elle s'est mise à hurler qu'on la laisse sortir. Elle a ouvert la portière et elle a sauté avant que j'aie pu faire un seul geste. Ensuite un flic, un agent, est sorti de l'hôpital avec un type en blanc. Nous avons tous pris peur. C'est pour ça que nous sommes partis.

— Mais vous êtes innocents... Vous êtes tous propres comme des sous neufs, dit Maddox en se penchant en arrière. Je crois que, depuis ton entrée dans cette pièce, nous tournons autour du pot, Joe. Suppose que maintenant nous jouions franc jeu... Si tu es sincère avec moi, je pourrai peut-être t'aider. Je te le promets, Joe, j'essaierai de t'aider, et ce n'est pas une promesse en l'air.

— Qu'attendez-vous de moi ?

— La vérité, répondit Maddox.

— Je vous ai déjà dit la vérité, capitaine. Je vous jure que c'est la vérité. Je jure devant Dieu que c'est la vérité vraie.

Maddox se leva.

— Si c'est ce que tu cherches, ma foi, tu l'auras.

Il se dirigea vers son bureau sans un regard pour Joe Liliuohé. Joe le suivit.

— Je vous ai tout dit, exactement comme ça s'est passé !

Maddox appuya sur un bouton dissimulé sous le rebord de son bureau.

— Comment *quoi* s'est passé ?

— *Rien!* (Ce flic avait donc les oreilles bouchées?) *Rien ne s'est passé!*

Un policier ouvrit la porte.

— Emmenez Joe dans le couloir prendre une tasse de café, lui dit Maddox, indiquant par là au policier que Joe Liliuohé devait être séparé de ses trois camarades encore au violon.

Maddox avait mal au dos. Il croisa les bras autour de son cou et se massa les épaules. Il boutonna son gilet et remit sa veste. Debout devant son bureau, il écarta les quatre procès-verbaux, puis s'assit et décrocha pour appeler le guichetier.

Il fit monter les trois autres détenus l'un après l'autre, en gardant le plus jeune, David Kwan, pour la fin. Il les maintint séparés pour qu'ils ne puissent pas communiquer entre eux. Tout en les interrogeant, il examinait leurs mains. Il leur mentit à tour de bras. Il joua pour chacun des trois un rôle différent. Avec l'un, il fut Simon Legree, fanatique et féroce pour les intendants des plantations et des élevages, qui avaient leurs prisons privées à Maui et à Kauai. Avec l'autre, il incarna un officier de police froid et précis, qui procédait selon les impératifs du règlement. Avec David Kwan, enfin, il devint un brave pasteur compatissant, prêt à pardonner.

Aucun des trois détenus ne fléchit, même quand il prévint Mike Yoshida que les deux premiers l'avaient désigné comme seul coupable du viol, même quand il offrit à David Kwan de l'aider à rédiger sa confession comme il avait aidé les autres.

David Kwan s'était mis à pleurer. Il avait enfoui son visage entre ses mains, devant Maddox, et il chialait comme une gonzesse, sans bruit. Ses épaules tremblaient. Mais quand il eut séché ses larmes et retrouvé son calme, David fit le même récit que les trois autres...

Une fois seul dans son bureau, Maddox réfléchit, immobile. Le seul bruit dans la pièce était le *clic* de l'aiguille des minutes se déplaçant sur le cadran, au-dessus de la porte. Maddox leva les yeux vers la pendule : 1 h 20. Il était fatigué mais n'avait pas sommeil. Il savait qu'il ne dormirait pas. De ses deux mains, il repoussa les quatre procès-verbaux d'arrestation. Il se leva, se tourna vers la fenêtre, écarta les stores vénitiens avec deux doigts et regarda Merchant Street, vide et luisante sous les lumières. Il baissa la main et resta devant la fenêtre, sans rien voir. Puis il se retourna, ramassa son chapeau et baissa les yeux vers le ruban entourant la coiffe.

— Elle dit qu'ils l'ont fait, lança-t-il au bureau vide tout en posant son chapeau sur sa tête.

Dimanche matin. Une jeune fille courait dans les rues et les allées de Papakoléa, sur les terrains vagues couverts d'ordures. Elle croisa des enfants qui jouaient par terre et des femmes qui travaillaient sur le pas de la porte. La jeune fille était pâle d'inquiétude, de frayeur. Chaque fois qu'on lui disait bonjour ou qu'on l'appelait, elle rendait le salut d'un mot, d'un geste ou des deux à la fois. C'était une jeune fille polie et bien élevée qui ne voulait offenser personne, que ce soit ici, au milieu des siens, ou bien « là-bas », dans le monde des *Haolés*. Mais son visage exprimait une fierté farouche, presque agressive. C'était une belle fille, de grande taille pour une Hawaïenne. Ses cheveux noirs étaient coiffés à la Carole Lombard — raie sur le côté et ondulés dans le cou. Elle avait de grands yeux marron. On l'imaginait en jupe de raphia, sur le quai près de la tour Aloha, en train d'accueillir les passagers du bateau avec des *léis*. Mais elle était habillée à l'occidentale, corsage blanc et jupe sombre, bas et chaussures à talons plats.

Parfois elle courait pendant plusieurs mètres, mais elle s'essoufflait vite et devait se remettre au pas aussitôt. Elle arriva à un carrefour, qu'elle traversa en diagonale, contournant un homme qui poussait une brouette. Sur le trottoir, elle ralentit de nouveau, puis hâta le pas malgré l'élancement que lui causait un point de côté. Sarah Liliuohé était presque arrivée à destination...

A quatre cents mètres de là, vers l'ouest, Tom Haléhoné, assis dans la cuisine, accoudé à la table, lisait lentement, sans rien sauter, l'édition du dimanche de l'*Outpost Dispatch*. Il portait un vieux pantalon de coton, un tricot de corps et son unique paire de souliers. Ses parents étaient toujours pieds nus dans la maison, mais il ne pouvait pas les imiter. Sa mère était allée voir une amie souffrante et son père partait à la pêche tous les dimanches au point du jour. Tom était donc seul, et enchanté de ce privilège — surtout après la nuit précédente.

Il était rentré directement à la maison à la suite de l'incident avec le flic, à la sortie du cinéma. A son retour, il n'y avait qu'une seule lumière allumée, dans la cuisine. Il était passé devant pour gagner la galerie et il avait entendu sa mère dire : « C'est Tom. » La porte de la cuisine était toujours ouverte, contre le mur de la galerie, et Tom s'était trouvé presque aussitôt dans la lumière.

— Je t'attendais pour dîner, lui dit sa mère. J'avais fait... commença-t-elle, mais elle s'interrompit à son entrée et se précipita vers lui. Qu'est-il arrivé ?

— Rien, rien, répondit le jeune homme, sachant qu'il n'y couperait pas et déjà irrité contre sa mère.

Son père était assis de biais à table, une tasse de thé près du coude.

— Tu ne vas pas à la pêche demain ? lui demanda Tom.

— Je dormais. Je me suis réveillé, répondit Sam Haléhoné.

— Regarde ton complet ! s'écria la mère de Tom.

Clara Haléhoné examina son fils, à la recherche de blessures.

— Tu as eu un accident ? Tu es tombé ?

Tom avait entendu cette dernière question, la plus déchirante de toutes, depuis sa plus tendre enfance. Sa mère se mit à le palper.

— Ton veston est déchiré ! dit-elle, en découvrant un accroc près de la couture. Tu es tombé.

Tom n'était jamais tombé, même dans son enfance, mais elle le considérait, depuis sa naissance, comme une créature fragile et immatérielle, un oiseau à l'aile brisée constamment en péril à cause de sa jambe gauche plus courte. Depuis la naissance, elle l'avait protégée et, chaque fois que Sam Haléhoné avait voulu laisser Tom libre de vivre comme ses camarades dans la rue, elle s'était insurgée. Quand Clara Haléhoné avait appris qu'elle ne pourrait pas avoir d'autre enfant, sa dévotion, son instinct de protection, s'étaient mués en obsession. Elle vivait dans la conviction profonde que son fils courait un danger en permanence.

— Je ne suis pas tombé, dit Tom, dominant son humeur. Je vais très bien. Ai-je l'air de souffrir ? Il y avait une bagarre en ville et...

— Tu t'es *battu* ? coupa sa mère.

— Laisse-le parler, dit le père de Tom.

— Regarde ta cravate, tes cheveux, lança sa mère.

— Tu ne le laisseras pas parler !

Tom prit sa mère par le bras, la ramena près de la table et la fit asseoir.

— Un flic a cru que j'y avais participé et m'a appréhendé. Voilà toute l'histoire ; alors je t'en prie, pour une fois ne fais pas de scène.

— Comme un voleur ! dit sa mère. Tu es *avocat*. Es-ce que tu leur as dit que tu es avocat ?

Tom regarda Clara et Sam Haléhoné assis à leur table. Ils semblaient presque interchangeables, deux êtres de petite taille, carrés, avec les mêmes cheveux noirs et les mêmes gros doigts courts. Tom sourit à sa mère.

— Si je lui ai dit que j'étais avocat ? Non, je ne le lui ai pas dit.

— Regarde ce qu'ils t'ont fait. Donne-moi le veston. Je vais le recoudre.

— Rien ne presse, dit Tom, mais il ôta sa veste, espérant que cela mettrait fin à la litanie.

Clara prit le veston par les épaules.

— C'est ton complet de San Francisco, dit-elle. Des démons ! Ce sont des démons !

Tom avait passé sa licence en droit habillé de ce complet. Le mandat de ses parents était arrivé un mois avant le début des épreuves et le talon « réservé à la correspondance » précisait qu'il devait utiliser l'argent pour acheter un complet neuf. Le petit mot était signé « Ta mère », et, à côté, de l'écriture de Sam, il y avait « Père ». Il se rappelait qu'il avait ouvert l'enveloppe dans le vestibule du foyer des étudiants. Il se rappelait qu'en prenant le mandat entre ses doigts, il les avait *vus* à la table de cuisine, son père prenant le thé pendant que sa mère écrivait sur le pointillé, signait, puis tendait le crayon à son mari. Il se rappelait l'aspect toujours identique de leurs mandats pendant ces trois années. Il n'y avait pas de faculté de droit dans le Territoire, et Tom n'avait pas le choix : Il fallait qu'il aille en métropole. Tom avait parlé de faire du droit depuis son entrée au lycée. Il espérait recevoir une bourse, mais toutes ses demandes avaient été repoussées. Il avait donc renoncé à son rêve. Aux États-Unis, outre les frais d'études et de livres, il faudrait qu'il paie son logement et sa nourriture...

— Je vais prendre un emploi, avait-il annoncé.

Clara Haléhoné ne s'insurgea pas. Elle battit en retraite. La cuisine devint silencieuse. Elle comprenait que sa propre existence était finie. Ses rêves personnels brisés. Sam Haléhoné la regarda souffrir pendant presque un mois. Un soir, il fit signe à Tom de l'accompagner dehors.

— Il faut que tu fasses ce qu'elle veut, dit Sam.

San Francisco fut comme un songe. Tom connut le bonheur dès le premier instant. Les cours se terminaient vers 1 heure de l'après-midi mais la journée d'étude ne faisait que commencer. Il y avait autant de dossiers d'affaires à lire que l'esprit d'un étudiant pouvait en absorber. Et Tom était entouré de ses camarades de cours. Il se trouvait rarement seul. San Francisco ne le déçut jamais. Personne ne l'invectivait ni le défiait. En trois ans, il ne subit aucune brimade.

Mais il revint à Honolulu s'inscrire au barreau du Territoire. Sa mère voulait qu'il revienne. Et, à son retour, elle fut comblée. Il n'avait jamais parlé de son retour. C'était un jeune homme avec de nombreux petits secrets, et le mieux gardé de tous était la raison de son départ de San Francisco : ici, dans la maison de ses parents, Tom se sentait en sécurité.

La veille au soir, Sam Haléhoné avait repoussé sa tasse de thé.

— Je t'ai dit cent fois de rester à San Francisco, avait-il lancé à Tom. Pourquoi ne l'as-tu pas fait ? Tu en avais la possibilité. Pourquoi es-tu revenu ? Maintenant, tu es comme moi. De la crotte comme moi...

A la table de cuisine, Tom tourna la page du journal du dimanche, bras tendus, et vit une silhouette passer devant la fenêtre. Il crut que sa mère était de retour, mais les pas sur les marches de la galerie étaient trop vifs. Il replia le journal pour regarder à l'autre bout de la pièce et aperçut une jeune fille sur le seuil. Elle n'était pas habillée comme les femmes de Papakoléa. Il se leva.

— Excusez-moi, dit-elle. Je ne devrais pas venir comme ça. Puis-je vous parler, Tom ?

Il hocha la tête. Qui était-ce ?

Elle entra dans la cuisine. Elle était presque arrivée à la table quand il la reconnut.

— Sarah !

C'était Sarah Liliuohé, la petite sœur de Joe.

— Je ne vous avais pas reconnue. Je n'avais pas fait le rapprochement entre Sarah et... vous !

Elle était si jolie. Elle lui rappela San Francisco. Elle s'habillait comme les jeunes Californiennes. Il ne l'avait pas revue depuis longtemps. Mais il était tombé par hasard sur Joe, un jour, après son retour de l'université.

— Venez... dit-il en écartant une chaise de la table.

Elle ne bougea pas.

— Joe est en prison, dit-elle. Ils prétendent qu'avec trois copains il a violé la femme d'un officier de marine.

Tom la regarda dans les yeux. Il connaissait bien Joe.

— Ils ne l'ont pas fait ! dit Sarah. Ils n'ont rien fait ! Joe me l'a juré au téléphone ! *Il ne l'a pas fait !* Non !

Tom eut envie de la consoler. Elle semblait seule au monde.

— Vous n'avez pas à m'en convaincre, dit-il.

— Voulez-vous l'aider ? Vous êtes avocat, maintenant. Vous pouvez faire quelque chose ? Aujourd'hui ?

— J'essaierai, dit Tom. Mais je ne suis pas avocat depuis bien longtemps.

Jusqu'ici, la clientèle de Tom, maigre et sporadique, se limitait à des gens qu'il connaissait depuis toujours. Des gens âgés de Papakoléa qui avaient besoin d'un bail ou de se faire représenter auprès d'un organisme officiel du Territoire pour obtenir une autorisation ou une patente.

— C'est une affaire criminelle, Sarah. Et je ne me suis jamais occupé d'affaires criminelles.

— Vous pouvez essayer, non ?

Furieuse, elle le regardait comme s'il l'avait trahie.

— Vous êtes l'ami de Joe. Vous l'étiez. A qui d'autre pouvais-je m'adresser ? Vous êtes le seul.

Tom eut envie de ravaler tout ce qu'il avait dit. Cette fille lui donnait l'impression d'être un lâcheur.

— Je ferai de mon mieux, dit-il. Je ferai tout ce que je pourrai.

— Vous le sortirez de prison ? demanda Sarah. Avez-vous besoin d'argent ? Nous n'avons pas d'argent. J'ai tout dépensé pour ma voiture. Écoutez-moi. Je parle, je parle. Je ne peux pas m'arrêter de parler. Si je m'arrête, je pense à Joe, à ce qu'il risque, à tous les quatre... C'est horrible. Tout est arrivé à cause de ma voiture. Joe a pris ma voiture hier soir. Ils ont trouvé cette femme sans connaissance...

Elle s'arrêta et porta les deux mains à sa bouche.

— Sarah ?

Tom s'avança vers elle.

— Sarah ?

Elle baissa les mains.

— Je ne vous ai pas dit le pire, s'écria-t-elle soudain, les yeux agrandis par la peur. Joe m'a appris le nom de la femme. Je ne me souviens pas du nom de son mari, mais elle, c'est Hester Ashley.

— Ashley, répéta Tom à mi-voix, le souffle court.

Il se détourna. Sarah l'observa, attendit, puis se dirigea vers la porte et sortit.

— Eh ! lança Tom. Sarah !

Il la suivit, essayant d'oublier son soulier qui grattait le sol. Il la prit par le bras. Elle essaya de se libérer d'une secousse, mais sans y parvenir.

— Je trouverai quelqu'un, dit-elle.

— Vous avez quelqu'un, Sarah, *Sarah !* insista-t-il en lui tirant le bras jusqu'à ce qu'elle soit face à lui. Il faut que je parle à Joe. Je vais m'habiller. Vous voulez me conduire en ville ?

— Je ne peux pas, répondit Sarah. La police a gardé ma voiture.

Elle appuya son poing fermé contre ses lèvres.

— Je vais vous la faire rendre, dit Tom. D'abord, je vais parler à Joe, puis je vous ferai restituer votre voiture.

Quand Bryce Partridge s'éveilla le dimanche matin, il revit aussitôt l'homme de grande taille venu chercher Gerald Murdoch à la Whispering Inn. Ce type était un flic ; ou bien il travaillait pour Doris Ashley, à un titre quelconque. A moins que ce ne fût un simple particulier. Mais il émanait beaucoup trop d'autorité de chacun de ses gestes pour que ce soit un simple particulier. *Où était Hester ?*

Ginny bougea et le toucha en murmurant : « Miam-miam. » Elle se rapprocha, nue, chaude, moite. Bryce eut envie de la jeter par la fenêtre. Il s'écarta doucement pour ne pas la réveiller, descendit du lit, réunit ses vêtements sans bruit et sortit pieds nus de la chambre à coucher.

Il lui fallait un journal. Au milieu de tous ses préparatifs pour l'arrivée de Ginny — la location de la maison, les formalités pour l'électricité, le gaz et l'eau, l'installation du téléphone, la réception des innombrables caisses qu'elle avait envoyées par bateau —, il avait oublié de s'abonner à un journal. Il fallait qu'il lise un journal. *Quelqu'un* avait trouvé Hester.

Depuis le pas de sa porte, il vit, devant la maison d'en face, le gros cylindre du journal roulé, lancé sur le trottoir. Il regarda à gauche et à droite. Il y avait un journal sur la pelouse du voisin de gauche. Si quelqu'un sortait, il dirait qu'il avait fait un petit pari sur le match de la veille et qu'il désirait connaître le résultat... *Il n'y avait rien sur elle dans le journal.*

Bryce roula de nouveau le journal et le laissa tomber sur la pelouse. Il retourna chez lui et s'arrêta sur le seuil. Il se souvint qu'il avait regardé sa montre avant de quitter la Whispering Inn pour son rendez-vous avec Hester. Il était presque 9 heures. Le journal du voisin avait sans doute été imprimé vers la même heure, la veille au soir. Il fallait que Bryce trouve la dernière édition de l'*Outpost Dispatch*.

Il prit sa voiture et partit vers le centre ville, roulant très vite dans les rues vides, jusqu'à l'immeuble du journal au rez-de-chaussée, la dame entre deux âges de la permanence des petites annonces lui vendit la dernière édition. Bryce revint à sa voiture et commença par la première page. Il parcourut tout le journal colonne après colonne en suivant chaque ligne du doigt... *Elle est morte!*

Il donna un coup de poing au volant.

— Elle n'est pas *morte!* s'écria-t-il à haute voix.

Il baissa les yeux vers le journal, sur le siège. Elle... est... peut-être... morte, se dit-il. Tu savais depuis longtemps ce qui pouvait arriver. Pas de prières, pas de marchandages avec Dieu, cette fois. Elle est peut-être encore dehors, quelque part. *Où?* Il lança le moteur et fit demi-tour dans la rue.

Il rangea la voiture devant la maison. Le journal du voisin était toujours sur la pelouse. Il se composa un visage pour Ginny, qui devait être éveillée. En entrant dans le vestibule, il sentit l'arôme du café.

— Comment va? Je suis allé chercher le journal du dimanche.

Il entendit Ginny dire : « La pauvre fille! » et il s'arrêta, raide soudain.

— La *pauvre, pauvre* fille ! répéta Ginny.

Bryce attendit que sa femme se jette sur lui en hurlant, mais il l'entendit continuer :

— Je suis tellement touchée. J'aimerais... Je suis, je suis vraiment désolée.

Bryce posa le journal sur une chaise, sans quitter des yeux la porte ouverte du salon. Il avait oublié Ginny. Peu lui importait ce que Ginny dirait ou ferait. Il ne songeait qu'à l'amiral. S'il y avait une cour martiale, il se défendrait. Il ne se déroberait pas. Il jurerait... n'importe quoi. Hester l'avait menacée. Elle avait un revolver... Il s'avança, la tête haute...

Ginny se trouvait près de la tablette du téléphone. Affalée contre le mur. Elle semblait dans les nuages.

— Hester a été violée hier soir, dit-elle.

Elle mentait, la petite garce !

— Qu'est-ce que tu racontes ?

— Je n'arrive pas à le croire, moi non plus, dit Ginny.

— Ginny ! Tu as dit qu'on l'avait *violée* ?

Ginny hocha la tête.

— Qui a fait ça ? demanda Bryce. Ginny, qui l'a fait ?

— On ne le sait pas, répondit Ginny.

— Qui *on* ? A qui parlais-tu au téléphone ?

Les lèvres de la jeune femme bougèrent à peine.

— A Gerald... C'est si horrible.

Elle frotta les mains contre son corps, doigts écartés, comme si elle voulait se débarrasser de quelque chose de sale.

— Quelqu'un sur soi, et dans soi...

Son visage se crispa. Elle resserra son peignoir.

— Il faut que j'aille m'habiller, dit-elle.

— Une seconde.

Bryce s'avança vers elle. Elle rentra dans le mur.

— Je *veux* m'habiller.

— Qu'est-ce que Gerald t'a dit ? Commence par le commencement.

— Je ne suis pas bien, murmura-t-elle.

Bryce lui prit le menton. Elle dégagea sa tête d'une secousse, bras croisés sur sa poitrine, écrasant ses seins.

— Ginny, il faut que tu me parles... Mon ange, nous sommes séparés depuis si longtemps que nous avons oublié que nous sommes mariés. Nous partageons tout. Le meilleur *et* le pire.

— J'ai téléphoné chez eux pour remercier Gerald de la soirée, dit-elle, les yeux vagues. La maison de la mère d'Hester. Je n'ai pas pu trouver *leur* numéro. La servante m'a dit qu'Hester était à l'hôpital et

Gerald auprès d'elle. L'hôpital de la Miséricorde. Pourquoi à l'hôpital ? Elle avait disparu, hier soir, tu te souviens ? Elle n'était pas revenue.

— Continue.

— J'étais très inquiète. J'avais presque peur d'appeler l'hôpital. Mais j'ai eu honte de ma lâcheté. J'ai téléphoné et on m'a passé Gerald. Hester a été violée par quatre hommes.

— *Quatre !*

— Pourquoi répètes-tu tout ce que je dis ?

Elle écarta brusquement les bras, frappant Bryce avec le dos de ses mains.

— Oui, quatre ! Des indigènes ! Ils l'ont prise tout près de la Whispering Inn. Nous savons à présent pourquoi elle n'est pas revenue à la soirée. *Ils* la tenaient. Tu te rappelles que Gerald cherchait Hester ? Il demandait si nous l'avions vue. Ils l'avaient sans doute déjà prise, ces...

Elle s'arrêta.

— D'où venaient-ils ? Si c'était juste devant l'auberge, nous aurions entendu quelque chose. Gerald a dit autre chose ?

— Ça ne te suffit pas ? Quatre !

Elle imaginait huit bras sales, velus, qui se tendaient vers elle.

— Elle n'a peut-être même pas eu le temps de crier au secours, murmura Ginny.

Huit mains, plaquées sur sa bouche.

— Je vais à l'hôpital, conclut-elle.

— Maintenant ? Tu ne crois pas que nous ferions mieux d'attendre ?

— Attendre *quoi* ? Que peut-il lui arriver d'autre ? Rien de pire ne pouvait lui arriver sur terre.

— Mais après ce qui s'est passé, elle a sans doute besoin de repos, insista Bryce. Gerald est près d'elle. Et puis tu viens juste de faire sa connaissance. Tu n'es pas vraiment une amie.

— Toi, tu l'es.

— L'ami de Gerald, oui. Je vais l'appeler. Quel hôpital, m'as-tu dit ?

— Inutile de téléphoner. Tu le verras là-bas.

— Une seconde, mon ange...

Il voulut lui prendre le bras, mais elle le repoussa.

— Pourquoi perdre du temps à discuter ? Si tu es un ami, tu vas auprès de ton ami quand il a des ennuis, dit Ginny. Je veux qu'Hester et sa mère sachent qu'elles ne sont pas seules dans l'épreuve. Si tu veux rester, reste.

Elle fit un pas vers la chambre, mais Bryce lui bloqua le passage.

— Tu es très dure avec moi. Si quelqu'un t'entendait, il croirait que je suis l'ogre du Pacifique.

— Cesse de discuter, Bryce. Tu parles toujours de nous. Mais ce n'est pas de nous qu'il s'agit. Il s'agit d'une femme dont la vie a probablement été entièrement brisée hier soir. Je veux voir Hester. Il faut que je m'habille, et tu ne m'en empêcheras pas.

Bryce s'écarta. Il la regarda s'éloigner dans le couloir conduisant à la chambre. « *Violée ?* se dit-il. Quand ? » Donc, l'homme de grande taille qui était venu chercher Gerald à l'auberge était bien un flic. Mais le flic était apparu plus d'une heure après que Bryce avait quitté Hester. « Comment sais-tu que c'était une heure plus tard ? Tu n'as pas vérifié, songea-t-il. Pourtant, il n'y avait personne... » Il avait regardé : ils étaient bien seuls. Mais s'il s'était trompé ? Les quatre hommes avaient dû les épier dans l'ombre, Hester et lui. Ils avaient attendu son départ. Ils l'avaient vu. Ils avaient tout vu. Ils pourraient nier. Ils pourraient dire aux flics qu'ils avaient vu un homme avec Hester, un homme frapper Hester... Et ils seraient quatre contre un. *Cinq* contre un. « Qu'est-ce qu'elle racontera, la garce ? Qu'est-ce qu'elle racontera à Ginny ? Dès qu'elle verra Ginny franchir le seuil, elle va tout déballer... »

— Ginny ! cria-t-il.

Il se précipita vers la chambre. Bryce Partridge n'allait pas attendre bras croisés que la police navale vienne l'arrêter.

Tandis que Bryce s'habillait, une voiture grise de la marine s'arrêtait devant la résidence de l'amiral à Pearl Harbor, une maison isolée sur un promontoire, véranda face à la mer comme une proue. Un homme de forte carrure, âgé d'une trentaine d'années, sortit de la voiture. Le commandant James Saunders avait été sélectionné dans l'équipe nationale d'athlétisme pendant ses études à l'École navale, et c'était donc déjà un héros quand il avait reçu ses premiers galons. Moins d'un an plus tard, il avait accompli un nouvel acte d'héroïsme en sauvant quatre matelots au cours d'un incendie à bord de son contre-torpilleur. Jimmy Saunders était l'aide de camp de l'amiral. Il s'élança vers l'escalier de bois de la véranda, mais s'arrêta un pied en l'air dès la première marche : sur le pas de la porte venait d'apparaître, bras tendu, une ordonnance, un Philippin en veste blanche.

— Il est là-bas, mon commandant.

Jimmy Saunders se dirigea vers la plage. Il vit aussitôt l'autre ordonnance de l'amiral. Le Philippin tenait à la main un peignoir, des espadrilles et une serviette de bain pliée.

— Va-t-il rentrer bientôt ?

— Monsieur, vous vous êtes égaré... *Commandant !* Excusez-moi, je ne vous avais pas reconnu. Désolé, désolé... dit le Philippin. Il va revenir bientôt. Peut-être. Le dimanche, on ne sait jamais.

Saunders porta les deux mains à son front pour faire de l'ombre à ses yeux. Il ne découvrit aucun nageur. La mer était vide jusqu'à l'horizon. Il regarda de nouveau, parcourant l'océan lentement, de gauche à droite. Au moment où il baissa les bras, le Philippin dit :

— Droit devant, mon commandant.

Saunders crut voir l'éclair d'un bras, très loin.

— Il revient, dit le Philippin.

L'amiral Glenn Langdon sortit de l'eau comme un roi s'avance vers son trône. Il était de taille moyenne, un mètre soixante-treize, mais il paraissait beaucoup plus grand. Il marchait comme pour affirmer qu'il était de grande taille. Ce n'était pas une chose acquise. Glenn Langdon était entré à l'École navale des États-Unis avec cette attitude, tant mentale que physique. Au cours de ses quatre années de formation, il avait accumulé davantage d'heures d' « instruction extramilitaire » que n'importe quel aspirant de l'histoire d'Annapolis. Son record de « rapports » n'était pas encore battu. Glenn Langdon ne remettait pas en question l'autorité, sauf lorsqu'elle lui semblait déraisonnable. Les aspirants perdent toujours à ce jeu, mais Glenn Langdon demeurait inflexible. Il recevait rapport sur rapport, mais ne changeait pas d'attitude pour autant.

L'amiral avait servi partout : en Méditerranée, dans l'Atlantique Sud, dans l'Atlantique Nord, à Scapa Flow, sur le Yang-tsé, dans la zone du canal de Panama. Il avait occupé, très peu de temps il est vrai, un poste important à l'ambassade des États-Unis à Londres (l'ambassadeur avait demandé personnellement son renvoi).

Il était veuf, avec deux filles mariées à des officiers de marine. Il vivait seul dans l'immense résidence pleine de courants d'air prévue pour l'amiral commandant le 14e district maritime. L'amiral prit des mains du Philippin la serviette de bain pliée.

— Jimmy, nous devons avoir des ennuis pour que vous soyez ici, à m'attendre, un dimanche matin.

— Pas à la base, amiral, mais des ennuis quand même, répondit Saunders. Une femme a été violée hier soir. L'épouse d'un officier de marine. La fille de Doris Ashley.

Le Philippin laissa tomber une espadrille et, quand il se baissa pour la ramasser, le peignoir lui glissa des mains. Lorsqu'il se releva, l'amiral était parti.

— Racontez-moi le reste, lança l'amiral en se dirigeant vers la maison, la serviette sur la tête et les épaules comme un burnous.

Les chaussures de Saunders s'emplirent de sable. L'amiral s'arrêta en bas des marches, tira sur sa serviette et leva une jambe pour essuyer le sable de son pied.

— *Quatre!* lança-t-il d'une voix tonnante. Et déjà *en prison?*

— Une simple coïncidence, amiral, expliqua Saunders. Ils se sont ɒagarrés avec nos hommes en ville.

Le Philippin les rattrapa, avec le peignoir et les espadrilles de l'amiral.

— Pose-les par terre. Par terre! dit l'amiral en engageant le bras dans une manche pendant que le Philippin s'agenouillait pour poser les espadrilles. Entrez, Jimmy. Vous allez envoyer à Hester... Qui a-t-elle épousé?

— Un sous-marinier, amiral, répondit Saunders en le suivant à l'intérieur de la résidence. Un officier subalterne de *Bluegill*. Gerald Murdoch.

— Envoyez des fleurs à Hester, dit l'amiral. Et des fleurs à Doris. Celles pour Doris à *Windward*.

Saunders se dirigea vers le téléphone et l'amiral se mit à arpenter la pièce.

— Quel fichu zoo! dit-il, englobant dans son mépris tout le Territoire.

L'autre Philippin entra avec un service à café en argent massif. Il servit une tasse pour l'amiral, qui la prit sans la soucoupe, à deux mains.

— Si elle les a identifiés, ils pourriront en prison, dit l'amiral tandis que Saunders téléphonait au fleuriste. Il faut qu'ils restent en prison, sinon tous les *beach boys* d'Honolulu vont se mettre en chasse.

Vers midi, le Dr Frank Puana, le chirurgien des urgences qui avait soigné Hester Ashley Murdoch la veille au soir, sortit de sa chambre à coucher, pieds nus et en short. Les pleurs du bébé l'avaient réveillé et, bien que la maison fût de nouveau silencieuse, il ne pouvait plus dormir.

Dans la cuisine, assise près de la chaise haute, Mary Sue faisait manger Jonathan, leur fils de quatorze mois. Jonathan était incontestablement l'enfant de Mary Sue : même peau claire, mêmes cheveux blonds. L'aîné, Eric, qui avait cinq ans, était au contraire le fils de Frank à tous égards.

— J'étais sûre qu'il te réveillerait, dit Mary Sue.

Elle portait un short et une vieille chemise de Frank. Le soleil avait éclairci ses cheveux platine et elle avait la peau des bras et des jambes bronzée. C'était une jolie femme mince et élancée, de vingt-neuf ans — un an de moins que Frank. Mary Sue, originaire de Green Bay (Wisconsin), était infirmière à l'hôpital de la Miséricorde quand Frank l'avait rencontrée. A ses yeux, c'était la plus belle femme de la terre.

— Tu as vu les journaux ? demanda-t-il.

— Feuilleté. En diagonale. Pourquoi ?

— Les journaux n'ont donc rien publié, sinon tu ne poserais pas la question, dit Frank. La fille de Doris Ashley a été violée hier soir.

Mary Sue ouvrit les yeux tout grands.

— Je ne le crois pas, dit-elle en posant la petite cuillère. Hester Ashley ? Jamais, Frank.

— Hester Murdoch... C'est vrai. Quatre types, dit Frank en faisant la grimace. Ils l'ont battue.

Il raconta à Mary Sue l'arrivée de la jeune femme à l'hôpital de la Miséricorde et les soins qu'elle avait reçus dans la salle des urgences.

— Frank, personne n'oserait s'approcher d'Hester Ashley... ou Murdoch, quel que soit son nom à présent.

— Il y a déjà eu des viols à Honolulu, dit Frank.

— Pas de femmes blanches, répliqua Mary Sue. Attends ! Tu as fait un vaginal ?

— Comment aurais-je pu faire un vaginal ? J'ai soigné ses plaies, ensuite elle a été admise à l'hôpital et on l'a installée dans les étages. L'histoire du viol est survenue plus tard, quand sa mère est arrivée.

Mary Sue pivota sur sa chaise comme un enfant entêté.

— Je ne peux plus supporter ça ! C'était *ta* malade, la fille de Doris Ashley.

— Mary Sue, je suis le médecin de la salle des urgences, dit Frank. C'est mon travail.

— C'est ton *châtiment !* dit Mary Sue. Parce que tu es hawaïen.

Frank lui sourit.

— Hawaïen et japonais, dit-il.

Les médecins des services de l'hôpital de la Miséricorde, ceux qui avaient le droit d'admettre les malades, étaient tous des *Haolés*. Même le poste des urgences était tout à fait exceptionnel pour un médecin issu d'un milieu hawaïen. Frank l'avait obtenu, mais il était entendu qu'il travaillerait la nuit, et toutes les nuits de tous les week-ends de l'année.

— Tu essaies encore d'en rire, dit Mary Sue. Frank, nous partons.

Je ne peux plus le supporter. Je ne te laisserai plus le supporter. Il faut que cela cesse. Je vais le faire cesser.

— Parce que Hester... Murdoch a été violée ?

— Parce qu'on abuse de toi, dit Mary Sue. Tu es le meilleur, Frank.

Il sourit.

— Je n'ai pas de préjugé spécial en ta faveur. Souvenez-vous, docteur, que j'étais infirmière ! J'ai vu tous ces manchots dans la salle d'opération. Ils ne t'arrivent pas à la cheville. Jamais je n'ai vu un chirurgien avec des mains comme les tiennes. Tu ne devrais pas recoudre des ivrognes. Tu devrais être en haut, pour les grandes opérations.

— Le jour viendra, répondit Frank.

Il parlait d'un ton léger mais il croyait vraiment, en secret, que ses capacités seraient reconnues et récompensées enfin, qu'on lui permettrait d'entrer dans l'équipe officielle de chirurgie, qu'il pourrait ouvrir un cabinet puisqu'il aurait un hôpital où envoyer ses malades.

— Tu continues de rêver, dit Mary Sue en sautant de sa chaise. Tes fils grandissent : tu veux qu'ils voient comment leur père est traité ? Tu veux que tes fils vivent la même existence que toi ?

Frank se leva et s'avança vers elle. Mary Sue s'accrocha à lui.

— Frank, partons d'ici.

Elle l'embrassa sur la joue et se détourna.

Frank Puana détestait ce qu'il faisait subir à Mary Sue. Et il s'en voulait d'accepter sans protester le poste pénible et dégradant qu'il occupait à l'hôpital de la Miséricorde. Il aurait dû quitter Honolulu, quitter le Territoire, mais quelque chose le retenait, le besoin profond, mystérieux, de l'endroit familier et sûr où il avait passé sa vie.

Son séjour à Seattle à l'université de l'État de Washington et, plus tard, son internat avaient été une longue et douloureuse épreuve de solitude. Il avait eu le mal du pays du premier au dernier jour. Seuls son amour de la médecine et sa passion pour son travail lui avaient permis de supporter Seattle. Au cours des deux premières années d'études théoriques, il n'avait quitté le campus que pour dormir. A partir de la troisième année, depuis sa première journée dans les salles avec les malades, il n'était rentré chez lui que pour changer de vêtements. Il y avait toujours un lit vide quelque part à l'hôpital. Quand il n'était pas de service, il restait dans les salles, accompagnait les médecins en titre, les regardait soigner les malades. Il ne se lassait jamais de l'enseignement médical. Le monde extérieur aux hôpitaux lui était totalement étranger. Il avait pris le bateau d'Hawaï trois jours après la fin de son internat.

— J'ai adoré ces îles quand je suis arrivée, dit Mary Sue, dans la cuisine. J'ai trouvé que c'était le plus bel endroit au monde. Quand je t'ai rencontré, j'ai cru rêver. Non. J'ai cru que mon rêve devenait réalité. J'avais envie de me pincer pour m'éveiller. Tout était parfait. Trop parfait. Je désirais un garçon, j'ai eu Éric. Je désirais qu'il te ressemble pour avoir deux « toi ». C'est ce qui s'est passé. Mais je rêvais encore. Hawaï est ton pays, Frank. Tu es né ici. Tes fils sont nés ici. Pourtant, tu n'es ici qu'en visite. Nous sommes tous les quatre des intrus. Des invités dont personne ne souhaite la présence. On ne veut pas de nous, mais comme on ne peut pas nous expulser, on trouve un moyen de nous exclure. Frank, partons.

De nouveau, il lui sourit.

— Faisons nos valises et partons, comme ça !

Il sortit Jonathan de la chaise haute et serra contre lui le corps tiède, tout neuf, à l'odeur douce.

— Étudions d'abord la question, Mary Sue. Où est Eric ?

Un panier à salade s'engagea sur la longue pente qui conduit à l'hôpital de la Miséricorde, du côté de l'est. Maddox était sur le siège avant à côté du conducteur, un rouquin approchant la trentaine, en costume civil. Maddox avait laissé le chauffeur habituel au commissariat central.

— Nous entrerons par-derrière, Al, dit Maddox.

Bien qu'il n'y eût en principe aucun poste vacant, Maddox avait retiré Albert Keller de la brigade en uniforme pour l'affecter à la division des enquêtes. Il avait vu travailler le rouquin. Il était trop efficace pour qu'on le cantonne à des affaires d'ivrognes et d'excès de vitesse.

Une petite fenêtre en verre renforcé était logée au centre du panneau métallique, derrière la banquette. La vitre était montée sur glissière et, une heure plus tôt, quand le fourgon était vide, Maddox l'avait entrouverte de quelques centimètres. Il avait écouté avec Al Keller la conversation des quatre jeunes gens depuis qu'on les avait fait monter, menottes aux poings, dans le fourgon cellulaire. Il n'avait rien appris de plus que dans son bureau la nuit précédente.

— Il y a au bout du bâtiment une porte dont on se sert pour les livraisons et les panières à linge, dit Maddox. L'escalier est sur la gauche. Nous passerons par là.

Al Keller remonta vers l'entrée de service en marche arrière. Il descendit en même temps que Maddox, puis s'arrêta. Il portait un 38 réglementaire dans un étui ouvert, sur sa hanche. Il l'en sortit et le glissa derrière la boucle de son ceinturon. Quelqu'un aurait pu s'emparer de l'arme en se glissant derrière lui à l'improviste, sur sa droite. Il ne pouvait pas s'imaginer sans son 38.

— Al?

Le rouquin courut vers l'arrière du panier à salade, où Maddox attendait.

— Fais-les sortir.

Keller ouvrit les portes en grand. Joe Liliuohé descendit le premier, maladroitement, penché en avant pour ne pas se cogner la tête. Il levait devant son visage ses poignets immobilisés par les menottes. Pendant un instant, la lumière du soleil lui fit mal. Il baissa la jambe droite jusqu'à ce qu'il sente le marchepied.

— Par ici, Joe. Avec moi, ordonna Maddox.

— Vous ne nous avez rien dit, pourquoi? Nous avons le droit de savoir, s'insurgea Joe.

Pas de réponse. Quand David Kwan apparut, tête penchée, Keller recula en s'éloignant de Maddox, mais tout en maintenant Joe entre eux.

— Par ici, dit Maddox en montrant Joe.

Harry Pohukaïna descendit ensuite, suivi de Mike Yoshida. Maddox avait donné ses instructions à Keller avant de faire sortir les détenus de leurs cellules.

— Commençons, dit-il, tandis que Keller passait devant. Joe, tu le suis. Les autres, en file indienne.

Maddox resta derrière David Kwan, le dernier des quatre.

En arrivant dans le couloir du deuxième étage, il fit arrêter tout le monde.

— Nous sommes dans un hôpital. Conduisez-vous comme dans un hôpital... Par ici, Al, dit-il en montrant la salle d'attente des visiteurs, au bout du couloir. Installe-toi, je reviens.

Maddox s'éloigna et Keller se plaça debout près de l'entrée, face aux quatre détenus.

Maddox s'arrêta devant le 346, frappa à la porte, puis, se souvenant de son chapeau, leva la main pour l'enlever tandis que la porte s'ouvrait — vers l'extérieur. Doris Ashley ne lâcha pas la poignée. Malgré sa nuit sans sommeil, elle avait l'air sur le point de sortir prendre le thé. Elle avait persuadé Gerald de passer la nuit à *Windward* plutôt que dans la remise à voitures qu'elle avait fait aménager en appartement pour le jeune couple. Puis, Doris était remontée dans sa chambre, avait pris un bain, s'était changée et était retournée seule à l'hôpital de la Miséricorde comme elle l'avait prévu, au volant de la limousine Pierce-Arrow, pour reprendre sa veille près du lit d'Hester.

Pendant la nuit, Hester avait dormi et s'était réveillée à plusieurs reprises, sans reprendre vraiment conscience. Une fois, elle avait dit : « Élue la moins sympa », et une autre fois, beaucoup plus tard : « Papa. » Doris Ashley s'était penchée en avant sur sa chaise. Hester avait les yeux clos et elle ne parla plus, mais Doris Ashley se rappela soudain le jour où elle avait posé un ultimatum à Hester, alors âgée de huit ans. « Papa était mon seul ami », avait répondu la fillette.

C'était un signe si exceptionnel de sincérité et de rébellion que Mme Ashley en était restée sans voix. Elle avait attiré Hester contre elle, tout près. « Je suis ton amie, mon bébé, avait-elle dit. Ta meilleure amie. » Mais elle n'avait pas retiré son ultimatum — et elle ne se souvenait plus maintenant, près de sa fille meurtrie, de ce qu'elle avait exigé d'Hester en ce jour lointain du passé...

Hester Anne Ashley avait cédé ; elle avait été vaincue longtemps avant sa huitième année. Elle n'avait même pas six ans le soir où Preston Lord Ashley s'était écroulé dans son fauteuil, dans la bibliothèque de *Windward*. Son livre était tombé sur le parquet. Doris Ashley entra dans la pièce avec Hester, qui venait dire bonsoir à son père. Doris comprit aussitôt, mais elle courut vers lui. « Papa s'est endormi », dit Hester, et Doris Ashley décida de dissimuler la vérité à l'enfant jusqu'à l'heure des obsèques.

Elle fit sortir Hester de la bibliothèque et appela la gouvernante. Elle envoya la fillette au lit puis elle revint une dernière fois auprès de son mari. « Je suis de nouveau seule à présent », dit-elle à haute voix. Une semaine après les obsèques, Doris Ashley donna à la gouvernante deux mois de salaire et la renvoya de *Windward*. Elle voulait garder Hester pour elle seule.

La mort de son père fut l'événement crucial de la vie d'Hester. De ses six premières années, elle ne conservait que des souvenirs de bonheur, de fêtes décrétées à toute occasion par son père : le Samedi fou, la Semaine de lecture, la Nuit de pleine lune. L'imagination fertile de son père maintenait Hester dans une atmosphère de réjouissances ininterrompues. Parce qu'il aimait la bibliothèque, Hester l'adorait et, avec son aide, elle avait commencé à lire dès l'âge de quatre ans. Preston Lord Ashley l'encourageait. Sous sa direction émerveillée, elle partagea bientôt son goût passionné pour les livres, tous les livres.

Doris Ashley adorait sa fille, adorait la femme qui allait éclore de ses soins aimants et de ses conseils. Dès qu'elle fut seule avec Hester, elle institua son régime personnel. *Windward* devint une académie. Hester allait à l'école chaque jour, suivait des cours de danse et des cours d'équitation, et Doris Ashley imposait sa tutelle dans chaque discipline. Elle ne se lassait pas. Elle était omniprésente. Et elle échoua — parce que Hester échouait.

Hester était une fillette de petite taille avec de petits os. Ses bras et ses jambes semblaient frêles comme des roseaux. Elle était gauche comme d'autres sont dotées de grâce naturelle. Avec ses cheveux fins, couleur sable, et son teint pâlot, elle faisait songer à un enfant convalescent relevant d'une longue maladie. Ses vêtements, que sa mère achetait par douzaines, ne contribuaient pas à lui donner meilleure mine. Mais Doris Ashley persévéra.

Elle dissimulait ses déceptions. Elle ne se mettait jamais en colère à cause des résultats médiocres de l'enfant, de la jeune fille, puis de la jeune femme. Doris Ashley était certaine d'avoir raison. Dans ses relations avec Hester, il ne subsistait aucune trace de la tyrannie de son propre père, mais elle avait hérité à son insu du fanatisme et de l'assurance d'Herman Moeller. Doris Ashley se croyait la meilleure amie d'Hester, alors qu'en réalité sa fille ne s'était jamais confiée à elle depuis son enfance, jamais.

A dix-huit ans, Hester avait surpris deux de ses camarades en train de discuter en riant d'un prix de l' « Étudiante la moins sympa » de la promotion. Hester avait remporté le prix. Elle ne s'en était pas étonnée. Et elle n'avait pas ri de la déconfiture de ses camarades quand elle leur avait révélé qu'elle avait surpris leur conversation. Son aliénation était ancienne.

Mais l'attitude de ces deux filles avait poussé Hester à agir. Elle savait depuis longtemps à quoi elle désirait consacrer sa vie et, forte de ses dix-huit ans, elle se lança. Elle écrivit à plusieurs hôpitaux de San Francisco pour demander des renseignements sur la formation des infirmières. Elle garda le secret jusqu'à ce qu'elle eût choisi son hôpital, renvoyé les formules d'inscription et reçu la confirmation de son admission aux classes d'automne. Doris Ashley savait qu'elle ne pourrait pas survivre à l'absence d'Hester et elle savait aussi qu'elle ne pouvait pas présenter d'objections ni interdire carrément le départ de sa fille. Il ne lui restait que les prières.

Elle supplia Hester de lui accorder un sursis.

— Je suis une femme seule depuis que ton père est mort, mon bébé...

Elle ne laissa à Hester aucun répit. Elle la poursuivit de pièce en pièce, implorant sa pitié. Et elle obtint un délai. Hester accepta d'attendre jusqu'à vingt et un ans...

Et maintenant, sur le seuil de la chambre d'Hester à l'hôpital de la Miséricorde, Doris Ashley se trouvait en face d'un flic.

— Ils sont tous là, madame Ashley, dit Maddox.

— Épargnez-la autant que vous pourrez, répondit-elle.

— Il n'y en aura pas pour longtemps.

Il retourna à la salle d'attente et s'arrêta près de Keller. Il avait décidé de commencer par Joe, le joueur de rugby. Hester s'était trouvée à côté de lui sur le siège de la décapotable. Si elle avait vu l'un d'eux, c'était bien Joe.

— Joe !

L'Hawaïen se leva, les menottes contre son ventre.

— N'aie pas peur, lui dit Harry Pohukaïna. Tu n'as rien à te reprocher, n'oublie pas.

— On va faire un tour, expliqua Maddox.

Dans le couloir, il maintint Joe entre son épaule et le mur. Devant la chambre d'Hester, il le prit par le bras.

— Entre.

Il ouvrit la porte et suivit le jeune homme.

Joe s'arrêta au pied du lit, en face d'Hester. Il vit la femme debout, à côté de la chaise près du lit, et la reconnut aussitôt d'après les photographies des journaux. C'était la mère, Doris Ashley. Maddox referma la porte derrière lui.

Joe regarda la femme qu'il avait trouvée dans la poussière la nuit précédente. Elle était propre à présent, entre des draps blancs, mais son visage semblait encore plus horrible. Il avait enflé. Il était rond comme un ballon et de toutes les couleurs. Elle n'avait pas l'air jeune, elle avait l'air vieille, plus vieille que sa mère debout près d'elle. Joe eut très peur.

— Bonjour. J'espère que vous allez mieux.

Elle ne répondit pas. Elle regarda Doris Ashley, sa mère. Doris Ashley s'assit et prit la main gauche d'Hester dans la sienne.

— Capitaine ? dit-elle.

— Est-ce l'un d'eux ? demanda Maddox.

Doris serra la main d'Hester. Hester la regarda, puis regarda Joe et hocha la tête.

— C'est un mensonge ! hurla Joe.

— Êtes-vous sûre, madame Murdoch ? demanda Maddox.

— Hester, dit Doris Ashley en lui serrant la main plus fort.

— Oui, dit Hester. Oui.

— Vous mentez ! cria Joe.

Il se sentit mourir, là, dans cette chambre d'hôpital. C'était comme si on le tuait. On le tuait.

— Nous ne vous avons touchée que pour vous aider ! hurla-t-il.

Il fit un pas en avant, mais Maddox le retint. Il essaya de s'arracher à la poigne du flic, mais sans y parvenir.

— Vous avez tout inventé !

Maddox l'entraîna vers la porte. Joe tourna la tête pour regarder Hester dans les yeux.

— Qu'est-ce que vous lui avez raconté ? Quelqu'un vous a battue et vous a laissée dans la poussière ! Ce n'est pas nous ! Vous le savez ! Pourquoi mentez-vous ?

Ils sortirent. Dès que la porte se referma, Hester écarta la main de Doris Ashley et repoussa les couvertures du lit. Elle tourna le dos à sa mère en pleurant de souffrance.

— Non ! dit Doris.

Elle se pencha sur le lit, bras tendus pour saisir Hester. Hester roula sur le côté en gémissant de douleur, luttant pour se libérer. Elle réussit à se lever, pieds nus sur le sol froid, très froid. La tête lui tournait. Des lames de couteau et des pointes d'épingle cisaillaient son visage. Doris Ashley quitta le lit, traversa la pièce et se retourna, le dos contre la porte. Hester secoua lentement la tête.

— Je ne peux pas, dit-elle.

Elle s'avança, trébucha et s'accrocha à la barre de fer au pied de son lit pour ne pas tomber. Déjà, sa mère la prenait dans ses bras.

— Non, mon bébé. Non, mon enfant. Il faut que tu sois forte, pour nous deux. Nous sommes innocentes, nous aussi. Toi et moi, innocentes. J'aimerais pouvoir faire tout à ta place. Si seulement je pouvais affronter ces hommes moi-même ! Mais je ne peux qu'être avec toi, mon bébé. Tout dépend de toi. Nos vies sont entre tes mains. Si tu nous fais faux bond, nous sommes perdues, mon bébé. Tu seras perdue, seule et déshonorée. Et tu m'entraîneras dans ta chute.

Elle écarta Hester des barreaux du lit.

— Sauve-nous, mon enfant. Rassemble tes forces.

Elle la fit asseoir sur le lit. Elle ouvrit les couvertures puis elle se baissa pour soulever les jambes d'Hester et les déposer sur le lit. Elle tira sur le drap pour couvrir Hester.

— Tu ne peux pas nous faire faux bond en cette heure décisive, mon bébé.

A l'instant où Maddox et Joe apparurent à la porte de la salle d'attente, Harry Pohukaïna bondit.

— Où étais-tu, Joe ? Qu'est-ce qu'ils vont nous faire ?

— Silence, lança Maddox.

— Vous ne pouvez pas nous empêcher de parler, dit Joe. Nous avons des droits. Je veux passer un coup de téléphone. Je veux appeler quelqu'un à notre secours.

— Dès que nous rentrerons au commissariat central, lui répondit Maddox. A ton tour, petit, annonça-t-il à David Kwan.

David n'avait pas envie qu'on le voie trembler, mais il ne pouvait pas s'en empêcher. Il serrait le bout de ses doigts entre ses mains pour essayer d'arrêter le tremblement, mais les menottes faisaient un bruit de métal entrechoqué.

— T'en fais pas, lui dit Harry.

David resta tête baissée. Il avait peur d'éclater en sanglots si son regard croisait celui d'Harry ou d'un autre.

Maddox longea le couloir avec David jusqu'au 346 et ouvrit la porte. David s'arrêta sur le seuil.

— Nous n'avons rien fait de ce qu'il prétend, madame. Je vous le jure. Jamais nous ne ferions une chose pareille. Je le lui ai dit hier soir. Nous nous sommes arrêtés parce que vous étiez évanouie.

Maddox le poussa dans la pièce.

— Est-ce l'un d'eux ? demanda-t-il.

Doris Ashley baissa les yeux vers Hester.

— Le capitaine te parle, dit-elle.

Hester garda le silence.

— Est-ce l'un d'eux ? répéta Maddox.

— Oui, oui, dit Hester.

David se mit à pleurer.

— Tout ce que nous avons fait, c'est la ramener ici.

Il sentit le sel de ses larmes sur ses lèvres. Il leva le bras pour essuyer son visage, mais le métal des menottes lui écorcha la peau...

Un vieux coupé Durant de couleur verte s'arrêta près de l'entrée de l'hôpital. Duane York, le matelot qui avait emprunté la voiture de Gerald la veille, était au volant. Gerald se trouvait à côté de lui. Il avait téléphoné à la caserne de Duane.

— Désolé, Duane, mais j'ai besoin de ma voiture.

Une heure plus tôt, quand Theresa lui avait servi le café, selon les instructions de Doris Ashley, il avait appris que sa belle-mère était partie avec la Pierce-Arrow.

— Madame m'a dit de ne pas vous réveiller, lui avait expliqué Theresa. Madame m'a dit que vous étiez fatigué.

Devant l'hôpital, il s'excusa.

— Désolé de vous faire ce mauvais coup, Duane. Mais il faut que je garde la voiture.

— Ne vous faites donc pas de bile pour moi, lieutenant, répondit Duane. Vous avez déjà assez de soucis comme ça dans cet hôpital.

Gerald lui avait raconté qu'Hester s'était blessée au cours de la soirée. Duane prit la clé de contact sur le tableau de bord.

— J'ai pensé à une chose, lieutenant, dit-il. Vous aurez sans doute beaucoup à faire aujourd'hui. Je suis libre comme l'air jusqu'à l'appel de demain matin. Vous risquez d'avoir besoin d'aide... Je pourrais rester dans le coin. S'il vous manque quelque chose, j'irai le chercher, cela vous permettra de rester avec Mme Murdoch.

— Je ne vous en empêcherai pas, Duane, répondit Gerald. Et je n'oublierai pas votre générosité non plus.

— Ma générosité ?... Excusez-moi, lieutenant, mais c'est l'inverse. Combien de fois m'avez-vous prêté de l'argent... La liste serait longue comme le bras.

Il suivit le lieutenant. Il avait enfin l'occasion de lui témoigner sa reconnaissance.

Dans l'hôpital, Mike Yoshida fut le dernier des quatre hommes qu'Hester identifia comme ceux qui l'avaient agressée et battue. Maddox tenait Mike par le bras lorsqu'ils retournèrent à la salle d'attente.

— Al ?

Al Keller fit signe aux trois autres détenus.

— Debout !

— On s'en va comme on est venus, dit Maddox. Passe en tête, je ferme la marche.

Il fit pivoter Mike Yoshida.

— Suis-le. Toi aussi, Joe.

Il leur fit signe d'avancer, puis retint brusquement Harry Pohukaïna.

— Attends ! dit-il d'un ton sec, ajoutant plus fort : Al ! *Al !*

Gerald Murdoch venait de sortir de l'ascenseur qui se trouvait entre la salle d'attente et l'escalier. Le rouquin se retourna, la main droite sur la crosse de son arme et le bras gauche tendu pour arrêter toute personne qui déciderait de fuir. Maddox lui fit signe.

— Par ici ! Vite !

Il bouscula Harry Pohukaïna vers l'escalier de l'autre extrémité du corridor, puis saisit David Kwan et le poussa devant lui. Keller arrivait déjà avec Joe et Mike Yoshida.

— Grouillez-vous ! Grouillez-vous ! lui lança Maddox. Par l'autre escalier.

Il se retourna pour emboîter le pas des autres, mais Gerald le reconnut.

— Capitaine Maddox ?

Gerald se dirigea vers le groupe. Duane dut allonger le pas pour le suivre.

Keller avait pris la tête. Il arriva à la porte de l'escalier et l'ouvrit. Sur un signe de Maddox, il s'engagea dans la cage d'escalier, avec Joe et Mike Yoshida derrière lui. David venait ensuite, puis Harry Pohukaïna, juste devant Maddox.

— Pourquoi cette précipitation tout à coup ? demanda Harry.

Maddox le prit par le bras.

— Capitaine ! lança Gerald, plus fort.

Il vit les menottes de l'homme que tenait le policier.

Maddox arriva à la porte de l'escalier. Il poussa Harry de l'autre côté et cria :

— Al, reste ici jusqu'à ce que j'arrive.

Il referma la porte et attendit Murdoch.

Duane avait vu, lui aussi, l'homme avec les menottes. Il rattrapa le lieutenant quand celui-ci rejoignit le grand type à la porte. Le lieutenant l'avait appelé capitaine, et Duane en déduisit que ce devait être un flic, un *déké*. On était dans un hôpital, et voici que des flics traînaient dans les couloirs avec des *beach boys* menottes aux poignets... La conclusion qu'il tira lui déplut.

— Attendez une minute, capitaine, dit le lieutenant. Qui sont ces hommes ?

— Une affaire de police, lieutenant, répondit Maddox.

Gerald se dirigea vers la porte mais s'arrêta aussitôt, comme au bout d'une corde. Le bras de Maddox était passé sous le sien.

— Ne me forcez pas à employer la violence, dit Maddox. Je n'en ai pas envie. Je ne peux pas vous laisser aplatir mes détenus.

— Je veux seulement les *voir*.

— Vous les verrez le moment venu, répondit Maddox en libérant lentement Gerald. Vous les verrez même plus que vous n'en aurez envie. Vous êtes officier, vous devriez comprendre. Je dois suivre mon règlement comme vous suivez le vôtre.

— J'ai le droit de savoir ce qui se passe.

Maddox se détendit. Quand un homme réclame des explications, c'est que la phase d'agressivité est passée. Maddox regarda l'autre homme, de plus petite taille, et le reconnut. Il l'avait vu à la Whispering Inn la veille au soir.

— Vous pouvez tout dire en présence de Duane, lui assura Gerald.

En entendant ces paroles du lieutenant, Duane comprit qu'il aurait la planque tant qu'il resterait à bord du *Bluegill*.

— De toute façon, ce ne sera plus un secret longtemps, dit Maddox en boutonnant sa veste. Les journalistes ne laisseront pas passer une telle occasion. On ne pourra pas les tenir en laisse. L'affaire s'étalera partout. Votre femme les a identifiés. Ils étaient bien quatre.

Gerald eut l'impression que le capitaine lui en faisait le reproche, comme s'il était coupable, lui aussi. Le capitaine se demandait sans doute pourquoi Hester se baladait seule en pleine nuit. Le capitaine estimait probablement que Gerald aurait dû se trouver avec Hester pour la protéger. Or il ne l'avait même pas vue *sortir* de l'auberge. Elle était toujours seule. Et quand Gerald lui posait des questions, elle répondait toujours : « Je lisais. » Il ne comprenait rien à son caractère. Duane devait se poser les mêmes questions que le capitaine. Toute personne apprenant ce qui était arrivé à Hester se poserait des questions.

— Ils sont sous ma garde, dit Maddox. Sous ma responsabilité. Inutile de me suivre, ça ne vous servira à rien. Je ne vous laisserai pas vous approcher d'eux.

Il ouvrit la porte de l'escalier.

Duane regarda le *déké* s'éloigner. Il ne pouvait se résoudre à regarder le lieutenant. Il savait tout à présent. Il avait la gorge nouée. Penser à ces quatre types lui soulevait le cœur. Et la façon dont le *déké* les protégeait le rendait malade.

— Gerald ?

Quelqu'un, derrière eux, appelait le lieutenant.

— Je reste là, lui dit Duane en montrant la salle d'attente.

Il vit le lieutenant se diriger vers un couple entouré d'infirmières et il reconnut l'homme aussitôt : le lieutenant Partridge, officier des transmissions à bord du *Bluegill.* La femme avec les fleurs devait être son épouse.

— Il a une mine terrible, murmura Ginny à Bryce en voyant s'avancer Gerald — complet, chemise et cravate, épaules en arrière, tête droite, le produit typique d'Annapolis sous sa forme la plus classique.

Le bruit clair des talons de Gerald, clac, clac, clac, clac, fut pour Bryce comme le tic-tac d'une bombe à retardement roulant vers lui dans le couloir. Bryce avait vu, et reconnu, la grande brute à côté de Gerald : le flic qui était venu chercher Gerald à la Whispering Inn. « Priez pour moi », se dit-il.

— Vraiment désolé, Gerald. Les mots me manquent...

— Tu es venu, répondit Gerald. Cela remplace toutes les paroles.

Bryce aurait aimé s'asseoir. Il retint la main de Gerald. Il fallait qu'il soit sûr.

— On sait qui l'a fait ? demanda-t-il.

— Hester a identifié les quatre hommes. Je parlais justement au capitaine de la police.

Bryce posa le bras sur l'épaule de Gerald.

— Je suis content d'être venu, mon vieux.

— Comment va-t-elle ? demanda Ginny. Bon sang, quelle question ! Je me sens vraiment idiote. Pouvons-nous la voir ?

— Je viens juste d'arriver moi-même, répondit Gerald. Je vais demander.

Il s'éloigna.

— Il me donne envie de pleurer, dit Ginny.

— Nous sommes sur la ligne de tir, mon ange, lui murmura Bryce en lui prenant le bras.

Il l'entraîna vers la salle d'attente des visiteurs. Duane les vit entrer et se dit qu'ils avaient sans doute envie de rester seuls.

— Matelot York, mon lieutenant, de la salle des torpilles, dit-il. Je suis avec le lieutenant, mon lieutenant.

Il se glissa devant eux et se dirigea vers un banc à l'autre bout du couloir. Dans la salle d'attente, Bryce lâcha Ginny et s'avança vers les fenêtres. Hester les avait *identifiés*. Bryce se souvenait d'Hester la nuit précédente, il pouvait la voir clairement. Voir son visage. Comment un homme, *n'importe lequel*, aurait-il pu faire quoi que ce fût à une femme dont le visage ressemblait à un masque de Carnaval ? Même pomponnée pour le bal, Hester ressemblait à la chèvre du régiment. Pendant tout le printemps, à chaque rendez-vous, avant chaque étreinte, Bryce s'était demandé pourquoi il l'avait choisie.

Car c'était Bryce qui l'avait poursuivie de ses assiduités. Un vendredi soir du mois de mars, il s'était rendu seul à une soirée. Il logeait à la caserne des officiers célibataires pendant que Ginny se trouvait chez ses parents aux États-Unis, et ses camarades l'invitaient à toutes leurs festivités. Bryce avait apporté la bouteille d'*okoléhao* exigée et l'avait posée au milieu des autres sur le plan de travail de la cuisine. Bryce ne se laissait jamais aller à la boisson, pour ne pas perdre le contrôle de son corps. Il avait accepté cette invitation parce qu'il se sentait seul et parce que, depuis ses premiers jours à bord du *Bluegill*, les autres officiers du bord lui avaient plu.

Ce vendredi-là, il était arrivé après les autres, les maris avec leurs épouses, les célibataires avec leurs petites amies. Comme quelqu'un l'assura : « On ne s'embête pas ici. » Bryce accepta un verre pour couper court aux protestations, évita les claques dans le dos et les chansons dissonantes et parcourut la petite maison louée en évoquant ses meilleurs souvenirs de l'École navale. Bryce n'avait pas vu la jeune femme. Elle était si parfaitement neutre et quelconque qu'il avait failli la bousculer sans la voir. Elle se trouvait devant la bibliothèque vitrée, qu'elle avait ouverte, avec à la main un exemplaire de *Jane Eyre* pris au milieu des classiques, sans doute apportés de la métropole par la maîtresse de maison.

— Bonjour, lui dit-il.

Surprise, elle leva les yeux de la page qu'elle lisait.

— Bryce Partridge, aux ordres.

Puis il ajouta, instantanément et inexplicablement en chasse :

— A *vos* ordres. Et *volontaire*.

Il eut envie, là, devant la bibliothèque, de la mordre, de la mordiller du bout des dents tandis qu'elle s'abandonnerait, infiniment exigeante, dans ses bras.

— Je suis Hester Murdoch, balbutia-t-elle d'une voix sans force.

Il l'avait prise au dépourvu. En levant les yeux, elle avait vu près d'elle une haute silhouette aux traits durs, une personne étrange, un homme qui aurait pu être un guerrier spartiate retournant chez lui en triomphe. Il avait l'air irréel, dans le cadre de cette banale soirée d'officiers de marine où elle avait accompagné Gerald à regret.

— Pourquoi n'êtes-vous pas ivre et tapageuse ? demanda Bryce.

— Je supporte mal l'alcool, avoua Hester, un peu honteuse.

Bryce fit un demi-tour droite pour poser son verre et, lorsqu'il se retourna d'un geste sec, comme à l'exercice, il prit le livre des mains d'Hester en faisant glisser ses doigts sur les paumes de la jeune femme.

— Votre secret est en sécurité avec moi, dit-il en posant le livre sur l'étagère. Il doit bien y avoir un jardin quelque part ?

Hester eut soudain l'impression qu'ils étaient seuls dans la maison. Tous les autres avaient disparu. L'homme étrange qui ressemblait à un guerrier grec et qui effaçait tout, les choses comme les gens, avait pris le commandement. Il lui fit traverser la pièce, franchir plusieurs portes, puis sortir sur la terrasse garnie de plantes en pot. Ils passèrent devant un couple en train de se chamailler qui essayait de parler le plus bas possible — mais les sifflantes étaient chargées de venin. Il l'entraîna hors de la tache de lumière de la maison, au fond des ombres.

— Maintenant, nous sommes tranquilles, dit-il. Alors dites-moi pourquoi j'ai l'impression que nous ne sommes pas des inconnus, que nous nous connaissons depuis toujours ? mentit-il.

Il évita surtout de la toucher. Il sentait qu'il était important de ne pas encore la toucher.

Hester ne répondit pas parce qu'elle en était incapable, parce que le Spartiate qui avait surgi près de la bibliothèque lui avait jeté un charme. Elle avait la gorge nouée.

— Et vous l'avez senti, vous aussi, dit Bryce, répondant à sa place.

Comme il l'avait trouvée avec un livre, il s'adapta aux circonstances.

— J'ai envie de poser mes lèvres contre les vôtres, dit-il en maintenant toujours ses distances. Quand ? ajouta-t-il dans un murmure.

Il opta pour le dimanche, ce qui laisserait à la jeune femme toute la journée du lendemain pour rêver à leur rencontre. Elle refusa, mais il demeura ferme, sans élever la voix, avec ferveur. Elle protesta, mais il se montra inflexible.

— Je n'ai jamais... commença-t-elle.

Il la coupa.

— Moi non plus, mentit-il

Il organisa tout. Il lui expliqua en détail ce qu'elle ferait. Étant depuis peu à Pearl Harbor, il ne connaissait pas bien Honolulu, mais il s'était toujours senti en sécurité dans la foule et il choisit l'entrée du Western Sky Hotel, dans Kalakau Avenue.

— Vous vous habillerez en blanc, dit-il tout bas.

Et, bien qu'Hester continuât de protester presque avec véhémence, Bryce aurait juré qu'elle viendrait à son rendez-vous le dimanche.

Il avait toujours eu du succès avec les femmes, et il en eut également ce dimanche-là, mais il ne s'attendait pas à un triomphe d'une telle ampleur. La confiance de Bryce, sa patience intuitive, son expérience et son habileté, le contact et la pression de ses bras et de ses lèvres, la tiédeur de son corps, tout concourut à faire d'Hester sa captive reconnaissante. Bryce était le héros qu'elle avait espéré trouver en Gerald, le héros qu'elle avait recherché depuis la mort de son père, tous les héros des étagères de la bibliothèque de *Windward*. Ce dimanche après-midi-là, il devint le capitaine audacieux et romantique des régiments courageux et des escadrons condamnés sans espoir qui hantaient les lectures et les rêves d'Hester depuis son enfance.

Elle refusa de le quitter. Elle était galvanisée par lui. Elle devint lascive.

— Dis-moi ce que tu veux que je fasse, lui dit-elle, et elle le fit mieux qu'aucune autre. Dis-moi ce que tu désires, ce que tu aimes, ce qui te plaît.

Elle anticipait chacun de ses désirs. Elle semblait n'être avec lui que pour aguicher, ravir, prolonger, exaucer. Elle était partout. Elle l'engloutit et, quand il fallut qu'elle le quitte, quand ils durent se séparer à l'entrée de *Windward,* elle était devenue son esclave...

Tandis que Bryce, dans la salle d'attente de l'hôpital de la Miséricorde, évoquait son premier rendez-vous avec Hester, Doris Ashley se penchait sur le lit de sa fille.

— Es-tu réveillée, mon enfant?

Hester garda le silence. Doris Ashley fixa les yeux clos de sa fille.

— Il n'y avait pas d'autre moyen, dit-elle. C'était la seule solution. Qu'aurions-nous pu faire d'autre? Nous n'avions pas le choix. Nous n'avions pas le choix, mon bébé. Il fallait assurer notre protection.

Tout le monde a le droit de se protéger. C'est une loi de la nature. Une loi fondamentale de la nature.

Doris Ashley entendit la porte s'ouvrir et leva les yeux.

— Bonjour Gerald... Mon bébé, c'est Gerald.

Doris se leva aussitôt pour monter la garde à côté du lit au cas où Hester essaierait de faire ou de dire quoi que ce fût.

Gerald s'avança de l'autre côté du lit. Hester avait l'air encore plus mal. Son visage avait enflé. Sa peau était boursouflée, pleine de trous et de bosses, totalement décolorée. La soie noire des points de suture dessinait de petites rides, dans tous les sens, sur ses joues et sa mâchoire. Elle était méconnaissable. Il ne pouvait pas comprendre que des gens l'aient battue. Il n'avait jamais connu d'hommes capables de frapper une femme, encore moins de s'associer pour la tabasser. A quatre contre un! Il était presque incapable de parler.

— Puis-je faire quelque chose pour toi, Hester?

Elle secoua la tête.

— Ginny et Bryce sont venus...

Les yeux d'Hester s'ouvrirent, mais déjà Doris Ashley se dirigeait vers la porte.

— Vous avez vu la pancarte, Gerald? dit-elle. Aucune visite. Ce sont les ordres du docteur. Vous voulez que j'aille le leur dire?

— Excuse-moi, Hester, dit Gerald.

Il s'éloigna du lit. Hester l'entendit dire :

— Je n'avais l'intention de déranger personne. Ginny et Bryce non plus.

Hester entendit la porte s'ouvrir et se refermer. Elle entendit les pas de sa mère qui retournait vers le lit et elle ferma les yeux.

— Il est venu ici avec sa *femme!* lança Doris Ashley, suffoquée. Quel genre d'homme est-ce donc? Il est fou. Cet homme est un fou, mon enfant. Tu as eu de la chance d'en sortir vivante. Et il a *osé* se présenter ici!

Elle tourna la chaise pour s'asseoir face à la porte, puis regarda Hester. Dès qu'Hester dormirait, elle irait parler à l'infirmière-chef. Elle voulait que l'interdiction des visites soit strictement appliquée jusqu'au départ d'Hester de l'hôpital. Bryce Partridge risquait d'essayer une deuxième fois.

Hester posa les mains l'une au-dessus de l'autre sur sa poitrine. Sa mère se trompait. Bryce Partridge n'était pas fou. Il était... Bryce. Différent de tout autre être humain sur la terre, de tout autre être humain ayant vécu dans la réalité ou entre les pages d'un livre. Il n'éprouvait aucun sentiment, sauf pour lui-même. Hester l'avait appris très vite car Bryce ne dissimulait rien de sa personnalité. Il était... Bryce. Et il avait sans effort, sans faire une seule avance après leur première rencontre près de la bibliothèque, métamorphosé Hester en une personne sans volonté, sans le courage de choisir. Et parce qu'elle s'était aperçu enfin, la veille au soir, qu'elle était une simple feuille dans le vent, un être insignifiant, mais qui le dérangeait et le menaçait, Hester avait déchaîné Bryce Partridge. Et parce que Doris Ashley était son premier maître et le demeurait, Hester avait envoyé quatre jeunes gens innocents au sacrifice à la place de Bryce. Elle avait envie, de tout son être, de voir Bryce s'élancer dans la chambre pour l'envelopper dans ses bras. Sa propre attitude la révoltait — son mensonge et son désir de Bryce encore vivace et qu'elle était incapable d'extirper.

Et tandis que Doris Ashley, assise près du lit, surveillait la porte, les yeux d'Hester s'emplirent. Une larme perla à chaque paupière et roula sur son visage meurtri.

— Mon bureau est là, dit Tom Haléhoné à Sarah Liliuohé en arrivant sous le porche. Juste au-dessus.

— Dépêchez-vous, répondit-elle, ajoutant aussitôt : Je parle comme si nous étions en retard. Comme si Joe risquait d'être parti.

— Je reviens de suite, dit Tom.

Il monta l'escalier et ouvrit la porte. Il mit dans sa serviette un bloc-notes jaune et plusieurs crayons. Lorsqu'il retrouva Sarah, elle regardait la pluie, le dos appuyé au mur.

— On est obligés de s'attendre, dit-elle, comme s'ils étaient victimes d'un complot.

La pluie tiède d'Hawaï, qui tombe avec la douceur d'un vaporisateur, ne dure jamais bien longtemps. Ils n'avaient pas beaucoup de place sous le porche et, quand leurs épaules se touchèrent, le corps de Tom se tendit. Il se raidit. Jamais il ne s'était trouvé seul avec une femme, sauf par hasard. Jamais il n'avait pu oublier son pied assez longtemps. Il avait essayé. En face d'une femme, il rassemblait tout son courage, composait mentalement des invitations galantes, les censurait et les récrivait dans sa tête, mais ne les prononçait jamais.

Il ne s'écarta pas de Sarah. Il sentait bien son épaule. Elle était de la même taille que lui. Et il laissa gamberger son imagination, oubliant tout et tout le monde, sauf Sarah et lui-même, seuls, bloqués dans le vide, condamnés à rester ensemble. Puis il cessa de pleuvoir et Sarah dit :

— Nous pouvons partir.

Quand ils arrivèrent au commissariat central, un arc-en-ciel faisait le dos rond au-dessus des collines, avec, autour, de petits nuages pareils à des rochers blanchis par l'écume au milieu d'un torrent clair, étincelant de lumière.

— Jamais je n'y suis venue, dit Sarah.

— C'est seulement un immeuble, un immeuble public.

— Non, il n'est pas pareil, répondit-elle. Il y a une différence. C'est rempli d'armes. Joe est là-dedans, dans une cellule. Prisonnier derrière des barreaux. Je n'arrive pas à croire qu'il est en prison, mais c'est la vérité. Ce matin, je me suis lavé la tête et je suis sortie me peigner au soleil. Le téléphone a sonné. J'ai entendu crier ma mère. Notre vie a changé. Un coup de téléphone peut changer votre vie. Je me sens comme si nous avions tous été empoisonnés.

— Vous pouvez m'attendre dehors, dit Tom.

— J'aurais pu attendre à la maison, répondit Sarah. J'aurais pu *rester* à la maison, enfermée à clé, en sécurité. Je ne peux pas. Je ne peux pas me dérober. Je ne le ferai pas. Joe est là-dedans. Mon frère. Et les autres. David Kwan est presque un frère. Ils sont en prison, moi pas. Je suis libre. Mais si je reste ici, dehors, je ne le serai plus, par rapport à moi-même.

Ils enfilèrent un long corridor au plafond vert pâle comme les murs. Il régnait une odeur lourde de désinfectant. Les lampes partout allumées donnaient à l'espace un aspect irréel. Il y avait autant d'humidité que s'ils se trouvaient très profond sous terre. Sarah toucha la manche de Tom.

— J'ai une de ces peurs !

Tom baissa les yeux vers la main de Sarah posée sur son bras. Des doigts délicats, minces et longs, qui lui rappelèrent des mains contemplées sur un tableau ancien. Il eut du mal à retrouver son souffle. Quand elle laissa retomber son bras, il eut l'impression qu'elle l'avait abandonné.

— Ici, tout le monde a peur, dit-il. D'ailleurs, c'est à faire peur.

Ils entendirent des pas, pesants, en cadence. Devant eux, un flic en uniforme, entre deux âges, se dirigeait vers un escalier.

— Monsieur l'agent ! lança Tom en entraînant Sarah vers le flic. Je représente...

— Par ici ! coupa l'agent en tendant le bras.

Ils suivirent la direction qu'il indiquait et parvinrent à une pièce peu profonde, au plafond bas voûté. Juste devant eux se trouvait un comptoir à hauteur d'épaule, courant sur toute la largeur de la pièce. Derrière le comptoir, assis très haut comme un juge, se tenait un sergent en uniforme. Dans le mur, sur sa gauche, une porte de cellule. Des officiers de police qui venaient de procéder à des arrestations arrivèrent par un couloir étroit derrière le sergent et conduisirent les inculpés jusqu'à la porte de la cellule où l'on allait les écrouer. Sarah et Tom s'avancèrent vers le comptoir. Le sergent était en train de manger une papaye, qu'il coupait en tranches avec son couteau de poche.

— Excusez-moi. Je m'appelle Tom Haléhoné. Je suis le conseil de Joe...

— Vous êtes quoi ?

— Je suis avocat et je représente Joe Liliuohé, David Kwan, Harry...

— Ah ! ces types-là !

— J'aimerais voir mes clients, je vous prie.

Le sergent extirpa son mouchoir et posa la papaye. Puis il posa son couteau et décrocha le téléphone.

— Allez-y, dit-il à Tom.

— Où est-ce, s'il vous plaît ?

— Où est-ce ? lança le sergent en reposant l'appareil sur son crochet. Vous êtes avocat, oui ou non ?

— C'est la première fois que je viens ici.

Le sergent descendit de son piédestal. Lentement, en articulant clairement, en accentuant chacune des voyelles comme s'il parlait à un demeuré, en prononçant *par-loir* comme s'il s'agissait de deux mots, il indiqua à Tom le chemin de la salle des avocats, au sous-sol près du bloc cellulaire. Sarah détourna les yeux du visage du sergent. Elle l'aurait giflé.

— Nous trouverons, dit-elle.

— *Nous ?*

Le sergent baissa les yeux vers la gonzesse. Une gonzesse bien roulée, d'ailleurs.

— Vous êtes avocat ? demanda-t-il.

— Je suis la sœur de Joe Liliuohé.

— Revenez pendant les heures de visite, dit le sergent.

Il se rassit et reprit son couteau. Sarah fit demi-tour et ressortit d'un pas vif.

— Merci, dit Tom.

Il suivit Sarah, tout en écoutant le bruit de sa chaussure raclant le carrelage.

— Je les déteste tous ! s'écria Sarah dans le couloir. Ce sont tous les mêmes. Ils nous traitent comme des domestiques.

Elle était blême de rage.

— Il ne compte pas, lui dit Tom. Oubliez-le. Pourquoi ne voulez-vous pas m'attendre dehors ?

— J'ai autant le droit d'être ici que lui, répondit Sarah. Il m'en faudrait davantage pour me faire déguerpir. Allez-y, sinon vous serez en retard.

Dans l'escalier conduisant au sous-sol, Tom entendit un homme chanter dans une langue qu'il ne put ni comprendre ni reconnaître. La mélodie était entraînante et gaie. Tom songea à des hommes et des femmes dansant au clair de lune sur une place pavée de granite, oriflammes au vent ; un orchestre improvisé, composé d'hommes âgés, était installé sur la margelle de la fontaine, au centre de la place, une bouteille de vin entre les jambes de chaque musicien. Il vit la place avec netteté dans sa tête, quelque part en Europe, dans un village médiéval. Il se trouvait au milieu des danseurs, tous vêtus de costumes pittoresques — Sarah et lui étaient les seuls en costume moderne. Sarah et lui dansaient. Les spectateurs louaient leur grâce et leur vivacité. La chanson s'acheva et Tom revint, craintif et hésitant, à son rendez-vous avec les quatre jeunes gens.

Le parloir des avocats était spacieux, avec une table et des chaises. Tom posa sa serviette sur la table et en sortit le bloc et les crayons. Il s'avança vers la porte ouverte et jeta un coup d'œil : le corridor était désert. Il retourna à la table et attendit debout près d'une chaise. Il entendit une voix dire : « Par ici ! » et il vit le gardien de prison en uniforme dans l'embrasure de la porte.

Joe Liliuohé entra le premier. Tom vit un groupe d'hommes derrière lui.

— Frappez à la porte quand vous aurez terminé, dit le maton.

— Tommy, regarde où nous sommes, commença Joe. Au commissariat central, *en prison.* Incroyable, non ? Où est Sarah ?

— En haut, répondit Tom.

Le gardien referma la porte. Tom ne reconnut pas les trois jeunes gens qui accompagnaient Joe.

— Qui est-ce ? demanda Mike Yoshida.

— Tommy Haléhoné. On était voisins, répondit Joe. Tu ne te souviens pas de Tommy, au lycée ?

— Je ne suis jamais allée au lycée, dit Mike. Tu disais que ta sœur allait envoyer un avocat.

— Tommy est avocat. Il est allé aux États-Unis et il en est revenu avocat.

Harry Pohukaïna se rapprocha, face à Tom.

— Tu veux l'envoyer, *lui,* contre eux ?

D'un geste du bras, il balaya l'espace en un grand arc, comme un lanceur de disque.

— Pourquoi ne pas avouer tout de suite ?

— Pourquoi... commença Tom, puis il s'arrêta net.

Il était avocat. Ils avait fait d'excellentes études. Et il était *libre.* Il dit :

— Joe, je vais dire au surveillant que je désire te voir seul.

— Une seconde, dit Joe en levant la main devant le visage de Tom comme pour interrompre un combat. Harry, lança-t-il, tu fermes ta gueule ou je te la fais fermer.

— Essaie ! lança Harry.

Il bondit sur sa gauche, saisit une chaise et la brandit au-dessus de sa tête.

— Je vais te casser ce truc-là sur le crâne, nom de Dieu ! Depuis hier soir, je t'écoute, et voilà où j'en suis. C'est toi qui as voulu t'arrêter pour cette bonne femme. Moi, je ne me serais pas approché d'une femme *haolé* même si elle était dans un cercueil deux mètres sous terre. Mais tu n'en as fait qu'à ta tête. Voilà plus d'un mois que je n'ai pas touché à une femme et je me retrouve en prison pour viol !

Il recula, la chaise toujours menaçante.

— Fais-moi fermer ma gueule ! Allez ! Je te défonce le crâne.

Joe poussa Mike Yoshida de côté, ce qui permit à Tom de le prendre par le bras.

— Joe, Joe ! Tu es en train de démontrer que les flics ont raison !

— Harry, pose cette chaise, dit David Kwan.

— Pose-la ! répéta Mike Yoshida. Oh ! mon Dieu, qu'est-ce qui nous arrive ?

Il se laissa tomber sur une chaise au bout de la table et baissa la tête.

Harry reposa la chaise, puis la porta au bout de la table et s'assit à côté de Mike. Joe s'assit à son tour et David, le plus jeune, se dirigea vers le mur et le poussa de tout son corps, comme s'il espérait trouver ainsi un moyen de s'évader.

— Nous formons une drôle de bande, Tom, hein ? Ne les écoute pas, dit Joe.

— Il faut que je les écoute, que je t'écoute, que je vous écoute tous, répondit Tom. Mais d'abord, vous avez intérêt à m'écouter. Je suis nouveau. Un débutant qui essaie de se lancer. Je ne suis pas un avocat d'assises. Vous avez droit au meilleur conseil que vous pourrez trouver. Vous ne devez pas avoir peur de froisser ma susceptibilité.

— Maintenant, vous savez quel genre de type est Tom, dit Joe aux autres. Nous avons de la chance qu'il soit encore là après l'accueil que nous venons de lui réserver. J'ai envie de lui baiser les mains. Devinez donc pourquoi. Parce que si je n'ai pas assez d'argent pour faire le plein d'une voiture, comment pourrais-je payer un avocat ?

Il regarda Tom.

— Tu savais que je n'ai pas un fifrelin, pas vrai ?

— Nous ne sommes pas ici pour parler de ça, répondit Tom.

— Vous devriez peut-être vous excuser, vous aussi, les gars. Je ne peux parler que pour moi. Voudras-tu m'aider, Tom ?

David s'écarta du mur.

Tom prit son bloc jaune et souleva la couverture. Il tendit la main vers les crayons, vaguement mal à l'aise.

— Commençons par hier soir, dit-il. Racontez-moi tout. *Tout.* Commencez par le moment où vous vous êtes rencontrés. Si vous vous souvenez de l'heure, *chaque fois que* vous vous souvenez de l'heure, indiquez-la. Que l'un de vous commence et, si un autre se souvient d'une chose que le premier a oubliée, qu'il l'interrompe... Joe, dit-il en braquant le crayon, c'était la voiture de ta sœur.

Joe raconta... Tom écrivait sans arrêt. Souvent, il demandait à Joe de répéter un détail. Souvent, il le coupait par des questions. Le récit de Joe était précis et complet. Il se tourna vers les autres.

— J'ai sauté quelque chose ?

— Si seulement tu avais pu tout sauter, dit Harry. Vous avez entendu, lança-t-il à Tom. Que va-t-il se passer, maintenant ?

— Demain, le procureur de district déposera sûrement une plainte, dit Tom. Le magistrat fixera la caution et...

— Vous êtes sourd ? cria Mike Yoshida en bondissant de sa chaise. Nous nous sommes cotisés pour payer l'*essence* et vous parlez d'une *caution !*

— Du calme, Mike, dit David.

Mike Yoshida pivota sur lui-même, poings serrés, les yeux fous.

— Du calme ! Regarde où nous sommes ! Regarde ce qu'ils ont fait de nous ! Je ne peux plus tenir en place ! J'ai envie de courir tout le temps !

Il agita les bras.

— J'ai envie de me lancer la tête la première contre les murs.

Tom vit les veines du jeune homme saillir à son cou, grosses comme des crayons sous sa peau.

— Vous espérez peut-être que je vais réagir comme si je m'étais tordu la cheville ? Comme si j'avais perdu ma place ? Elle prétend que nous l'avons *violée !* Que se passera-t-il si l'on ne nous croit pas ? Jusqu'ici, personne ne nous a crus ! Quatre jeunes tocards contre Hester Ashley ! Ils nous enverront balader ! Nous resterons en prison ! Nous pourrirons en prison ! Combien d'années de prison ? lança-t-il à Tom, penché en avant, saisissant le rebord de la table à deux mains. Vous êtes avocat. Combien de temps resterons-nous en prison ?

— Tout ce que j'ai entendu m'indique que vous êtes innocents, répondit Tom. Vous êtes tous innocents.

Les mains de Mike se crispèrent sur la table. Son visage était écarlate.

— Et si vous vous trompez, dit-il. Combien d'années? Annoncez le minimum. Le moins grand nombre. Allez! Il faut que je sache. Pour dire à ma mère de m'acheter des calendriers! Combien de calendriers? Cinq? Dix? Vingt? Cent?

Tom aurait aimé répondre, mais il en était incapable. Il ne pouvait offrir au jeune homme aucune réponse susceptible de calmer sa crise de nerfs. Il ne connaissait même pas la peine prévue pour le viol dans le Territoire. Il faudrait qu'il consulte la jurisprudence...

Mike s'écarta de la table.

— Et puis à quoi bon, reprit-il d'une voix éteinte. Je suis mort. Ils ont achevé ma vie sous mes yeux.

Tom se leva.

— Je n'en crois absolument rien, dit-il. Je pense que, si vous passez en jugement, la cour se convaincra de votre innocence. Les magistrats et les jurés.

— Dans combien de temps, le procès? demanda Joe.

— Cela dépend du calendrier, du calendrier de la cour, répondit Tom. Cela dépend du nombre d'affaires avant la vôtre.

— Et en attendant, nous moisirons dans ce trou puant, dit Harry.

— Vous ne *moisirez* pas ici, répliqua Tom d'une voix ferme. On ne peut pas refuser de vous libérer sous caution.

— Caution égale argent, dit Joe. Tom, il n'y a pas d'argent.

— Vous serez libérés sous caution, répéta Tom.

Il fallait qu'il les convainque. Il refusait d'admettre que sa promesse était vide de sens. Il ne pouvait pas les quitter sans leur laisser un peu d'espoir.

Le maton ramena les quatre hommes au bloc cellulaire et Tom resta seul, debout devant la table. Seul en face de l'énorme réalité: l'accusation d'Hester Murdoch. Il était comme paralysé. Il saisit son carnet et se mit à relire les notes qu'il avait prises, puis il l'enfonça d'un geste brusque dans sa serviette ouverte. Il ramassa ses crayons et les rangea. Une seule question, aveuglante, se reformulait sans cesse dans sa tête, lancinante comme une douleur physique: « Pourquoi avait-elle identifié les quatre jeunes gens? »

— Ils sont innocents! dit Tom à haute voix.

Il ferma sa serviette et traversa la pièce comme s'il avait des fers aux pieds.

Il remonta l'escalier jusqu'au rez-de-chaussée. Devant lui, dans l'axe des portes d'entrée de l'immeuble, il vit Sarah Liliuohé. Debout dans le corridor. La lumière tombant des fenêtres formait autour d'elle une auréole. Tom savait qu'elle avait dû entendre le grattement de son soulier : elle venait de quitter le banc, derrière elle. Mais, pour la première fois de son existence, il demeura insensible à ses préoccupations habituelles. Indifférent. Il oublia même sa promesse héroïque d'obtenir la liberté sous caution, il oublia tout.

Il se sentait léger, léger. Il avait envie de sourire. Et il sourit, incapable de s'en empêcher. Il ressentit soudain un grand bonheur, comme jamais auparavant dans sa vie. Il était vraiment heureux pour la première fois. Quelque chose d'étrange et de mystérieux, quelque chose d'inconnu, s'était emparé de lui à la vue de la jeune femme dans la tache de lumière. Sa présence féminine, les contours de son visage qui devenaient plus nets, plus enchanteurs à mesure qu'il se rapprochait, lui tournaient la tête. Il avait envie de la toucher. Il avait envie de l'écouter. Il avait envie de tout lui dire, tout ce qu'il avait appris, découvert, absorbé, adopté, résolu, contesté ; les échecs qui marquaient chaque jour de sa vie, ses rêves, ses espoirs et ses ambitions. Il n'avait plus honte. Il ne parvenait plus à se retenir. Il fallait qu'il lui dise tout, d'une seule traite...

Il pouvait la voir clairement à présent. Voir ses cheveux et ses yeux, son corps élancé et sa peau. Il n'avait jamais vu, nulle part, un être aussi beau. Elle était ravissante. Elle était radieuse. Au cours des quelques secondes merveilleuses, sacrées, qui s'écoulèrent entre l'instant où il avait posé les yeux sur elle, en haut de l'escalier, et le moment où il la rejoignit dans le couloir, toute la vie de Tom Haléhoné changea. Il aurait aimé lui faire partager cette magie, mais, quand il s'arrêta devant Sarah — une inconnue pour lui il y a à peine deux heures et maintenant l'être humain le plus proche et le plus important du monde —, il lui dit simplement :

— *Hello !*

Il n'avait plus besoin de parler. Pour la première fois, il se sentait en sécurité absolue.

— Vous les avez vus ? demanda Sarah, espérant un miracle, espérant que son frère et les autres allaient apparaître en haut de l'escalier à la suite de Tom.

Tom lui raconta l'entrevue au parloir des avocats. Sarah écouta, et toute trace d'espoir disparut de ses yeux. Quand il se tut, elle répondit :

— C'est moi qui gagne le plus dans la famille. Sans moi, nous ne mangerions pas tous les jours.

Sarah travaillait dans une droguerie de King Street. Elle avait commencé à mi-temps quand elle allait encore au lycée.

— Je connais plus de cent foyers comme le nôtre, dit-elle. Où trouverons-nous l'argent pour la caution ?

Elle saisit un trousseau de clés dans son sac à main et s'arrêta, le bras levé.

— La clé de ma voiture. Je n'ai même plus ma voiture.

La décapotable était le triomphe de Sarah Liliuohé. Elle avait volontairement choisi un coupé voyant, jaune et noir. C'était à ses yeux un acte d'audace, démontrant à tous les *Haolés* qu'elle pouvait être aussi frivole qu'eux.

— Vous allez la récupérer, lui dit Tom. Je vais vous la faire rendre tout de suite. Vous pouvez m'accompagner.

Pour la première fois, il crânait.

— Et vous obtiendrez aussi la caution, ajouta-t-il.

Il était tellement enivré par la présence de la jeune femme qu'il parvint à se convaincre pendant un bref instant qu'il pourrait réaliser l'impossible.

Maddox s'arrêta sur le bord du chemin de terre, à la hauteur de la Whispering Inn. Il descendit de voiture et regarda, par-dessus le capot, l'auberge perchée sur ses pilotis. A la lumière du jour, on eût dit l'épave d'un bateau naufragé, lancée sur des récifs par une tempête sauvage. Elle avait l'air abandonnée. Aucune autre voiture. Maddox se tourna vers le chemin.

Les voitures qui circulaient sur cette lande déserte, toute proche de Waikiki, avaient creusé deux ornières profondes. Maddox s'avança entre les ornières, lentement, comme un ramasseur d'épaves sur une plage, à la recherche de quelque chose — n'importe quoi mais un objet réel, tangible, ou bien une partie d'objet, un élément qu'il puisse tenir entre ses mains, soupeser, examiner, sur lequel il puisse concentrer tout le poids de son expérience et de ses connaissances.

— Elle les a identifiés, dit-il à voix haute.

Il cherchait quelque chose susceptible d'étayer ou d'invalider la déclaration d'Hester Murdoch. Il continua ainsi pendant quatre cents mètres puis fit demi-tour. Entre les ornières, la terre du chemin semblait aplatie. Égalisée. Hester Murdoc était peut-être tombée à cet endroit. Ils avaient peut-être quitté la décapotable pour se jeter sur elle et leurs pas avaient tassé la terre. Maddox se pencha en avant. Il sentit comme un coup de poignard entre les épaules. Il n'avait dormi que quelques heures sur la table de son bureau. Il n'était guère en forme. Il avait besoin de prendre un bain et de se raser. Il avait faim. Il baissa le bord de son chapeau sur ses yeux et regarda la Whispering Inn, plantée au milieu de la lande.

— Ils ne l'ont tout de même pas alpaguée au milieu de la piste de danse... dit-il tout fort.

Pourquoi était-elle sortie seule en pleine nuit ?

Maddox quitta le chemin, du même pas lent, toujours à l'affût. Il se retrouva au milieu de touffes d'herbe, basses et maigres. Il alla presque jusqu'à l'auberge, puis traça un large demi-cercle et retourna vers le chemin de terre. Il faisait très chaud en plein soleil et Maddox eut l'impression que son visage enflait. Il y avait des traces de pneus en tous sens, laissées par les voitures des clients de l'auberge. Maddox continua, comme s'il marchait sur une corde raide, attentif au moindre détail. Il avait quitté depuis longtemps la zone de stationnement des voitures lorsqu'il dit : « Ouais... » en un soupir. Il avait sous les yeux, très net, le dessin des talons d'une paire de chaussures de femme.

Il trouva les traces de pas d'un homme. Et d'autres marques de talon de femme. Il s'accroupit, à la recherche d'autre chose, d'un objet perdu, d'une tache marron qui aurait pu être du sang séché — preuve qu'Hester Murdoch s'était bien trouvée là la veille, et non n'importe quelle bonne femme en chaleur sortie avec un officier. Maddox sentit de nouveau la douleur dans son dos. Il se releva et parcourut le paysage du regard en attendant que la souffrance s'apaise, puis il s'accroupit de nouveau. Quelque part, quelque chose scintilla. Maddox se mit à creuser à deux mains.

— Tu l'as enterré, se reprocha-t-il à haute voix en enfonçant ses mains dans le sable.

Il laissa couler le sable entre ses doigts en un mince filet régulier, comme un sablier. Il se figea et jeta de côté le reste du sable. Il avait devant lui un bouton de chemise d'homme, avec des bouts de fil dans les trous. Il prit le bouton avec son mouchoir et se redressa en grognant. Il était plus près du chemin de terre que de l'auberge. Il essaya de suivre les traces, celles de la femme et celles de l'homme, mais elles disparaissaient bientôt. Il se souvint de la quantité de voitures stationnées au petit bonheur autour de l'auberge lorsqu'il était venu la veille. Il était tombé par hasard sur un petit espace où personne n'avait roulé. En partant, les voitures auraient effacé même les traces d'un troupeau d'éléphants. Maddox rangea son mouchoir.

— Tu as entre les mains un beau morceau de rien du tout, dit-il entre ses dents.

Il entendit une voiture. Il faillit se frotter les yeux : la décapotable jaune et noir s'avançait sur le chemin de terre. La capote était remontée et il ne pouvait voir qui se trouvait à l'intérieur. Maddox s'avança et la décapotable s'arrêta. Une jeune fille en descendit.

— La sœur, fit Maddox à haute voix.

Il y avait un type avec elle, un type qui boitait. Ils s'arrêtèrent devant la décapotable. Maddox fronça les sourcils, essayant de situer l'ami de la sœur. Il y avait en lui quelque chose qui intriguait Maddox. En se rapprochant, il vit que les deux jeunes gens faisaient comme s'il n'existait pas. Le boiteux avait à peu près le même âge que les quatre jeunes au violon, en ville. Peut-être était-ce le pasteur de la donzelle. La plupart des femmes allaient à l'église, à présent. Maddox aurait juré qu'il avait vu le pasteur quelque part, mais il fut incapable de faire le rapprochement avec le jeune homme qui était passé devant sa voiture près du cinéma, la veille au soir.

— Je suppose que vous pouvez faire la preuve que cette voiture vous appartient, dit-il.

— Je suppose que vous pouvez faire la preuve que cela vous regarde, répliqua Sarah.

Elle avait envie de le chasser à coups de pied.

— Je peux essayer, dit Maddox en sortant de sa poche son insigne doré.

— Vous n'avez aucun droit d'appréhender les gens ainsi, dit la jeune femme.

— Sarah! lança Tom à mi-voix.

Il lui prit le bras, mais elle se dégagea, comme si elle n'avait rien entendu, pour affronter seule Maddox.

— J'aimerais vous voir appréhender quelqu'un dans Merchant Street. Je n'ai rien fait de mal, mais ce n'est pas une raison, n'est-ce pas?

Maddox vit qu'elle s'écartait du pasteur pour le laisser hors de la discussion. Joe Liliuohé avait une sacrée sœur!

— Cette voiture lui appartient, capitaine, dit Tom. Elle s'appelle Sarah Liliuohé. Vous avez dû voir la voiture au commissariat central. Elle était en fourrière, mais nous l'avons dégagée. Sarah Liliuohé en est la légitime propriétaire. Elle peut vous montrer la carte grise.

Maddox comprit aussitôt que le pasteur n'était pas un pasteur. C'était un avocat. A son âge, il devait débuter. Il rentrait probablement des État-Unis. Il habitait sans doute Papakoléa, un copain des quatre gosses en prison, qui avait grandi dans la même rue. Et ils allaient envoyer ce gamin, ce traîne-latte, contre Phil Murray! Bon Dieu, c'était pitoyable.

— Et vous? dit Maddox.

La jeune femme fit demi-tour brusquement et se dirigea vers la portière de la voiture.

— Je suis Tom Haléhoné.

Maddox vit Sarah fouiller dans la boîte à gants.

101

— Je représente les suspects que vous avez placés en garde à vue la nuit dernière, dit Tom.

— Ne lui parlez pas! lança Sarah en brandissant la carte grise de la voiture. Il a demandé si cette voiture était à moi! Elle est à moi! Vous n'avez rien à lui dire.

Maddox eut envie de s'étirer. Les muscles de son dos étaient noués.

— Vous feriez bien de calmer votre petite amie, *maître*, dit Maddox. J'enquête sur un délit grave. Ne l'oubliez pas vous non plus. Si vous entrez en possession de quelque élément que ce soit, susceptible d'aider à éclaircir cette affaire, vous avez le devoir d'en informer la police. Je n'aimerais pas, devant le tribunal, vous voir présenter au jury des pièces à conviction dont je n'aurais jamais entendu parler. Vous seriez exclu du barreau avant même d'avoir débuté.

Il souleva son chapeau et s'essuya le front.

— *Aloha!* dit-il.

— Je le déteste, lança Sarah, à voix basse mais suffisamment fort pour que Maddox l'entende.

Maddox continua de marcher vers sa voiture.

— Il suit le règlement, répondit Tom.

— Vous savez ce que je veux dire.

Elle regardait Maddox, espérant le voir trébucher, tomber, se blesser à la tête. Tom détourna les yeux. Il savait exactement ce que voulait dire Sarah. Il avait maintenant sur les lèvres cent réponses cinglantes à l'insolence et au mépris du capitaine, mais c'était trop tard. Trop tard.

— ... et réclamons également Votre bénédiction sans réserve sur chaque membre de cette noble assemblée, l'instance la plus sacrée de la République, dit le rabbin Sidney Ellis Applebaum qui prononçait l'invocation rituelle au Sénat des États-Unis, le lundi à midi.

Le rabbin Applebaum se tenait près du vice-président, qui présidait la séance.

— Nous Vous adjurons, reprit-il, de guider ces hommes de bonne volonté dans leurs délibérations, afin qu'ils continuent d'entraîner notre glorieux pays vers le destin que Vous avez choisi pour tous Vos enfants vivant en bonne entente dans ces contrées. Que tous les hommes réunis ici bénéficient de Votre protection et que chacun reçoive, en égale mesure, Votre sagesse. *Amen.*

Le sénateur Floyd Rasmussen se dressa avant que le rabbin n'ait relevé la tête.

— Monsieur le président...

Floyd Rasmussen, dernier sénateur élu de l'Idaho, entamait la deuxième année de sa première législature. Il était le directeur-fondateur d'un hebdomadaire dont les éditoriaux bibliques, rédigés par lui-même, avaient fait le succès de sa campagne électorale. Rasmussen était gros, tout rond, avec une peau blanche boursouflée. Son menton s'affaissait par-dessus le col de sa chemise et son ventre commençait juste au-dessous de sa poitrine. Il boutonnait son gilet mais son veston restait toujours ouvert. Il avait une voix puissante et adorait parler. Comme tous les sénateurs au cours de leur première année, il n'avait guère pris la parole.

— Monsieur le président !

Cette fois, Rasmussen se fit entendre jusqu'aux vestiaires et au-delà.

Le rabbin Applebaum descendit de la tribune. Le vice-président dévisagea le jeune sénateur de l'Idaho.

— Dans quel but le sénateur prend-il la parole ?

— Je désire évoquer une crise qui exige l'attention immédiate et totale des États-Unis d'Amérique.

Le vice-président posa son maillet, sortit son mouchoir et se moucha. Une fois. Deux fois. Le vice-président n'aimait pas Floyd Rasmussen : ses vêtements, ses bondieuseries hypocrites, le déjeuner qu'il apportait de son appartement au Capitole, où il se rendait à pied.

— L'attention immédiate et totale des États-Unis d'Amérique ? répéta le vice-président. Sommes-nous en guerre ?

Même le rabbin Applebaum, qui arrivait à la porte des vestiaires, ne put se retenir de rire. Jusqu'aux huissiers qui pouffèrent, en baissant la tête. Floyd Rasmussen se trouva submergé sous les rires. Il écouta, la main gauche posée sur le journal plié sur son pupitre. Il garda le silence jusqu'à ce que le Sénat retrouvât sa dignité.

— C'est un fait, monsieur le président, nous sommes en guerre. Ce pays est en guerre. Il ne s'agit pas du genre de conflit dans lequel deux pays s'affrontent, armée contre armée. Il ne s'agit pas d'une bataille rangée. Mais l'ennemi attaque tout de même.

— Je suis certain que le sénateur de l'Idaho a un mystère intéressant à nous révéler, dit le vice-président. Il lui suffira de déposer une demande d'intervention aux questeurs. Il se souvient probablement qu'au moment où le Sénat a ajourné sa séance, vendredi, nous étions au milieu d'un débat, et le sénateur de Pennsylvanie avait la parole.

— Monsieur le président, j'étais ici vendredi quand la séance a été ajournée, répondit Rasmussen. Je ne suis pas à l'ordre du jour, cela ne fait aucun doute.

Il regarda par-dessus son épaule.

— Je présente mes excuses à l'éminent sénateur de Pennsylvanie. Je suis le dernier homme au monde à oublier les prérogatives d'un sénateur.

— Dans ce cas, dit le vice-président, laissez votre collègue de Pennsylvanie prendre la parole, comme c'est son droit.

Rasmussen regarda de nouveau par-dessus son épaule.

— Je ne voudrais en aucune façon blesser les sentiments de l'illustre sénateur de Pennsylvanie, dit Rasmussen. Je l'ai pris personnellement pour modèle, avant même de rêver que j'aurais un jour le privilège de siéger dans cette assemblée. Et depuis l'instant de mon arrivée, il s'est montré à mon égard d'une gentillesse extrême.

Rasmussen se retourna vers la tribune.

— S'il m'accorde l'occasion d'exprimer mes inquiétudes, nous verrons très vite si je suis venu de Boise pour être la risée de tous ou bien pour jouer mon rôle de sénateur des États-Unis.

Le sénateur de Pennsylvanie acquiesça d'un signe de la main, et Rasmussen prit le journal posé devant lui.

— Il y a une minute, je disais au Sénat qu'un ennemi attaquait notre pays, dit Rasmussen.

Il leva le bras au-dessus de sa tête, brandissant le journal plié. En caractères énormes, sur cinq colonnes, la manchette disait : DES INDIGÈNES OUTRAGENT LA FEMME D'UN OFFICIER DE MARINE.

Rasmussen tourna lentement sur lui-même, aussi raide qu'une statue dans une cathédrale médiévale.

— Des indigènes outragent la femme d'un officier de marine, dit-il. Des indigènes outragent la femme d'un officier.

Il répéta le titre de l'article une troisième fois avant d'achever son cercle et de reposer le journal sur son pupitre — qui avait été celui de Daniel Webster.

— Aucun mystère dans cette guerre, reprit-il. Tout le monde aux États-Unis est au courant. Tous nos concitoyens du Territoire d'Hawaï l'ont appris. Et ils ont appris autre chose, là-bas, entourés de milliers et de milliers d'indigènes. Ils ont appris que, depuis samedi soir, aucune femme américaine n'est en sécurité. Ils ont appris que toutes les épouses, toutes les mères du Territoire, sont en danger. Elles risquent d'être agressées à n'importe quelle heure du jour ou de la nuit. Elles risquent d'être enlevées par une tribu de sauvages, puis attaquées, abusées, battues et jetées aux ordures comme la carcasse d'Hester Murdoch.

« Samedi dernier, dans la soirée, Hester Murdoch, la jeune épouse d'un lieutenant de la marine, a quitté sa demeure pour une soirée mondaine. Quelques heures plus tard, elle se trouvait sur un lit d'hôpital, plus morte que vive. Ce fut sans doute la main du Tout-Puissant qui livra les quatre indigènes à la police. La question que je pose, c'est : de combien d'hommes se compose cette armée ? Combien attendent encore dans la jungle l'instant propice pour attaquer ?

« Je ne garderai pas le silence alors que des femmes américaines sont en danger. Je le dis bien haut, ici et maintenant : il faut que chaque citoyen des États-Unis soit protégé partout où flotte notre drapeau. Une guerre a été déclarée dans le Pacifique samedi soir. Nous devons la gagner, et très vite. Je demande donc au ministre de la Marine et au ministre des Armées de préciser au peuple de ce pays combien de temps va encore s'écouler avant que nos femmes soient en sécurité.

« Et je demande à ces deux ministres une prompte réponse, car je n'ai pas envie de prendre de nouveau la parole, contre toutes les règles parlementaires du Sénat, pour annoncer une autre tragédie du même ordre.

Rasmussen s'arrêta. Tous les sénateurs le regardaient, suspendus à ses lèvres. Il les laissa attendre jusqu'à ce qu'il soit bien prêt, puis il regarda par-dessus son épaule.

— Je tiens à remercier le distingué sénateur de Pennsylvanie pour la courtoisie qu'il a témoignée aujourd'hui à mon égard, dit-il, et il s'assit.

Il entendit le sénateur se lever et le remercier, *lui*. Il entendit d'autres sénateurs intervenir pour se faire remarquer. Le vice-président en laissa parler plusieurs puis prit la parole à son tour. Il appela Rasmussen « le vigilant sénateur de l'Idaho, notre sentinelle solitaire ». Tout le monde se comportait comme si Floyd Rasmussen avait fait une forte et durable impression, mais Floyd lui-même n'en était pas certain. Il entendit qu'on le félicitait et, pour la première fois depuis son entrée au Sénat, il leva les yeux vers la galerie.

Phoebe Rasmussen avait à peu près la même corpulence que le sénateur. Elle avait, elle aussi, la peau blafarde et de grosses mains blanches aux doigts boursouflés. Son chapeau noir semblait la copie exacte de celui de Napoléon et son manteau ouvert recouvrait un siège à sa gauche et un siège à sa droite. Elle regardait Floyd, s'attendant à sa question silencieuse, et, quand il leva les yeux, elle ne sourit pas, ne hocha pas la tête ni ne fit le moindre signe, mais le sénateur Rasmussen comprit malgré tout qu'il avait remporté une victoire colossale. Phoebe Rasmussen ne se trompait jamais en ce qui concernait son époux.

Quand le sénateur Rasmussen reçut la dernière félicitation, il était midi et demi à Washington, 6 heures et demie du matin à Honolulu. Quatre heures plus tard, Sarah Liliuohé rangea sa décapotable dans une rue du palais de justice. Tom Haléhoné, à côté d'elle, prit la poignée de sa serviette, posée entre ses jambes. Sarah le regarda.

— Nous sommes en avance ?

Tom secoua la tête.

— J'espérais que nous serions en avance, dit Sarah.

Sur le trottoir, Tom lui demanda :

— Vous ne la fermez pas à clé ?

— J'ai oublié !

Tom l'avait aidée à remonter la capote et à la fixer. Ils se dirigèrent vers le palais, en face du commissariat central. Tom, les épaules en arrière et la tête haute, tentait de se faire plus grand que Sarah.

— J'ai tellement peur, dit-elle. J'ai l'impression qu'on m'envoie au bureau de la directrice d'école pour une faute que je n'ai pas commise. Cela prendra longtemps ? Je vous l'ai déjà demandé, non ?

Sa jambe effleura celle de Tom, qui hocha la tête en se forçant à sourire.

— Je n'aurais pas dû venir, dit Sarah. Je vous dérange, c'est tout ce que je fais.

— Il ne faut pas dire ça. Ni le penser, répondit Tom.

Elle avait tout changé dans la vie du jeune homme. Il s'était endormi en évoquant son visage. Il s'était réveillé comme sur un nuage, pressé de se lever parce que Sarah venait le chercher en voiture.

— Vous ne me dérangez pas, dit-il. Vous... m'aidez.

La salle d'audience était large mais peu profonde, avec quatre rangées de bancs de chaque côté de l'allée centrale. En entrant, Sarah et Tom virent aussitôt, sur les deux premières rangées de droite, un petit groupe d'hommes et de femmes, serrés les uns contre les autres comme des naufragés sur un radeau. Ils étaient propres et nets, et, avec leurs cheveux noirs et leurs visages sombres, on eût dit des poupées venues d'une île lointaine, exposées dans une vitrine. C'étaient les familles des quatre jeunes gens qu'Hester avait identifiés comme ses agresseurs.

— J'aurais dû demander à ma mère de m'accompagner, dit Sarah en les voyant. Elle m'a dit qu'elle mourrait dès qu'elle apercevrait

Joe avec des menottes. J'aurais dû insister. Les autres verront leur mère, leurs sœurs, quelqu'un. Mais il n'y aura personne ici pour Joe.

— Vous êtes là, dit Tom.

Sarah se tourna vers lui.

— Vous êtes là, vous, répondit-elle. Vous êtes plus important, vous êtes la seule personne capable d'aider Joe.

Elle porta la main à sa bouche, comme un enfant qui vient de dire un gros mot.

— Je ne pense qu'à Joe, mais les autres sont dans le même pétrin. Mike Yoshida s'est toujours assis à côté de moi, à l'école, depuis le jardin d'enfants. Il a une grande gueule, mais il ne ferait pas de mal à une mouche. Aucun d'eux ne ferait de mal à une mouche. Vous devez en avoir assez de m'écouter parler.

Il avait envie de l'écouter jusqu'à la fin des temps, mais il lui dit :

— Il vaut mieux nous asseoir.

Ils se dirigèrent vers la deuxième rangée et les autres s'écartèrent pour leur faire place, du côté de l'allée centrale.

— C'est Tom Haléhoné, murmura Sarah. C'est leur avocat.

Toutes les têtes se tournèrent et le saluèrent en silence. Tous avaient peur, peur même de parler dans la salle d'audience encore vide.

Tom posa sa serviette dans l'allée. Sarah se pencha vers lui.

— Qu'est-ce qui se passe, maintenant ? chuchota-t-elle.

— Vous pouvez parler fort. La cour n'est pas en audience.

— Je ne peux pas m'en empêcher. Expliquez-moi.

— Ils vont être inculpés, répondit Tom. Cela signifie qu'on les accusera d'une infraction, d'un délit. Une personne du bureau du procureur sera là pour représenter l'État, l'accusation. Le juge...

— Ils sont déjà criminels ! coupa Sarah à haute voix, oubliant sa peur. On les traite comme s'ils l'avaient fait !

— Mais non. Ce n'est pas vrai, Sarah, répondit Tom. Ils sont innocents. C'est pour cette raison que nous sommes dans cette salle. Parce qu'ils sont innocents.

Il parlait d'une voix calme, naturelle, pour essayer de la rassurer. Une fois de plus, les sursauts d'agressivité de la jeune femme le surprenaient.

Devant eux, près de l'estrade vide, se tenait un huissier en uniforme, à côté du greffier. A gauche, dans le box du jury, se trouvait un groupe d'hommes qui avaient posé leurs chapeaux sur leurs genoux ou sur la rambarde courant le long de la première rangée de six chaises. C'étaient des journalistes et la plupart ne venaient jamais dans cette salle d'audience de première instance, où il ne se passait guère d'événements intéressant l'actualité. Il y avait deux Japonais, collaborateurs du journal en langue japonaise, et un Chinois. Le correspondant de l'Associated Press était assis au premier rang, à côté de Jeff Terwilliger de l'*Outpost Dispatch,* qui écrivait toujours l'article de fond de la page locale ou territoriale.

L'huissier se dirigea vers les interrupteurs et le greffier s'assit à sa table. La salle d'audience s'éclaira. L'huissier traversa la pièce jusqu'à une porte voisine de l'escalier de l'estrade. Il l'ouvrit et disparut pendant un instant. Quand il revint, il s'arrêta devant l'estrade.

— Levez-vous.

Un homme en robe de magistrat franchit la porte et monta sur l'estrade.

— La cour municipale du comté d'Honolulu, Territoire d'Hawaï, est en séance, dit l'huissier. Président : l'honorable Fletcher Briggs.

Le juge Fletcher Briggs, soixante-trois ans, présidait la cour municipale depuis vingt ans. Il aurait pu prendre sa retraite à soixante ans, mais il était veuf et, en dehors de ses voitures, rien ne l'intéressait. Mais il aimait bien son tribunal. Il aimait la déférence. Il aimait siéger sur l'estrade. Il aimait l'activité que lui assurait chaque jour les arrestations de la police. Il aimait lire son nom dans le journal ; on le citait souvent.

Tandis que le juge Briggs s'installait dans son fauteuil, deux hommes entrèrent dans la salle, des serviettes à la main. Tom reconnut le plus âgé : Philip Murray, le procureur de district d'Honolulu. Philip Murray occupait le poste depuis douze ans. Tom s'attendait à ce qu'un simple substitut se présente pour la mise en accusation. Son cœur battit plus vite. Les deux hommes franchirent la barrière, au bout de l'allée, pénétrèrent dans l'enceinte réservée aux magistrats et posèrent leurs serviettes sur la table du procureur. Philip Murray se dirigea aussitôt vers l'estrade du juge. Au même instant, Maddox entra dans la salle d'audience.

Il descendit l'allée, franchit lui aussi la barrière et s'avança vers Leslie McAdams, le substitut du procureur. Il posa son chapeau sur la table du procureur et tira une chaise.

— Pourquoi est-il ici ? chuchota Sarah.

Tom ne répondit pas. Il regardait l'estrade. Il savait que Murray demandait au juge de commencer par l'inculpation des quatre détenus. Tom faisait déjà son compte à rebours et n'avait pas envie de parler, de se déconcentrer. Il vit le juge Briggs faire signe du doigt à l'huissier, qui quitta aussitôt la porte des détenus.

— Ils sont ici ?

— Oui, Votre Honneur, dit l'huissier.

Le juge regarda les papiers devant lui.

— J'ai réuni les quatre dossiers avec un trombone, dit le greffier.

Le juge trouva le trombone et retira les quatre formules de la pile.

— Les voici, Phil, dit le juge, ajoutant à l'adresse de l'huissier : Faites-les comparaître.

Tom suivit des yeux le procureur, qui retourna à sa table et ouvrit sa serviette tout en discutant avec Maddox à voix basse, sans s'asseoir. Quelqu'un, près de Tom, poussa un sanglot étouffé. Tom se tourna vers l'huissier, près de la porte voisine du box du jury. Elle était ouverte.

Harry Pohukaïna entra le premier dans la salle. Joe, David Kwan et Mike Yoshida le suivirent. Ils portaient des menottes. Sarah prit la main de Tom. Il sentit la peau tiède, douce, contre la sienne, et puis les doigts fins, la pression apeurée quand elle s'accrocha à lui. Le contact de la jeune femme l'emplit d'audace.

— Regardez ce qu'ils leur ont fait, chuchota-t-elle.

L'huissier conduisit les quatre jeunes gens devant l'estrade du juge. Ils n'étaient pas rasés. Ils n'avaient pas su se laver. Ils portaient leurs costumes de coton bon marché depuis deux jours et deux nuits. Ils étaient sales. Ils étaient mal coiffés. Les trente-six heures précédentes les avaient vaincus.

— Joe Liliuohé, David Kwan, Harry Pohukaïna, Michael Yoshida, lut le juge. Vous êtes soupçonnés de viol et d'agression caractérisée. L'officier de police qui dirige l'enquête a fourni des preuves. La victime vous a identifiés. Le procureur de district estime les preuves suffisantes pour vous faire comparaître en justice. Il le notifiera au « grand jury ». Cela n'est qu'une première inculpation. J'ai le devoir de vous informer des charges retenues contre vous. Je viens de le faire. Vous avez le droit de vous faire assister par un conseil. Si vous n'avez pas d'avocat, la cour a le devoir d'en désigner un d'office pour vous représenter.

Tom se leva.

— Votre Honneur, dit-il.

Il sortit dans l'allée, trébuchant sur sa serviette, qui se renversa sur le parquet avec un bruit retentissant. Il se pencha, tout en se maudissant d'avoir emporté cette maudite serviette.

— Votre Honneur, je représente les défendeurs, dit Tom en franchissant la barrière pour poser sa serviette sur la table des avocats de la défense.

Maddox regarda le jeune homme. Son âge, son infirmité, sa présence ici en face de Phil Murray, remplirent Maddox de colère. Il eut envie de faire remonter l'allée à ce gamin et de le chasser de la salle à coups de pied au derrière. Ils étaient des proies faciles, des bœufs à l'abattoir, les quatre inculpés devant l'estrade et le boy-scout qu'ils avaient déniché pour leur défense. Maddox regretta d'être venu.

— Vous avez entendu les charges exposées contre vous, dit le magistrat. Plaidez-vous coupables ou non coupables?

Tom rejoignit les quatre jeunes gens et s'arrêta près de Joe.

— Mes clients sont innocents, Votre Honneur.

— Les défendeurs ayant décidé de plaider non coupables, ils devront comparaître en audience du grand jury, dit le juge.

— Votre Honneur, je demande que mes clients soient libérés sur leur caution personnelle, dit Tom.

— Votre Honneur!

Le procureur s'avança, dépassa Tom et les quatre inculpés et se plaça sur l'estrade de manière à voir en même temps le juge et les défendeurs.

— Votre Honneur, ces défendeurs sont inculpés de viol. Il n'existe pas de crime plus odieux. Un homme qui s'empare d'une femme contre son gré et qui abuse d'elle commet l'acte le plus répugnant aux yeux de toute société. On le tient pour criminel dans tous les pays du monde.

Il leva la main, le pouce replié et les quatre doigts écartés.

— Multipliez par quatre, dit-il. Ces quatre hommes étaient partis en chasse, samedi soir. Ils ont trouvé leur proie : Hester Ashley Murdoch. C'était une jeune femme d'à peine vingt ans, mariée depuis peu. C'était une femme courageuse.

Il regarda les défendeurs et s'adressa à eux.

— Elle s'est défendue contre ces... chasseurs. Regardez-les. Quatre contre une femme. Ils l'ont battue jusqu'à la rendre méconnaissable. Ils l'ont battue jusqu'à ce qu'elle s'écroule, *avant* de la violer.

Murray se tourna vers le juge Briggs.

— Je demande que les défendeurs soient détenus jusqu'à leur comparution.

Il retourna à la table du procureur.

— Votre Honneur, commença Tom, je suis d'accord avec le procureur de district.

Murray se retourna brusquement.

— Aucun crime n'est plus odieux que le viol, reprit Tom. Un homme qui viole une femme ne devrait pas avoir le droit de demeurer en liberté. Il n'appartient pas au genre humain. Il faut l'enfermer pour que les autres puissent vivre en toute liberté, en toute sécurité. Le procureur a raison à tous égards en ce qui concerne un être pareil.

Tom tendit l'index.

— Mais ces hommes n'ont violé personne. Mes clients ont été *inculpés* d'un délit, mais ils n'ont pas été reconnus *coupables*. Ils sont innocents, Votre Honneur. Ils n'ont jamais fait de mal à quiconque, à aucun être vivant. Mes clients ont vécu à Honolulu depuis leur naissance. Pas un seul d'entre eux, ni leurs parents ni un seul membre de leur famille, de leurs quatre familles, n'a été accusé d'un seul délit, n'a comparu devant un tribunal sous une inculpation quelconque. Cela prouve quelque chose au sujet de mes clients, Votre Honneur. Cela prouve qu'ils sont des gens convenables. Ils n'ont pas commis le délit pour lequel ils ont été arrêtés, Votre Honneur.

Maddox déplaça sa chaise pour mieux voir. Le jeune type avait peut-être du mal à marcher, mais il n'avait aucun problème côté cerveau.

— Votre Honneur, dit le procureur, debout près de la table. Avec la permission de la cour, j'aimerais revenir sur ce que j'ai dit il y a quelques minutes. J'ai dit : « Hester Ashley Murdoch *était* une jeune femme. » J'ai dit : « *C'était* une femme courageuse. » *Était*, Votre Honneur, et non *est*. Au passé. Une bonne partie de la vie d'Hester Murdoch s'est achevée dans la nuit de samedi.

Murray avança d'un grand pas vers les défendeurs, le bras tendu.

— Ils l'ont achevée. Hester Murdoch ne sera plus jamais la même. Elle... ne... sera... jamais... la même. En ce moment, elle se trouve à l'hôpital de la Miséricorde. Peut-être se remettra-t-elle des coups qu'elle a reçus. Peut-être. Mais de l'outrage sexuel ? Jamais. Hester Murdoch pourra-t-elle encore se promener au clair de lune ? Pourra-t-elle oublier les quatre silhouettes qui l'ont entourée soudain puis se sont jetées sur elle l'une après l'autre ? Votre Honneur, Hester Murdoch *était*, samedi soir, au printemps de sa vie. En moins d'une heure, elle a tout perdu. Il est trop tard pour elle, Votre Honneur. Mais nous devons protéger les autres épouses, et les filles, et les *mères* d'Honolulu. Je demande de nouveau à la cour de mettre nos femmes à l'abri de ces inculpés.

— Merci, messieurs, dit le juge Briggs. La cour comprend la gravité de ce délit. La cour est d'accord avec le procureur et avec le conseil de la défense. Aucun délit n'est plus odieux que le viol. Mais la cour prend aussi en considération l'argument du conseil de la défense concernant la moralité des défendeurs. Nous avons quatre défendeurs en prison pour la première fois et passant en justice pour la première fois. Le procureur de district n'oublie pas, je pense, qu'il s'agit d'une première audience d'inculpation, n'ayant que trois fonctions : informer les défendeurs des charges retenues contre eux ; s'assurer qu'ils sont représentés par un avocat ; établir le montant d'une caution si la cour estime qu'ils doivent être remis en liberté sous caution. Dans le cas présent, la cour estime qu'ils doivent être libérés, et la requête du procureur de district concernant la détention des défendeurs est donc rejetée.

— Votre Honneur, je demande que la caution soit fixée à 25 000 dollars, dit Murray.

— Puis-je répondre, Votre Honneur ? demanda Tom.

Le juge hocha la tête.

— Votre Honneur, une caution de 25 000 dollars n'est pas plus réaliste qu'une caution de 25 millions de dollars. Mes quatre clients sont sans emploi. Leurs familles ont du mal à gagner leur vie. Je demande humblement à la cour de tenir compte de la situation financière de mes clients.

— Je désire rappeler à la cour que notre but, en cette audience, est de faire comparaître ces défendeurs en justice, dit Murray. Je demande à la cour d'aider l'accusation en fixant une caution qui garantira la présence des défendeurs à l'ouverture du procès.

Maddox se tourna vers le jeune avocat, sachant qu'il ne s'avouerait pas encore battu.

— Votre Honneur, dit Tom, j'ai déjà expliqué à la cour que fixer une caution élevée reviendrait à refuser à mes clients la liberté sous caution. Je me porte *garant* de leur comparution !

— Il se porte garant ! lança le procureur, brandissant son scepticisme comme un étendard.

Tom pivota brusquement. Il semblait sur le point de bondir sur le procureur.

— Garant ! dit-il, sûr de lui, prêt à mettre sa vie en jeu. Garant ! répéta-t-il, tourné vers le juge. Votre Honneur, avec la permission de la cour, j'aimerais ajouter encore un mot. Ces défendeurs sont comme mes propres frères. L'un d'eux m'a traité comme un frère. Ils m'ont juré qu'ils étaient innocents. Selon la loi, ils *sont* innocents et ont droit d'être traités comme des gens innocents.

— Messieurs...

Le juge marqua un temps pour bien signifier aux avocats que le débat était clos.

— Nous avons épuisé le sujet. Je fixe la caution à 10 000 dollars pour chaque défendeur.

Les journalistes du box du jury se levèrent tous, à la suite de Jeff Terwilliger, de l'*Outpost Dispatch*, assis à la place du premier juré. Pendant qu'ils traversaient la salle, Joe Liliuohé demanda à Tom :

— Ils vont donc nous ramener d'où nous venons ?

— Jusqu'à ce que nous réunissions la caution, dit Tom.

Il aurait voulu regarder Joe, mais il n'osa pas lever les yeux.

— Oui, bien sûr... répondit Joe.

L'huissier s'arrêta devant lui pour ramener les inculpés vers la porte des détenus.

Sarah était dans l'allée, mais elle dut reculer à l'arrivée des journalistes, pressés de sortir. A la table du procureur, Maddox prit son chapeau.

— Que savez-vous de cet Haléhoné, Phil? dit-il.

— Rien. C'est la première fois que je le vois, répondit le procureur de district. Et vous, Leslie?

Le substitut leva les deux mains et les laissa retomber.

— Appelez-moi demain, Curt, dit le procureur.

— Demain, je saurai, moi aussi, répondit Maddox.

Tom, à la table de l'avocat de la défense, regarda les quatre hommes quitter la salle, menottes au poing. Il eut soudain envie de les suivre, pour leur promettre... n'importe quoi. Mais il n'eut la force que de se détourner.

Sarah l'attendait à la barrière, radieuse, les yeux brillants d'espoir.

— Vous avez été magnifique! dit-elle. Vous les avez attaqués comme un... comme un héros! Vous n'avez pas eu peur d'eux.

Elle se pencha pour prendre la serviette de Tom.

— Vous leur avez montré qu'ils ne pouvaient pas nous écraser! Je ne comprenais pas ce que vous étiez, ce que vous pouviez faire, la portée de votre rôle d'avocat.

Elle n'accorda pas un regard aux hommes et aux femmes des deux premiers rangs qui se préparaient à sortir. Elle resta près de Tom et ils se dirigèrent ensemble vers la porte.

— Quand je suis venue vous chercher hier, j'étais aux abois, avoua Sarah. J'avais si peur. Et j'avais si peur en arrivant ici ce matin. Vous avez tout changé. Maintenant, je crois que tout se passera très bien.

Tom devait interrompre ses rêves, et le faire vite.

— Je n'ai rien gagné du tout ce matin, Sarah. Cela reste impossible. 10 000 dollars! Cela ne vaut pas mieux que 25 000.

— Mais on n'est pas obligé de payer l'ensemble des 10 000, n'est-ce pas?

— En général, les prêteurs qui versent les cautions prennent dix pour cent du montant.

— Vous voyez bien! Cela fait 1 000 dollars!

— Sarah!

Tom s'arrêta. Ils s'écartèrent du passage.

— Sarah, cela fait 1 000 pour chacun, et les prêteurs exigent des garanties pour le reste de l'argent.

— Des garanties, répéta-t-elle d'une voix éteinte, puis elle reprit : Nous réunirons l'argent. Nous irons de porte en porte! Nous demanderons aux enfants de nous aider! Je regrette d'être obligée d'aller travailler! Nous commencerons ce soir, après le travail, dit Sarah en l'entraînant vers la sortie. Je viendrai vous chercher. Vous serez à votre bureau?

De nouveau, elle avait gagné. De nouveau, Tom refusa de voir la vérité sur le montant de la caution. Il était incapable de résister à Sarah.

— C'est moi qui viendrai vous chercher, dit-il. Je passerai à la droguerie...

A la même heure, les journaux du soir de Washington sortaient des presses. Certains publiaient la photographie du sénateur Rasmussen en première page. Tous avaient des manchettes comportant les mots VIOL et FEMME D'OFFICIER DE MARINE...

En semaine, l'amiral aimait déjeuner seul dans son bureau du quartier général. On venait de lui servir un filet d'espadon quand Jimmy Saunders frappa à la porte et l'ouvrit, un télégramme à la main.

— Désolé de vous déranger, amiral, dit-il sur le pas de la porte en tendant le télégramme. Je crois que vous devriez en prendre connaissance tout de suite.

Saunders ne bougea pas, attendant que l'amiral lui fasse signe d'avancer.

— Apportez-moi mes lunettes, je vous prie, Jimmy, dit l'amiral, qui refusait de les porter et n'aimait pas qu'on lui rappelle qu'il avait besoin de leur aide.

Saunders alla chercher les lunettes sur le bureau. L'amiral s'appuya au dossier de son siège et pencha la tête en arrière, tenant le télégramme à bout de bras.

> MINMAR A COM-14, commençait le message du ministre de la Marine, à Washington, à l'officier commandant le 14e district maritime. SÉNATEURS ÉTATS-UNIS CHOQUÉS PAR VIOL VOTRE DISTRICT. SUGGÈRE PROGRAMME IMMÉDIAT SÉCURITÉ POUR EMPÊCHER RÉCIDIVE. ATTENDS DÉTAILS, URGENT.

L'amiral ôta ses lunettes.

— Bon. Vous m'avez vraiment dérangé!

Il se leva pour aller poser le télégramme et les lunettes sur son bureau.

— Qu'attendent-ils de moi? Que je rassemble toutes les femmes et toutes les filles des officiers et matelots d'Honolulu? Jimmy, préparez quelque chose pour ma signature. Distribution générale.

— Oui, amiral. Tout de suite, répondit Saunders.

L'amiral agita la main en direction de son déjeuner.

— Et dites au chef d'enlever les plats. Ça m'a coupé l'appétit.

Saunders se dirigea vers la porte. L'amiral baissa les yeux sur le télégramme qui, sans ses lunettes, n'était qu'une tache bleue floue.

— Nom de Dieu, ce n'est tout de même pas moi qui ai violé cette fille !

En quittant le palais de justice, Maddox se dirigea vers les quais et glissa sa voiture dans une ruelle étroite entre des entrepôts. Il tourna dans un cul-de-sac et s'arrêta au pied d'un immeuble en brique de deux étages, une bâtisse hostile, ressemblant à un pénitencier, qui ne portait ni enseigne ni inscription d'aucune sorte. Maddox entra par une porte étroite.

Il s'agissait d'un entrepôt. Des boîtes en carton, des fûts, des ballots, des caisses en bois, des sacs de toile, des machines, grandes et petites, venant du monde entier, occupaient tout l'espace. Des hommes équipés de tracteurs et d'appareils de levage se déplaçaient dans les allées entre les murailles de marchandises. Sur la gauche de Maddox, tout près, un escalier en bois s'accrochait au mur de brique. Maddox monta jusqu'à une porte ne portant aucune inscription et entra dans un petit bureau entièrement occupé par une table, deux chaises et des armoires-classeurs. Une femme entre deux âges, de petite taille et assez forte, se tenait derrière la table. Malgré la température, elle avait gardé son manteau.

— Bonjour, Isabel.

— Bonjour, Curt. Il attend, dit Isabel Dordell. Quel acte odieux, n'est-ce pas ? Ce sont des bêtes. Pire que des bêtes. Un animal va avec sa compagne. Il n'a pas à se soucier que d'autres la violent. La pauvre fille ! Elle est marquée pour la vie. Je les tuerais tous. Ils devraient passer à la chaise électrique.

— Nous n'en avons pas, dit Maddox.

Il frappa à une porte et l'ouvrit. La pièce dans laquelle il entra était plus vaste. Sur deux murs, face à face, quatre fenêtres percées à intervalles réguliers. Entre elles, un grand bureau à cylindre sur lequel se trouvait un téléphone droit. Dans un angle, un perroquet, un chapeau et un parapluie ; par terre, une paire de protège-chaussures en caoutchouc noir et un gros paquet rectangulaire. Près du bureau, un seul fauteuil. Au bureau, un homme massif, presque chauve avec quelques cheveux entièrement gris. Lui-même était gris. Il avait passé toute sa vie au pays du soleil, mais n'était, semblait-il, jamais sorti en plein air. Il ne ressemblait à personne. Il avait l'air de ce qu'imaginait la personne en face de lui : un employé de banque, un professeur de lycée, un fonctionnaire, un bibliothécaire, un surveillant pointilleux, un chef de bureau. Il se nommait Harvey Koster, il avait cinquante-cinq ans et c'était l'homme le plus riche et le plus puissant du Territoire d'Hawaï.

Maddox ôta son chapeau avant d'entrer.

— Bonjour, monsieur Koster.

— Je vous attendais plus tôt, Curt.

— J'ai eu beaucoup à faire depuis samedi soir, répondit Maddox. C'est une catastrophe. Nous ne sommes pas en Alabama ou n'importe où aux États-Unis. Personne n'a fait venir ces gens ici. Ils y étaient déjà. On les a déjà poussés assez loin. Tout ce qu'il nous reste à faire maintenant, c'est de les fiche à l'eau.

— J'espère que vous ne tenez pas ces propos quand on peut vous entendre, dit Koster.

— Vous me connaissez.

— Personne ne peut m'entendre non plus, Curt, dit Koster. Je dépends de vous pour les renseignements. Vous m'aidez. Vous êtes proche de moi. Vous êtes le seul être sur cette terre avec qui je partage certaines pensées. Dans ce bureau, nous parlons d'homme à homme.

Maddox savait que ces derniers mots ne seraient jamais vrais, mais il répondit cependant :

— Merci, monsieur Koster.

— Nous avons de gros ennuis. Aucune femme n'est en sécurité. Des sauvages sont en liberté à Honolulu.

— Des blagues ! fit Maddox.

— Vous refusez d'affronter les faits, Curt, dit Koster. Vous êtes un homme des îles, et votre univers se borne aux îles. Ce qui m'inquiète, c'est la métropole. Tout le monde aux États-Unis est en train de lire ce qui s'est passé chez nous et de parler de nous. Tous les journaux vont nous éclabousser en première page. Et il s'agit de sexe. Le sexe ouvre les portes des caves de l'âme. A Washington, les hommes qui prennent les décisions croiront au pire. Comment vont-ils accueillir, à présent, l'idée que nous puissions accéder au statut d'État ? Nous risquons de rester un Territoire pendant un autre siècle. Curt, ces quatre indigènes doivent payer le prix.

— Ce n'est pas pour tout de suite, dit Maddox. Il faut qu'ils passent en jugement.

— J'aimerais l'éviter, dit Koster. Il faudrait leur expliquer que la sentence sera plus légère s'ils avouent leur crime.

— Je les ai interrogés. J'ai essayé de les faire se couper.

Il secoua la tête.

116

— Dites-leur que c'est sans espoir, insista Koster. Qui les croira contre Doris Ashley ?

— Doris Ashley n'était pas sur les lieux.

— C'est la personne la plus importante de toute l'affaire. J'ai entendu parler les gens. Vous savez ce qu'ils disent ? « La fille de Doris Ashley a été violée. »

— Elle prétend avoir été violée, corrigea Maddox.

Koster se redressa sur son siège.

— Les quatre types ont été arrêtés à six kilomètres de l'hôpital de la Miséricorde, expliqua Maddox. A l'occasion d'une bagarre avec des marins, au centre ville. Ils ont déposé la femme à l'hôpital, puis ils se sont rendus au *centre ville*. En plein Honolulu ! Si je venais de violer quelqu'un, est-ce que je me précipiterais vers les lumières ? Non, je me planquerais chez moi et je fermerais toutes les portes à double tour.

— Vous ne les avez jamais étudiés, Curt. Ils ne sont pas comme nous, répondit Koster. Ils sont primitifs. Ils étaient ici, dans ce jardin d'Éden, depuis des centaines et des milliers d'années, au milieu de milliards de dollars. Et qu'ont-ils produit ? La planche à surf et le porcelet rôti.

Les convictions d'Harvey Koster à l'égard des gens des îles se fondaient uniquement sur le fait qu'avant l'arrivée des missionnaires les Hawaïens avaient gaspillé leurs richesses, don d'une nature généreuse. Koster n'avait que mépris pour les gens des îles, de toutes les îles du Pacifique. Mais il se montrait également vigilant. Et avec les Orientaux, Chinois et Japonais, il restait toujours sur ses gardes, inquiet. Harvey Koster était un personnage renfermé, presque secret, tout en faisant figure de leader du Territoire et de porte-parole des autres leaders.

Pour ses élevages et ses plantations, Koster n engageait comme régisseurs que des descendants de missionnaires. Koster voulait une main-d'œuvre n'espérant rien en dehors d'une vie passée avec une bêche à la main ou un coupe-coupe pour la canne à sucre, et ses régisseurs recrutaient pour ses terres ce genre d'ouvriers agricoles. S'il imposait des bas salaires, c'est qu'il était convaincu que toute augmentation produirait rapidement une diminution d'efficacité. D'autres propriétaires terriens l'avaient imité et les méthodes de Koster étaient bientôt devenues la règle. En 1930, vingt-cinq pour cent des régisseurs de plantation étaient des petits-fils et arrière-petits-fils de missionnaires.

C'était Harvey Koster qui avait défini et encouragé la politique scolaire officielle des écoles publiques du Territoire. Il estimait qu'il fallait enseigner aux jeunes garçons l'agriculture et... rien d'autre. Il obtint un soutien enthousiaste. Il croyait agir autant dans l'intérêt général que dans son intérêt personnel. Il était persuadé qu'essayer de donner une éducation à qui que ce fût dans le Pacifique aboutirait à l'échec et constituerait une erreur coûteuse.

Les remous provoqués par l'agression dont fut victime la fille de Doris Ashley ne concernaient Harvey Koster que dans la mesure où l'incident menaçait la productivité de ses employés dans ses entrepôts, sur ses vapeurs desservant les îles et dans ses plantations.

— Ces quatre hommes sont coupables, Curt, dit-il. Hester les a identifiés. Plus tôt ils seront punis, plus tôt s'achèveront nos ennuis.

Koster s'arrêta. Maddox savait toujours quand il devait s'en aller.

— Je garderai le contact, monsieur Koster, dit Maddox.

Il traversa le petit bureau de la secrétaire jusqu'à l'escalier raide plongeant dans l'entrepôt. Il posa la main sur la rampe étroite. Une douleur lancinante se planta entre ses épaules. Il pensa à manger mais sans avoir vraiment faim. Pourtant, depuis combien de temps n'avait-il rien pris ? Son esprit ne parvenait à se concentrer que sur l'idée de sommeil. Au-dessous de lui, un ouvrier posa par terre une énorme balle de chanvre. En général, Maddox descendait l'escalier sans hésiter. Mais il était épuisé, accablé par une sorte de lassitude générale ; il n'avait plus aucune défense. Avant de pouvoir fermer son esprit au passé, il s'y trouvait replongé.

Harvey Koster avait trouvé Maddox endormi sur des balles de chanvre sous l'escalier. Maddox se rappelait encore le parapluie de Koster qui lui piquait les flancs, et les mots : « C'est une propriété privée. » Curtis Maddox avait douze ans et vivait dans les rues d'Honolulu depuis l'âge de huit ans.

L'enfant n'avait pas peur. Rien sur terre ne pouvait plus l'effrayer.

— Où est ta famille ? demanda Koster. Où habites-tu ?

L'enfant bondit. Mais juste avant de franchir la porte, il tomba et s'écorcha les mains et les genoux sur le ciment. Il était tout à fait éveillé à présent, et il avait une faim de loup. Il se releva pour fuir mais retomba. Il n'aurait pas renoncé si, lorsqu'il se remit à courir, Koster ne lui avait pas bloqué la porte.

— Qui sont tes parents ?

L'enfant garda le silence. Quelque chose dans ses yeux, quelque chose en lui, un défi farouche, inébranlable, une détermination fondamentale, presque palpable, toucha Koster.

— Tu as faim ?

Ainsi débutèrent les relations entre l'enfant et l'homme le plus influent de l'océan Pacifique, et ainsi s'acheva, pour l'enfant, une longue fuite. Koster lui paya le premier repas complet et équilibré qu'il eût mangé depuis qu'il s'était esquivé de la chambre de sa mère, un matin avant l'aube.

Sa mère l'avait détesté dès avant sa naissance. Maddox avait débuté dans la vie avec la haine de sa mère. Elle essayait d'oublier sa présence. Elle le laissait dans la cuisine avec la cuisinière pendant des heures et elle le battait jusqu'à ce que les autres filles de la « maison » l'arrêtent. Sa mère avait même refusé de lui donner un nom. Curtis était le prénom du père de la maquerelle.

Dans le café où il le conduisit, Koster examina l'enfant. Ses mains sales, ses croûtes mal cicatrisées, les couches de terre sur son corps, révoltèrent Harvey Koster. L'enfant tenait le couteau et la fourchette à pleines mains. Mais Koster resta assis, sans un mot, dans le restaurant bon marché où il n'avait jamais mis les pieds auparavant, et attendit que l'enfant eût terminé.

Ils quittèrent la table, et l'enfant, qui avait toujours fui jusque-là, ne chercha pas à s'échapper. Koster espérait que l'enfant partirait, mais le gamin muet, traumatisé, au comportement de fauve, resta à côté de lui. Koster dut le laisser sur le trottoir et s'éloigner du café.

A 5 heures cet après-midi-là, Koster sortit de l'entrepôt le parapluie à la main. L'enfant était assis sur le marchepied de la voiture de Koster.

— Tu ne peux pas rester avec moi. Je n'ai pas de place pour toi.

Il ne mentait pas. Il y avait huit chambres dans la maison de Koster, mais même Sidney Akamura, son « homme », rentrait chez lui tous les soirs.

L'enfant se leva et s'éloigna.

— Reviens, lança Koster. Reviens, je te dis.

Il ouvrit la portière de sa voiture et désigna la banquette avec la pointe de son parapluie.

Il conduisit l'enfant dans l'une de ses plantations.

— Voici Curtis Maddox, dit-il au régisseur. Il vivra ici. Il peut travailler. Mais c'est un enfant, non un homme. Qu'il fasse des travaux d'enfant.

Une fois par mois, le dimanche, Koster venait en voiture à sa propriété. Le régisseur apprit vite à préparer le gamin pour cette visite. Il lui donnait à chaque fois des vêtements propres. Koster demandait toujours à voir le livret de caisse d'épargne de l'enfant. Et toujours il disait :

— Bien. Bien.

La semaine qui suivit son vingt et unième anniversaire, Maddox annonça à Harvey Koster qu'il avait envie de s'engager dans la police d'Honolulu. Il voulait s'inscrire le lendemain.

— Tu as un bon emploi, Curt, lui dit Koster.

— Je crois que j'aimerai le travail de policier, répondit Maddox.

— Est-ce qu'il y a une femme là-dessous? demanda Koster. Une femme peut avoir des exigences terribles, Curt. Les femmes ne sont pas raisonnables. Elles ne donnent rien. Elles sont égoïstes et rusées. La femme diminue l'homme.

— Il n'y a pas de femme, dit Maddox.

— Un jour, tu seras à la tête de toute la main-d'œuvre des élevages et des plantations Koster, insista le bienfaiteur de Maddox.

Maddox savait que Koster pouvait lui barrer la route. Il lui suffirait d'un coup de téléphone pour empêcher le jeune homme de porter l'uniforme de la police. Maddox avait décidé que, si Koster s'opposait à ses désirs, il émigrerait aux États-Unis. Il n'aurait pas pu expliquer pourquoi à Koster, mais il avait besoin de trouver par lui-même sa place dans la société. Il ne pouvait plus supporter de devoir sa vie à quelqu'un, et surtout à Koster. A la plantation, et même à Honolulu, Maddox avait entendu courir des bruits au sujet de Koster et lui. Tout le monde savait que Koster « préparait » Maddox. Et à deux reprises, toujours à Honolulu, Maddox avait entendu dire par des hommes en qui il avait confiance que la plupart des gens prenaient le jeune homme pour le fils illégitime d'Harvey Koster.

Maddox estimait donc qu'il n'avait pas le choix. Il fallait qu'il démontre qu'il pouvait réussir seul. A la plantation, il avait été entraîné pour le travail de protection; il opta donc pour la police.

— Je regrette que tu me quittes, Curt, lui répondit Koster.

— Je ne vous quitterai jamais, monsieur Koster. Je ne serai jamais plus loin de vous que votre téléphone.

Quinze années s'étaient écoulées depuis ce jour. Maddox quitta l'entrepôt en y abandonnant l'enfant perdu, sans toit, que Koster avait trouvé ce jour-là sur les balles de chanvre. De l'entrepôt, il rentra directement chez lui. Il dormait déjà quand Koster quitta son bureau à exactement 5 heures, en emportant le gros paquet qui se trouvait sous le portemanteau.

La demeure de Koster se cachait derrière une forêt. La maison elle-même était couverte de bougainvillées, de chèvrefeuille de Birmanie, de glycine et de rosiers grimpants qui semblaient monter jusqu'au ciel. Il y avait des fleurs partout. Il aimait les fleurs. Ses deux jardiniers avaient reçu l'ordre de s'occuper en priorité des fleurs.

Il n'y avait aucune fleur dans la maison. C'était une demeure paisible, en ordre, ravissante, parfaitement orientale. Les parquets étaient nus presque partout. Les meubles demeuraient rares; les couleurs, vives et lumineuses.

Sidney Akamura était déjà reparti. Koster ouvrit la porte d'entrée et monta directement l'escalier avec son paquet. Il entra dans la chambre principale. D'un côté de son lit s'ouvrait le dressing-room. A l'intérieur, face à la chambre, un miroir occupait tout le mur. Koster toucha l'encadrement, le miroir pivota dans le dressing-room et des lumières aveuglantes s'allumèrent dans l'espace que dissimulait le miroir. Koster dut baisser la tête. Quand il se redressa, il se trouvait dans une immense chambre aux murs blancs. Le plafond était couvert de lampes. Son paquet sous le bras, il était debout au milieu de poupées.

Harvey Koster avait pénétré dans un univers lilliputien. Il était englouti par les poupées — debout, assises, grimpées sur de petits arbres d'ébène, juchées sur des balançoires, sur des toboggans, en train de jouer sur des tas de sable, de manger devant des tables recouvertes de nappes et dressées d'assiettes en porcelaine et de couverts en argent. D'autres dormaient dans des lits, seules ou à deux, étudiaient dans des salles de classe, avec des professeurs sur leurs chaises ou devant des tableaux noirs couverts de leçons d'histoire, de problèmes d'arithmétique, de portées de musique. Certaines se trouvaient chez elles et nettoyaient leur cuisine, époussetaient leurs meubles, repassaient avec des fers à vapeur sur leurs planches à repasser. D'autres se promenaient dans des rues résidentielles et dans des quartiers commerçants, marchant bras dessus, bras dessous, à l'abri d'une ombrelle, ou bien s'arrêtaient devant les vitrines, entraient et sortaient des boutiques. Derrière son dressing-room, Harvey Koster avait créé tout un monde, et pas une seule poupée de sa nombreuse communauté ne portait de culotte. Les seuls êtres avec lesquels il partageait sa vie, qu'il adorait, à qui il se confiait, étaient tous féminins.

Vite, presque avec une impatience nerveuse, Koster déchira le papier d'emballage du paquet. Il attendait cet instant depuis le matin. La boîte était décorée en faux bois. A travers une fenêtre en plexiglas, Koster découvrit un visage ovale délicat, avec des cheveux noirs nattés relevés autour de la tête, et des joues rouges. Koster essaya de soulever le couvercle de la boîte, mais n'y parvint pas. Il se mit à genoux, serra la boîte contre lui, puis poussa vers le bas d'une main, vers le haut de l'autre main, toujours en vain. Son col dur lui sciait le cou, mais il continua de se battre avec la boîte. Enfin, le couvercle céda. Il remonta, dégageant l'ouverture. Toujours à genoux, Koster se pencha sur le visage de la danseuse étoile. Il était en adoration devant elle.

Elle était allongée sur du satin blanc. Elle portait un tutu blanc, des bas de soie blancs et des pointes de gros-grain noir. Koster plongea les deux mains dans la boîte pour soulever son nouveau trésor.

Il se releva en gardant toujours un genou à terre et posa la danseuse face à leur public — celui de la poupée et celui de Koster. Elle se trouvait en cinquième position. Koster, fou d'amour, décida qu'elle serait la vedette de la compagnie de ballet qu'il réunirait sur la scène du théâtre en cours de construction à Grand Rapids (Michigan). Koster n'avait pas encore déterminé l'endroit où il placerait son théâtre. Cela ferait l'objet d'une étude approfondie, et il n'avait pas envie de réfléchir à ce problème monumental aujourd'hui. Il poussa de côté la boîte, le couvercle et le papier d'emballage.

— Attention. Attention, les filles ! dit-il. J'ai le plaisir de vous présenter...

Il s'interrompit. Il n'avait pas réfléchi au nom de la danseuse étoile. Il fallait lui trouver un prénom spécial, évocateur.

— Camille ! annonça-t-il, triomphant. J'ai le plaisir de vous présenter Camille... Camille, je vous présente votre public, dit Harvey Koster en souriant tendrement à la poupée.

ABSOLUMENT AUCUN VISITEUR, disait la première ligne sur la grande pancarte de bois fixée à deux poteaux d'acier au bout de la jetée, et la deuxième ligne précisait : ABSOLUMENT AUCUNE EXCEPTION. La jetée commençait au pied de la falaise, qui s'élevait au-dessus de la mer tout au long de cette partie des côtes d'Hawaï, la grande île. Sur le pont du vapeur desservant les îles, Tom Haléhoné pouvait voir l'étroit sentier tortueux qui montait depuis la grève. Lorsque le vapeur accosta la jetée et que les matelots sautèrent par-dessus bord pour l'amarrer, Tom se dirigea vers l'arrière. Il portait son costume, une chemise et une cravate.

On installa la planche de débarquement, et des matelots, armés de gros diables, se mirent à débarquer des caisses et des sacs sur la jetée. Un des chariots était chargé de pains de sel. Tom se glissa entre deux diables.

— Hep, vous !

La voix rauque, amplifiée par le porte-voix, était celle du capitaine. Tom ne s'arrêta pas.

— Vous, là !

Tom atteignit la jetée. Le capitaine se trouvait juste derrière lui, accoudé au bastingage près de la planche à débarquer.

— Vous êtes sourd ?

Il montra la pancarte avec son porte-voix.

— Et aveugle ?

Tom remonta sur la planche. Le capitaine l'arrêta lorsqu'il posa le pied sur le pont du vapeur.

— Ce n'est pas un bateau de tourisme. « Elle » n'aime pas les touristes.

Tom passa devant lui en boitant, pressé de s'éloigner de la voix éraillée et des rires des marins. Il se rendit à l'avant, en face de l'amarre d'étrave qui descendait vers la jetée. Il songea à se laisser glisser le long du câble. Mais ils le verraient. Ils l'attendraient à l'arrivée. Il frappa le bastingage du plat de la main et il sentit ses doigts vibrer de douleur.

L'expédition à la grande île était son idée. Il avait compris dès l'abord que les plans de Sarah pour réunir le montant de la caution relevaient du rêve. Il n'y avait pas d'argent à Papakoléa. Mais il n'avait pas eu le courage de désespérer la jeune fille. Au commissariat central, lors de sa première entrevue avec les quatre détenus, Tom leur avait promis, sur une impulsion, de les faire libérer en attendant le procès. Il se sentait responsable.

Sarah l'avait accompagné sur les quais en voiture, très tôt le matin de son départ. Elle avait promis de l'attendre.

— Vous êtes notre seule chance.

Tom ne pouvait pas abandonner sans même essayer.

Il vit le capitaine à côté de la planche. Il recula jusqu'à ce que la cabine de pilotage le dissimule. Il était seul. Tous les hommes de l'équipage semblaient absorbés par le déchargement. Vite, vite ! se dit-il en enlevant sa veste. Il ôta ses souliers et se pencha pour nouer les lacets ensemble. Il plaça les souliers autour de son cou : il était prêt. Ses mains tremblaient, mais ce n'était ni la crainte de l'océan ni la peur de plonger. La mer était son domaine.

Tout le monde sait nager à Honolulu, tous les garçons deviennent bons nageurs. Ils grandissent dans l'eau. L'océan est un deuxième terrain de jeux. Bien entendu, il leur arrive souvent de bouder la mer pour se livrer à d'autres sports ou former des bandes en ville. Mais Tom en était exclu, car il constituait un poids mort : s'il fallait prendre la fuite, il ne pouvait pas courir comme les autres. Et s'il était pris, il risquait de donner leurs noms et de les faire prendre à leur tour. La seule présence de Tom dans une équipe assurait son échec. Tom, toujours banni, restait donc sur la plage. La mer était devenue sa grande amie.

Les chaussures autour du cou, Tom enjamba le bastingage et s'y accrocha jusqu'à ce qu'une vague survienne. Il plongea comme un faucon. Son corps glissa dans l'eau ainsi qu'une lame.

Il refit surface instantanément et nagea le long de la côte du côté de la haute mer. En arrivant à la hauteur de la poupe, il plongea de nouveau et se mit à nager entre deux eaux, essayant de fixer dans sa tête la direction de la jetée. Il voulait atteindre les pilotis pour être dissimulé lorsqu'il remonterait en surface. Il nagea aussi loin qu'il put sans reprendre haleine puis remonta, la bouche ouverte pour mieux emplir ses poumons. Il avait dépassé la jetée. Il replongea et nagea jusqu'à ce qu'il sente les rochers. Il remonta aussitôt pour courir hors de l'eau avant qu'une vague ne se saisisse de lui et ne le projette contre les énormes blocs volcaniques.

Il parvint sur la langue de vase au pied de la falaise. Ses souliers ballottaient contre sa poitrine. Il s'accrocha, glissa, s'enfonça jusqu'aux chevilles.

— Capitaine ! cria une voix.

— Capitaine, regardez ! lança quelqu'un d'autre.

— Hep, vous !

La voix du capitaine, amplifiée par le porte-voix, parvint à Tom à l'instant où il atteignait le sentier étroit. Le sol était dur, mais il n'avait pas le temps de s'arrêter pour mettre ses chaussures. Trempé, vaseux, écorché, les pieds en sang, poursuivi par les hurlements menaçants du capitaine, Tom remonta le sentier, en traînant son pied gauche sur les cailloux et les pierres.

La voix du capitaine devint plus faible. Tom arriva au sommet. Il était au bord d'un plateau s'étendant à perte de vue. A cent mètres de lui, à peine, s'élevait une maison longue, tout en rez-de-chaussée. Sur toute la façade courait une véranda. Vers la gauche se dressait une vaste grange, et Tom vit des bovins et des chevaux partout. Un homme conduisait un tracteur vers la grange. Il y avait des pyracanthes le long de la falaise, en fourrés jamais taillés. A l'abri de la touffe d'arbustes, Tom vida l'eau de ses chaussures. Il parvint à dénouer les lacets. Les souliers étaient humides et gluants sur ses pieds. Quand il sortit des pyracanthes, il avait froid. Il entendit une femme crier :

— Jack Manakula, je te tuerai ! Ne t'ai-je pas ordonné de rester dans les parages aujourd'hui ?

— Je vous signale à tout hasard que je ne peux pas être à dix endroits en même temps, répondit l'homme. Je ne suis pas aussi malin que vous.

Tom vit le tracteur près d'un corral. Un homme de l'âge de son père passait entre les barres. Au milieu du corral, à genoux par terre près d'une vache couchée, pattes de derrière écartées, se tenait une femme.

Elle était énorme. Et grande, même agenouillée ainsi dans la poussière. Elle avait de gros bras et de grosses mains. Ses cheveux noirs tressés étaient remontés autour de sa tête. Elle portait des vêtements d'homme. Elle était couverte de terre, de poussière et de liquide amniotique. Elle se trouvait entre les pattes écartées de la vache, au milieu du placenta spongieux, visqueux.

Les pattes d'un veau dépassaient du corps de la vache, et la femme tirait de toutes ses forces. La patte de la vache, au-dessus de sa tête, effleurait ses cheveux. Elle n'en avait cure, elle n'avait cure de rien. Elle parlait à la vache, elle l'apaisait en un monologue sans fin, tendre et encourageant.

— Ça va aller bien, disait la femme. Ce sera bientôt fini. Tu t'en tires à merveille. Pousse encore un peu, allez, ma grande fille.

Elle leva les yeux vers l'homme :

— Pour l'amour du bon Dieu, Jack, aide-moi à retourner ce veau !

Jack Manakula enfonça son chapeau sur sa tête et s'agenouilla près de la femme.

— Il faut le faire basculer.

Tom les regarda, par terre. La femme était deux fois plus grosse que l'homme. Ils commencèrent à retourner le veau en train de naître.

— Pas trop vite, Jack, dit la femme. Pas trop vite !

— Continuez de caqueter, répondit Jack, elle prendra peur et se mettra à ruer. Nous finirons au milieu du champ.

La femme ne répondit pas. Ils travaillaient ensemble, tenant chacun une patte du veau. Lentement, ils firent tourner l'animal dans la matrice, ce qui permit la naissance. Le veau se mit à sortir du ventre de la mère. La femme parla à la vache. Le chapeau de l'homme tomba.

— Ça vient, ça vient, dit la femme.

Et, en un dernier frisson convulsif, la vache mit bas.

— Tiens-le, le temps que je me lève, dit la femme. Je veux me lever d'abord.

Elle posa les deux mains à plat par terre pour se pousser. Elle soufflait de tous ses poumons.

— Donne-le-moi, maintenant.

Jack s'accroupit, les mains sous le nouveau-né langé de bouts déchiquetés de placenta. Il souleva l'animal trempé, qui frissonnait et clignait des yeux, tout ahuri après sa première minute de vie. Le veau agita les pattes. Il essaya de tenir debout, mais en vain. La femme prit le veau dans ses bras et lui murmura des paroles sans suite. Jack ramassa son chapeau et se leva.

— Vous avez gagné un taureau, dit-il.

— Il était temps que ma chance tourne, répondit la femme sans lâcher le veau qu'elle cajolait contre elle sans se soucier des poils humides et du placenta qui traînait. C'est une belle bête, hein Jack ?

— On le saura dans un an, répondit l'homme en chassant du plat de la main la poussière de son chapeau.

La vache, non sans mal, se remit sur ses pattes.

— Voilà ton petit, lui dit la grosse femme.

Elle continua de tenir le veau pendant que la vache léchait et avalait le placenta, qui stimulerait la montée de son lait.

— Regarde-le ! dit la femme. Il est déjà prêt !

Elle lâcha le veau, encore chancelant mais capable de tenir debout tout seul le long des flancs chauds de sa mère. La femme esquissa un sourire. Elle était campée sur ses jambes écartées, les poings enfoncés dans ses hanches. Jamais Tom n'avait vu un personnage aussi imposant et exprimant autant d'autorité. Il n'avait jamais rencontré la princesse Luahiné.

Elle avait cinquante-cinq ans, c'était le dernier membre vivant de la famille de la reine Liliuokalani, la souveraine déposée. Elle était l'héritière légitime du trône. Elle avait dix-huit ans quand la monarchie avait été abolie, quand les envahisseurs, comme elle les appelait, avaient usurpé le pouvoir. La princesse avait quitté Honolulu pour toujours et s'était réfugiée à Hawaï, la grande île, sur quelques milliers d'arpents qui n'avaient été ni vendus ni volés.

La princesse vivait seule sur son vaste ranch, qu'elle exploitait. Deux fois par an, elle participait au rassemblement des bêtes avec Jack Manakula, et elle couchait à la dure comme les autres vachers.

Ce jour-là, la princesse était heureuse. Elle avait un taureau de plus. Elle continua de sourire jusqu'à ce qu'une tache blanche attire son regard, et elle vit une espèce de maigrichon boiteux qui se dirigeait vers le corral.

— Jack, que signifie « aucun visiteur » ?

Jack plissa les yeux.

— D'où vient-il ?

— Regarde-le, dit la princesse. Il est arrivé à la nage. Il sort de l'eau, à présent !

— Vous voulez mouiller des mines le long de la côte ? lança Jack Manakula.

— Je le ferai. Oui, je le ferai !

Tom était trop loin pour les entendre. Il vit la princesse se baisser pour, péniblement, sortir du corral.

— Renvoie-le, Jack.

— Filez ! cria Jack à Tom. Au revoir.

Tom ne s'arrêta pas. Quand il arriva assez près, il s'adressa à la princesse, dans leur langue et non dans celle des envahisseurs.

— Je regrette vraiment, dit-il. Je connais votre règlement. Mais c'est un cas d'urgence.

— Parlez anglais, lança la princesse. La langue hawaïenne est morte et enterrée.

— Princesse Luahiné, reprit Tom en anglais, je m'appelle Tom Haléhoné. Je...

Elle le coupa.

— Il n'y a pas de princesse. Je suis un éleveur de bétail, dit-elle en montrant le corral. Et voici mes sujets. Je n'ai pas de sujets à deux pattes.

— Il faut que je vous parle, insista Tom.

— Vous ne pouvez pas me parler. Ça ne m'intéresse pas, dit la princesse. Repartez à la nage.

— Je suis venu par le vapeur, dit Tom.

— Je n'ai jamais cru que vous ayez marché sur les eaux. Je suis fatiguée. Ne m'obligez pas à vous jeter à la mer.

— Ils ne m'ont pas laissé descendre sur la jetée. J'ai plongé. Il fallait que je vous voie.

— Jack ! dit la princesse.

Jack se dirigea vers Tom, qui recula.

— Non, attendez ! dit-il. Il se passe des choses graves à Honolulu. Je suis avocat, princesse... madame. Il faut que vous m'écoutiez.

— Erreur, dit la princesse. Jack, je vous en prie.

La princesse se dirigea vers la maison et Tom la suivit. Jack voulut l'arrêter, mais Tom se dégagea.

— Il faut que vous m'écoutiez ! répéta Tom en élevant la voix.

Il dépassa la princesse et se mit à marcher à reculons, face à elle.

— Il s'est produit un viol.

— C'est nouveau comme sport, là-bas ? dit la princesse.

— Cette fois, c'est différent. Il s'agit d'une Blanche, d'une *Haolé*, dit Tom. L'épouse d'un officier de marine. Ils ont arrêté quatre hommes. Je les connais. Je les ai connus toute ma vie. Ils n'ont rien fait.

— Vous vous attendiez à ce qu'ils avouent ?

Tom était aux abois. Il ne parvenait pas à retenir l'attention de la princesse. Il avait fait tout ce trajet pour rien.

— Je sais qu'ils sont innocents.

— Excusez-moi, dit le capitaine.

Il venait d'arriver derrière eux, essoufflé après l'ascension de la falaise.

— Vous, venez ! ordonna-t-il, le bras tendu vers Tom.

— Quel genre de personne êtes-vous donc ? lança Tom, plein de haine pour la princesse. Vous n'éprouvez donc de sentiments que pour des *vaches* ? Vous croyez que c'est pour mon plaisir que je me suis caché, que j'ai plongé par-dessus bord, que j'ai nagé au milieu des rochers ? Il fallait que je le fasse. Il n'y a personne d'autre ! Il *fallait* que je vienne ici ! Il faut que vous *m'écoutiez* !

Le capitaine était tout près, mais Tom vit Jack Manakula lui faire signe de s'écarter, puis secouer la tête. Tom, en phrases hachées, se mit à raconter la malheureuse histoire. Les mots se bousculaient presque sur ses lèvres.

— Le juge aurait pu fixer la caution à 1 000 dollars ou à 500 dollars au lieu de 10 000 : cela n'aurait absolument rien changé. Nous ne pouvons pas réunir cette somme. Nous ne possédons rien qui puisse servir de garantie pour le prêt. Ces quatre hommes vont rester dans leur cellule jusqu'au procès si personne ne les aide.

La princesse se tourna vers Jack.

— Je t'ai vu faire signe au capitaine. Suppose que tu prennes le vapeur, toi aussi...

— Il ne vous a demandé que de l'écouter, répondit Jack.

— Je vais peut-être vivre ma vie sans toi, dit la princesse avant de se retourner vers Tom. Savez-vous combien je reçois d'histoires de ce genre ? En moyenne, cent lettres par mois. Chacune expose un cas d'urgence. Et chacune réclame de l'argent. Ils ont besoin d'une opération. Ils ont besoin de billets de bateau pour les États-Unis. Ils veulent acheter un ranch, un magasin, un restaurant. Ils veulent envoyer leur fils au lycée, ou bien leur fille. Ils demandent 5 dollars, 5 000, 50 000. Ce sont tous des vautours, là-bas, à Honolulu. Il n'y a plus personne à Oahu qui ne soit victime d'une crise.

— Ils sont innocents, dit Tom. Ils n'ont pas violé cette femme.

— Et moi ? demanda la princesse. Je suis innocente, moi aussi.

L'audience était terminée. Elle passa devant Tom sans le regarder, sans regarder un seul des trois hommes.

— Mais vous n'avez pas d'ennuis ! lança Tom en élevant la voix. Vous pouvez partir. Vous êtes libre et tranquille.

La princesse s'arrêta. Elle se retourna pour dévisager ce petit maigrichon tout mouillé qui boitait et qui avait plongé du vapeur et nagé au milieu des rochers pour la liberté d'autres hommes. C'était un sacré petit coq.

— Comment vous appelez-vous, déjà ?

— Tom Haléhoné.

— D'accord, Tom Haléhoné, dit la princesse. Vous pouvez leur dire que je me porte garant de la caution. Qu'ils me prennent comme garantie.

— Je... commença Tom.

Il s'arrêta. Il avait froid, il frissonnait.

— Je vous remercie, dit-il.

— Ils auront besoin d'un avocat.

— Je suis leur avocat.

— Vous ! lança la princesse. Vous et ces quatre gosses ne formerez qu'une grosse tache marron dans la salle d'audience. Le jury ne sera pas capable de vous distinguer des autres. Et la fille de Doris Ashley ! Entre toutes les femmes d'Honolulu, il fallait que ce soit la fille de Doris Ashley. Vous avez besoin d'un avocat *Haolé*.

— Un avocat *haolé* est un *Haolé,* répondit Tom. Ils formeront une tache marron avec ou sans moi. C'est moi qui les défendrai.

— En tout cas, cela vous fera filer d'ici, dit la princesse.

Elle garda le silence. Bras croisés, mains crispées sur ses coudes, elle fixa l'étendue argentée, scintillante, de l'océan.

— Mon grand-père m'a raconté, dit-elle, qu'au moment où les premiers missionnaires sont arrivés les îles se sont vidées de leur population dans la mer pour les accueillir. Les mères nageaient avec leurs nouveau-nés, et les vieillards gagnaient les bateaux en pirogue. Mon grand-père m'a raconté que les gens ont couvert les missionnaires de tellement de fleurs qu'on voyait à peine leurs visages. Quand les missionnaires sont descendus à terre avec leurs enfants, ils ont été accueillis ainsi que de nouveaux frères et sœurs. Tous, sans exception. Mon grand-père disait que les gens des îles avaient traité les missionnaires comme un immense bienfait venu de l'océan. Mais les missionnaires n'étaient pas contents. Ils voyaient le mal partout dans ces îles souriantes. Toutes ces chairs nues. Tous ces rires. Ces agapes, ces chants et ces jeux. Les missionnaires avaient le devoir d'extirper le mal. Aussitôt, ils nous ont pris nos dieux pour mettre les leurs à la place. Ensuite, ils nous ont pris notre terre. Ils nous pris notre reine et notre palais. Ils nous ont obligés à nous habiller comme eux et à nous comporter comme eux. Mais ils ne nous ont pas permis d'*être* comme eux. Ni d'être *avec* eux, sauf pour travailler dans leurs champs ou dans leurs cuisines. Ils nous ont détruits. Nous étions, sur ces îles, un peuple libre et doux, qui ne songeait qu'à aimer. Ils ont excommunié l'amour. Les fils des missionnaires ont apporté les canons et la police, puis la marine a fait le reste.

La princesse baissa les bras. Elle se frotta le nez avec le dos de la main.

— Vous voyez ce que vous m'avez fait ! lança-t-elle à Tom. Attendez. Je vais vous donner un chèque.

DEUXIÈME PARTIE

Sarah vit au loin, dans la nuit, un autre groupe de lumières en mouvement. Elle attendait depuis si longtemps, dans la décapotable stationnée près des quais, qu'elle se sentait toute raide. Elle essaya de se détendre et elle se dit : « Ce ne sera pas lui » pour se préparer à une autre déception. Au même instant, un faisceau de lumière frappa l'eau. Ce bateau-là accostait. Sarah regarda le projecteur tracer un arc puis se diriger vers la terre. Elle descendit de voiture et se mit à courir.

Sur le quai, aveuglée par la lumière, elle ne vit pas le bateau. Elle courut à l'autre bout de la jetée. Un autre projecteur éblouissant était allumé à l'arrière. Puis elle distingua le contour du vapeur des îles, qui virait de bord et ralentissait avant de se coller à l'apponte-ment. Elle distingua des silhouettes sur le pont. Le bateau arriva à sa hauteur et la dépassa. Tom, appuyé au bastingage, lui faisait de grands signes.

— Sarah !

Elle vit des marins sauter sur le quai avec des amarres à la main, vers l'avant et vers l'arrière du bateau. Elle perdit Tom de vue et le retrouva, près du bastingage, à côté de la passerelle de débarque-ment. Elle le vit très bien. Il était content ! Il avait réussi ! Cela se voyait.

— Tom ! cria-t-elle, et elle le vit hocher la tête.

Elle battit des mains en sautant sur place. Tom souriait. Il hocha la tête, amusé.

Il fut le premier à débarquer. Ils s'élancèrent l'un vers l'autre pour s'embrasser mais se manquèrent : les lèvres de Sarah se posèrent sur le menton de Tom et la bouche de Tom effleura la joue de la jeune fille.

— Vous avez vraiment ?... commença-t-elle.

Il sortit le chèque de sa poche intérieure. Sarah se blottit de nouveau contre lui et Tom la prit par l'épaule. On eût dit deux coéquipiers victorieux qui quittaient le terrain de sport en bavardant.

Près de la décapotable, Sarah lui demanda :

— Je peux le revoir ?

Tom leva le chèque à la hauteur de ses yeux.

— Comment avez-vous ?... commença-t-elle, puis : Vous me raconterez tout ? Racontez-moi tout.

Tom acquiesça et lui ouvrit la portière.

— C'est vous qui prenez le volant, dit-elle. Je veux que ce soit vous qui conduisiez.

Sarah écouta le récit de Tom, le souffle court, lançant des exclamations incrédules, promettant de ne plus l'interrompre mais recommençant à la seconde suivante.

— Vous êtes l'homme le plus brave que j'aie rencontré, dit-elle.

Il protesta, mais sans conviction. Les louanges de la jeune fille le comblaient ; et puis, maintenant qu'il était rentré, il se sentait fatigué.

L'exubérance de leurs retrouvailles après la longue attente et la difficile entreprise dans laquelle ils s'étaient engagés les avaient épuisés tous les deux. Ils gardèrent le silence. Puis Tom dit :

— A cette heure-ci demain, Joe dormira chez lui. Ils dormiront tous chez eux.

— Grâce à vous, murmura Sarah.

— Peu importe...

De nouveau, ils se turent. Ils arrivaient près du Punchbowl et de Papakoléa.

— Vous avez sans doute envie de rentrer directement chez vous, dit Sarah à mi-voix.

Le cœur de Tom cessa de battre, puis repartit. Il avait envie de la contempler mais il fixa la route.

— Non, je ne suis pas obligé de... rentrer.

— Vous devez avoir faim, dit-elle.

— Non. Et vous ?

— Non. Non... Je pensais seulement... La longue traversée en bateau, l'entrevue avec la princesse et tout... Vous devez être fatigué.

Sarah semblait parler de très loin. Le cœur de Tom battait maintenant très vite.

— Je ne suis pas fatigué, dit-il.

Sa voix avait l'air étrange. Elle sonnait creux. Il avait la bouche et la gorge sèches. Il passa la langue sur ses lèvres.

— Sarah ?

Il fallait qu'il la regarde. Elle était assise près de la portière, les mains sur ses genoux.

— Ne vous souciez pas de moi, dit-il. Si vous avez vraiment envie d'aller quelque part... Où voulez-vous aller ?

— Je me disais, murmura-t-elle, lentement. Je suppose que la plage ne vous dit rien en ce moment ?

— Si. Parfait pour la plage, dit Tom. J'aimerais aller à la plage.

Il avait le front en feu. Il tourna le volant.

— Il y a un endroit, pas loin... Je vais vous montrer.

Il avala sa salive. Il y avait maintenant entre eux un abîme immense. Tom laissa tomber sa main droite et attendit, puis il la déplaça vers Sarah, sans parler. Ses doigts rencontrèrent le sac à main de la jeune fille et le contournèrent. Il conduisait de la main gauche, sans quitter la route des yeux. Puis sa main toucha la cuisse de Sarah et se figea. Sarah regardait droit devant elle. Elle posa sa main sur la main de Tom. Leurs doigts s'entrelacèrent.

Ils arrivèrent près de la plage. Tom lâcha Sarah pour changer de vitesse. Il roula vers le ressac.

— J'ai toujours aimé ce coin, dit-il. Cela vous plaît ?

Elle ne répondit pas. Il arrêta la voiture et coupa le moteur. Il éteignit les phares.

— Sarah, dit-il en cherchant sa main.

Il la lui prit. Il glissa sur la banquette, écarta son sac à main et sentit qu'elle se serrait contre lui. Avec mille précautions et hésitations, doucement, délicatement, il l'embrassa.

Sarah passa le bras autour de lui. Elle entrouvrit les lèvres — des lèvres douces et avides ; douces, tendres et avides.

— J'ai tellement pensé à vous, dit-elle. Je ne pense plus qu'à vous. Je pense à vous partout où je suis.

Il avait envie de l'embrasser jusqu'à la fin des temps, de sentir ses lèvres entrouvertes l'accueillir.

— Tom ?

Leurs visages se touchèrent.

— Vous m'aimez ?

— Oui, oui, répondit-il. Je vous aime. Oui, je t'aime.

Il ne pouvait pas la serrer davantage et pourtant il fallait qu'il la sente plus près.

— Je t'aime, Sarah. Je t'aime, je t'aime.

Elle avait les lèvres brûlantes. Le visage brûlant. Tom l'enlaçait, penché sur elle, et l'embrassait.

— Je t'aime, dit Sarah. Je t'aime, Tom. Je t'aime.

Sans le lâcher, elle se pencha en arrière contre la portière et l'attira sur elle. Tom sentit que les jambes de Sarah bougeaient, s'écartaient. Elle dit : « Attends ! » et bougea encore, jusqu'à ce qu'une jambe de Tom soit entre les siennes. Quand Tom l'embrassa de nouveau, elle gémit, et elle bougea encore pour l'encercler, l'enserrer. Les mains de Sarah s'activaient dans le noir, elles tiraient, elles arrachaient, puis il sentit les doigts de la jeune fille sur son dos nu, douces caresses affolantes de passion.

— Tom ?

Son corps se souleva pour se coller à lui.

— Je ne l'ai jamais fait. Et toi ?

Il posa la main sur sa cuisse nue, puis plus haut.

— Si... Une ou deux fois... Non.

Il s'écarta pour la regarder dans les yeux.

— Je ne l'ai jamais fait, Sarah. Jamais.

— J'ai promis. J'ai fait la promesse de ne pas le faire avant de me marier, dit Sarah. Personne n'a jamais... Je ne suis jamais allée aussi loin, dit-elle, plus proche, plus chaude, plus douce au-dessous de lui. J'avais promis... Tu as envie ? J'ai envie que tu... Ici, dit-elle en lui prenant la main.

Windward se dressait sur une crête, au sommet des collines qui forment la bordure occidentale d'Oahu. Au-dessous de la grande maison, sur la droite, il y avait un garage et, en contrebas, l'ancienne remise des voitures. Quand Gerald Murdoch était venu demander officiellement la main d'Hester, Doris Ashley avait été prise de panique. Hester s'en allait ! Doris Ashley resterait seule avec le vent et l'écho, dépendant entièrement d'Amelia et de Theresa, les deux servantes à l'air bovin. Il fallait qu'elle se sauve, et vite — avant le mariage.

Doris Ashley manœuvra dans le secret absolu. Elle raconta à Hester qu'elle avait fait venir les ouvriers à *Windward* uniquement pour empêcher la vieille remise de s'effondrer.

— Seule la poutre maîtresse du toit tient bon.

Elle prétendit qu'elle restaurait la remise pour des raisons sentimentales.

Elle ne s'accorda aucun répit. Elle paya des primes et fit travailler les ouvriers en heures supplémentaires et même pendant le week-end. Elle avait toujours été son propre décorateur et elle acheta elle-même les meubles de la remise. Toutes les livraisons furent faites pendant les absences d'Hester. Elle occupa Amelia et Theresa des heures entières à tapisser l'intérieur des placards de cuisine, à garnir les armoires à linge, à déballer la porcelaine et l'argenterie. Et Doris Ashley gagna. Elle avait terminé bien avant le mariage.

— J'ai une petite surprise, Gerald, dit-elle un jour au jeune homme.

Elle l'attendait à l'entrée de *Windward*. Elle lui demanda de la conduire à la remise. Elle ouvrit la porte neuve avec une clé d'or — il y en avait deux, suspendues à une chaîne d'or. Elle le précéda dans le vestibule, où se trouvait l'escalier, et entra dans le salon.

— Vous donnez votre langue au chat ? dit-elle en faisant danser les clés au bout de la chaîne. Vous débutez dans la vie, mes enfants. Vous abordez les meilleures années de votre existence, et les plus importantes. Trouver une maison et la meubler est une épreuve longue et pénible. J'ai essayé de vous l'épargner. Ne vous froissez pas, je vous en prie.

Elle attendit, angoissée, la réaction de Gerald.

— Comment pourrais-je vous remercier un jour ? dit-il.

Les doigts de Doris Ashley se crispèrent sur le dossier d'un fauteuil ancien. Elle était en sécurité, pour quelque temps en tout cas.

Et pour quelque temps, Hester et Gerald furent heureux. Ils semblaient unis et l'ancienne remise devint leur demeure. Assis au chevet d'Hester, à l'hôpital de la Miséricorde, Gerald se souvenait des premières semaines de leur mariage. En la voyant ainsi allongée entre les draps blancs, le visage meurtri, décoloré, méconnaissable, Gerald était accablé de chagrin. Il souffrait pour elle...

Un matin, plus tard dans la semaine, Gerald Murdoch s'éveilla tôt. Il avait nettoyé ses chaussures blanches la veille au soir, et il arborait un uniforme blanc repassé. La journée était encore grise et humide lorsqu'il quitta l'ancienne remise pour se rendre au garage. La Durant sport, de couleur verte, qu'il avait achetée d'occasion à Honolulu, se trouvait à côté de la grosse Pierce-Arrow de Doris Ashley.

Gerald était pressé. Il s'était volontairement levé tôt. Il avait décidé de quitter *Windward* avant que Doris Ashley ne lui donne encore des ordres. Il avait l'intention de téléphoner à Hester depuis Pearl Harbor pour lui annoncer qu'il passerait à l'hôpital en fin d'après-midi. Il ne pouvait pas rester au chevet d'Hester, silencieux et malheureux, une journée de plus. Hester, il l'aurait juré, serait ravie de son absence. Elle était aussi malheureuse que lui. Les heures passaient sans qu'ils s'adressent un mot.

Il lança la Durant et sortit du garage en marche arrière. Il était impatient de revenir à Pearl Harbor. Il avait l'impression d'être parti depuis une année entière.

Il entra dans la base navale, en paix avec lui-même pour la première fois depuis que le policier était venu le chercher, le samedi précédent. Il retrouvait enfin son territoire. Il ralentit en arrivant à la hauteur du poste de la police navale, au milieu de l'entrée.

— Lieutenant Murdoch, dit Gerald.

Il tendit sa carte d'identité tout en passant en première.

— Mon lieutenant. *Mon lieutenant !* dit le planton.

C'était un engagé. Il sortit de la guérite et se pencha par la portière.

— Je suis vraiment désolé, pour Mme Murdoch, mon lieutenant, dit le planton.

Il lui manquait une canine, et le vide de sa mâchoire supérieure donna à Gerald l'impression qu'il souriait.

— Merci, dit Gerald, et il pénétra dans la base.

Aussitôt, le planton décrocha le téléphone.

— Le commandant Saunders, demanda-t-il, suivant ses ordres.

Gerald se rendit directement au casernement des officiers célibataires. Il rangea sa voiture près de l'entrée du mess. Il espérait être le premier à prendre son petit déjeuner, mais il vit deux enseignes, assis à la même table. Gerald prit un plateau et des couverts et s'arrêta d'abord en face du percolateur. Il emplit une tasse de café, qu'il but aussitôt, debout devant le comptoir. Il but une deuxième tasse. Il sentit enfin couler en lui le liquide brûlant. Il était revenu chez lui.

Gerald choisit un petit déjeuner plus copieux que de coutume. Des œufs, des pommes de terre, des tartines avec du beurre et de la confiture. Il signa sa note et porta son plateau jusqu'à une table d'angle, où il pourrait voir sans être vu. Comme il beurrait une tartine, une voix dit :

— Lieutenant Murdoch ?

Gerald leva les yeux. Un des enseignes s'était approché de la table. Il se présenta.

— Je vous prie de transmettre ma sympathie à Mme Murdoch, mon lieutenant.

Il fit un demi-tour et retourna auprès de son camarade. Gerald se pencha sur son plateau.

Il mangeait ses œufs quand le commandant arriva.

— Lieutenant ?

Gerald dut se lever, car l'officier avait un grade supérieur. Le commandant lui serra simplement la main. Après son départ, Gerald se rassit. Il compta lentement jusqu'à vingt et quitta le mess.

Gerald se trouvait dans les abris des sous-marins, non loin du *Bluegill*, quand il sentit un bras se poser sur ses épaules.

— Content de te revoir ici, vieux, dit Bryce Partridge.

— Merci, répondit Gerald, à mi-voix mais presque transporté de reconnaissance.

Il était revenu prendre son service en espérant recevoir exactement l'accueil que Bryce venait de lui offrir. Bryce avait tout changé. Les sous-mariniers n'étaient pas des hommes comme les autres.

Il se trompait. Capitaine en tête, tous les officiers l'attendaient, en rang, chacun avec un laïus tout prêt. Maudits soient-ils ! Gerald dut répondre à chacun. Enfin, Bryce vint à son secours.

— Le lieutenant Murdoch ne se présente pas aux élections, dit-il. Il est venu reprendre son service.

Avant que Gerald n'ait eu le temps de passer sa tenue de travail kaki, le capitaine le convoqua. Gerald reconnut le commandant appuyé au périscope : Jimmy Saunders, l'aide de camp de l'amiral.

— L'amiral m'a demandé de vous présenter ses regrets, lieutenant, dit Saunders.

Gerald se mit au garde-à-vous.

— Merci, mon commandant.

— Je suis sincèrement désolé, lieutenant, dit Saunders en lui serrant la main. Transmettez, je vous prie, à Mme Murdoch.

Enfin, Gerald put s'échapper. Enfin, il put reprendre son service. Il vit Duane York un peu plus tard dans la matinée et invita le matelot à déjeuner avec lui.

— Allons n'importe où, hors de la base, dit Gerald. Tout le monde ici se conduit comme si j'avais été perdu en mer.

Au moment où Duane, très fier, acceptait l'invitation de Gerald, Hester appuyait sur le bouton d'appel qui pendait à la tête de son lit d'hôpital. Une lumière rouge s'alluma dans le couloir au-dessus de sa porte et une autre lumière s'alluma dans la salle des infirmières. Hester était adossée à ses oreillers. Elle avait commencé ses préparatifs la veille. Elle avait dressé une liste et elle traçait une croix en face de chaque ligne quand elle en avait terminé. Juste avant d'appeler l'infirmière, elle avait enfin pris congé de sa mère, qui téléphonait de *Windward*. Doris Ashley était encore chez elle. Elle avait dit à Hester qu'elle se préparait pour aller la voir. Hester avait donc largement le temps. Mais cela lui faisait très peur.

L'infirmière ouvrit la porte et resta sur le seuil.

— Désirez-vous quelque chose, madame Murdoch ?

— Non. *Si !* J'aimerais dormir un peu. Voulez-vous demander à tout le monde qu'on ne me dérange pas ?

— Peut-être pourrais-je baisser les stores ? proposa l'infirmière.

— Non merci. Prévenez tout le monde.

Hester savait qu'elle devait le faire très vite, et tout de suite, avant que sa peur ne rende sa tentative irréalisable. La porte se referma. Hester prit l'*Outpost Dispatch* sous les couvertures. Elle avait appris le nom de l'avocat en lisant le compte rendu de la mise en accusation. Hester avait souligné le nom et appelé les « Renseignements » la veille pour obtenir son numéro de téléphone.

— H-A-L-E-H-O-N-E, avait-elle dit, épelant le nom. Il est avocat, inscrit au barreau.

Elle avait noté le numéro dans la marge du journal, à côté du nom. Elle était donc prête.

Elle prit le téléphone sur la table de chevet et le posa à côté d'elle sur le lit. Elle décrocha.

— Numéro s'il vous plaît? demanda la standardiste derrière le comptoir de la réception, au rez-de-chaussée. Madame *Murdoch?*

— Oui, oui, je suis ici.

Elle avait appris le numéro par cœur, mais elle ne parvenait plus à s'en souvenir.

— Une seconde, dit-elle.

Elle saisit l'*Outpost Dispatch,* le rapprocha de l'appareil et lut le numéro de Tom Haléhoné à haute voix. Puis elle entendit la première sonnerie. Elle eut envie de raccrocher brusquement et de quitter la pièce. Elle entendit la deuxième sonnerie. Son cœur battit plus vite. Il n'était pas dans son bureau! Elle eut envie de reposer l'appareil.

— Tu as promis! dit-elle en se rappelant son serment de la veille.

Elle revit les quatre jeunes gens entrer dans sa chambre, l'un après l'autre — elle les voyait toute la journée et toute la nuit, à présent, tous les quatre ensemble au pied de son lit épaule contre épaule, sans visages. Elle écouta encore une sonnerie. Elle laissa tomber sa tête contre les oreillers, affaiblie, mais heureuse, puis elle entendit Tom dire : « Allô! »

Elle sentit un poids énorme écraser sa poitrine. Elle ne parvenait plus à respirer. « Dis-le-lui! »

— Allô! répéta Tom, debout près de son bureau.

Il avait entendu le téléphone sonner en arrivant en haut de l'escalier et il s'était hâté d'ouvrir, espérant de tout son cœur qu'il s'agissait d'un client.

— Allô!

Hester suffoquait, la gorge nouée. « Dis-le-lui! Dis : " Ils sont innocents! " Dis : " Ils sont *innocents! Ils sont tous innocents!* " Dis-le-lui. Dis : " C'est moi qui suis coupable. " Dis-le! »

— Allô! répéta Tom en tapotant sur le support du combiné. *Allô!*

Hester entendit le déclic lorsque Tom raccrocha. Elle détourna la tête comme si quelqu'un l'avait épiée. Elle reposa l'appareil sur la table de nuit et enfonça le visage dans l'oreiller. Le grattement de sa peau fragile, mutilée, contre la toile rêche de la taie d'hôpital était un supplice. Elle avait envie de crier, mais elle garda le silence, bénissant la douleur qui lui permettait d'expier sa lâcheté.

Six semaines plus tard, le Dr Frank Puana entra dans la salle des urgences de l'hôpital de la Miséricorde pour prendre son service de nuit.

— Salut, toubib, lui lança Peter Monji, l'infirmier.

Il montra du doigt le casier à lettres. Frank prit une enveloppe. Elle contenait une note manuscrite : « Cher Frank, passez à mon bureau en arrivant, je vous prie. C'est confidentiel. Claude Lansing. »

Frank n'avait jamais reçu une seule communication, orale ou écrite, du grand patron qui dirigeait l'hôpital. Il fallait qu'il téléphone à Mary Sue. Il tourna le dos au casier à lettres puis se figea. Le patron avait dit que c'était confidentiel, mais Frank n'hésitait pas pour cette raison-là ; Mary Sue et lui n'avaient aucun secret. Frank décida d'attendre un peu. Il aurait ainsi quelque chose de positif à lui raconter. La convocation du patron était forcément une bonne nouvelle, car Frank n'en attendait pas de mauvaise. Ce ne pouvait être qu'une promotion. Il se dirigea à grands pas vers les ascenseurs du hall.

Frank n'était jamais entré dans le bureau de Claude Lansing. Il lui parut deux fois plus vaste que la salle des urgences. Lansing s'avança à la rencontre de Frank, qui remarqua aussitôt la couperose des pommettes du vieil homme, toile d'araignée rouge dessinée par des capillaires brisés et des artérioles éclatées. Il voyait des visages semblables tous les soirs quand la police commençait à déposer les ivrognes blessés... Aussitôt, il chassa la couperose de ses pensées : il avait l'impression d'avoir envahi la vie privée de Lansing.

Lansing le conduisit jusqu'à un sofa et prit un fauteuil en face de lui.

— Je sais que vous vous posez des questions sur cette convocation mystérieuse, dit-il. Il s'agit d'une malade, Frank. Je vous ai fait venir parce que Hester Ashley, euh... Murdoch est à l'hôpital. Elle n'a pas eu ses règles, Frank. Elle est enceinte. Un souvenir malheureux de son horrible épreuve.

Frank sut aussitôt qu'il n'appellerait pas Mary Sue. Il ne quittait pas encore la salle des urgences... Il se maudit de l'avoir espéré. Il eut envie de fuir.

— Pourquoi m'avez-vous demandé de venir, docteur ?

— Il faut lui faire un curetage, répondit Lansing. Discrètement, bien entendu. S'il n'y a pas d'infirmières, il n'y aura pas non plus de commérages. J'aimerais que vous m'assistiez, Frank.

En fait, Lansing n'avait pas répondu à la question de Frank. Entre tout le personnel de l'hôpital — et cela signifiait l'ensemble de la communauté médicale exerçant à Honolulu —, Lansing l'avait choisi, lui, le paria !... Frank croisa les jambes, essayant de paraître à l'aise.

— Quand allez-vous le faire, docteur ?

— Je me suis dit qu'il valait mieux attendre que l'activité de l'hôpital se calme un peu, répondit Lansing.

— Il n'y aura personne pendant ce temps à la salle des urgences. Il fallait bien qu'il le signale.

— Vous serez couvert, répondit le patron. Excusez-moi...

Il sortit de son fauteuil, entra dans sa salle de bains et ferma la porte à clé. Il but au goulot de la bouteille, puis la posa et s'agrippa au bord du lavabo à deux mains, avant de prendre le flacon de lotion dentaire.

Les événements qui avaient abouti à la convocation de Frank par son grand patron avaient débuté le matin même à *Windward,* dans le salon.

— Je dois rester près de toi, Hester, avait dit Gerald Murdoch. Ma place est avec toi.

Il était en uniforme. Sans doute en retard, mais il avait téléphoné à Pearl Harbor. Hester attendait dans un fauteuil, en robe et manteau, avec une petite valise à côté d'elle. Elle leva les yeux vers lui.

— Tu ne ferais qu'attendre. Des heures et des heures. Tu as déjà assez attendu. Merci, lui dit-elle comme s'il était un passant venu lui offrir de l'aide dans un lieu public.

— La meilleure façon de nous aider, Gerald, est de suivre votre routine habituelle, fit Doris Ashley. La vie continue. Ce que nous voulons avant tout, c'est que personne ne nous remarque. On nous a déjà trop remarquées.

Gerald se dirigea vers Hester et se pencha pour l'embrasser sur la joue.

— Je suis vraiment désolé. Je donnerais n'importe quoi pour te faciliter les choses.

Quand il fut parti, Hester murmura :

— Pauvre Gerald. Pauvre Hester. Pauvre Gerald et pauvre Hester.

— Nous arrivons au bout, dit Doris Ashley. C'est la fin. Tout sera terminé dans quelques jours.

— J'ai envie de garder le bébé, répondit Hester.

Doris Ashley se précipita vers elle.

— Tu ne peux pas ! Hester ! C'est impossible, mon enfant ! Qu'est-ce qu'il te prend, maintenant ? Nous avons déjà réglé cette question ! Tout est réglé.

— J'ai envie de lui.

Depuis des jours, elle parlait au bébé, à voix basse ou à haute voix ; elle essayait de faire sa connaissance. Elle lui racontait tout sur elle, sa vraie personnalité secrète, mais elle ne lui avait pas encore parlé de son père. Elle ne pouvait pas lui avouer que son père l'avait battue, l'avait abandonnée dans la poussière. Elle ne pouvait pas lui expliquer que son père ne se souciait pas de lui, n'éprouvait de sentiments pour *personne*. Et elle ne pouvait pas lui dire que le seul fait de penser encore, maintenant, à son père, à Bryce, la rendait malade de désir pour cet homme qu'elle méprisait désormais autant qu'elle se méprisait elle-même.

— Arrête ! Tais-toi ! lança Doris Ashley. Tu ne peux pas, sinon Gerald comprendrait tout ! Il *comprendrait !*

— Ça m'est égal. En fait, Gerald s'en moquerait. Il partirait en disant : « Bon débarras », répondit-elle en se tournant vers la mer. Il aurait la chance de vivre une nouvelle vie. Comme le bébé.

— Hester ! *Hester !*

Doris Ashley avait envie de la secouer.

— Pourquoi me tortures-tu ? dit-elle. Pourquoi continues-tu de me torturer ? Tu essaies de faire tomber cette maison sur nos têtes ! Ce que tu dis nous détruirait. Mon bébé, nous vivrions dans la honte.

Elle se pencha en avant, bras tendus, et souleva Hester de son siège pour la serrer dans ses bras.

— Sois forte, mon enfant. Nous serons fortes toutes les deux. Encore une journée, c'est tout.

Elles entendirent une voiture dans l'allée. Doris Ashley baissa les bras.

— C'est elle ! murmura-t-elle en saisissant la petite valise. Hester ! Nous resterons ensemble, mon bébé.

Elles entendirent sonner à la porte. Amelia alla ouvrir. Doris Ashley prit Hester par le bras et elles suivirent la domestique. Amelia réapparut.

— M\ème Lansing.

— Delphine ! Entrez ! Entrez *donc !* dit Doris.

Delphine Lansing entra dans le salon et s'arrêta comme si elle se trouvait dans un musée et attendait qu'un responsable lui indique quoi faire.

Delphine Lansing, très mince, mesurait un mètre soixante-quinze. Elle avait cinquante-six ans et ses cheveux grisonnaient. Ses deux fils, mariés, habitaient la métropole. Elle nageait tous les matins et tous les après-midi, puis passait dans son jardin le reste de la journée. Elle avait la peau brune comme une Hawaïenne.

— Bonjour, chère amie, dit Doris Ashley.

Elle lâcha Hester pour prendre les mains de Delphine entre les siennes et se hissa sur la pointe des pieds pour l'embrasser sur la joue.

— Comment vous remercier ? dit-elle. Vous et Claude.

— Je ne fais que vous conduire à l'hôpital, répondit Delphine Lansing.

— Je sais exactement ce que vous faites pour nous, dit Doris Ashley. Aujourd'hui, à l'heure où nous en avons le plus besoin.

Elle se tourna vers Hester pour l'inclure.

— Nous n'oublierons jamais. Au grand jamais. Hester et moi n'avons parlé de rien d'autre. Nous étions si seules, Delphine. Vous nous avez sauvées.

Elle lança à sa fille un regard appuyé.

— Vous êtes très aimable, madame Lansing, dit Hester.

Delphine Lansing agita les bras, gênée.

— Je pense que nous devrions partir, dit-elle en parcourant la pièce du regard.

— Vous reviendrez un jour prochain, dit Doris Ashley. Dès que tout cela appartiendra au passé, nous prendrons le thé ensemble, ici, et nous parlerons.

Amelia ouvrit la porte et Delphine dit :

— Je vous ai apporté quelque chose, Doris. C'est pour Noël, mais il ne s'agit pas d'un cadeau de Noël.

Elle se dirigea vers un grand pot de terre cuite, sous la galerie. Il contenait quatre bulbes de cymbidium, serrés les uns contre les autres et saillant au-dessus de la terre de bruyère.

— Il y a deux bourgeons, dit-elle, le doigt tendu. Ici et ici.

Elle souriait, à la fois fière et gênée.

— Je n'attendais rien d'eux cette année. Pensez donc, séparés en juin. Tous mes Bethléem !

Elle leva les yeux vers le ciel.

— Ils ont besoin d'un soleil tamisé... Mais je ne devrais pas vous faire attendre ainsi, debout...

Claude Lansing avait fait poser un verrou à la porte de la chambre 333 la veille. Lorsque les trois femmes entrèrent dans le hall de l'hôpital, Delphine et Doris Ashley encadrèrent Hester, qui avait relevé le col de son manteau et marchait tête baissée. Elles montèrent au deuxième étage par l'escalier. Une pancarte VISITES INTERDITES barrait l'entrée de la chambre 333.

— Vous pouvez fermer à clé, dit Delphine en entrant. Et maintenir toujours fermé. Il faut que je voie Claude. Je reviendrai.

— Voulez-vous que je vous accompagne ? Je suis prête, dit Doris Ashley.

— Il vaut mieux que vous restiez, dit Delphine.

144

Par-dessus l'épaule de Doris Ashley, elle regarda Hester qui ôtait son manteau. Elle se sentit soudain plus proche de la jeune femme, triste et distante, que de quiconque.

— Hester, essayez d'oublier vos peines. Vous n'avez aucune raison de vous inquiéter. Je frapperai, dit-elle en bloquant le verrou avant de refermer la porte.

Lorsque sa femme entra dans son bureau, Claude Lansing se leva. Delphine s'en voulait d'éprouver ces sentiments, mais il lui arrivait encore d'être émue en le voyant. Il était plus petit qu'elle de deux bons centimètres. Un visage de forme parfaite, des lèvres pleines, un nez de statue. Des cheveux aux nuances cuivrées, longs et coiffés en arrière. Il était très beau et il l'avait toujours su.

— Est-elle arrivée ?

— Avec Doris, répondit Delphine en s'avançant vers le bureau.

— Je ne comprends pas la raison de tout ce mystère, dit Lansing.

— Ces gens ont déjà eu assez de publicité. Quand vas-tu le faire ?

Lansing prit un peigne dans la pochette de son veston, le fit passer dans ses cheveux et se caressa la nuque.

— Ce soir, dit-il. Après l'heure des visites.

— Bien. Très bien.

La tête lui tournait un peu. Elle n'avait pas beaucoup dormi.

— Tu seras seul, n'est-ce pas ? demanda-t-elle.

— Nous en avons déjà discuté. Pourquoi a-t-il fallu que tu te mêles de tout ça ?

— Nous en avons déjà discuté aussi, répliqua Delphine.

Ses mains tremblaient. Elle ouvrit son sac pour prendre la feuille pliée que Doris Ashley lui avait donnée.

— Pour demain, dit-elle à son mari. Tu le feras quand Hester sera rentrée chez elle.

— Je ferai quoi ? *Quoi* encore ? protesta-t-il en prenant ses lunettes pour lire. « Hester Ashley Murdoch a subi aujourd'hui, à l'hôpital de la Miséricorde, une intervention chirurgicale d'interruption de grossesse. Il a six semaines, Mme Murdoch a été agressée, kidnappée, battue et sexuellement outragée par une bande d'hommes. La grossesse de Mme Murdoch était le résultat de cette agression... » Tu rédiges *aussi* les déclarations à la presse, maintenant ? dit-il en posant la feuille.

— C'est Doris Ashley qui l'a écrit. Elle a pensé que cela devait venir de toi.

— Doris Ashley ! Mais qu'elle donne donc son texte aux journalistes ! s'écria Lansing. Qu'elle fasse elle-même le curetage !

— Claude !

La poitrine de Delphine se soulevait comme si elle venait de courir jusqu'à la limite de ses forces.

— Ce n'est pas tout, dit-elle.

Il ôta ses lunettes et fixa sa femme.

— Hester est enceinte de trois mois, déclara Delphine.

— Tu dois être folle, dit-il, tout bas.

Delphine avait très envie de s'asseoir, mais elle eut peur qu'il triomphe si elle s'enfonçait dans un fauteuil.

— Fais-la sortir d'ici, fit Lansing en reprenant son peigne. C'est toi qui l'as fait venir, à toi de la faire filer. Douze semaines de grossesse ! lança-t-il en se coiffant. Vous êtes toutes folles. Toi, Doris Ashley et sa fille.

— C'est une affaire entre nous, répondit Delphine. Entre toi et moi, Claude. Oublie Doris Ashley. Oublie sa fille.

— Les *oublier !* répliqua-t-il en braquant le peigne vers sa femme. Tu voudrais que nous enlevions un fœtus après douze semaines de *grossesse ?*

— Nous ? dit Delphine, debout contre le bureau face à lui. Qui « nous » ?

— C'est notre façon de parler. Tous les médecins disent « nous ».

— Cela fait longtemps, docteur Lansing, que je ne t'ai pas entendu parler du tout. En ma présence. De façon... intelligible, je veux dire.

— Intelligible ?... Je ne ferai pas ça. C'est intelligible, non ?

Il repoussa son fauteuil et se leva.

— Oh ! tu peux boire ici, dit Delphine. Pourquoi continues-tu de jouer cette comédie ? Qui crois-tu tromper ?

— Moi-même, répondit Lansing.

Il entra dans la salle de bains et referma la porte. Il prit dans l'armoire à médicaments une bouteille d'alcool à 90°. Il but dans un verre, puis se rinça la bouche avec la lotion dentaire. Il se lava les mains.

— Non, monsieur, dit-il tout fort au miroir.

Il ouvrit la porte de la salle de bains. Delphine l'attendait.

— Tu as repris des forces ? Nous pouvons continuer ?

— C'est terminé, dit Lansing. Je ne le ferai pas.

— Il faut que tu le fasses. Tu le dois. Doris Ashley m'a demandé de l'aider. Elle s'est adressée à moi. Doris Ashley pouvait décrocher son téléphone et toute la marine des États-Unis se serait mise à sa botte, mais c'est moi qu'elle a choisie. Doris Ashley a beau être haut placée et puissante, c'est tout de même une femme seule. Je sais ce qu'elle ressent, Claude. Je lui ai promis de l'aider. Hester ne peut pas garder ce bébé, pas maintenant, après l'épreuve qu'elle a subie, l'horreur qu'elle a vécue. Hester est une jeune femme frêle, fragile, délicate. Cette grossesse risque de la détruire.

Lansing posa le bras sur le dossier de son fauteuil.

— Je ne te le dirai pas deux fois, Delphine. Ramène-la chez elle.

— Je ne te le dirai pas deux fois, moi non plus! lança-t-elle en contournant le bureau pour s'approcher de lui. Tu vas aider ces gens, sinon tu n'auras plus de chez-toi. C'est clair? Tu ne peux pas survivre tout seul. Tu ne peux pas. Moi, je peux. Et je le ferai s'il le faut. J'ai été seule toute ma vie. Je le ferai à partir de maintenant. A partir de ce soir. Je te jetterai dehors ce soir, Claude. Tu ne mettras plus les pieds dans la maison que tu adores, la maison que mon père a fait construire pour toi.

— Dois-je écouter toute notre autobiographie?

— Tu te sens fort en ce moment à cause de l'alcool. Tu peux retourner dans les toilettes pour un autre verre, pour dix verres, si tu veux. Tu peux prendre toutes les forces que tu voudras, parce que, ce soir, tu feras ce que je te demande. Doris Ashley m'a appelée. Elle m'a *appelée*. Doris Ashley. Elle fait de moi son amie. Je n'ai personne. Je n'ai pas eu de nouvelles de nos fils depuis le dernier Noël, depuis leurs deux cartes de vœux. C'est tout ce qu'il me reste de mes enfants, Claude, deux cartes de vœux. Les deux fils que j'ai élevés. Cela me laisse avec toi, avec toi et les fleurs, et les poissons de l'océan. Tu crois que je plonge dans l'eau parce que j'aime nager? Je ne suis pas Gertrude Ederle. Je n'ai rien d'autre à faire. Je suis une femme grande, forte et toute simple, qui a vécu avec un ivrogne pendant vingt-cinq ans. Et maintenant, j'ai une chance. Je veux être l'amie de Doris Ashley et tu ne gâcheras pas cette chance. Si tu m'en empêches, Claude, je te détruirai. Je te ferai jeter dehors de ce Taj Mahal de tes rêves en moins que rien. C'est moi qui t'ai acheté ce poste. C'est mon père. Et je crierai « Ivrogne » jusqu'à ce que le bureau te renvoie pour me clore le bec.

Ils se touchaient presque, mais vingt-cinq années sans bonheur, vingt-cinq années de désespoir et d'espérances brisées les séparaient. Delphine tremblait. Elle avait peur de s'évanouir. Elle ne quitta le bureau qu'au moment où elle fut absolument certaine qu'il avait renoncé à lutter.

Ce soir-là, Lansing apporta sa sacoche personnelle dans la salle d'opération. Il en sortit plusieurs instruments qu'il plaça dans le stérilisateur. Il ôta son veston. Il poussa une table rectangulaire au pied de la table d'opération, la plaça sur la droite et la couvrit de champs. Il sortit de sa sacoche une seringue et une ampoule, dont il préleva 5 centimètres cubes de pentobarbital, puis il posa la seringue prête sur les champs.

Il prit dans un tiroir des gants de caoutchouc stériles et les enfila. Il regarda fixement la pendule pendant plusieurs minutes puis ouvrit le stérilisateur et en sortit le plateau avec les instruments ; il les disposa avec soin sur les champs, puis les recouvrit avec d'autres champs. Il ôta les gants de caoutchouc et les jeta, remit sa veste et s'appuya à la table d'opération pour se donner un coup de peigne. Il fallait qu'il mette la femme en place avant de retourner à son bureau — pour Puana et pour la bouteille de la salle de bains...

Plus tard, dans le vestiaire, Lansing et Frank Puana se déshabillèrent devant les placards métalliques. Frank vit Lansing vaciller en se penchant vers le banc où se trouvait sa blouse blanche. Frank crut que le grand patron allait tomber et se précipita, mais Lansing se rattrapa à la porte ouverte du placard.

— J'ai dû me tordre la cheville, dit Lansing.

Frank se lavait les mains devant le lavabo quand Lansing poussa la double porte battante de la salle d'opération. Hester était allongée sur la table de chirurgie. Lansing l'avait préparée : il l'avait couverte d'un drap blanc qui retombait sur les côtés. A la hauteur de ses genoux s'élevaient de la table deux tiges métalliques verticales, comportant chacune une sorte d'étrier. Une courroie de cuir était fixée à l'étrier et Lansing avait fixé ces courroies au-dessus des genoux d'Hester, pour soulever et écarter ses jambes.

— Nous sommes presque prêts, dit-il en s'arrêtant près de la jeune femme. Je regrette que vous ayez si peur, ajouta-t-il instinctivement. Il n'y a aucun danger. Vous pouvez me croire.

Hester sentait la peur comme une boule dans sa gorge. Elle étouffait. Elle ne pouvait pas avaler. Elle était incapable d'un geste. Il l'avait enchaînée.

— Je vais vous donner quelque chose, dit Lansing. Vous vous endormirez dans un instant et, quand vous vous réveillerez, vous serez de nouveau dans votre chambre.

Lansing se retourna vers la table, souleva les champs et les laissa tomber par terre. Il prit la seringue dans sa main droite. De sa main gauche, il saisit le poignet d'Hester. Le retourna et se pencha sur la table d'opération. Il baissa la seringue, sa main tremblait. Il posa le tranchant de sa main sur l'avant-bras d'Hester et appuya pour faire cesser le tremblement. Aussitôt, il injecta les 5 centimètres cubes de pentobarbital.

Hester sentit la piqûre de l'aiguille. Elle entendit les pas de Lansing lorsqu'il s'éloigna. Elle était complètement seule. Elle essaya de dire au revoir au bébé et en fut incapable. Ce n'était plus son bébé. Elle l'avait perdu parce qu'elle incarnait le mal. Elle payait pour sa faute, pour avoir envoyé en enfer quatre jeunes hommes qui l'avaient aidée. Elle méritait l'enfer. Elle avait envie de prendre leur place. Elle avait envie de se lever et de dire la vérité, la vérité à tout le monde, mais elle était prisonnière. Enchaînée, aux fers. Les yeux d'Hester se fermèrent et le pentobarbital commença à faire effet.

Frank était encore en train de se laver les mains quand Lansing le rejoignit près du lavabo.

— Nous sommes prêts, dit Lansing en prenant une brosse au distributeur.

Frank regarda la pendule. Quand les douze minutes furent écoulées, il se redressa, bras levés devant lui, pliés au coude. Il poussa la double porte et entra dans la salle d'opération. Comme ils travaillaient sans infirmière, il se dirigea vers le placard de linge stérile pour prendre une serviette. Tout en s'essuyant les mains, il s'avança vers la table d'opération et regarda la patiente.

Il ne l'avait pas revue depuis la nuit où il l'avait soignée, six semaines auparavant. Il se pencha au-dessus de la jeune femme inconsciente et examina les points laissés par ses sutures. Même ces points disparaîtraient avec le temps. Frank sourit, satisfait de ses résultats. Il allait se redresser mais il se figea et son sourire disparut.

Les lèvres d'Hester étaient sombres et pleines. Frank vit les ombres sous ses yeux et sur ses joues. La malade avait le masque de grossesse, preuve visible de la grande quantité de mélanine qui apparaît au cours de la gestation. Frank se redressa.

Il ne parvenait pas à croire qu'il se trompait, mais il fallait qu'il soit absolument sûr. Il posa la main sur le ventre d'Hester et poussa doucement. Il souleva la main et appuya de nouveau, un peu plus bas. Hester était enceinte d'environ trois mois! Elle était donc déjà enceinte la nuit où Frank l'avait soignée, à la salle des urgences.

Lansing avait menti. Il avait fait venir Frank pour l'aider à pratiquer un avortement, à commettre un délit. L'avortement était un délit dans tous les États de la métropole et dans le Territoire.

— Frank!

La voix de Lansing se serait entendue à des kilomètres. Il se trouvait devant le placard de linge stérile, en train de s'essuyer les mains.

— Je voulais vous le dire moi-même.

— Je m'en vais, répondit Frank.

Il s'éloignait déjà de la table d'opération. Lansing se précipita.

— Attendez! Attendez!

Frank avait envie de traiter Lansing de tous les noms, mais une vie entière de soumission le força à s'arrêter près de la table des instruments.

— Il s'agit d'un avortement thérapeutique, mentit Lansing. L'intervention s'impose. Elle est nécessaire. C'est mon jugement professionnel.

Quand Frank se tourna vers Lansing, le visage du grand patron avait disparu, remplacé par un autre visage. Frank ne parvint pas à se rappeler le nom de l'homme. Il était en dernière année de ses études médicales, dans une salle de l'hôpital universitaire de Seattle, et il avait aidé à soigner le malade, bourré de morphine. Frank et l'interne lui avaient sauvé la vie. La lendemain soir, le malade avait supplié Frank de lui donner de la morphine et lui avait offert son bracelet-montre en or. Frank et l'interne avaient mis le malade en chambre spéciale, et Frank avait appris qu'il s'agissait d'un médecin, d'un ancien médecin. Il avait perdu le droit d'exercer à Boston : le père d'une jeune fille morte d'hémorragie après un avortement l'avait dénoncé à la police.

L'ancien médecin avait traversé le pays. Dans son cabinet de Seattle, il exerçait la podologie. Il enlevait les cors aux pieds la journée et pratiquait des avortements la nuit. Il avait raconté à Frank qu'il avait commencé à se droguer quand il avait découvert qu'il n'aurait jamais le courage de se tuer.

— Frank, je suis le médecin traitant de cette patiente, dit Lansing. C'est moi qui ai ordonné l'interruption de grossesse. J'ai déjà rempli le rapport chirurgical pour le comité, mentit-il.

— Je ne veux pas être impliqué, docteur, répondit Frank.

— C'est une procédure simple, dit Lansing. C'est élémentaire ! Vous êtes ici parce que je tiens à me conformer au règlement de la maison : deux médecins.

Frank avait la réponse toute prête : le règlement interne exigeait également une infirmière. Où était l'infirmière ? Comment s'assurer que tout resterait stérile sans elle ? Pourquoi Hester Ashley se trouvait-elle ici à 8 heures du soir ? Mais Frank dit simplement :

— Je m'en vais.

C'était la défaite finale de Claude Lansing. Même cet *indigène* lui crachait au visage.

— Partez ! dit-il. Partez donc ! Vous êtes aux urgences, et c'est bien le seul poste que vous méritez.

— Vous ne m'apprenez rien, dit Frank entre ses dents, et il gagna la porte.

Lansing lui barra le passage, bras en croix.

— Frank, non. Écoutez ! Je suis désolé. Excusez-moi. Je vous prie humblement de m'excuser.

— Allez au diable ! cria Frank. Allez au diable !

Pour la première fois de sa vie, il leva le poing, non contre Lansing, mais contre une nuée d'oppresseurs. Puis il baissa les bras, incapable de bouger.

— Vous méritez beaucoup mieux que la salle des urgences, dit Lansing. Nul ne le sait mieux que moi. Vous voyez... Je l'ai reconnu. Restez, Frank. *Restez !* Vous en serez récompensé ! Je vous donnerai moi-même votre récompense. Vous serez nommé chirurgien en titre à la première place vacante.

Frank était révolté. Il avait attendu si longtemps, il avait subi tant d'injustices, que la promesse de Lansing, son offre méprisable, le fit trembler de colère et de honte. Mais il n'écarta pas Lansing. Il ne fit aucun geste vers les portes battantes des vestiaires. Il n'avait pas envie de retourner, à jamais, aux ivrognes et aux bagarreurs ensanglantés du rez-de-chaussée.

— Vous avez ma parole, Frank, lui dit Lansing en se dirigeant vers le placard de linge stérile.

Et Frank le suivit.

Ils s'aidèrent à s'habiller. Ils prirent des gants stériles et relevèrent leurs masques. Lansing s'arrêta près de la table des instruments.

— Prenez ma place, Frank. Je ne me sens pas bien depuis ce matin, dit le grand patron.

Lansing avait enfin posé la dernière condition du marché. Frank aurait pu retirer ses gants et les lancer à la figure de Lansing. Il aurait pu dire à Lansing qu'il ne voulait pas risquer sa vie, sa propre vie, pour un ivrogne. Il aurait pu tourner le dos, quitter la salle d'opération sans même jeter un regard à Lansing. Il ne bougea pas. Il songea à Mary Sue. Il la *vit,* il vit son visage radieux lorsqu'il lui apprendrait sa promotion. Il garderait le secret jusqu'à ce que Lansing l'annonce officiellement. Quand Lansing lui dit : « Je vais vous assister, Frank », il prit place entre les deux tiges de métal, au pied de la table d'opération.

Il se tourna vers la patiente. Il posa la main droite sur sa main gauche et tira sur le gant de caoutchouc. Il recommença pour l'autre gant. Il attendit d'être *avec* la patiente, de se sentir seul avec elle. Quand il fut prêt, il saisit le spéculum, le premier des instruments rangés sur les champs.

Frank serra dans sa main le tube fin pourvu d'un petit miroir. Il souleva le drap et se pencha pour insérer le spéculum avec soin et ouvrir le vagin. Il fallait qu'il atteigne le col de l'utérus. Il changea de main et tendit la main droite en arrière. Lansing était prêt, avec le ténaculum, instrument long et mince, pourvu d'un crochet fin à une extrémité. Lansing le fit claquer dans la paume de Frank. Tout en maintenant le vagin ouvert avec le spéculum, Frank souleva le col avec le crochet. Il posa le ténaculum sur le ventre de la patiente et le lâcha. Il avait exposé l'utérus et il était prêt à pratiquer l'avortement.

Le col de l'utérus est toujours fermé. Il s'ouvre lentement, au milieu de douleurs de plus en plus vives, quand la femme arrive à terme et que le travail commence. Frank devait maintenant, six mois avant le temps, ouvrir l'utérus de la patiente pour pouvoir opérer à l'intérieur. Lansing lui donna un dilatateur de Haggard.

C'était un instrument cylindrique brillant, d'un diamètre inférieur à celui d'un crayon. Lentement, méthodiquement, à petits coups précis, Frank se mit à pousser le dilatateur dans les tissus mous, musculeux, du col de l'utérus. Il devait se montrer infiniment patient. Il ne pouvait qu'exercer une pression. Enfoncer la paroi provoquerait une catastrophe. Ses mouvements étaient rythmiques.

— Frank?

Il ne répondit pas à Lansing. L'ivrogne ne se trouvait pas dans le monde de Frank, de Frank et d'Hester. Il continua sans s'interrompre jusqu'à ce que le dilatateur de Haggard pénètre enfin de lui-même dans l'utérus. Il posa l'instrument sur le ventre d'Hester et tendit la main droite. Lansing y glissa un autre dilatateur, plus gros que le premier. Et Frank recommença à pousser, doucement, avec précautions. Quand il fut de nouveau dans l'utérus, Frank posa le dilatateur près du premier, sur le ventre d'Hester, et Lansing lui en donna un troisième, plus gros que le précédent. Frank continua ainsi jusqu'à ce qu'il ait assez d'espace pour passer la curette. De nouveau, il tendit la main droite.

— J'y suis, dit-il.

La curette est une sorte de cuillère pourvue d'un long manche. Le bord de la cuillère est tranchant. Il s'agit d'un instrument chirurgical. Contre la paroi de l'utérus se trouve le placenta, masse visqueuse qui unit le fœtus en croissance à son hôte, la mère, et fournit le sang à l'embryon par son système vasculaire. Le fœtus est relié au placenta et se développe à partir du placenta. Frank inséra la curette et commença à détacher le fœtus, à nettoyer l'utérus, à le débarrasser de l'intrus. Un curetage.

Frank ne songeait qu'à la patiente. Il avait le devoir de lui conserver la faculté de se reproduire. Il travailla avec la curette pendant quinze minutes et, quand il l'enleva, il recula d'un pas et se redressa en posant l'instrument. Hester n'était plus enceinte. Elle n'avait subi aucune blessure et Frank était certain qu'elle ne serait pas stérile.

— Faites-moi passer 15 centimètres cubes de pitocine.

Lansing était prêt avec la seringue. Frank la lui prit des mains et s'avança vers le milieu de la table. Il regarda la patiente, encore endormie. Frank lui prit le poignet et injecta la drogue. Il avait terminé. Quand il se retourna, la seringue vide à la main, Lansing avait ôté son masque et se dirigeait vers les vestiaires en tirant sur ses gants. Il fallait qu'il change de vêtements et qu'il apporte un chariot dans la salle d'opération pour ramener Hester à la chambre 333. Mais il avait d'abord besoin d'un verre.

— Beau travail, Frank, dit Lansing en franchissant les doubles portes.

Frank le suivit. Il fallait qu'il rappelle à Lansing leur marché. Il fallait que les choses soient claires. « La première place vacante est pour moi. » Non. « Le premier poste vacant me revient de droit, docteur. » Non. « Vous m'avez *promis* la première place vacante. » Non. *Si ! Non !* Plutôt : « Je fais partie de la maison, docteur ! » Il ne dit rien. Il resta debout devant son vestiaire, laissa tomber la blouse ample de chirurgien pour enfiler sa blouse blanche ordinaire.

— Elle n'aura aucun ennui, docteur.

— J'en suis certain, dit Lansing en enfonçant les pans de sa chemise dans son pantalon. On m'attend à une réunion, mentit-il.

Frank vit Lansing prendre son veston et sa cravate dans le vestiaire. Il s'en allait. Il s'en allait !

— Docteur !

Le salopard ne voulait pas regarder Frank. Il filait. Frank enjamba le banc des vestiaires. Il souriait et se détestait de sourire. Il détestait Lansing.

— Je vous remercie de votre proposition, docteur, dit-il en pourchassant le salopard.

Lansing lui adressa un signe de tête affirmatif. Frank ne pouvait pas le laisser filer. Il fallait qu'il le lui dise.

— Je parle de ma nomination, lança-t-il.

Lansing ne songeait qu'à sa soif. Frank le suivit dans le corridor et, de nouveau, lui sourit.

— Je compterai les jours.

— Il vous faudra être patient, dit Lansing. Excusez-moi.

Il disparut.

— Tu es la voix du peuple, dit Phoebe Rasmussen dans le bureau du sénateur, à Washington.

La table du sénateur était couverte de cartons ayant contenu des conserves de légumes n° 303 et qui étaient maintenant garnies de lettres et de cartes postales. Floyd A. Rasmussen avait dit à sa secrétaire d'apporter le courrier.

— Regarde, Floyd. *Regarde!*

Elle plongea les mains dans un des cartons, creusant avec ses gros doigts. Elle souleva une masse de lettres, à deux mains, et laissa les enveloppes et les cartes tomber en cascade sur ses poignets. Ses yeux brillaient comme ceux d'un voleur devant un coffre-fort ouvert.

— Tu as conquis le cœur de ce pays.

Le sénateur plongea les mains comme elle dans les cartons et ils éparpillèrent ensemble tout le courrier sur le bureau et le plancher.

— L'Amérique parle par ta voix. Floyd, tu es l'exécuteur désigné de l'ordre divin. Prépare-toi.

Floyd Rasmussen inclina la tête comme s'il priait. Sa femme se dirigea vers un sofa de cuir, près de la porte. Elle s'assit au centre de la banquette, ouvrit son manteau et l'étala de chaque côté comme une personne qui veut réserver des places dans une salle de spectacle. Elle ôta son chapeau et regarda son mari.

Ils avaient prévu la conférence de presse à 11 heures pour que les déclarations du sénateur soient publiées dans les éditions de l'après-midi des journaux de l'Idaho et dans les journaux du soir du pays. Les journaux du matin voudraient alors reprendre la nouvelle. « L'exécuteur désigné de l'ordre divin », se dit le sénateur. La preuve était là, sur son bureau. Il attendit, debout.

A 11 h 10, il y avait neuf journalistes autour du bureau du sénateur, y compris les correspondants des trois grandes agences de presse internationales.

— Il y a six semaines un crime horrible a été commis sur le sol américain, déclara le sénateur. Une jeune femme innocente, épouse d'un officier de la marine des États-Unis, a été violée à Honolulu. J'ai pris la parole au Sénat pour exiger la protection de nos femmes à Hawaï. Ma voix n'a pas été entendue, ici, à Washington. Le ministre de la Marine n'a pas répondu. Le ministre de la Guerre n'a pas répondu. Ma voix n'a pas été entendue à Washington.

Le sénateur plongea la main droite dans un carton et brandit une poignée de lettres.

— Mais elle a été entendue ailleurs dans la République. Fargo (Nord-Dakota), dit-il en lisant le cachet de la poste. Peoria (Illinois). Chicago (Illinois). Tupelo (Mississippi). Pensacola (Floride)... et New York, Yakima, Washington, Boise, Roswell (Nouveau-Mexique).

Il laissa tomber les lettres comme s'il jetait des pièces à des mendiants.

— Lisez vous-mêmes, messieurs. Mes concitoyens des quatre

coins du pays partagent mes sentiments sur le danger qui nous menace. Ils me demandent de parler en leur nom. C'est pour moi un devoir. Je ne ferai pas faux bond à ces honnêtes gens.

« Hier, nous avons appris qu'Hester Murdoch, la victime de l'agression d'Honolulu, a été contrainte de subir une intervention à la suite des outrages. Elle se remettra des effets du bistouri, mais qui sait si elle pourra mener de nouveau une vie normale ? Qui sait si Hester Murdoch connaîtra encore la jeunesse ?

Le sénateur regarda Phoebe, au fond du bureau. Elle le pressa de poursuivre.

— Tandis que cette femme innocente gît sur son lit d'hôpital, sa vie définitivement brisée, les quatre responsables hantent les rues d'Honolulu, libres comme l'air, dit le sénateur en écartant les bras pour saisir les cartons de lettres sur son bureau. Toute l'Amérique exige qu'ils soient châtiés, que les États-Unis soient purifiés de leur dangereuse présence. Dans moins d'une heure, je reprendrai la parole au Sénat, où je transmettrai les désirs de mes concitoyens, hommes et femmes, à leurs représentants élus. Je réclamerai la peine de mort pour ces quatre déchets de l'humanité.

Le sénateur ouvrit le tiroir de son bureau et en sortit des exemplaires du discours que Phoebe et lui avaient rédigé. Il les distribua aux neuf journalistes.

— Il ne me reste que quelques minutes avant de me rendre au Sénat, dit-il. Avez-vous des questions ?

Phoebe Rasmussen prit son chapeau...

Les exemplaires du discours se trouvaient sur l'ancien pupitre de Daniel Webster quand Floyd Rasmussen prit la parole en début de séance. Le sénateur connaissait son texte par cœur.

— Monsieur le président...

Quand il eut terminé, il vit le sénateur de Virginie se lever aussitôt.

— Monsieur le président, je désire ajouter mon nom à celui de l'éminent sénateur du grand État d'Idaho. Je désire prendre place à ses côtés dans sa courageuse croisade en faveur de la justice.

Rasmussen se releva.

— Monsieur le président, mon illustre collègue, qui a si noblement représenté la Vieille Colonie dans les grandes traditions de la démocratie, me fait un immense honneur, dit-il. J'accueille avec joie sa présence dans nos rangs.

Il vit, sur sa gauche, que Morris, de l'Alabama, se levait à son tour.

Quatre sénateurs se joignirent à la requête de Rasmussen exigeant la condamnation à mort de Joe Liliuohé, Harry Pohukaïna, David Kwan et Mike Yoshida. En fin d'après-midi et le lendemain matin,

Rasmussen apprit que cinq membres de la Chambre des représentants avaient ajouté leurs noms à la liste.

— Tu es à la tête d'une croisade, lui dit Phoebe.

Très tôt le surlendemain de l'avortement d'Hester, avant qu'infirmières et malades n'aient commencé leur journée, alors que seule la cuisine était en activité, Gerald fit sortir Hester de l'hôpital de la Miséricorde et la conduisit jusqu'à sa voiture.

— J'ai dit à ta mère que nous n'avions pas besoin d'aide, lui expliqua-t-il. Je lui ai bien mis les points sur les *i*. Je pense que ce sera plus facile pour toi si nous sommes seuls tous les deux.

— Merci, répondit Hester, comme si elle n'avait jamais vu Gerald de sa vie.

Il conduisit lentement, pour éviter d'éventuels coups de frein brusques. Hester, près de lui, semblait en deuil. Gerald n'éprouvait que de la pitié pour elle. Il ne songeait qu'à l'aider.

— Veux-tu t'arrêter quelque part pour prendre le petit déjeuner ? Je peux trouver une brasserie...

Hester secoua la tête. Elle était tellement triste, elle avait l'air tellement égarée qu'il fit une nouvelle tentative.

— Tu te rappelles la première fois où tu es montée dans la voiture avec moi ?

— A la réception de l'amiral, répondit-elle.

La réception de l'amiral avait toujours lieu le dernier dimanche de mai, juste avant la Journée du Souvenir. Tous les officiers et leurs épouses y participaient. Cette parade avait lieu en l'honneur des invités civils d'Honolulu, d'Oahu et des autres îles. Chaque année, les « maîtres » du Territoire étaient reçus en grande pompe sur les pelouses de la résidence de l'amiral.

Doris Ashley avait supplié Hester d'y assister.

— Ton nom figure sur l'invitation. Donne-moi pour une fois l'occasion d'être fière de toi, mon bébé. Nous sommes les seuls Ashley, à présent, toi et moi. Mère et fille.

A Pearl Harbor, la masse d'uniformes blancs, tel un champ de pâquerettes, était aveuglante. Doris Ashley et Hester furent accueillies par l'amiral. Doris Ashley retrouva ses vieilles amies et Hester s'esquiva presque aussitôt vers la plage. Le vent soufflait de la mer et elle dut tenir son chapeau. Une bouffée rabaissa le bord de la capeline sur ses yeux et, avant d'avoir pu le relever, elle buta contre quelqu'un. Elle sentit le corps et les mains de quelqu'un, et elle entendit une voix d'homme dire :

— Désolé. Je ne vous ai pas fait de mal, j'espère.

Elle ôta son chapeau et regarda le jeune officier.

— Vous avez trébuché, j'ai eu peur que vous ne tombiez, dit-il. Je m'appelle Gerald Murdoch.

— Hester Ashley...

Elle le vit s'incliner, un peu raide, en la prenant par la main, et elle crut qu'il réagissait à son nom. Sauf à *Windward,* tout le monde changeait d'attitude en apprenant son nom.

— Puis-je vous apporter quelque chose ? demanda Gerald. Du punch ? L'amiral dit que nous sommes les maîtres de maison, aujourd'hui.

Hester refusa et s'éloigna. Il la suivit. Elle devina dans sa voix une nuance de désespoir.

— Puis-je vous accompagner ?

Il s'était mis au garde-à-vous comme s'il s'attendait à une réprimande. Hester s'étonna : il y avait des quantités de jolies filles dans les parages. Elle ne répondit pas aussitôt et Gerald crut qu'elle allait refuser.

— Je ne connais personne, dit-il. Je suis seul.

C'était exactement ce qu'il fallait, à la personne qu'il fallait. Hester, partout et toujours, était seule.

A la fin de l'après-midi, Hester avait appris que Pike's Crossing, dans le comté de Bayliss en Caroline du Sud, avait une population de 3 500 habitants, que Gerald avait fait ses études secondaires au lycée Robert E. Lee, qu'avant de quitter la maison pour entrer à l'École navale des États-Unis, la plus grande ville qu'il avait vue était Forsythe, le chef-lieu du comté. Il ne perdait sa timidité attirante, ne prenait de l'assurance, que pour parler de la marine. Elle le vit se rengorger.

— Mes camarades sont les meilleurs... commença-t-il. En voici un.

Il présenta à Hester un enseigne qui passait avec une femme à son bras.

Ils allèrent au bout d'une jetée pourvue d'un garde-fou en fer, à hauteur de la taille.

— Bon sang, je n'ai pas cessé un instant de parler, dit-il. Vous devez être fatiguée de m'entendre.

Hester n'avait pas meilleure opinion d'elle-même et, quand il l'invita à dîner, elle accepta.

Ce soir-là, Doris Ashley dîna seule ; elle prenait son café dans le salon quand Hester et Gerald arrivèrent à *Windward.* Hester présenta Gerald, qui s'inclina au-dessus de la main de Doris Ashley.

— Honoré de faire votre connaissance, madame.

Doris Ashley accorda son approbation. Elle appréciait les bonnes manières. Elle laissa les jeunes gens seuls et Hester entraîna Gerald sur la terrasse. Elle s'attendait à ce qu'il parle de *Windward* comme tous les autres visiteurs, mais il dit :

— Jamais je n'ai vu autant de livres. Vous les avez tous lus ?

Hester en avait lu certains plusieurs fois.

Il s'intéressait à elle. Il lui posait des questions. Hester, flattée, lui révéla une partie d'elle-même, de sa personnalité intime. Lorsqu'ils se quittèrent, Gerald lui dit :

— Je crois que je viens de passer les meilleurs moments... de toute ma vie. Puis-je vous revoir ?

Il la revit chaque fois qu'il était libre. Il la poursuivit de ses avances, toujours courtois et prévenant. Comme il venait d'arriver à Honolulu et qu'Hester était solitaire, ils se trouvaient toujours seuls. Jamais Gerald n'avait eu autant de succès avec une femme. Il avait découvert quelqu'un qui aimait être avec lui et il profitait au maximum de sa chance. Il refusait de partager Hester avec quiconque.

Pour la première fois, Hester ne recevait ni injonctions ni conseils. Gerald lui demandait toujours de décider ; il tenait à ce qu'ils suivent les propositions d'Hester. Chaque fois qu'il venait la chercher, Gerald commençait par s'enquérir de ses préférences pour la journée ou la soirée. Ses flatteries étaient enivrantes. Gerald semblait romantique à souhait.

Leur mariage, au lieu d'être un commencement, fut le point culminant de leur idylle. Doris Ashley trahit le jeune couple en l'asservissant à l'ancienne remise. Leurs étreintes furent une catastrophe. Hester était parfaitement innocente et Gerald maladroit. Il s'enflammait en un instant, se jetait sur elle puis l'abandonnait presque aussitôt, alors qu'elle était à peine troublée. Au début, il s'excusait, mais, en quelques semaines, ils furent comme des camarades de chambrée. Un jour, Gerald alla voir un médecin de la marine à Pearl Harbor. Il lui raconta tout et le docteur lui donna un livre. Un texte à apprendre : Gerald se mit à potasser comme s'il se préparait à un examen. Le lit d'Hester était séparé du sien par une table de chevet. Une nuit, Gerald quitta son lit et alla la rejoindre. Il se mit à la caresser en suivant les indications du livre, sans se rendre compte qu'en réalité il passait le concours. On aurait dit deux automates et, après cette nuit-là, Gerald cessa d'essayer.

Hester chercha refuge dans son seul salut, ses livres. Elle vida sa bibliothèque de *Windward*. La remise à voitures fut envahie de bouquins. Chaque fois que Gerald rentrait de Pearl Harbor, elle lisait. Gerald entra bientôt en campagne pour la sevrer de sa drogue.

Il l'emmena faire de la voile, mais Hester éprouva très vite un violent mal de mer. Elle détestait les exercices physiques et les sports, même comme spectatrice. Ils se rendirent à quelques soirées du club des officiers, mais Hester dansait mal et n'aimait pas la foule. Elle ne parvenait pas à se mêler au joyeux chahut et aux beuveries.

Elle essaya de cuisiner, mais ses repas furent un désastre. Gerald annonça qu'il serait le chef de la maison. Les premiers soirs, il se montra enthousiaste, d'excellente humeur. Mais, comme il fallait s'y attendre, il se lassa vite de passer à la cuisine préparer le repas après une journée de service. Ils ne dînaient jamais avant 10 heures du soir ! Il renonça.

Ils renoncèrent tous les deux. Ils se replièrent sur eux-mêmes, en silence, non sans dignité, évitant récriminations et regrets. Ils avaient tous les deux perdu. Ils avaient épousé l'un et l'autre des créatures nées de leur imagination, des personnes qui n'existaient pas. La remise à voitures était occupée par deux êtres pitoyables qui ne savaient rien l'un de l'autre, en dehors de leurs noms...

Dans la voiture, au retour de l'hôpital de la Miséricorde, Gerald dit :

— J'aimerais que l'amiral donne cette réception ce week-end. Nous pourrions tout recommencer.

Au bout d'un instant, il murmura :

— Hester ?

— Oui ? Je suis désolée, Gerald. Je ne t'ai pas entendu. Excuse-moi.

— C'est moi qui te prie de m'excuser, répondit-il doucement.

Elle avait cessé d'*écouter !* Il sentit une barre peser sur son front.

— Je ne devrais pas t'ennuyer ainsi, ajouta-t-il.

— Oh ! tu ne m'ennuies pas... répondit Hester, laissant traîner sa voix. Vraiment... Vraiment.

Leur silence se prolongea jusqu'à *Windward*. Gerald s'arrêta devant l'ancienne remise et leva le bras devant la poitrine d'Hester.

— Attends ! Je ne suis pas très bon navigateur. Je vais faire demi-tour pour que ta portière soit du côté de l'entrée.

— Je peux marcher, dit Hester.

Elle ouvrit la portière, mais Gerald se pencha devant elle pour la refermer.

— Je peux marcher ! répéta-t-elle en lui disputant le loquet. Gerald ! Laisse-moi sortir !

Des mois de souffrance se cristallisèrent soudain dans cette lutte, mais elle fut très brève.

— Tu me fais mal ! lança Hester.

Gerald recula aussitôt, baissa le bras et s'écarta d'Hester. Infliger une souffrance physique à une femme était une malédiction. Pour l'homme du Pike's Crossing, il n'existait pas d'acte plus méprisable. Il ne valait pas mieux que les quatre dégénérés qui avaient battu Hester.

Gerald descendit de voiture avant qu'Hester ait pu bouger. Déjà il en faisait le tour. Il se tint à distance quand elle en sortit, prêt à intervenir si elle avait besoin de son aide. Quand elle passa devant lui, il courut ouvrir la porte d'entrée.

— Puis-je faire quelque chose? demanda-t-il en entrant. Veux-tu du thé? Veux-tu que je t'aide à monter au premier?

Hester s'arrêta près de la rampe, au pied de l'escalier conduisant aux chambres. Soudain, Gerald la trouva vieillie, beaucoup plus vieille que lui, et faible. Frêle et faible, comme une personne qui a toujours été malade. Le manteau tombait de ses épaules comme un châle. Il avait envie de l'aider, de lui faire comprendre qu'il ne l'abandonnerait pas. Il essaya de le lui dire, mais Hester murmura :

— Pauvre Gerald. Pauvre noble Gerald. Tu peux aller te présenter au rapport.

Elle monta l'escalier en s'accrochant à la rampe.

— A vos ordres, madame! lança Gerald en claquant les talons pour rire.

Il la suivit des yeux jusqu'à ce qu'elle disparaisse en haut des marches. Sa tête bourdonnait. Il alla à la cuisine, prit la boîte de thé et se figea soudain comme si on l'avait surpris en train de voler. Il entendit Hester au-dessus de lui. Elle ne désirait pas sa présence. Il posa la boîte de thé, avec un bruit sec, et sortit à grands pas.

A Pearl Harbor, en fin d'après-midi, Gerald quitta les abris des sous-marins pour se rendre au club des officiers. Hester n'avait pas hâte de le voir et donc rien ne le pressait. Le bar était plein et continuait de se garnir. Les voix mâles, les rires, les blagues et la bonne humeur générale remontèrent le moral de Gerald. Il se sentait bien au chaud et à l'aise au milieu de ses pairs. Mais cette satisfaction soudaine n'allait pas sans une pointe de culpabilité. Il songea à Hester, seule avec les blessures infligées à l'hôpital de la Miséricorde. Il se dirigea vers le téléphone, au bout du bar.

— Hester?

La sonnerie l'avait réveillée. Elle était adossée à la tête du lit, avec la lumière de la lampe de chevet en plein visage, un livre ouvert sur le ventre. Elle entendit des voix, des hommes qui avaient l'air de crier.

— Qui est à l'appareil?

— C'est Gerald. J'aurai peut-être un peu de retard.

Il décida de prendre un dernier verre et de partir. Comme il raccrochait, il entendit une voix dire :

— J'ai entendu parler de bonnes femmes qui aiment le café au lait.

— D'accord, mais *quatre* types! dit un autre homme.

Gerald, paralysé, sentit son estomac se retourner. Il fallait qu'il s'appuie au bar.

— Elle a peut-être commencé avec un ou deux, dit la première voix.

Gerald se força à se retourner. L'homme qui parlait était un jeune lieutenant.

— Peut-être les deux autres sont-ils venus pour lui porter secours et qu'ils ne se sont pas gênés non plus.

— Est-ce que tu l'as *vue?* demanda l'enseigne accoudé au bar à qui l'homme parlait.

— Méfie-toi de l'eau qui dort, enseigne, répondit le lieutenant.

Gerald bondit. Il bouscula quelqu'un, lança un coup de coude et se jeta sur le lieutenant. Il posa les deux mains sur ses épaules, enfonça les doigts dans la chair à travers l'uniforme et fit tourner l'homme en l'éloignant du bar. Puis il le lâcha et lança un crochet. Il ne s'était jamais battu. Son crochet était maladroit, son poing mal serré et le lieutenant avait une tête de plus que lui. Le poing de Gerald heurta mollement le bras du lieutenant.

— Qu'est-ce qu'il se passe, nom de... lança le lieutenant en esquivant d'un revers de main le deuxième crochet de Gerald.

L'enseigne entra dans la danse. Il ne ferait qu'une bouchée de Gerald, immobilisé par le lieutenant.

— Vous insultez ma femme, sales...

Le poing de l'enseigne lui coupa la parole. Le direct toucha Gerald en plein visage, sur la pommette, et le fit basculer en arrière.

Il ne tomba pas. Il se redressa mais l'enseigne était derrière lui et Gerald avait les deux bras baissés. Ce fut le lieutenant qui le sauva, en immobilisant l'enseigne.

— Je n'ai besoin de personne pour me défendre, dit-il.

Tout le bar était déjà en effervescence. Au fond de la salle, Bryce Partridge reconnut Gerald parmi les combattants et vit qu'ils étaient deux contre lui. A peine le lieutenant avait-il repoussé l'enseigne et brandi les poings pour attaquer que Bryce intervenait à son tour.

— Égalisons les chances, vieux! dit-il.

— Ça ne te regarde pas, lança le lieutenant.

Bryce vit l'enseigne s'avancer sur sa droite.

— C'est moi que ça regarde, dit Gerald. Ma femme... lança-t-il, mais personne ne l'entendit car sa voix se noya dans les clameurs d'avertissement, venues de toutes parts. Ils ont insulté ma femme!

L'enseigne frappa le premier. Bryce esquiva, passa sous la garde et cogna au ventre. L'enseigne poussa un long grognement de douleur.

161

— Messieurs !

Un capitaine quatre galons, dont l'apparition avait provoqué les avertissements, arriva près d'eux.

— Où vous croyez-vous donc ?

La salle fit silence, excepté l'enseigne, en train de vomir.

— Conduisez-le aux latrines ! dit le capitaine.

Deux officiers saisirent l'enseigne sous le bras et le relevèrent. Personne d'autre ne bougeait. Tout le monde était au garde-à-vous, y compris les serveurs, de simples matelots engagés.

— Mon capitaine, dit Gerald.

Dégoûté par ce qu'il venait de voir, le capitaine se tourna vers l'officier qui avait la joue en sang, prêt à lui donner une bonne leçon.

— Vous parlerez quand on vous adressera la parole, lieutenant ! dit-il. Je veux tous vos noms au rapport. Y compris celui de l'enseigne, ajouta-t-il en montrant la porte des toilettes, dans l'angle.

— Mon capitaine, je suis le seul fautif, dit Gerald.

Le capitaine faillit le mettre aux arrêts, mais du sang coulait du visage de Gerald, sur son col blanc et sur ses épaulettes.

— Murdoch, Gerald, dit-il en donnant son numéro matricule. Lieutenant sous-marinier.

Le capitaine entendit « Murdoch », ce qui lui donna la réponse à l'unique question qu'il aurait pu poser aux combattants. Il regarda l'autre lieutenant, plus grand, en face de Murdoch. Le capitaine avait la mémoire des visages.

— Allez soigner cette coupure, dit-il à Gerald, et il se dirigea vers le bar.

Il ôta sa casquette et, quand le barman s'avança vers lui, tous les hommes du club des officiers reprirent peu à peu leurs verres et leurs bavardages.

— Je t'accompagne à l'infirmerie, dit Bryce, mais Gerald se détourna.

Bryce le rattrapa et Gerald hâta le pas.

— Fous-moi la paix ! lança-t-il, comme dans un sanglot. Fous-moi la paix !

Au moment où il atteignait la sortie, la porte s'ouvrit. Gerald enfouit son visage dans son mouchoir et passa devant trois hommes, la tête basse. Il ne voulait pas qu'on le voie. Il courut jusqu'à sa voiture et se laissa tomber sur le siège. Et il crut voir soudain le bar du club, tous les officiers alignés au comptoir, en train de discuter de sa femme. Et tous disaient qu'Hester avait invité les hommes à venir sur elle, à se servir d'elle. Gerald lança le moteur et s'éloigna du club vers l'entrée de Pearl Harbor. S'il allait à l'infirmerie, on lui demanderait son nom. Les infirmiers inscriraient son nom et attendraient qu'il ait le dos tourné pour parler d'Hester.

— Cinquante !

Maddox posa son chapeau sur le bureau de Leonard Fairly et baissa les yeux vers le chef de la police.

— Vous allez mettre *cinquante* hommes là-bas demain matin ? Nous sommes envahis ou quoi ?

— Il faut que nous soyons prêts à toute éventualité, répondit le chef.

Le procès des quatre jeunes gens accusés d'avoir violé Hester Ashley Murdoch commençait le lendemain.

— Vous ne croyez tout de même pas qu'il va y avoir du grabuge, lança Maddox. La plupart de ces gens ne savent même pas où se trouve le palais. Presque tous, quatre-vingt-dix-neuf pour cent, ont un emploi. Demain n'est pas férié.

Le chef de la police saisit un coupe-papier en bronze.

— Annulez cet ordre, Len, dit Maddox.

— Cette affaire a fait beaucoup de bruit. Pas seulement ici, mais dans tout le Territoire. J'en entends parler partout où je vais. Les gens m'arrêtent dans la rue. Ils sont inquiets.

— Ils sont toujours inquiets, répliqua Maddox. Chaque fois qu'un *Kanaka* file en douce pour la journée, ils se figurent que tous les ouvriers du domaine sont prêts à se mettre en grève. S'inquiéter de ce que vont faire les indigènes est devenu le sport à la mode du Territoire. Les *indigènes !* répéta-t-il. Les indigènes ont peur de traverser la rue.

— Je ne veux pas prendre de risques.

Maddox fit le gros dos, espérant soulager le point douloureux entre ses épaules. Il était presque 6 heures du soir. Depuis plus de dix heures, il n'avait pas pris une minute de repos.

— Vous aurez plus de flics que de citoyens à la porte du palais de justice. Ne faites pas ça, dit-il.

— Je ne vous ai pas demandé de monter dans mon bureau pour discuter, répondit le chef.

Il lança le coupe-papier en l'air. L'objet tournoya une fois sur lui-même et Fairly le rattrapa. Il restait toujours dans son fauteuil quand il était en présence de Maddox. La grande taille de Maddox le diminuait.

— Nous donnerons l'impression d'attendre une émeute, expliqua Maddox. Les journalistes le remarqueront. Ils verront la petite armée et se figureront que vous savez des choses qu'ils ignorent. Ils étaleront l'affaire dans leurs feuilles de chou. « La police mobilise ses forces en cas de troubles. » En gros titre. Au lieu du procès, c'est nous qui occuperons la première page, exactement où nous ne devrions jamais être. S'il y a une chose dont la police n'a aucun besoin, c'est bien de publicité. Demain soir, le gouverneur téléphonera. Il demandera *davantage* de flics. Pour l'amour de Dieu, Len, il n'y aura de place pour personne d'autre. La rue sera bourrée d'uniformes bleus, comme pour un défilé.

Maddox regarda le chef de la police jouer avec son coupe-papier.

— J'aime mieux être tranquille qu'avoir des regrets, répondit Fairly. Vous prendrez le commandement, Curt.

Maddox ramassa son chapeau.

— Demain, je ne suis pas de service.

Le chef laissa tomber le coupe-papier sur son bureau.

— C'est le dimanche que vous n'êtes pas de service.

— J'ai des jours à récupérer, dit Maddox. Je vous montrerai mon tableau de congés.

Jamais Maddox n'avait pris la peine de compter ses journées.

— Je vous donne l'ordre d'assurer le commandement du détachement de garde au palais de justice demain, dit Fairly.

Pour une fois, l'ange gardien de Curt Maddox, son père secret, ne faisait pas peur au chef de la police : Harvey Koster serait d'accord avec lui cent pour cent.

A 9 heures le lendemain matin, Maddox avait déployé les cinquante agents en uniforme devant le palais de justice. Ils formaient deux rangs, face à face, d'un angle du bâtiment à l'autre. Le reste se trouvait devant l'entrée, en une autre file, interrompue à la hauteur du vaste porche, qui restait dégagé. Maddox se tenait près de l'un des deux panneaux d'interdiction de stationnement, sur le trottoir, près de la chaussée. Il réunit les lieutenants et les sergents.

— Éparpillez-vous, dit-il. Mettez-vous dans les rangs avec les autres. Pas de coups de gueule, aujourd'hui. On file doux. On n'agrafe personne. On ne fait circuler personne. Pas d'arrestations ! C'est moi qui décide si quelqu'un trouble l'ordre public. Vous venez me voir et vous m'expliquez. Passez le mot.

Il dévisagea les sergents et les lieutenants.

— Exécution.

Maddox les regarda se disperser et prendre position au milieu des rangées de flics. Il ne vit pas Jeff Terwilliger et l'autre homme s'avancer vers lui.

— Nom de nom ! Maddox, il s'agit d'un procès, pas d'une révolution, dit Terwilliger.

— Vous vous croyez drôle ?

Un groupe d'hommes se dirigeait vers l'entrée. Deux d'entre eux portaient des appareils de photo carrés, de reportage. Maddox reconnut le correspondant de l'Associated Press à côté des photographes.

— Blague à part, pourquoi cette armée ? demanda Terwilliger.

— Le chef de police Fairly assure la sécurité du public, dit Maddox.

Terwilliger sourit.

— Grande nouvelle ! lança-t-il au reporter de New York qui l'accompagnait.

Maddox leur montra le groupe de journalistes et indiqua du doigt les portes du palais de justice.

— Allez rejoindre les autres, dit-il à Terwilliger, qui cessa de sourire.

— Nous faisons notre boulot, répondit le rédacteur vedette de l'*Outpost Dispatch*.

— Non. Pas ici. Je ne vous laisserai pas traîner dans mes jambes au moment où ils descendront des voitures. Filez ! dit-il en leur montrant de nouveau le palais.

Le reporter de New York regarda Maddox par-dessus son épaule.

— Qui est-ce ? demanda-t-il en s'éloignant.

— Un coriace, dit Terwilliger. Et il aime ça.

Le journaliste new-yorkais s'arrêta pour présenter son visage au soleil. La matinée était splendide. De petits nuages blancs, cotonneux, dérivaient sur un ciel si bleu qu'il semblait phosphorescent. La pelouse près de l'entrée avait été arrosée très tôt et il se dégageait de l'herbe rase un parfum douceâtre, humide. Des oiseaux de paradis s'étaient perchés devant le palais — rangée de lumière orange et bleu, prête à prendre son vol. Un spectacle magnifique.

— J'ai quitté New York sous une tempête de neige, dit le journaliste. Et à San Francisco, il y avait tellement de pluie et de brouillard que j'ai eu du mal à *trouver* le bateau. J'ai éternué pendant la moitié de la traversée.

Il pivota lentement sur lui-même, comme s'il suivait la marche du soleil.

— Vous vous rendez compte que vous êtes en vacances cinquante-deux semaines par an ? dit-il.

Les deux hommes rejoignirent le groupe de journalistes à l'entrée du palais. D'autres reporters arrivèrent, y compris les rédacteurs et les photographes des quotidiens locaux en langue japonaise.

Un Philippin en combinaison blanche éclaboussée de peinture s'arrêta près de Maddox.

— Le procès commence ?

— Aujourd'hui même, dit Maddox. Entrez dans la danse...

— Pas de boulot, pas de salaire, répliqua le Philippin.

Maddox eut envie de le conduire au bureau du chef. Le Philippin traversa la rue et se mit à courir en voyant arriver la décapotable jaune et noir. Maddox reconnut la voiture au même instant. La fête commençait.

Dans la décapotable, Tom Haléhoné était assis entre Joe Liliuohé et Sarah.

— Tom, regarde ! dit Joe. Qu'est-ce qu'il fait ici ?

— Il doit commander le détachement, répondit Tom. Il n'est pas impliqué.

— Il l'était ce soir-là, répondit Joe. Et le lendemain matin. Il était impliqué à ce moment-là, non ?

Sarah s'arrêta entre les deux panneaux de stationnement interdit.

— Je n'ai jamais vu autant de flics, dit Joe. Ils sont sans doute là pour protéger les femmes de l'assaut des violeurs.

— Arrête, dit Sarah. *Arrête !*

Elle était affolée. Elle s'était réveillée affolée. Tom donna un coup d'épaule à Joe et celui-ci ouvrit la portière. Quand Joe descendit de voiture, Sarah prit la main de Tom et la serra. Il avait la main tiède.

— J'ai tellement peur, dit-elle.

Il leva la main de la jeune fille pour la porter à ses lèvres.

— Tout ira bien, dit-il.

— Je regrette vraiment d'être obligée d'aller travailler. J'aimerais rester avec toi.

Tom sentit Sarah se presser contre lui. Il sentit la main de la jeune femme dans la sienne. Il eut envie de la prendre dans ses bras. De l'embrasser, de l'embrasser sans fin et de la sentir encore, de l'attirer vers lui, tout près, plus près, pour l'étreindre. Le palais de justice semblait très loin.

— Tu *es* avec moi, dit-il.

— Dis-le encore.

— Tu es avec moi. Tu es toujours avec moi, maintenant. Je ne suis plus jamais seul.

Ils entendirent plusieurs coups secs sur le pare-brise. Maddox était penché sur le capot.

— Circulez ! dit-il, et il pensa : « C'est vraiment une jolie fille. »

Tom descendit de voiture et, pendant une seconde terrifiante, il se figea. Joe avait disparu. Mais Maddox était là, appuyé au panneau de stationnement interdit. Il n'aurait pas laissé Joe s'enfuir. Tom entendit le moteur accélérer : Sarah s'éloignait ; puis il vit Joe à l'angle du palais, avec David Kwan et son père. Joe et David lui firent signe de la main. Tom s'arrêta sous le porche pour les attendre.

Maddox reconnut le jeune homme avec son père, pas plus gros qu'une souris. « Des ennuis », se dit-il. Ils se dirigèrent tous les quatre vers la porte où les photographes attendaient avec leurs appareils, flashes brandis au-dessus de leurs têtes.

Vers 9 heures, un des lieutenants de la police quitta son poste pour rejoindre Maddox.

— Regardez, capitaine.

Maddox se retourna. Un groupe d'hommes et de femmes — des Orientaux et des Hawaïens — se tenait sur le trottoir de l'autre côté de la rue, en face du palais. Maddox les compta. Ils étaient onze.

— Vous voulez demander des renforts?

Le lieutenant parut mal à l'aise.

— Je voulais seulement attirer votre attention.

Il s'éloigna. Maddox vit la voiture pie de la police s'engager dans l'impasse. Il y avait deux flics à l'avant et un homme à l'arrière. Le visage de l'homme lui parut familier. Maddox suivit la voiture. Il y avait dans l'impasse une porte d'accès au palais.

Au moment où Maddox tourna à l'angle, la voiture de police s'arrêtait en face de l'entrée latérale. Les deux agents descendirent et ouvrirent les deux portières arrière. Maddox vit Murdoch sortir de voiture et tendre la main pour aider sa femme. Le chauffeur aida Doris Ashley à descendre par l'autre portière. Si l'ordre d'envoyer une voiture de ronde à *Windward* était venu d'Harry Koster, Maddox l'aurait su. Koster l'aurait appelé. C'était donc Len Fairly qui avait pris l'initiative d'envoyer la voiture pie chez Doris Ashley, en laissant Maddox avec la troupe. Maddox sourit en songeant au chef et à ses petits secrets. Il regarda Doris Ashley poser la main sur son chapeau. Sa fille et elle étaient en tenue de deuil.

Entendant une bousculade derrière lui, il se retourna. Les journalistes et les photographes couraient dans l'impasse. Il écarta les bras.

— Terminus, dit-il.

— Vous ne pouvez pas nous arrêter! cria un photographe.

Maddox baissa les bras et s'avança au milieu du groupe vers l'homme qui avait protesté.

— On parie? dit-il.

Il attendit. Derrière eux, il aperçut Mike Yoshida avec un autre jeune, sans doute son frère, endimanché comme lui. Jeff Terwilliger les vit aussi et se précipita. Les autres suivirent. Maddox regarda le trottoir d'en face. Le groupe d'hommes et de femmes était plus nombreux. Maddox descendit du trottoir.

On avait l'impression qu'ils ne respiraient pas. Personne ne bougeait. Personne ne toussait. Maddox s'arrêta dans le caniveau.

— Cette rue est une rue commerçante, dit-il. Des gens voudront entrer et sortir de ces magasins. Des voitures voudront stationner. Il n'y a rien à voir ici. Vous feriez mieux de circuler.

Personne ne bougea. Maddox monta sur le trottoir et s'arrêta entre deux Chinois.

— Peu m'importe de quel côté vous allez, mais vous dégagez, dit-il. Tout de suite.

Il étendit les deux mains et poussa les deux hommes.

— Encore la violence, dit une voix, mais le groupe se dispersa. Les hommes et les femmes s'éloignèrent dans les deux directions et, très vite, Maddox se retrouva tout seul. Du coin de l'œil, il vit un homme s'arrêter à l'angle. Bien habillé, en chemise sport. Maddox lui donna vingt-cinq ans. Belle allure, une carrure d'athlète. En allant prendre son service à Pearl Harbor, Bryce Partridge avait fait un détour et garé sa voiture dans la rue voisine du palais de justice.

Une heure plus tôt, pendant que Bryce lisait l'article de Jeff Terwilliger sur le début du procès, dans l'*Outpost Dispatch,* Ginny Partridge avait dit :

— J'ai tellement de peine pour elle.

Il avait plié la première page pour en lire la partie inférieure.

— Bryce ?

— Je ne t'ai pas entendue, mon ange, mentit-il.

— Hester, dit Ginny. J'ai essayé de lui téléphoner mais personne n'a répondu. Ils étaient sans doute déjà partis. Ce doit être horrible pour elle. Elle va se trouver exhibée, dans la fosse aux lions, comme une esclave au Colisée, avec une foule de regards posés sur elle.

Bryce posa le journal.

— Cela ne durera pas longtemps.

— Un jour, c'est déjà trop.

Il se leva et sortit de sa poche les clés de la voiture. Ginny bondit.

— Attends ! Tu peux attendre pendant que je me change ?

— Ginny, je ne travaille pas dans un magasin de mode. Je suis officier de marine.

Elle lui barra le passage.

— Je serai prête dans une seconde. Tu me déposeras près du palais de justice en allant à Pearl. J'ai envie d'être près d'Hester. Elle a besoin de quelqu'un.

— Mon ange, elle *a* quelqu'un. Elle a Gerald. Elle a sa mère.

— Gerald est un homme ! répondit Ginny.

Le rouge lui monta aux joues à la pensée d'Hester gisant dans la poussière, impuissante, en train de se débattre tandis que trois d'entre eux la plaquaient au sol.

— Et sa mère ne comprend pas, ne peut pas comprendre! dit Ginny.

— Sa mère ne comprend pas?

— Elle est vieille, expliqua Ginny. Tu ne comprends pas toi non plus! Et si cela m'était arrivé? Ils auraient pu aussi bien me prendre.

— Ginny!

Il essaya de l'enlacer mais elle s'écarta. Les doigts de Bryce se crispèrent sur les clés de la voiture, puis se desserrèrent aussitôt. La vue de son poing fermé lui fit peur pendant un instant.

— Je n'avais pas l'intention de te faire de la peine, dit-il doucement.

Il s'écarta d'un pas. La voix et l'attitude de Bryce dissipèrent la colère de la jeune femme.

— Tu es si gentil, dit-elle en l'embrassant. Tu vas m'attendre?

Il posa l'index sur les lèvres de Ginny, et Ginny l'embrassa.

— Je ne veux pas que tu y ailles.

Elle leva les yeux vers lui.

— Je ne veux pas que tu ailles dans cette salle d'audience avec ces quatre... hommes en face de toi et que tu écoutes cette vilaine histoire. Tu te mets déjà à la place d'Hester. Tu entendrais les témoins, tu suivrais le procès comme si ça t'était arrivé, *à toi?*

Il esquissa un sourire.

— Je suis ton mari. Je suis censé te protéger. Gerald protège Hester. Pas de tribunal. C'est un ordre, mon chou.

Debout à l'angle de la rue, Bryce vit les journalistes se mettre soudain en position : un type, un Hawaïen, s'avançait vers les portes. Il était sur son trente et un. Bryce le reconnut aussitôt, sans toutefois se rappeler son nom. Il avait vu les photos des quatre hommes dans les journaux presque tous les jours. Il avait encore revu leurs visages dans l'*Outpost Dispatch* une heure plus tôt, mais il aurait été bien en peine de mettre un nom exact sur chacun d'eux. Il fit demi-tour et s'éloigna vers sa voiture d'un pas vif, en jurant qu'il ne reviendrait plus.

Maddox regarda les journalistes mitrailler Harry Pohukaïna. Le jeune homme chargea le groupe et se fraya un chemin jusqu'aux portes. Les photographes rechargèrent leurs appareils. Le soleil baignait la rue et les fenêtres du palais de justice lançaient des reflets. Maddox se sentit seul.

— Cinquante, dit-il à haute voix en regardant les rangées de flics devant la façade.

— Oyez, oyez, oyez, la cour de district du comté d'Honolulu, Oahu, Territoire d'Hawaï, sous la présidence de l'honorable juge Samuel Walker, est maintenant en séance, dit l'huissier.

Il attendit que le juge soit installé sur le fauteuil de l'estrade avant de poursuivre.

— Asseyez-vous. Affaire 1847. L'État contre Joseph Liliuohé, Harry Pohukaïna, David Kwan, Michael Yoshida.

Sur l'estrade, le juge Walker, qui avait célébré son soixantième anniversaire le samedi précédent avec son épouse, ses enfants et ses petits-enfants, regarda la salle d'audience s'installer à son tour. Le juge Walker commençait toujours sa journée par des exercices physiques. Toute une vie de discipline rigoureuse. Il avait, par exemple, inculqué son goût de l'effort physique à ses fils et ses filles. C'était un amateur effréné de vie en plein air, et il avait campé avec sa femme et les enfants dès la naissance de l'aîné.

Le juge vit immédiatement Doris Ashley, au premier rang, entre sa fille et son gendre. Il ne la connaissait pas. Il n'avait jamais été présenté à Preston Lord Ashley ni invité à *Windward*. Elle avait l'air pleine de confiance, voire de défi.

En fait, elle tremblait. Il fallait qu'elle soit forte, pour elle et pour Hester. Il fallait qu'elle communique sa force à Hester. La veille, elle l'avait fait venir à *Windward* et elle avait choisi elle-même dans l'ancienne remise les vêtements que porterait sa fille. Elle avait gardé Hester dans sa propre chambre à coucher, mais, lorsqu'elle s'était réveillée, elle était seule. Doris avait retrouvé la jeune femme sur la terrasse, pieds nus et en chemise de nuit.

— Je ne pourrai pas aller jusqu'au bout.

— Mon bébé, tu seras... commença Doris Ashley, mais Hester prit la fuite.

Doris la poursuivit jusque dans le vestibule et bloqua la porte.

— Si tu m'obliges à y aller, j'avouerai la vérité, menaça Hester.

— Te rends-tu compte de ce que tu viens de dire ? Écoute-moi donc ! Nous serions des *criminelles*.

— Nous *sommes* des criminelles, dit Hester. Je suis une criminelle. Je mérite la prison.

Elle s'élança vers la cuisine qui s'ouvrait sur le jardin. Doris Ashley la rattrapa. Hester ne se défendit pas.

— Je leur dirai de me mettre en prison, lança-t-elle.

— Je me tuerai, répliqua Doris (elle mentait). Tu me tueras. Tu es en train de me tuer.

Elles entendirent Amelia et Theresa dans la chambre des bonnes, attenante à la cuisine.

— Dis-leur que je suis malade, insista Hester. Je signerai une déclaration. Fais-moi signer une déclaration.

— Mon pauvre bébé, dit Doris Ashley Si seulement je pouvais prendre ta place. Je vais te faire couler un bain, mon enfant.

Elle habilla Hester. Exactement comme elle, en robe noire avec un chapeau noir... Et dans la salle d'audience, à côté d'Hester, Doris Ashley attendait que son ordalie commence.

Le juge Walker vit, à la table de l'accusation, Philip Murray discuter avec Leslie McAdams, le nouveau substitut.

— L'État est-il prêt pour le procès ?

Murray se leva.

— L'État est prêt, Votre Honneur.

Le juge baissa les yeux vers les quatre défendeurs et leur avocat.

— Les défendeurs sont-ils présents ? demanda le juge.

Tom se leva.

— Les défendeurs sont présents, Votre Honneur.

— La défense est-elle prête pour le procès ?

Tom eut l'impression que le juge l'écrasait de toute la hauteur de l'estrade. Murray et McAdams le regardaient, tout le monde le regardait. Il aurait dû laisser la princesse choisir son avocat. Non ! Il aurait dû demander à quelqu'un de l'aider. Non ! Il aurait dû demander un renvoi pour parfaire sa préparation. Non !

— La défense est prête, Votre Honneur.

A l'intérieur de la barrière, derrière Tom, les journalistes et les dessinateurs des journaux étaient installés sur une rangée de chaises occupant toute la largeur de la salle d'audience. Un grand nombre venaient de métropole et le juge Walker avait décidé de les mettre à l'intérieur de la barrière pour réserver au public les bancs situés de part et d'autre de l'allée centrale. Le juge Walker estimait que le public avait le droit absolu d'assister à ses procès.

Sur la gauche, dans les premières rangées derrière les reporters, se trouvaient les cinquante hommes parmi lesquels serait choisi le jury.

— Messieurs du jury, commença le juge, cette affaire a déclenché beaucoup de publicité. Elle s'est étalée partout dans les journaux et à la TSF. La cour ne peut donc pas espérer, ni l'avocat de la défense, réunir un jury n'ayant aucune connaissance préalable. Mais la loi exige de chaque juré qu'il ne soit parvenu à se faire aucune *opinion,* qu'il n'ait pris parti ni en faveur de la culpabilité ni en faveur de l'innocence. Si donc tel ou tel d'entre vous a déjà *décidé,* qu'il le dise à la cour, et il sera récusé. Il pourra partir.

Le juge ne vit aucune main se lever.

— Si tel ou tel d'entre vous est un parent ou une relation des personnes citées dans cette affaire, qu'il le signale. Il sera récusé et pourra partir.

Pas une main ne se leva.

— Les défendeurs de cette affaire sont d'origine raciale différente, dit le juge. Si tel ou tel d'entre vous a quelque préjugé que ce soit concernant la race, les croyances religieuses ou la couleur de la peau, cela le disqualifie.

Le juge attendit. Rien. Il avait dans son tribunal une bande de menteurs.

— Huissier !

L'huissier se dirigea vers le box du jury. Douze hommes, assis sur les deux premiers bancs, se levèrent. Ils avaient été choisis par tirage au sort. Le juré numéro un, George Maynard, prit le premier siège de la première rangée. Les autres suivirent dans l'ordre de leur tirage au sort.

— Monsieur Murray...

Le procureur de district se leva, tenant à la main la liste des noms des jurés.

— Monsieur Maynard, dit-il. Comment gagnez-vous votre vie ?

— Je suis plombier.

— Avez-vous de la famille ? Des enfants ?

— Un seul. Une fille.

— Quelle âge a-t-elle ?

— Douze ans. Elle a douze ans, répondit Maynard.

— Acceptable pour l'État, Votre Honneur, dit Murray.

— Monsieur Haléhoné, dit le juge.

Tom se leva et s'écarta pour que Maynard puisse voir les quatre défendeurs.

— Acceptable, Votre Honneur, dit-il.

Le premier juré était donc choisi. Ce serait lui qui présiderait le jury et parlerait en son nom.

— Monsieur Murray, dit le juge.

Le procureur de district étudia la liste, bien qu'il eût pris sa décision avant l'entrée du juge dans la salle d'audience.

— Je récuse ce juré, dit Murray.

L'huissier fit signe à Akiro Hanato, qui s'en alla.

Il s'agissait d'une récusation péremptoire, qui n'était susceptible d'aucune contradiction. L'avocat de l'accusation et celui de la défense avaient droit chacun à six récusations péremptoires par défendeur. Murray et Tom pouvaient donc à eux deux refuser à quarante-huit hommes de siéger dans le jury. Ils avaient également le droit de récuser sur arguments. Murray ou Tom, après avoir interrogé un juré, pouvaient conclure qu'il ne serait pas impartial, que sa présence dans le box porterait préjudice à l'accusation ou à la défense. Ces récusations n'étaient pas limitées en nombre, mais aucun juré ne pouvait être récusé sur arguments sans le consentement du juge.

Akiro Hanato passa devant Tom, penché au-dessus de la table, les mains à plat sur la liste des noms. Le cœur de Tom battait. Il vit Murray, assis parallèlement à la table de l'accusation, jambes croisées, à l'aise, comme s'il regardait un match de football. Tom savait déjà que Murray avait l'intention de remplir le box du jury d'*Haolés.*

— Monsieur Murray, dit le juge.

Le procureur de district regarda Fred Hofstader, assis à côté de la chaise vide d'Hanato.

— Monsieur Hofstader, depuis combien de temps habitez-vous Honolulu ?

— Vingt et quelques années.

— Que faites-vous ?

— Pas grand-chose. Des petits trucs autour de la maison.

— Je veux dire, comment gagnez-vous votre vie ?

— Ah ! ouais. Ouais. Peintre. Je suis peintre en bâtiment.

— Acceptable, Votre Honneur, dit Murray.

— Monsieur Haléhoné, dit le juge.

Tom se leva et se tourna vers le juge, mais c'était au procureur qu'il parlait.

— Je récuse ce juré, dit Tom.

Il vit McAdams se pencher en avant pour chuchoter quelques mots à Murray, puis il vit Murray regarder par-dessus son épaule, directement vers lui.

— Vous êtes excusé, dit le juge à Hofstader. Vous pouvez partir.

Tom utilisa deux autres récusations péremptoires pour les deux hommes suivants, Victor Pasket et Harley Moore. Le sixième de la liste se nommait Louis Elahi. Murray le récusa. George Maynard était seul au premier rang du box.

Tom regarda la liste de noms. Le numéro sept, derrière Maynard, s'appelait Edward Broderick, et le numéro huit, Herbert Iaukéa. Les quatre suivants étaient des *Haolés.* La majorité des cinquante hommes tirés au sort étaient des *Haolés.* Tom épuiserait ses récusations péremptoires longtemps avant le procureur. Il serait obligé de récuser sur arguments et aurait besoin de l'approbation du juge. Il perdrait. Avant la fin de la journée, il aurait en face de lui un jury entièrement *haolé.* Tom entendit Joe s'agiter sur sa chaise. Il pouvait sentir la présence des quatre hommes autour de lui. Et il les voyait déjà, debout, au moment où le jury rentrerait après avoir délibéré. Il les voyait déjà sur le chemin du palais à la prison.

— Monsieur Broderick, dit Murray en se levant. Vous avez entendu le juge avertir les jurés pressentis au sujet d'opinions sur cette affaire. Avez-vous des opinions arrêtées ?

— Non, monsieur, je n'en ai pas, dit Broderick.

— Connaissez-vous l'une des personnes impliquées ?

— Non, personne.

— Éprouvez-vous des sentiments particuliers pour les gens en fonction de leur race ?

— Non, monsieur, pas moi.

Tom était certain qu'il mentait. Ils mentaient tous, mais il n'avait pas le choix. Quand Murray dit : « Acceptable », Tom se leva :

— Acceptable pour la défense, Votre Honneur, lança-t-il.

En acceptant ce juré, il demandait à Murray une trêve.

Murray récusa Herbert Iaukéa et Tom sut quelle était la réponse du procureur : Murray ne céderait jamais. Il restait quatre hommes sur les douze premiers et Tom les élimina tous les quatre par récusation péremptoire. L'huissier fit entrer dix autres hommes dans le box, y compris Chester Lahaïna. Quand le dernier des dix fut récusé et que l'huissier suivit Lahaïna pour remplir le box des jurés une troisième fois, le juge dit :

— Un instant.

Il leva les deux mains et fit signe à Tom et à Murray de s'avancer jusqu'à la tribune.

— Deux sur vingt-deux, dit le juge. Vous savez faire les additions et les soustractions aussi bien que moi. Des cinquante premiers jurés pressentis, nous allons en avoir peut-être quatre. On ne nous accorde que deux groupes de cinquante. Nous ne sommes pas la seule cour de ce comté. Je vais être obligé d'ajourner pendant que l'administration me trouve un autre groupe. Mettez-moi dans votre secret.

— J'utilise mon droit de récusation péremptoire, Votre Honneur, dit Murray.

— Merci du renseignement ! lança le juge. A votre tour, dit le juge à Tom.

— J'essaie de réunir un jury impartial, Votre Honneur.

— A *mon* tour, dit le juge. Vous aurez vite terminé l'un et l'autre vos récusations péremptoires. Le procès commencera bientôt et vous n'éliminerez pas le prochain groupe de jurés comme une lettre à la poste. Cette affaire va être jugée, c'est bien compris ?

Murray se redressa.

— Est-ce que Votre Honneur me menace ?

— Non. Et vous, ne me menacez pas, monsieur le procureur de

district! dit le juge. Pas dans ma salle d'audience. J'ai moins de jugements cassés que n'importe quel autre magistrat du Territoire.

Il fit signe à l'huissier.

— Faites-les asseoir.

Tom revint près des défendeurs. Ils ne le quittaient pas des yeux. Il avait les mains moites. Il les frotta contre ses cuisses. Murray pouvait se permettre d'élever la voix parce qu'il allait convoquer Hester Murdoch à la barre. Harry donna un coup de coude à Tom.

— Qu'est-ce qu'il a dit?

Ils se penchèrent sur la table. Tom secoua la tête.

Quand le juge suspendit l'audience pour le déjeuner, seuls les deux premiers jurés se trouvaient dans le box.

Gerald se leva et s'appuya à la balustrade. Il vit les inculpés se lever à leur tour, serrés contre leur avocat. Il vit le grand, Liliuohé, leur chef. Liliuohé s'écarta de la bande, solitaire. Il avait l'air content. Et fier.

— Gerald!

Doris Ashley attendait dans l'allée avec Hester.

— Je nous ai réservé une table au Club, dit-elle.

Hester recula. Tout le monde à Honolulu allait déjeuner au Club Hawaï. Et tout le monde allait lui présenter des condoléances. Ils défileraient à leur table comme à une veillée funèbre. Les femmes l'embrasseraient. Il faudrait qu'elle les remercie, qu'elle leur mente, à tous...

— J'attendrai ici, dit Hester.

— Mon bébé, nous ne pouvons pas nous dérober, dit Doris Ashley. Nous devons garder la tête haute. Gerald!

Mon Dieu, elle était ravie!

— Nous irons à pied, dit Doris. Un peu d'air pur nous fera du bien.

Hester s'assit et glissa les jambes sous le banc. Quelqu'un bouscula Doris par inadvertance.

— Gerald, aidez-la.

Des gens les regardaient. Le procureur de district franchit la barrière.

— Excusez-moi, dit-il. Ça ne va pas?

Doris Ashley dut reculer entre les sièges. De quoi se mêlait-il. Elle eut envie de le chasser à coups de pied.

— Si, si, dit-elle. Ma fille est un peu faible. Il ne faut pas vous en soucier.

Elle revint dans l'allée.

— On nous attend, mon enfant, dit-elle.

Hester baissa la tête.

— Gerald, aidez-la.

Gerald s'assit à côté d'Hester. Elle crut qu'il allait la sauver.

— Attendons que les autres s'en aillent, dit-il.

Bryce l'aurait prise dans ses bras et aurait éclaté de rire au nez de Doris Ashley.

— Soit, dit Doris. Vous avez raison, Gerald. Attendons.

Gerald vit les inculpés franchir la barrière avec leur avocat et remonter l'allée en triomphe.

A la sortie de la salle, Mike Yoshida annonça qu'ils pourraient manger pour pas cher au restaurant de son oncle, dans le quartier. Pour Tom, manger semblait un châtiment. Il avait besoin de réfléchir. Il fallait qu'il arrête Murray. Comment pourrait-il y parvenir ?

— Je n'ai pas très faim.

Il ne put pas s'esquiver. Ils l'entouraient. Il était leur bastion, leur rempart. Avec lui, ils se sentaient en sécurité. Ils avaient fini par le croire, par accepter ses promesses de justice et de liberté.

Mike commanda et les quatre jeunes gens en pleine santé se gavèrent comme des gloutons grâce à la générosité du patron. Tom ne se rappela jamais ce qu'il mangea. Le thé était brûlant, les voix autour de lui assourdissantes. Les visages à la table s'estompèrent et Tom ne vit plus qu'une chose : les deux *Haolés* dans le box du jury. « Il faudrait repartir de zéro », se dit-il.

Quand Tom entra, avant les autres, la salle d'audience était vide et sombre. A la table de la défense, il prit la liste des jurés pressentis. Il la leva pour pouvoir lire, puis il regarda le plafond. Les lampes formaient deux lignes parallèles, de l'estrade aux portes de la salle. Un sentiment violent s'empara de lui. Il quitta la table et s'avança jusqu'à la barre des témoins. Il regarda les défendeurs, assis ensemble, face à lui. Il entendit leurs questions. Ils exigeaient une explication.

— Rien, dit-il comme les lumières s'allumaient.

Tom n'avait pas vu arriver l'huissier et il avait oublié la liste qu'il tenait à la main. Il la relut. Warren Kamahélé serait le deuxième homme du prochain groupe de dix que l'huissier introduirait dans le box.

Le juge Walker entra dans la salle quelques minutes avant 2 heures. Tom regarda l'huissier faire avancer dix hommes dans le box du jury. Warren Kamahélé était bien le deuxième de la file. Il faisait songer à un brave grand-père. Il portait une chemise blanche toute neuve. Le col était encore raide et l'on voyait les plis de la fabrique.

— Messieurs, avancez-vous, je vous prie, dit le juge au procureur et à l'avocat de la défense.

Tom arriva avant le procureur. Quand Murray le rejoignit, le juge dit :

— J'espère que vous ferez beaucoup mieux cet après-midi.

Tom avala sa salive. Sa gorge lui faisait mal.

— Votre Honneur, nous avons entendu vos instructions de ce matin.

Il devait faire confiance à Warren Kamahélé. Un juré valait mieux que rien du tout.

— La défense accepte que le jury prête serment tel qu'il est.

— *Vous* acceptez ! lança Murray. Vous n'êtes pas procureur.

— C'est la première bonne idée que j'ai entendue de la journée, dit le juge. Qu'en pensez-vous, monsieur Murray ?

— Je ne suis pas ici pour laisser la défense choisir un jury.

— Il ne le choisit pas. Ces hommes ont été tirés au sort. Et l'avocat de la défense vous demande si vous êtes d'accord.

— Je ne suis pas d'accord, répondit Murray. Pourquoi cette hâte ? Nous ne sommes qu'au premier jour, Votre Honneur.

— Merci de me le rappeler, dit le juge. Au revoir.

Tom revint à la table de la défense. Il ne pourrait pas arrêter Murray. Il entendit Harry Pohukaïna lui poser des questions. Il était incapable de répondre. Incapable de regarder Harry, ou les autres. Ils n'avaient aucune chance.

— Monsieur Murray.

Murray se dirigea vers le box du jury, la liste à la main. Mervin Fielding était assis à la place du juré numéro trois. Il portait un complet blanc et des souliers noir et blanc. Il avait une fleur à la boutonnière.

— Monsieur... Fielding. Quelle est votre profession ?

— Les assurances. Je suis dans les assurances. Toutes les formes d'assurances, pour toute la famille, du berceau au tombeau.

— Vous êtes marié ?

— Marié à mon métier, comme on dit. Je n'ai jamais pris le temps, sans doute.

— Vous êtes né à Hawaï, monsieur Fielding ? demanda Murray.

— Né et élevé dans le Territoire, oui monsieur.

— Acceptable pour l'État, Votre Honneur.

— Monsieur Haléhoné, dit le juge.

Tom attendit que le procureur ait repris sa place.

— Votre Honneur, j'ai un immense respect pour le procureur de district. C'est un membre éminent du parquet. Si le juré est acceptable pour le procureur, il l'est aussi pour la défense.

Tom demandait à Murray d'accepter Warren Kamahélé.

— Bien, bien, dit le juge. Eh bien, monsieur Murray, le juré suivant ?

Murray resta assis.

— Récusé.

— Vous ne l'avez même pas *regardé !* s'écria Tom en bondissant de sa chaise pour contourner la table de la défense. Vous ne récusez pas des hommes, vous récusez des *noms !*

Tom s'arrêta devant la tribune du juge et brandit la liste au-dessus de sa tête.

— Pourquoi ne pas renvoyer le reste des jurés pressentis, Votre Honneur ?

— Votre Honneur... commença Murray, mais Tom s'était mis à crier.

— Renvoyez ces hommes ! Pourquoi nous faire perdre notre temps à tous.

— Silence ! lança le juge Walker en saisissant son maillet. Messieurs ! Tous les deux ! Je vous rappelle à l'ordre !

Murray traversa l'espace vide devant la tribune comme une torpille.

— Cet homme ne devrait pas prendre la parole dans une cour de justice ! cria-t-il.

— Taisez-vous ! Tout de suite, dit le juge, debout, penché en avant. Je vous avertis tous les deux ! A votre place, monsieur Murray, lança-t-il en brandissant son maillet. A votre place, j'ai dit.

Murray recula et le juge braqua le maillet vers Tom.

— Vous évoquiez le parquet il y a quelques minutes. Vous, vous avez dû entrer au barreau par la petite porte. Pour votre gouverne, je vous signale que le procureur de district usait de son droit de récusation péremptoire.

Il tendit le bras en arrière pour saisir le dossier de son siège.

— Regagnez tous les deux vos places.

Tom revint à la table du conseil de la défense. Les quatre jeunes souriaient. Joe lui lança un clin d'œil. Ils étaient fiers de lui ! Tom eut envie de hurler, de leur dire de fuir, de sauver leur peau. Il s'arrêta près de sa chaise. Il n'avait plus rien à perdre.

— Votre Honneur, dit-il.

— Attention, maître, prévint le juge.

— Mes clients ont droit à un jury composé de leurs pairs, dit Tom. Ils ne l'obtiendront pas dans cette enceinte parce que le procureur de district n'a pas envie d'un vrai jury. Il veut des béni-oui-oui.

Murray bondit et donna un coup de poing à sa chaise.

— Je n'en supporterai pas davantage !

— Moi non plus, dit le juge. Je vous ai assez entendu, monsieur Haléhoné.

— Vous pouvez me citer pour outrage à magistrat, Votre Honneur, répondit Tom, tremblant de tous ses membres. Vous pouvez me révoquer. Je n'ai pas la possibilité de représenter mes clients devant cette cour. Pas en face de ce procureur de district. Personne ne pourrait les représenter. Les défendeurs n'ont aucune chance. Jamais ils n'obtiendront un procès équitable ! L'affaire est terminée avant de commencer !

— Qu'il soit fait selon vos désirs, dit le juge. Je vous cite pour outrage.

— Mettez-moi en prison, cela n'y changera rien, répliqua Tom. Mes clients sont coulés ! Ils sont finis !

Tom fit volte-face et s'élança vers le box des jurés. Il s'arrêta en face de Warren Kamahélé, qui rentra la tête dans les épaules comme si Tom allait le frapper.

— Regardez ce juré, dit Tom, élevant de nouveau la voix. Le procureur de district l'a récusé pour une seule raison ! Son *nom* !

— C'est un mensonge ! cria Murray, qui mentait.

Le juge frappa sur la table avec son maillet.

— Huissier ! lança-t-il en continuant de marteler.

Tom s'accrocha au box des jurés, pour tenter d'arrêter son tremblement.

— Il s'appelle Warren Kamahélé, dit-il tandis que l'huissier se dirigeait vers lui. Il est citoyen, sinon il ne serait pas ici. Il n'a pas l'air d'un assassin. Êtes-vous un assassin, monsieur Kamahélé ?

L'huissier arriva près du box du jury.

— Ne me faites pas d'ennuis, dit-il à voix basse.

— Je n'essaie pas de me dérober, cria Tom. Je veux seulement poser quelques questions.

— Votre Honneur ne peut-il pas l'arrêter ? lança Murray en s'avançant vers le juge. Il transforme le tribunal en piste de cirque.

— Huissier ! dit le juge.

Tom se glissa sous le bras de l'huissier et s'élança vers la barre des témoins.

— Le juré a été récusé, dit Tom. Pourquoi le procureur de district a-t-il peur que je lui pose des questions ?

— Vous devriez avoir honte, dit Murray. Vous avez failli à toutes les règles de conduite.

— C'est vrai, dit Tom. Je suis cité pour outrage et vous non. Je n'ai désigné aucun juré, vous les avez tous choisis. Je n'ai pas servi mes clients. Je leur ai fait du tort. Je croyais qu'ils obtiendraient justice dans cette salle. Je les ai *convaincus* qu'ils obtiendraient justice et ils ont fini par me croire. Ils n'auraient pas dû. Vous avez raison, j'ai failli à toutes les règles. Et donc vous triomphez, monsieur Murray. Vous m'avez bloqué.

Tom se dirigea vers la table de la défense. Il fallait qu'il affronte à présent les quatre jeunes gens.

Le juge vit la longue file de journalistes, têtes baissées comme s'ils priaient ; leurs mains s'agitaient nerveusement sur leurs blocs-notes. Partout, dans le Territoire et dans la métropole, les gens liraient demain leurs articles sur le *Kanaka* infirme qui prétendait ne pas pouvoir obtenir un procès équitable dans la salle d'audience du juge Sam Walker.

— Monsieur Haléhoné, dit le juge en le pointant de son maillet. Vous vouliez l'interroger, interrogez-le.

— Vous ne pouvez pas faire ça ! cria Murray.

— Je le fais. Gardez vos remarques pour la fin du procès, procureur... Vous aviez l'air pressé, tout à l'heure, lança-t-il à Tom. Allez ! Interrogez-le.

— Merci, Votre Honneur.

Il revint près du box du jury, en face de Warren Kamahélé.

— Il ne faut pas avoir peur, lui dit-il en souriant. Vous allez partir d'ici dans quelques minutes. Et vous n'aurez pas à revenir. Quel âge avez-vous, monsieur Kamahélé ?

— Soixante-cinq ans. Presque soixante-six. Bientôt.

— Vous êtes marié ?

Le vieil homme saisit les deux bras du fauteuil.

— Oui, marié.

— Des enfants ?

— Trois.

— Parlez-nous de vos enfants, dit Tom. Quel âge ont-ils ? Comment gagnent-ils leur vie ?

— Ils sont tous adultes, répondit Kamahélé. Deux garçons et une fille. Le plus âgé, Adam, est pasteur. Et maintenant, son fils a envie d'être pasteur lui aussi. Mon autre fils, Luke, est instituteur. Il aime l'enseignement. Il va même au temple d'Adam pour enseigner à l'école du dimanche.

Tom sourit.

— N'oubliez pas votre fille.

— Elle est chez nous, avec nous, moi et ma femme. Son mari est mort, alors elle est revenue chez nous avec ses enfants. Deux garçons. Elle travaille. Elle travaille dur. Son aîné est aux États-Unis, à l'université du Colorado. Il a toujours aimé les animaux, ce petit. Il étudie pour devenir, euh...

Kamahélé secoua la tête.

180

— Vétérinaire ? souffla Tom.

— Vétérinaire.

Il faillit parler à l'avocat de l'oie qui vivait encore dans la cour, mais il préféra ne pas prendre de risques. L'avocat avait dit qu'il pourrait rentrer chez lui bientôt.

— Vous avez de bons enfants, dit Tom. Vous pouvez en être fier.

— Ils sont gentils, répondit Kamahélé. Et leurs enfants aussi.

Tom s'écarta pour que Murray puisse voir Kamahélé.

— Vous êtes propriétaire de votre maison ? demanda-t-il.

— Presque. Encore deux ans et elle sera payée.

— Vous avez beaucoup de dettes ? demanda Tom.

Kamahélé le regarda.

— Vous devez beaucoup d'argent ? dit Tom.

— On paie toujours comptant. Si on ne peut pas payer, on n'achète pas.

— Monsieur Kamahélé, avez-vous été arrêté ?

— *Arrêté ?* lança Kamahélé, stupéfait par la question. *Et pour quelle raison ?*

— N'importe quelle raison. Avez-vous déjà été arrêté pour une infraction quelconque ?

— Non, non, non, répondit le vieil homme en secouant énergiquement la tête.

— Quelqu'un de votre famille a-t-il été arrêté ? demanda Tom. Votre femme, vos enfants, ou l'un de vos petits-enfants ?

— Non, monsieur. Personne. Personne de ma famille.

Il s'avança sur son siège pour la première fois depuis son entrée dans le box du jury.

— Je n'ai jamais parlé à un seul homme de la police de toute ma vie.

Une exclamation lui échappa.

— Je ne vous ai pas entendu, dit Tom.

— Je viens de me souvenir. Mon fils, Adam, le pasteur, quand il était à l'école, il faisait la police de sa classe. Donc j'ai parlé à *un* homme de la police, une fois.

— Merci beaucoup, monsieur Kamahélé, dit Tom.

Il fit signe au vieillard, qui poussa sur les deux bras du fauteuil pour se lever.

— Merci, Votre Honneur, dit-il en se tournant vers l'estrade.

Il attendit près du premier juré que Kamahélé sorte du box, puis il l'accompagna jusqu'à l'allée, près du mur.

A la table de l'accusation, Leslie McAdams se pencha en avant.

— Walker ne mérite pas la tribune, chuchota-t-il.

— Personne ne la mérite, dit Murray en se grattant le bras. Mon psoriasis est revenu.

— Nous pouvons encore le bloquer, dit McAdams, parlant de Tom.

— Non. Il nous a bloqués.

McAdams se redressa et dévisagea le procureur de district.

— Les journalistes ne sont pas idiots, et certains viennent de métropole. C'est à leur intention qu'Haléhoné a joué son numéro. Ils écriraient que nous avons garni le box du jury avec une bande de lyncheurs. Vous imaginez l'effet produit, aux États-Unis.

A 16 heures, quand le juge Walker ajourna, un quatrième juré avait été désigné. Il se nommait Tanoyé Fujimoto.

— Monsieur Haléhoné, je vous verrai dans mon bureau, dit le juge.

Tom s'y rendit aussitôt.

— Il vous attend, lui dit la secrétaire en indiquant d'un signe de tête la porte fermée.

Tom frappa.

— Il vous attend, je vous ai dit.

Tom ouvrit la porte. Le juge Walker, en bras de chemise derrière son bureau, était en train d'allumer une cigarette. Il n'invita pas Tom à s'asseoir.

— Je ne vous enverrai pas en prison, dit le juge. Je le devrais, mais je ne le ferai pas.

Il ne voulait pas transformer ce petit malin en héros.

— Vous n'aurez qu'une amende. Ce n'est pas payer cher votre incartade d'aujourd'hui, reprit-il en posant les coudes sur son bureau. Mais c'est votre dernière incartade gratuite, maître. Plus de feux d'artifice, compris ?

Il le congédia d'un geste, tandis que Tom le remerciait.

Deux jours plus tard, juste avant la suspension de séance du déjeuner, le dernier juré fut enfin choisi. Il se nommait Andrew Lihilini.

Dans l'*Outpost Dispatch,* sous la plume de Jeff Terwilliger :

« Jamais au cours de ma carrière comme avocat de la défense ou comme procureur général je n'ai rencontré une affaire criminelle aussi chargée de haine, aussi laide, aussi obscène, aussi brutale. » Tels furent les premiers mots de la déclaration liminaire de l'accusation, prononcée par Philip Murray hier après-midi, au procès du viol d'Hester Ashley Murdoch.

« Une jeune femme débordante de vie, protégée, mariée depuis peu, une femme au cœur ouvert, pleine de *confiance,* possédant l'innocence d'un enfant, est devenue infirme, peut-être de façon irréversible, à la suite de l'agression de quatre hommes dont l'attaque sauvage laisse toutes les personnes normales sans voix », a poursuivi le procureur de district.

Murray a résumé la position de l'État contre les quatre inculpés, Joseph Liliuohé, Harry Pohukaïna, Michael Yoshida et David Kwan. Le procureur de district a souligné que les preuves contre les quatre hommes sont accablantes et il a présenté ses arguments en détail. Il a gardé pour la fin de sa déclaration les mots les plus durs et appris au jury qu'Hester Ashley Murdoch avait identifié les quatre hommes le lendemain du jour où ils l'avaient violée...

Dans son bureau du quartier général de Pearl Harbor, l'amiral Glenn Langdon continua de lire, lentement, l'article de Terwilliger, qui commençait en première page. Il avait chaussé ses lunettes de lecture et il se penchait sur le journal. Il l'ouvrit à la page 14, où se trouvait la fin du texte.

Au contraire, Tom Haléhoné, le conseil de la défense, a présenté une déclaration d'ouverture très brève. Il a affirmé aux jurés que les inculpés étaient innocents, puis il a esquissé rapidement leur biographie. Aucun d'eux n'avait eu maille à partir avec la police avant cette nuit fatale.

— Jamais *attrapés* auparavant, corrigea l'amiral à haute voix.

Il posa le journal à plat sur son bureau et chercha la règle à tâtons. Il ôta ses lunettes et souleva le journal. La règle avait disparu.

— Chef !

Un homme du même âge que l'amiral ouvrit la porte. Le chef de bureau portait un uniforme bleu avec trente centimètres de galons rouges d'ancienneté sur la manche droite.

— Où est ma règle ?

La règle appartenait au chef, qui l'avait reprise la veille au soir. L'amiral exigeait un bureau nu.

— Je l'apporte, amiral.

A l'aide de la règle, l'amiral découpa l'article de Terwilliger. Il prit une chemise de classement dans un tiroir de son bureau. Elle contenait les autres articles de Terwilliger sur le procès. L'amiral relut les noms des jurés. Au-dessus de Tanoyé Fujimoto et d'Andrew Lihilini, l'amiral avait mis, à l'encre, un point d'interrogation.

— Faites comparaître votre premier témoin, dit le juge Walker, le lendemain des déclarations d'ouverture.

— Appelez Peter Monji, dit le procureur de district.

Le jeune homme mince, dont les cheveux noirs coiffés en arrière luisaient de Gomina, descendit l'allée. Il portait un costume clair et des souliers noir et blanc. Il se pencha sur la barrière et dut s'y reprendre à trois fois pour ouvrir le loquet. Le procureur l'attendait près de la barre. Peter Monji s'assit et remonta les jambières de son pantalon pour éviter de briser le pli.

Quand il eut prêté serment, Murray lui dit :

— Indiquez votre nom et votre profession.

— Je m'appelle Peter Monji et je suis infirmier à l'hôpital, salle des urgences.

— Résumez vos activités pour le jury, je vous prie. Expliquez aux jurés ce que vous faites.

— Je suis infirmier, dit Peter. J'aide pour les malades, j'aide le toub... docteur. Je les tiens sur la table pour qu'il puisse travailler. Je lui apporte les affaires : les seringues, les médicaments, le sparadrap, les éponges, les bandes Velpeau, tout ce dont il a besoin.

— Monsieur Monji, Hester Murdoch était bien l'une de ces malades dans la soirée du 20 septembre ?

C'était bien la première fois qu'on l'appelait « monsieur ».

— Oui, monsieur. Hester Anne Ashley Murdoch était l'une des malades.

— Maintenant, monsieur Monji, dites à la cour quand vous avez vu Mme Murdoch pour la première fois.

— Je l'ai d'abord vue dehors... Moi et le flic.

A la table de la défense, Mike Yoshida lança un regard noir à Joe.

— Parce que tu avais besoin de traîner là-bas !

Il sentit la main de Tom le secouer et il se laissa retomber en arrière, les yeux rivés sur le témoin.

— En dehors de la salle des urgences ? demanda Murray.

— Ouais... Euh, oui.

— Racontez-nous, à votre manière, comment vous avez découvert Mme Murdoch, dit le procureur.

— J'étais dans la salle des urgences. On était très occupés. Le samedi soir, vous voyez... Ce flic... l'agent était avec nous. Il avait ramené un type qui s'était fait découdre... suriner... poignarder. Le malade était poignardé. Et le toub... docteur s'occupait de lui. Il le suturait. Moi, j'aidais. Je le tenais couché sur la table, comme je vous ai dit. Tout d'un coup, nous avons entendu le bruit, une sorte de cri de femme, comme qui dirait. Je suis sorti jeter un œil, moi et le flic... l'agent. Il y avait une voiture qui filait du parking et la femme était là, elle avait du mal à tenir debout. On aurait dit qu'elle allait se ramasser d'une seconde à l'autre.

— Se ramasser ?

— Comme si elle chutait, quoi. Tombait, reprit Peter Monji. Alors moi et le... l'agent, on a couru vers elle.

— Vous l'avez conduite dans la salle des urgences ?

— On l'a presque portée. Elle était salement amochée. Sa figure...

Peter fit la grimace.

Gerald Murdoch, à côté d'Hester, regarda les quatre brutes avec leur avocat. Il ne pouvait pas voir *leurs* figures. Il eut soudain envie de les regarder, de les voir ricaner en écoutant ces mots, assis comme des pachas.

— Décrivez-moi son visage, dit le procureur de district.

— Du gâchis, dit Peter Monji. Comme si on l'avait travaillée avec un hachoir à viande ou une batte de base-ball.

— Ou des poings ?

— Objection ! lança Tom. Le procureur de district souffle ses réponses au témoin.

Mais le jury avait entendu la question.

— Votre Honneur, protesta Murray, le témoin travaille dans la salle des urgences d'un hôpital. Ce n'est peut-être pas un expert, mais il a une vaste expérience de ce genre de cas.

— J'autorise la question, dit le juge Walker. Objection repoussée.

— Monsieur Monji, est-il possible que les blessures de Mme Murdoch aient été causées par des poings ?

— Ouais... Oui... Bien sûr, répondit Peter Monji.

Et Murray continua d'interroger l'infirmier, posant des questions de plus en plus précises.

Gerald se pencha en avant, caché par les journalistes assis devant la barrière. Mais que Monji se taise donc ! Il eut envie de bondir, d'exiger que Murray s'arrête. Sa tête bourdonnait. Il avait besoin d'un verre d'eau, mais il était incapable de bouger : il ne voulait pas que tout le monde le voie en train de fuir.

— Pas d'autres questions ?

— Tom !

Joe se penchait vers lui, les mains sur la table de la défense, doigts écartés.

— Ils croient qu'on l'a fait !

Tom secoua la tête.

— *Tom !*

— L'avocat de la défense désire-t-il, oui ou non, procéder au contre-interrogatoire du témoin ? demanda le juge Walker.

185

— Excusez-moi, Votre Honneur.

Tom écarta sa chaise et s'éloigna de la table de la défense. Il s'arrêta près de la barre des témoins.

— Monsieur Monji, combien de temps Mme Murdoch est-elle restée dans la salle des urgences ?

— Une heure... Peut-être plus. Elle était salement touchée. Le toubib... le docteur Puana a travaillé sur elle longtemps.

— Une heure ou plus longtemps... Et vous ne l'avez pas quittée.

— Non, bien sûr. J'aidais, répondit Peter.

— Mme Murdoch a-t-elle dit qu'elle avait été violée ?

— Elle n'a rien dit.

— Elle n'a pas parlé pendant l'heure — ou plus — où elle se trouvait dans la salle des urgences ? Elle n'a pas prononcé un seul mot ?

— Euh... Pas grand-chose. Son nom, et de temps en temps elle disait qu'elle souffrait beaucoup, quelque chose comme ça. Elle disait : « Arrêtez » ou « Me faites pas mal », ce genre de trucs.

— A-t-elle dit qu'on l'avait violée ? demanda Tom.

— Non.

— A-t-elle prononcé le mot *viol* ?

— Objection, dit Murray. L'avocat de la défense harcèle le témoin.

— Objection repoussée, dit le juge.

Si l'on censurait le viol de l'affaire, autant que chacun rentre tout de suite chez soi.

— Je répète la question, dit Tom. A-t-elle prononcé le mot *viol* ?

— Si elle l'a fait, je ne l'ai pas entendu, répondit Peter.

— Avez-vous entendu *qui que ce soit* prononcer le mot *viol* ?

— Pendant qu'elle était dans la salle des urgences ?

— Pendant qu'Hester Murdoch était dans la salle des urgences, avez-vous entendu quelqu'un prononcer le mot *viol* ?

— Non, pas ce soir-là.

— Nous parlons de *ce soir-là,* insista Tom. Avez-vous entendu le mot *viol, ce soir-là ?*

— Non, dit Peter.

Le juge se pencha sur sa gauche.

— D'accord, maître, dit-il à Tom. Vous avez pressé le citron jusqu'à la dernière goutte.

Le filet s'est resserré autour des quatre inculpés dans le procès du viol d'Hester Anne Ashley Murdoch, au cours de l'audience d'hier. Après quatre journées d'audiences devant le juge Stanley Walker, à la cour du district, la position de l'accusation contre Joseph Liliuohé, Harry Pohukaïna, Michael Yoshida et David Kwan semble à toute épreuve. Le procureur Philip Murray continue de présenter une série de preuves soigneusement établies pour associer les inculpés au crime révoltant qui a bouleversé Hawaï et la métropole.

L'agent Roy Pabst, de la police d'Honolulu, premier témoin appelé hier, a corroboré le témoin précédent quand Murray l'a interrogé sur l'état de Mme Murdoch à son arrivée à l'hôpital de la Miséricorde, dans la soirée du 20 septembre. Pabst venait de conduire à la salle des urgences, pour traitement, un homme qui avait reçu un coup de couteau.

L'avocat de la défense, Tom Haléhoné, orienta son contre-interrogatoire de la même manière que la veille et demanda à Pabst si Mme Murdoch avait dit qu'elle avait été violée. Bien que Pabst eût répondu par la négative, Haléhoné harcela ces témoins jusqu'à ce que le juge Walker, comme la veille, ordonne à l'avocat de la défense de changer sa ligne d'interrogatoire.

Gerald lut jusqu'au bout l'article de Terwilliger. Assis dans le salon de *Windward,* en complet clair, il attendait Hester et Doris Ashley. Theresa lui avait apporté une tasse de café, mais Gerald l'avait refusée. Seul dans la remise des voitures, il n'avait pas dormi. Longtemps avant le point du jour, il était descendu dans la petite cuisine, tout habillé, et il avait bu, debout près du réchaud électrique, le café qu'il s'était préparé.

Il lisait encore lorsqu'il entendit le crissement des pneus sur le gravier de l'allée. Il se dirigea vers la double porte : c'était bien la voiture de la police. Il aurait aimé la renvoyer. Il aurait aimé prendre sa voiture, filer à Pearl Harbor et demander à l'amiral de l'affecter en mer, n'importe où, sur n'importe quel bateau... Quitter Honolulu à jamais ! Il referma la double porte, traversa la salle à manger et entra dans la cuisine.

— Allez leur dire que la voiture est arrivée, ordonna-t-il à Theresa.

— Je m'appelle Frank Puana, je suis docteur en médecine, déclara Frank à la barre des témoins.

Il portait le costume et les chaussures de ses noces. Ce matin-là, Mary Sue avait ciré les chaussures pendant que Frank se rasait. Elle avait lavé et repassé le mouchoir de soie blanc qu'elle avait disposé avec élégance dans la pochette du veston. Même sans gilet, Frank aurait eu trop chaud. Il détestait s'exhiber ainsi. La chaise réservée aux témoins était glissante. Frank avait l'impression de tomber de plus en plus bas.

— Où pratiquez-vous, docteur ? demanda le procureur de district.

— A l'hôpital de la Miséricorde.

— Vous faites partie du personnel médical de l'hôpital ? demanda Murray.

Frank rentra la tête dans les épaules comme si Murray l'avait giflé. Il se retourna sur son siège, mais il n'y avait aucune dérobade possible. Le procureur le forçait à avouer au monde entier.

— Je suis employé à la salle des urgences, dit Frank.

— De quel genre de maladie vous occupez-vous à la salle des urgences ? demanda Murray.

Frank regarda le procureur de district dans les yeux.

— Je suis docteur en médecine. Médecin et chirurgien qualifié pour pratiquer la médecine. Habilité légalement à exercer la médecine dans le Territoire et dans trente-neuf États de la métropole. Je traite chaque patient pour la maladie qui le pousse à s'adresser à moi.

Le juge Walker baissa les yeux vers le *Kanaka* à la barre des témoins, qui se comportait comme si le procureur l'avait traité de charlatan.

Murray sourit.

— Docteur, vous êtes ici en tant qu'expert. Vos références sont irréprochables. Ma question concernait votre travail à la salle des urgences de l'hôpital de la Miséricorde.

— Je me souviens de votre question, dit Frank, et j'y ai répondu. Je vois de tout. Des plaies, des fractures, des coups de couteau, des blessures par balles, des femmes en travail, des vésicules biliaires enflammées, des appendicites aiguës, des chocs cérébraux, de tout.

— Vous les *voyez*, dit Murray. Vous ne les *traitez* pas tous, n'est-ce pas, docteur ? Vous ne faites pas d'ablations de l'appendice dans la salle des urgences ?...

— Je traite surtout les malades blessés qui ont besoin de soins immédiats, de soins de base, dit Frank.

— Les plaies... dit Murray.

Le juge se tourna vers lui.

— Vous trépignez sur place, procureur, dit le juge. Le témoin est médecin. Docteur en médecine. C'est un fait acquis.

Murray se gratta le bras.

— Docteur Puana, étiez-vous de service la nuit du 20 septembre ?

— Oui.

— Avez-vous traité Hester Murdoch cette nuit-là ?

— Oui, répondit Frank.

Il pouvait la voir au premier rang, entre son mari et sa mère. Il l'avait traitée également *après* cette nuit-là. Et il pouvait le raconter au monde entier. Oui, il pouvait offrir aux journalistes un sujet d'article qui exploserait comme une bombe. Les quatre inculpés le regardaient, mais Frank n'avait pas peur d'eux. Ce n'était pas lui qui avait violé Hester Murdoch, mais eux. Frank n'avait commis aucun délit. Il avait suivi les ordres du grand patron. Claude Lansing lui avait affirmé qu'il s'agissait d'un avortement thérapeutique. Frank concentra toutes ses pensées sur Lansing : jamais plus il ne serait obligé d'avouer qu'il était *employé*. La prochaine fois qu'il se présenterait à la barre des témoins, il ferait partie du personnel de l'hôpital.

— Décrivez-nous l'état de Mme Murdoch quand vous l'avez vue, je vous prie, dit Murray.

— La patiente avait des contusions, des lacérations et des abrasions multiples sur le visage et le cou.

— Provoquées par des poings ? demanda Murray.

Tom bondit de sa chaise.

— Objection, Votre Honneur. Le procureur de district influence le témoin.

— Objection reçue, dit le juge Walker.

— Je formulerai ma question d'une autre manière, Votre Honneur, dit Murray. J'aimerais rappeler à la cour que nous avons abordé la même question avec un témoin précédent.

— Vous me l'avez rappelé. Continuez donc ! dit le juge.

— Docteur, selon vos compétences professionnelles, estimez-vous que les blessures de Mme Murdoch ont pu être provoquées par des poings ?

— Oui, répondit Frank.

— Les blessures ont-elles pu être provoquées par plus d'une personne ?

— Oui.

— Merci, docteur, dit Murray. Voulez-vous, je vous prie, expliquer à la cour comment vous avez traité Mme Murdoch. Souvenez-vous, ajouta-t-il avec un sourire forcé, que nous ne sommes pas médecins.

— Je passe ma vie avec des gens qui ne sont pas médecins, répondit Frank. Les malades et leurs familles.

Il s'appuya au dossier. La chaise ne glissait plus. Depuis ses premiers contacts avec les malades au cours de ses années d'études, Frank avait pris plaisir au dialogue avec les personnes qu'il soignait. Il regarda Hester. Son visage ne comportait aucune cicatrice. Les sutures qu'il avait faites auraient pu être citées partout en exemple.

Murray ne l'interrompit pas. Quand Frank se tut, il lui dit simplement :

— Merci, docteur. Contre-interrogatoire.

Tom quitta la table de la défense sur la gauche de Frank, pour qu'ils puissent l'un et l'autre voir Hester.

— Docteur Puana, avez-vous parlé à Mme Murdoch pendant que vous la soigniez ?

— Elle n'était pas en état de parler, répondit Frank. Elle était à peine consciente.

— Vous n'avez pas répondu à ma question, docteur, dit Tom. Avez-vous parlé à Mme Murdoch ?

— Je n'avais pas le temps de bavarder.

— Saviez-vous qui vous étiez en train de soigner ?

— Évidemment.

— Vous saviez que la patiente était Hester Murdoch ?

— Bien entendu.

— Et comment le saviez-vous ?

— Elle me l'a dit. Je le lui ai demandé et elle me l'a dit, répondit Frank.

— Donc vous avez tout de même parlé à Mme Murdoch.

— Si on peut appeler ça parler, répondit Frank.

Tom hésita pendant un instant. Ce type était vraiment *dément !*

— Vous souvenez-vous d'autre chose que vous ayez dit ou que Mme Murdoch ait dit ?

— La patiente était sous anesthésique, répondit Frank. Je l'avais anesthésiée.

— Était-elle consciente ?

— De temps en temps, plus ou moins. J'étais très occupé. J'avais une malade gravement blessée.

— Essayez de vous souvenir, docteur, je vous en prie, insista Tom. C'est très important. Est-ce que Mme Murdoch vous a dit quoi que ce soit en dehors de son nom ?

— Je vous ai déjà expliqué... commença Frank, puis il s'arrêta et secoua la tête. Non, dit-il.

— A-t-elle dit qu'on l'avait violée ?

Au premier rang, Hester murmura : « Laissez-moi sortir. » Elle voulut se lever, mais Doris Ashley la prit par le bras.

— Elle ne l'a pas dit, répondit Frank.

Hester dégagea son bras d'un geste brusque.

— J'ai besoin d'un verre d'eau, murmura-t-elle en se levant. Doris Ashley se leva à son tour. Elle ne pouvait pas laisser Hester partir seule, elle disparaîtrait. Mais Doris avait besoin d'aide.

— Gerald ?

Gerald ne se retourna pas. Il ne les regarda pas. Il secoua la tête, sans quitter le témoin des yeux. Il fallait que quelqu'un reste pour affronter ces quatre salopards.

Tom vit Hester et Doris Ashley remonter l'allée. Il quitta la barre des témoins et tourna le dos à la tribune du juge.

— Docteur, avez-vous examiné Mme Murdoch pour découvrir si elle avait été violée ?

— Est-ce que j'ai ?... Non !

Tom regarda Hester et Doris Ashley quitter la salle d'audience, puis se tourna vers le témoin.

— Existait-il des signes indiquant que Mme Murdoch avait été violée ? demanda-t-il. Ses vêtements étaient-ils déchirés ?

— Sa robe était sale, répondit Frank.

— Était-elle déchirée ? Y avait-il des signes de lutte ?

— Je vous l'ai dit, sa robe était sale.

— Ses sous-vêtements étaient-ils déchirés ?

— Je ne peux pas répondre à cette question, dit Frank. Je ne la soignais pas pour... J'ai déjà expliqué que je ne l'ai pas examinée en vue d'établir la preuve d'une activité sexuelle.

— Mme Murdoch portait-elle des sous-vêtements ? demanda Tom.

Le juge Walker leva la main en direction de Tom.

— Écoutez, maître, vous avez épuisé cette voie. Passez à autre chose.

— Je n'ai plus qu'une question, Votre Honneur, répondit Tom en s'avançant vers la barre des témoins. En tant que médecin, docteur Puana, avez-vous la moindre preuve établissant que Mme Murdoch a été violée ?

— Je n'en ai pas !

— Aucune preuve ?

— Aucune, dit Frank.

A la reprise de l'audience après le déjeuner, le procureur de district appela Doris Ashley à la barre. Au premier rang du public, Doris fit passer ses gants d'une main dans l'autre.

— C'est mon tour de passer l'épreuve, murmura-t-elle à Hester. Je ne te ferai pas faux bond, mon bébé.

Doris se leva, la tête haute. Elle franchit la barrière et se dirigea vers l'huissier qui tenait la bible, comme si elle suivait une ouvreuse jusqu'à sa place réservée, pour le match de polo du dimanche.

L'interrogatoire de Murray fut bref.

— Je n'ai que deux questions à vous poser, dit-il après avoir établi que Doris Ashley était la mère d'Hester. Tout d'abord, comment avez-vous appris que votre fille avait subi les outrages sexuels de quatre hommes ?

— Elle me l'a dit. Sur son lit d'hôpital. Sur son lit de souffrances.

— Madame Ashley, dit le juge.

Elle se tourna vers la tribune.

— Bornez-vous à répondre à la question.

Il se rassit et ordonna au sténographe de la cour de rayer les mots « Sur son lit d'hôpital. Sur son lit de souffrances. »

— Ma dernière question, madame Ashley, reprit Murray. Votre fille vous a-t-elle déjà menti ?

— Jamais ! mentit Doris Ashley.

— Le témoin est à vous, dit Murray en passant devant la table de la défense.

— Pas de question, répondit Tom.

Il n'avait rien à gagner d'un contre-interrogatoire de Doris Ashley, qui attirerait forcément la sympathie : n'était-ce pas une malheureuse veuve placée malgré elle sous les feux cruels de l'attention du public ? Tom resta debout pendant que Mme Ashley regagnait l'allée, et demeura près de sa chaise jusqu'à ce qu'elle ait rejoint Hester, au premier rang.

— Appelez le Dr Claude Lansing, dit le procureur.

L'huissier au fond du tribunal ouvrit l'une des portes.

— Docteur, dit-il.

Lansing tira sur l'ourlet de son veston. Il portait un costume écossais à veston croisé. Il était prêt. Il suçait des pastilles depuis presque une heure et il avait l'haleine fraîche. Il fit bouffer le mouchoir blanc dans la pochette de sa veste et entra.

Le procureur de district fut aussi bref avec lui qu'avec Doris Ashley. Lansing déclara sous serment qu'Hester avait subi une intervention chirurgicale d'interruption de grossesse six semaines après la nuit où elle avait été admise à l'hôpital de la Miséricorde, à demi consciente à la suite de coups reçus.

— Depuis combien de temps Mme Murdoch était-elle enceinte, docteur ? demanda Murray.

Lansing sortit son peigne de sa poche.

— Entre sept et huit semaines... Le premier jour suivant la dernière période menstruelle est considéré comme le premier jour de la grossesse, répondit Lansing.

— Pas d'autres questions. Votre Honneur...

Tom se leva et se dirigea vers Lansing.

— Docteur, existe-t-il un moyen de démontrer qui était responsable de la grossesse de Mme Murdoch ? demanda Tom.

— Il n'existe aucune méthode scientifique, répondit Lansing.

— Était-il possible que ce fût son mari ?

— Objection ! lança Murray en bondissant. L'avocat de la défense demande au témoin de faire une conjecture.

— Objection repoussée, trancha le juge. Que le témoin réponde à la question.

Lansing se tourna vers la tribune.

— J'ai déjà répondu. Il n'est pas possible de répondre scientifiquement à la question.

— En d'autres termes, nous ne saurons jamais qui était le père de l'enfant supprimé, dit Tom.

— Exactement, dit Lansing en passant la main dans ses cheveux.

Il avait la gorge sèche.

— Merci, docteur, dit Tom en lui tournant le dos.

Lansing regarda le juge.

— Vous pouvez vous retirer, docteur.

Lansing quitta la barre. Il essaya de marcher à pas lents comme s'il avait tout le temps devant lui. Il avait une bouteille d'alcool dans sa sacoche de médecin, sur le siège de sa voiture. Dès qu'il commença à remonter l'allée, le procureur de district quitta sa place.

Il tourna le dos à la tribune, contourna la rangée de journalistes et s'arrêta à la barrière.

— Faites comparaître Hester Anne Ashley Murdoch, fit-il comme s'il parlait à elle seule.

Il se pencha pour ouvrir la barrière. On aurait dit un laquais.

— Je suis avec toi, mon bébé, murmura Doris Ashley.

— Bonne chance, dit Gerald en se levant pour aider Hester.

Doris Ashley se leva à son tour. Hester entendit la salle bourdonner autour d'elle, ainsi que des guêpes se préparant à attaquer. Elle était toute seule. Doris Ashley l'accompagna jusqu'à l'allée et l'embrassa.

— Sois forte pour nous deux.

— Madame Murdoch, dit Murray en lui tenant la barrière ouverte.

Hester entra. Murray passa derrière elle pour se trouver à sa droite, entre elle et les inculpés. Mais Hester pouvait les voir, tous les quatre. Ainsi que leur avocat.

Tom se pencha sur la table et dévisagea ses clients. Il avait attendu la fin du déjeuner pour leur faire ses recommandations, dans la salle des pas perdus du palais.

— T'en fais pas, dit Joe. On est sourds, muets et aveugles, pas vrai ?

Murray aida Hester à s'installer à la barre. Il s'écarta pendant qu'elle prêtait serment. Quand Hester se rassit, il s'avança à côté d'elle.

— Indiquez à la cour votre nom et votre âge, je vous prie.

— Je m'appelle Hester Murdoch. J'ai vingt et un ans.

Elle vit les inculpés devant elle et baissa la tête.

— Où habitez-vous ? demanda Murray.

Hester le lui dit à mi-voix.

— Vous habitez la propriété connue sous le nom de *Windward,* répéta Murray.

— Oui. Non. Je... Nous habitons la remise des voitures.

— La remise des voitures ? Pouvez-vous expliquer au jury, madame Murdoch ?

Ses manières avaient changé. On eût dit un brave oncle, l'aimable médecin de famille assis au chevet de l'enfant malade.

— Nous habitons... mon mari et moi habitons dans la remise des voitures, dit Hester. Quand nous nous sommes mariés... avant mon mariage, ma mère a aménagé la remise des voitures pour nous.

— Une sorte de cadeau de noces ? dit le procureur, attendant la suite. Madame Murdoch ?

Hester leva la tête. Elle avait les inculpés juste en face d'elle. Elle tourna la tête et vit les jurés. Ils allaient déclarer ces quatre hommes coupables. Hester se retourna. Doris Ashley lui fit un signe de tête, pour l'encourager.

— Oui, comme cadeau de noces.

— Depuis combien de temps êtes-vous mariée, madame Murdoch ?

— Un an et demi, répondit Hester. Presque un an et demi.

— Un an et demi. Des jeunes mariés... dit Murray en posant les deux mains sur la barre des témoins. Vous vous sentez bien, madame Murdoch ?

— Oui, oui.

— Maintenant... dit-il en laissant traîner la dernière syllabe pour souligner sa gêne, il faut que je vous demande de revenir en arrière à une certaine soirée de septembre, une soirée de samedi, la soirée du 20 septembre. Où étiez-vous ce soir-là ?

Hester pouvait encore sentir la bible dans sa main. Elle avait encore dans les oreilles le serment qu'elle avait prononcé. Elle entendit des portes de prison claquer et la grosse clé tourner dans l'énorme serrure, refermée sur les quatre jeunes hommes qu'elle envoyait à leur perte.

— Il faut que je dise la vérité ! lança-t-elle à haute voix.

Elle vit sa mère se lever de son siège ; elle vit sa mère debout, toute seule ; elle vit le visage de sa mère comme un masque de mort.

Tom se pencha en avant, à demi levé. Il entendit Murray dire, tout doucement :

— Bien entendu... Vous nous direz la vérité, madame Murdoch. La cour ne doute pas de votre sincérité. N'ayez pas peur. La vérité ne fait peur à personne.

Hester vit sa mère se rasseoir.

— Je vais répéter ma question, madame Murdoch, dit Murray. Où étiez-vous la nuit du 20 septembre ?

— A la Whispering Inn, répondit Hester, essayant de ne voir personne...

— Avec votre mari ?

Elle eut envie de dire : « J'étais avec Bryce. J'étais avec Bryce Partridge, le père de mon enfant. Et il m'a battue. »

— Madame Murdoch ? Étiez-vous à la Whispering Inn avec votre mari ? demanda Murray.

— Oui.

Lentement, patiemment, méticuleusement, Murray fit décrire à Hester les premières heures de la soirée. Puis :

— Pourquoi avez-vous quitté la réception ?

Elle eut envie de répondre : « Parce que j'étais enceinte. Il fallait que je le dise à Bryce. Je croyais qu'il m'emmènerait avec lui. »

— Pourquoi avez-vous quitté la réception ? répéta Murray.

— Il faisait très chaud et il y avait trop de bruit, répondit Hester. Et de la fumée. J'étais un peu... étourdie ! Je suis sortie parce que j'étais étourdie.

— Pour respirer un peu d'air frais, dit Murray. Vous avez quitté la réception pour respirer un peu d'air frais.

— Oui, respirer un peu d'air frais, répéta Hester.

— Vous étiez seule, jeune femme de vingt et un ans, mariée depuis peu, à l'aurore d'une nouvelle vie, dit Murray. Continuez, madame Murdoch, je vous en prie. Dites au jury, à votre manière, ce qui s'est passé quand vous avez quitté votre mari pendant quelques minutes.

— Je... J'ai marché, dit Hester. J'ai continué de marcher jusqu'à ce que je n'entende plus la musique. Je me disais que je me sentirais mieux dans le silence pendant un instant.

— Vous étiez seule, dans le noir, dit Murray. Aviez-vous peur ?

— Non, pas à ce moment-là.

— Pas à ce moment-là, répéta Murray. S'est-il passé quelque chose qui vous ait fait peur ?

— Oui, dit Hester, mais personne ne put l'entendre.

— Je suis désolé, madame Murdoch. Pouvez-vous parler plus fort ? S'est-il passé quelque chose qui vous ait fait peur ?

— Les hommes dans la voiture, dit Hester, et elle vit sa mère avec Gerald, elle entendit sa mère lui dire d'être brave, de la sauver, de les sauver.

— Les hommes dans la voiture, dit Murray, et il demanda à Hester de décrire la voiture.

Il lui demanda ensuite combien d'hommes il y avait dans la voiture. Il formulait ses questions de façon à impliquer les réponses d'Hester.

Tom ne la regarda pas. Il surveillait les autres à la table de la défense. Dans la salle des pas perdus, il leur avait fait promettre de garder le silence, de ne pas bouger. Il entendit les mensonges d'Hester, attendit qu'elle ait terminé et essaya de ne pas en paraître affecté.

— Voyez-vous, dans cette salle d'audience, les quatre hommes qui se sont jetés sur vous et vous ont violée ?

— Oui.

Murray s'écarta du témoin et se dirigea vers la table de la défense.

— Joseph Liliuohé est-il l'un de ces hommes ?

— Oui.

Murray fit un pas de côté et se plaça derrière David Kwan.

— David Kwan est-il l'un de ces hommes ?

— Oui.

Murray se mit derrière la chaise de Mike Yoshida, puis derrière celle d'Harry. Hester les identifia à leur tour. Murray parcourut des yeux la rangée de journalistes en train de prendre des notes et revint vers la barre des témoins.

— Vous avez fait preuve de beaucoup de courage au cours de cette audience, madame Murdoch, dit-il, reprenant le ton du médecin à sa malade. Je regrette de ne pas avoir pu vous épargner cette épreuve. Pas d'autres questions, Votre Honneur, lança-t-il en s'éloignant.

Tom prit plusieurs feuilles dans son dossier. La voix d'un des inculpés chuchota son nom, mais il fit comme s'il n'avait rien entendu. Ils n'étaient plus dans le coup. Il était seul désormais. Il aurait dû demander à Sarah de venir à l'audience. Il aurait dû parler à son patron. Non ! Sarah n'aurait pas pu l'aider. Il se dirigea vers la barre, ses feuilles à la main.

— Madame Murdoch, vous avez identifié les *quatre* défendeurs comme les *quatre* hommes qui vous ont agressée et battue, dit Tom. Vous avez déposé sous serment que cela s'est passé de nuit, est-ce exact ?

— Oui, c'est exact.

— A quelle heure cet... incident s'est-il produit? demanda Tom, ajoutant très vite : Environ?

— Environ? répéta Hester, et Tom vit qu'elle tirait sur ses doigts. Je ne peux pas dire.

— Ne pensez-vous pas que c'était à environ 9 heures, demanda Tom.

— Je ne peux pas vraiment dire.

Gerald regarda l'avocat qui lisait ses feuilles. Il torturait Hester. Il ne valait pas mieux que les quatre de la table. Il était l'un d'eux. Il se comportait comme s'*il* était innocent et Hester coupable. Tom leva le bras, montrant les feuilles qu'il tenait.

— Selon les registres de la salle des urgences de l'hôpital de la Miséricorde, vous avez été admise à 22 h 20 le soir du 20 septembre, dit Tom. A votre avis, combien de temps avant 22 h 20 avez-vous rencontré les *quatre* défendeurs?

Hester se tourna vers la tribune, implorant de l'aide. Au premier rang du public, Doris Ashley se leva. Murray s'élança aussitôt.

— Objection, Votre Honneur, l'avocat de la défense harcèle le témoin.

— Objection repoussée, dit le juge.

La prochaine fois que Doris Ashley se lèverait dans le public comme si elle régnait sur des paysans, il lui enverrait l'huissier. Mme Ashley n'était pas à *Windward*. Il baissa les yeux vers Hester.

— Le témoin doit répondre à la question. Vers quelle heure environ la rencontre a-t-elle eu lieu?

— J'ai dit... commença-t-elle, puis elle s'arrêta. 9 heures. Environ 9 heures.

Le juge, d'un signe de tête, invita Tom à poursuivre.

— Madame Murdoch, vous avez déclaré sous serment que les défendeurs vous ont vue près de la Whispering Inn, dit Tom en prenant une autre feuille de papier. Le rapport des services de météorologie pour la nuit du 20 septembre indique un ciel couvert et la lune était au dernier quartier.

Il quitta la barre pour retourner à la table de la défense et s'arrêter derrière les inculpés, deux à sa gauche et deux à sa droite.

— Vous avez donc vu ces *quatre* hommes à environ 9 heures du soir, par ciel couvert et avant le lever de la lune. Vous avez identifié ces *quatre* inculpés comme les *quatre* hommes qui vous ont agressée, battue et soumise à des outrages sexuels. Est-ce exact?

— Oui, dit Hester. Oui, oui.

Pourquoi ne s'arrêtait-il donc pas?

Tom quitta la table de la défense et se plaça en face de l'allée, tourné vers le juge.

— Votre Honneur, j'aimerais que l'on éteigne les lumières de la salle, dit-il en montrant le plafond. Et que l'on ferme les rideaux des fenêtres.

— Objection, Votre Honneur, lança Murray. La défense essaie de transformer la cour en tréteaux de bateleurs.

— Votre Honneur, j'essaie... dit Tom, mais le bruit du maillet le coupa.

— Personne ne transforme cette cour en tréteaux de bateleurs, monsieur Murray... A votre tour, dit-il à Tom. Où voulez-vous donc en venir?

— Votre Honneur, mes clients passent en justice pour un délit grave, dit Tom. Le châtiment prévu par la loi est sévère. Si messieurs les jurés concluent à la culpabilité des *quatre* inculpés, ce sera la fin de leur vie. Ils sont jeunes, *eux aussi,* lança Tom, se souvenant des apartés de Murray au jury pendant l'interrogatoire d'Hester. Un des défendeurs a juste vingt et un ans. Un autre ne les a pas encore. Toute cette affaire repose sur la déposition d'un seul témoin, Hester Anne Ashley Murdoch. Aucun autre témoin n'a incriminé ou identifié les défendeurs. Mme Murdoch assure qu'elle a vu ses agresseurs dans le noir, par temps couvert et sans lune. Je demande à la cour la permission de réaliser dans cette salle à peu près les mêmes conditions d'éclairage.

— Votre Honneur! lança Murray, scandalisé. Mme Murdoch a déjà identifié les défendeurs!

— J'étais dans la salle, monsieur le procureur! dit le juge. Huissier, éteignez les lumières et fermez tous les rideaux.

— Merci, Votre Honneur, dit Tom en revenant vers la table de la défense.

La salle d'audience s'emplit des murmures passionnés du public. Le juge se leva et se pencha vers le greffier.

— Aidez-le donc, lui dit-il.

Les lumières s'éteignirent tandis que le greffier se dirigeait vers les fenêtres, suivi aussitôt par l'huissier.

— Je ne tolérerai aucun désordre dans cette cour, dit le juge.

Jeff Terwilliger, qui se trouvait derrière la table de la défense, posa son crayon dans la pochette de sa veste et enfonça dans une poche intérieure les feuilles de brouillon pliées sur lesquelles il prenait ses notes.

Les voix se turent et les bruits de chaussures sur le parquet cessèrent. Tom entendit crisser les anneaux des rideaux sur les tringles. L'huissier et le greffier reprirent leur place.

— Madame Murdoch, commença Tom.

Hester vit la silhouette debout dans la pénombre. Elle l'entendit dire :

— Revenons à la soirée du 20 septembre près de la Whispering Inn. Vous avez déposé sous serment que, vers 21 heures ce soir-là, vous avez été agressée par quatre hommes. Que les inculpés se lèvent.

Hester entendit les chaises racler le parquet. Elle vit d'autres silhouettes. Elle les entendit bouger, elle entendit le frottement des chaises.

— Madame Murdoch, est-ce bien les quatre hommes que vous avez vus près de la Whispering Inn ?

Elle vit les silhouettes devant elle. Ils étaient en rang en face d'elle. Elle vit le grand, celui qui conduisait la voiture, elle eut envie de leur crier, de leur hurler : « Fuyez, fuyez, fuyez, *fuyez !* »

— Madame Murdoch, répéta Tom, est-ce bien les quatre hommes que vous avez vus près de la Whispering Inn ?

— Oui, oui. Ce sont eux.

Elle sentit que ses ongles s'enfonçaient dans ses paumes.

Tom l'entendit très bien mais insista :

— Je ne peux pas vous entendre.

— Oui. *Oui !*

— Vous êtes absolument positive ? demanda Tom.

— Oui !

— Sans le moindre doute ?

— Objection, Votre Honneur, dit Murray. L'avocat de la défense harcèle vraiment le témoin.

— La cour est satisfaite par les réponses du témoin, trancha le juge.

— Votre Honneur, je me bats pour prouver l'innocence de mes clients, dit Tom. Je demande à la cour d'autoriser Mme Murdoch à répondre à la question précédente. Ce sera ma dernière question.

— Répondez à la question, madame Murdoch, dit le juge.

— Le greffier veut-il répéter la question ? demanda Tom.

Le greffier se pencha sur son bloc, essayant de se relire dans le noir.

— « Sans le moindre doute ? », dit-il.

— Oui, répondit Hester.

— L'huissier voudra-t-il allumer les lumières ? demanda Tom.

L'huissier tendit la main vers l'interrupteur. Quand les lampes s'allumèrent, une voix s'écria :

— Regardez !

— Mais regardez ! lança un autre spectateur, stupéfait.

Des mains se tendirent.

— Là. Près du jury.

Plusieurs jurés se retournèrent. Harry Pohukaïna et Mike Yoshida étaient à côté d'eux.

A côté de Joe et de David Kwan se trouvaient Jeff Terwilliger et le journaliste de New York, qui avaient accepté de jouer ce rôle pendant la suspension de séance du déjeuner.

— Ils ont permuté ! dit quelqu'un.

Le juge abattit son maillet.

Leslie McAdams saisit le bras de Murray.

— *Phil !*

Il lui montra Tom, assis à la place de Jeff Terwilliger avec les journalistes.

Doris Ashley leva le bras comme si elle avait l'intention de frapper quelqu'un.

— Ce n'est pas juste ! dit-elle.

— Silence ! J'ai dit : Silence !

Le juge Walker criait presque, tourné vers la table de la défense.

Hester était assise sur le bord de son fauteuil, comme frappée de stupeur. Elle vit les deux hommes près du box des jurés. Elle vit l'avocat de la défense, les inconnus avec les deux autres près de la table. Elle se vit décapitée. Elle vit la guillotine devant elle. Elle entendit les cris de la foule en colère réclamant vengeance. Elle entendit le juge dire aux inculpés de reprendre leur place et avertir le public qu'il allait évacuer la salle. Elle vit sa mère qui enfouissait son visage dans ses mains. Et elle vit Gerald, qui lui parut loin, très loin et comme paralysé.

Quatre jours plus tard, soixante-quatre heures après que le jury se fut enfermé dans la salle des délibérations, le premier juré fit appeler l'huissier. Celui-ci se rendit directement au bureau du juge Walker. Le sac de golf neuf du juge, avec sa série de clubs étincelants, se trouvait sur un fauteuil à côté du bureau. Il refusait de les laisser dans sa voiture. Il pensait qu'il aurait de toute façon le temps de jouer neuf trous après avoir enfermé le jury pour la nuit. Riverside, le terrain municipal, se trouvait sur le chemin de son domicile.

— Vous arriverez sur le terrain plus tôt, lui dit l'huissier.

— Je n'irai pas du tout, répondit le juge. Pas après ce coup-là !

Il ordonna à l'huissier de prévenir tous les intéressés. Quand il fut seul, il téléphona au commissariat central.

— Ils ont fini de délibérer, Len, dit-il au chef de la police.

Leonard Fairly appela le standard.

— Maddox n'est pas dans la maison, dit-il. Trouvez-le...

Dans son bureau, Tom remercia et raccrocha le téléphone.

— Le jury a fini de délibérer, dit-il.

Joe et David Kwan se trouvaient de l'autre côté du bureau. Mike Yoshida se leva de sa chaise et Harry Pohukaïna s'éloigna des fenêtres. Il marchait sans le moindre bruit. Tous fixaient Tom. Il sentit un grand creux s'ouvrir au fond de sa gorge.

— Qu'est-ce que tu crois? demanda Joe.

— Tom, dit Harry. Tommy?

Mike s'avança brusquement entre Joe et David.

— Dis quelque chose, nom de Dieu!

— Vous êtes innocents, répondit Tom. *Vous êtes innocents.*

— Tu ne fais pas partie de cette saloperie de jury! lança Mike.

Puis il baissa la tête et dit pour la première fois :

— Pardon, Tom. Après tout ce que tu as fait.

— Nous ne pouvons pas rester ici, murmura Harry. Nous ne pouvons pas nous dérober.

Tom se leva puis se rassit.

— Il faut que je prévienne Sarah, dit-il.

Son employeur avait accepté de la libérer pour qu'elle assiste à la lecture du verdict.

— Je veux appeler mon père, dit David.

— Il se portera sûrement mieux si tu ne le préviens pas, dit Joe.

— Il faut que je l'appelle.

— Fais-le! lança Harry d'un ton rogue. Qu'on en finisse, merde!

Il regarda Joe et baissa la voix.

— J'ai les jetons, dit-il.

Tandis que Tom parlait à Sarah, Maddox se trouvait chez le coiffeur. Il ne se rasait jamais les matins où il se faisait couper les cheveux. Le coiffeur le rasait et, en général, lui faisait aussi un shampooing. Maddox resta dans le fauteuil pendant une heure et, quand il sortit dans la rue, il entendit, faiblement, la radio de la police dans sa voiture. Il monta et tourna la clé de contact.

— 212, 212, appelait le standard.

Maddox prit le micro accroché au tableau de bord.

— Ici 212.

— 212 au palais de justice, dit le standardiste. Le chef envoie un détachement. Le jury a fini de délibérer.

Maddox reposa le microphone.

— Encore du temps perdu, grogna-t-il.

Il braqua pour faire demi-tour, sans se préoccuper de la ligne blanche...

Dans la salle d'audience, Tom, debout près de la table de la défense, se tourna vers les portes, attendant Sarah. Sa serviette se trouvait sur le dernier siège du premier rang, du côté des inculpés. Il avait prévenu l'huissier qu'il réservait la place. La salle était pleine. Les journalistes avaient repris leurs sièges devant la barrière. Tom regarda le procureur de district et le substitut à la table de l'accusation. Il regarda Doris Ashley avec Hester et son mari au premier rang, près de l'allée.

— Tom ?

Joe lui faisait signe. Tom avait envie de lui crier : « Fous-moi la paix », mais il était incapable de parler. Il ne lui restait rien à dire. Il n'était plus dans la course à présent. C'étaient les douze hommes dans la salle de délibération qui détenaient la réponse à la question de Joe.

— Tom !

Joe lui fit signe de nouveau, en se penchant en arrière sur sa chaise. Tom le rejoignit. Joe tendit le cou et chuchota :

— Si nous sommes... est-ce qu'on nous emmènera directement d'ici en prison ?

Harry l'entendit et regarda Tom, attendant sa réponse. Mike l'avait entendu lui aussi.

— On ne pourra même pas ?... Jamais je n'y ai vraiment cru jusqu'à maintenant, dit-il.

Joe saisit Tom par le bras.

— Tom ?

David Kwan le tira d'affaire.

— Voilà mon père !

Il bondit comme s'ils étaient sauvés.

— Il lui faut une place pour s'asseoir.

Tom vit le petit bonhomme debout devant les portes. Il tenait son chapeau devant sa poitrine et il regardait de tous côtés, hésitant, affolé.

— Je vais l'aider, dit Tom, ravi d'avoir un prétexte pour les quitter.

Au même instant, il vit Sarah entrer dans la salle. Il oublia Joe, il oublia les autres, il oublia les jurés. Il passa sans s'en rendre compte devant le box du jury encore vide. Il ne s'apercevait même pas qu'il souriait. Il était avec Sarah moins de deux heures auparavant lorsqu'elle l'avait conduit en voiture à son bureau, avec Joe, mais il s'élança vers elle, le bras levé, sur la pointe des pieds pour qu'elle puisse le remarquer au milieu de la foule. Des retrouvailles...

— Sarah !

Il la tenait, il tenait sa main dans la sienne...

— Monsieur Kwan, dit-il.

Le petit bonhomme effaré se raidit, puis se tourna face à son accusateur, s'attendant d'être arrêté et puni.

— Venez avec nous, monsieur Kwan. Je vous présente Sarah, la sœur de Joe. Vous n'avez rien à craindre.

Il les conduisit, en file indienne, le long du mur de la salle. La main de Sarah se referma très fort sur la sienne.

— J'ai peur, murmura-t-elle. Après ton coup de fil, j'ai eu peur de venir. Et peur de ne pas venir. Peur de voir Joe. Et les autres. J'ai peur de voir le jury. J'ai peur d'écouter. Je te complique les choses.

— Non, jamais, répondit Tom en se retournant pour la regarder. Jamais, Sarah.

Ils arrivèrent au premier rang et Tom prit sa serviette. Asseyez-vous ici tous les deux.

Tom vit que l'huissier traversait la salle en direction de la porte voisine du box du jury.

— Il faut que je vous laisse, dit-il.

La main de Sarah glissa de la sienne comme si on les séparait de force.

Dans l'autre moitié de la salle, au-delà de l'allée centrale, Doris Ashley était entièrement seule. Elle était tournée vers le drapeau, mais elle ne le voyait pas. Elle voyait *Windward*. Elle se concentrait sur *Windward*. Elle y retournerait bientôt, enfin en sécurité. Son épreuve allait s'achever très vite. Demain matin à la première heure, elle reprendrait Theresa et Amelia en main. Leurs vacances étaient terminées ! Finies les journées d'oisiveté ! Doris Ashley veillerait à ce que *Windward* soit briqué avant la fin de la semaine. Elle attendrait un délai raisonnable avant d'accepter les invitations et avant de recevoir. Une sorte de quarantaine, histoire de reprendre des forces après cette horrible histoire. Il lui faudrait trouver un thème intéressant pour sa première réception chez elle.

Devant elle, à la table du procureur, Leslie McAdams dit :

— Les voici.

Philip Murray vit l'huissier entrer dans la salle puis tenir la porte aux jurés, qui le suivaient. Le procureur de district se gratta le bras.

— Qu'est-ce qu'ils attendent ? chuchota Mike Yoshida.

L'huissier traversa la salle et ouvrit la porte voisine de la tribune.

— Ta gueule ! murmura Joe. Ferme-la, nom de Dieu !

Il se tourna vers les jurés et essaya de lire dans leurs têtes. Il se mit à prier. Il entendit la porte. Déjà l'huissier s'arrêtait, en face du public.

— Oyez, oyez, oyez, la cour de district du comté d'Honolulu, Oahu, Territoire d'Hawaï, présidée par l'honorable juge Samuel Walker, est maintenant en séance, dit l'huissier.

Le juge s'installa sur son fauteuil.

— Asseyez-vous. Affaire 1847. L'État contre Joseph Liliuohé, Harry Pohukaïna, David Kwan, Michael Yoshida.

Le juge Walker leva les yeux vers le public.

— Dans une minute, je demanderai au jury de rendre son verdict, dit-il. Vous êtes ici au titre d'invités de la cour. Il n'y aura dans cette enceinte aucun tapage, aucune manifestation. Je préviens également la presse. Tout se passera dans l'ordre et le calme.

Le juge laissa au public le temps de digérer ses paroles, puis attendit le silence absolu.

— Messieurs les jurés, êtes-vous parvenus à un verdict ?

Le premier juré se leva.

— Votre Honneur, nous n'avons pas été capables de nous accorder sur un verdict, dit le premier juré au juge, qui le savait déjà.

— Un jury bloqué ! chuchota le journaliste de New York à Jeff Terwilliger. J'ai traversé la moitié du Pacifique pour un jury bloqué !

— Tom !

Joe était presque couché sur la table. Les autres se serraient contre lui, penchés en avant.

— Le procès est nul, chuchota Tom.

Ils n'iraient pas en prison ! Il leur avait évité la prison !

— Votre Honneur ! lança Murray debout à côté de son siège, tourné vers le box du jury. Je demande le compte des voix.

— Très bien, monsieur Murray, dit le juge. Monsieur le premier juré, le procureur de district a demandé le compte des voix. Vous pouvez communiquer à la cour le résultat du dernier vote du jury, *mais,* souligna le juge en élevant la voix, vous ne devez pas dire à la cour si la majorité était en faveur de l'innocence ou de la culpabilité.

— J'ai bien compris, Votre Honneur. Vous demandez le nombre de votes d'un côté et le nombre de votes de l'autre.

— Exactement, dit-il en braquant le maillet en direction du premier juré. C'est cela même. Les nombres. Uniquement les nombres.

— Oui, monsieur. Uniquement les nombres. Dix contre deux.

Presque tout le monde dans la salle, y compris les journalistes, regarda Tanoyé Fujimoto et Andrew Lihilini, assis non loin du premier juré dans le box. Murray pivota sur lui-même, tourna le dos et referma sa serviette.

— Le vote était dix contre deux, répéta le premier juré.

Le juge laissa tomber le maillet une fois.

— Le jury n'étant pas parvenu à rendre un verdict, il est de ce fait révoqué, dit-il.

Il vit l'avocat de la défense se lever.

— Une date de procès sera fixée par le magistrat président. Les défendeurs demeureront en liberté sous caution jusqu'à leur comparution.

— Votre Honneur, dit Tom, je réclame que les charges contre mes clients soient abandonnées.

— Refusé, répliqua le juge Walker. La séance est levée.

Jeff Terwilliger s'élança au pas de course avant même que le maillet ne retombe sur la table du juge. Les journalistes se dispersèrent vers la barrière et les allées latérales.

Le juge se leva. Tom resta debout près de son siège, face au box du jury. Les douze hommes commencèrent à sortir. Quelqu'un, Joe ou Mike Yoshida, prit Tom par le coude, mais il écarta l'intrus, sans quitter les jurés des yeux. Tanoyé Fujimoto continuait d'avancer, mais, au moment où il atteignit le siège du premier juré, Andrew Lihilini s'arrêta. Il regarda par-dessus son épaule et, pendant un bref instant, son regard croisa celui de Tom.

Sarah, debout, était bloquée au premier rang par la ruée des journalistes. Elle ne pouvait ni rejoindre Tom et Joe ni passer dans l'allée. Elle vit Joe près de Tom. Elle vit David Kwan s'avancer vers son père. Elle vit Harry et Mike agiter les bras et parler, mais sans les entendre. Elle n'entendait plus rien, bien que toute la salle retentît de voix.

— Un autre procès! lança Harry en donnant un coup de pied à une chaise.

— On est revenus à la case départ, dit Mike Yoshida.

Tom eut envie de lui démolir la figure.

— C'est faux! dit-il. Complètement faux! Vous ne partez pas en prison! Vous rentrez chez vous! Vous êtes libres!

— Libres jusqu'à la prochaine fois, dit Joe.

— La prochaine fois, nous obtiendrons un verdict d'innocence! dit Tom. La prochaine fois, vous serez libres pour toujours.

Il en était absolument certain.

— Ouais, bien entendu, dit Mike en tirant sur le nœud de sa cravate pour déboutonner le col de sa chemise.

Il étouffait depuis le premier jour du procès.

A cinq mètres d'eux, Gerald se leva, boutonna son veston et regarda la bande, à la table de la défense.

— Nous ne partons pas encore, Gerald, dit Doris Ashley. Nous attendrons que le bétail ait fini de se bousculer.

Il ne répondit pas.

— Vous pouvez vous asseoir.

Il en avait marre de l'entendre donner des ordres. Il regarda la jeune fille qui se joignait à la bande pour célébrer la victoire. Ils

205

étaient prêts à prendre du bon temps. L'*okoléhao* coulerait à flots ce soir et ils se moqueraient bien des *Haolés* qu'ils avaient humiliés, ils se moqueraient d'Hester Murdoch et de son andouille de mari. Leur avocat boiteux et la jeune fille se dirigeaient maintenant vers l'allée centrale, et les autres suivaient. Le grand type, leur chef, Joe, marchait en tête. C'était lui qui menait encore la danse. Il ouvrait la barrière et faisait passer les autres devant lui. Ils étaient assez près pour que Gerald voie leurs visages en sueur. On aurait dit des chimpanzés en costumes de cirque prêts à présenter leurs tours d'adresse. Seulement, ils n'étaient pas derrière des barreaux, ils n'étaient pas enfermés. C'était lui qui était prisonnier, pris au piège.

— Gerald.

Doris Ashley se leva.

— Nous sommes prêts, dit-elle. Hester ? Nous sommes prêts, mon bébé.

Le public finissait de quitter la salle. Gerald vit un homme entrer. Il traversait la foule comme si elle n'existait pas et, quand il fut proche, Gerald le reconnut. C'était le policier qui était venu le chercher à la Whispering Inn et qui avait plongé Gerald dans son cauchemar.

— Madame Ashley, il y a une petite armée dans l'impasse, dit Maddox. Des journalistes et des photographes. J'ai regroupé quelques agents, nous pourrons peut-être vous faciliter les choses... Capitaine Maddox, ajouta-t-il après avoir marqué un temps.

— Bien sûr. Merci capitaine, répondit Doris Ashley. Je n'oublierai pas de signaler votre nom au chef Fairly.

Ils sortirent de la salle d'audience à la suite de Maddox. Six agents en uniforme formèrent un cercle autour d'eux. Au rez-de-chaussée, la voiture de police attendait près de la porte, les deux flics au garde-à-vous. Gerald aperçut les journalistes massés.

— Accordez-nous un instant, dit Maddox. Faites-les reculer, ordonna-t-il aux agents.

Les agents sortirent dans l'impasse, bras tendus, se dirigèrent vers les journalistes et poussèrent.

— Allons-y, dit Maddox en ouvrant la porte.

Doris Ashley prit Hester par la main.

— Vite, Gerald, dit-elle.

Gerald entendit les journalistes hurler leurs questions. Les flashes explosèrent. Il cligna des yeux et heurta Hester, puis ils se retrouvèrent sur la banquette arrière. Maddox claqua la portière et frappa du plat de la main sur le toit de la voiture.

— Vite ! Vite ! cria-t-il.

Coincée au milieu du siège arrière, Hester ne pouvait voir que les deux casquettes d'uniforme, les deux cous et les deux paires d'épaules devant elle. Elle remarqua le bourrelet de graisse au-dessus du col de la chemise du chauffeur. La peau de Bryce était tendue comme un tambour. Il ressemblait au *David* de Michel-Ange, aux photographies du chef-d'œuvre dans son livre sur la Renaissance... Après toutes ces semaines, Hester pouvait le voir, voir chaque centimètre de sa peau comme si elle était seule avec lui. Elle ferma les paupières puis les ouvrit, se tourna vers la portière et se concentra sur ce qu'elle avait sous les yeux, pour chasser Bryce de ses pensées. Elle fit le vœu solennel de détruire le Michel-Ange sans délai, dès qu'elle arriverait à la remise des voitures. Elle déchirerait la photo — mais, au moment même où elle prononçait son serment, elle revit Bryce. Elle eut envie de pleurer. Elle eut envie d'appeler au secours, parce qu'elle était incapable de se raisonner, de se retenir : il fallait qu'elle le voie une dernière fois. Elle jura que ce serait bien la dernière. Elle lui enverrait une lettre à Pearl Harbor, où il n'y aurait aucun risque.

Dans son coin, près d'Hester, Doris Ashley affrontait sans broncher le revers qu'elle venait de subir. Toute sa vie, elle avait refusé de céder quand un obstacle se présentait sur son chemin. C'était sa seule façon de survivre. Elle était incapable de se laisser aller, de forcer la pitié de ses amis. La pitié lui faisait horreur. La personne qui vous accorde sa pitié devient de ce fait même supérieure à vous, et Doris Ashley refusait de reconnaître la supériorité de quiconque. Elle affronterait le deuxième procès quand le jour viendrait. Elle ne pouvait pas évoquer le deuxième procès pour l'instant, en présence d'Hester. Elle laisserait Hester récupérer ses forces après l'épreuve des semaines et des mois précédents. Elle continuerait de se montrer vigilante en toute circonstance, elle satisferait les moindres désirs d'Hester, chacune de ses exigences. En attendant, elle commencerait sans délai, dès le lendemain matin, l'exécution de son plan. Amelia et Theresa se mettraient à briquer *Windward,* il fallait que *Windward* soit impeccable. Dans quelques semaines, elle ouvrirait de nouveau ses portes. Elle limiterait ses réceptions à ses amis les plus proches. Elle réfléchirait demain au thème de son premier dîner.

Entre la porte latérale du palais de justice et le perron de *Windward,* avenue Kahala, personne ne parla dans la voiture de police. Les deux agents descendirent pour ouvrir les portières arrière. Gerald les remercia, puis Doris Ashley les remercia à son tour.

— Nous sommes chez nous, mon bébé, dit-elle, mais Hester avait disparu.

Elle courait dans l'allée, vers la remise des voitures.

— Ses vêtements, dit Doris Ashley à Gerald. Tous ses vêtements sont ici...

Il la quitta comme si elle n'avait pas parlé. Il regarda Hester, devant lui, jusqu'à ce qu'elle disparaisse à l'endroit où l'allée descendait en forte pente. Pendant un instant de folie, il eut envie de se précipiter vers elle, de la rattraper, de lui demander pourquoi elle fuyait loin de lui, loin de son mari ; il eut envie de la prendre par l'épaule et de la secouer jusqu'à ce qu'une réponse en tombe. L'impulsion passa et Gerald s'arrêta presque sur place. Il était épuisé. Il avait l'impression d'être vidé de toutes ses forces. Il fallait qu'il se couche. Le procès était fini, mais rien n'était terminé. Rien n'avait changé. Les quatre singes se pavanaient dans les rues. Il s'avança vers la remise des voitures comme si l'élégante bâtisse d'un étage était une des portes de l'enfer.

A l'intérieur, l'air était vicié. Les pièces sentaient le renfermé. Gerald avait vécu seul toute la durée du procès. Il avait maintenu propres la cuisine et la chambre, il avait fait son lit chaque matin avant de descendre boire le café. Il ouvrit les fenêtres et écouta. Hester ne faisait aucun bruit. Gerald eut l'impression d'être entré dans une tombe.

Il n'aimait pas le whisky, et l'alcool de contrebande était à vomir. Mais il en avait toujours une bouteille pour les invités et, désespéré, il alla dans la cuisine s'en servir une rasade. Il sortit la bouteille du placard, ainsi qu'un verre, mais il les posa aussitôt. Il venait de prendre conscience, non sans honte, que, depuis l'annonce du premier juré, au palais, il n'avait songé qu'à lui-même. Il n'avait même pas accordé une seule pensée à ce que pouvait ressentir Hester. Or c'était Hester, et non lui, qui avait comparu. Et elle allait comparaître une deuxième fois ; elle allait subir, contrainte et forcée, une deuxième inquisition.

— *Tu...* commença-t-il à haute voix, mais il s'arrêta, furieux contre lui.

Il ne valait pas plus cher que les deux hommes du club des officiers. Il sortit de la cuisine et s'élança dans l'escalier.

La porte de la chambre était ouverte, mais Gerald s'arrêta et frappa. Hester était allongée sur son lit, par-dessus la courtepointe qui recouvrait le traversin. Elle avait laissé tomber ses chaussures et elle était pelotonnée sur elle-même, les yeux grands ouverts. Elle regardait Gerald, mais rien dans son regard ne trahissait qu'elle le voyait. Elle était dans les bras de Bryce.

— Je tiens à te dire à quel point je suis désolé, dit Gerald.

— Merci. Merci, Gerald.

— Aimerais-tu que j'ouvre les fenêtres ? demanda-t-il en traversant la chambre. Je les ai refermées chaque matin pour éviter la poussière.

Il s'arrêta entre les lits.

— Puis-je t'apporter quelque chose ?

— Non, merci. Merci, pas maintenant.

Il eut l'impression d'être un inconnu, entré par effraction.

— Merci, répéta-t-elle.

Elle avait rejoint Bryce de nouveau avant qu'il ne soit sorti de la chambre.

Gerald descendit l'escalier. La remise des voitures était encore étouffante. Il ôta son veston et remonta les manches de sa chemise. Il s'arrêta près des fenêtres du salon, face à la mer, ravi de sentir la brise forte du Pacifique. Il se souvint qu'il n'avait pas déjeuné. Il revint dans la cuisine et fit disparaître la bouteille d'alcool. Il ouvrit le réfrigérateur et regarda ce qu'il contenait. Il aimait parfois manger une bouchée sur le pouce avant d'aller se coucher et il avait fait quelques courses. Il se pencha comme un enfant glouton décidé à s'offrir un festin. Un vague sourire se peignit sur ses traits.

Quand Gerald frappa de nouveau à la porte de la chambre, il avait un plateau en équilibre sur sa main gauche. Un plateau bien garni : œufs durs en rondelles, sardines, palourdes, cervelas, une coupelle de moutarde et une coupelle de mayonnaise, des biscuits salés et des biscuits sucrés, du lait, des serviettes, des assiettes et des couverts.

— Un menu de roi, dit Gerald. Ou de reine.

Il posa le plateau sur la table de chevet. Hester se retourna — à regret, car elle perdait Bryce. Mais elle ne pouvait pas gâcher la surprise que lui faisait Gerald. Elle s'assit, et Gerald étala une serviette sur ses genoux.

— Il faut qu'un être humain mange, disait toujours ma grand-mère.

Il prit une assiette, un couteau et une fourchette, puis se mit au garde-à-vous, jouant le maître d'hôtel.

— Madame daigne-t-elle choisir ?

— Ça m'est égal, dit Hester, ajoutant très vite : Choisis, toi.

— Très bien, madame.

Il servit de petites parts, en les disposant avec soin sur l'assiette, qu'il posa sur la serviette.

— *Bon appétit,* dit-il en donnant une autre serviette à Hester.

C'était tout le français dont il se souvenait depuis les cours de l'École navale. Il prit la deuxième assiette, se servit chichement et s'assit sur son lit, genoux joints, raide comme une baguette.

— J'espère que ça te plaira.

Hester se rappela les escapades avec Bryce. Ils volaient de la canne à sucre ou des ananas puis filaient à toute allure et s'arrêtaient à des kilomètres pour se gaver ; ils dévoraient comme des bêtes, leurs mains et leurs visages poissaient. Ils avaient les mains pleines et Bryce l'embrassait de ses lèvres douces et brûlantes. Elle sentait encore ses lèvres, ici, sur son lit.

— Veux-tu un peu de lait ? demanda Gerald en lui tendant le verre.

Il ne fallait pas qu'elle le déçoive. Il s'était montré si patient, si prévenant. Il l'avait sauvée de sa mère. Hester n'aurait pas pu supporter les semaines à *Windward* sans la présence de Gerald au dîner et dans la soirée, puis à son réveil. Elle hocha la tête. Leurs mains se touchèrent quand elle prit le verre.

— Je vais tenir ton assiette, dit-il.

Elle le laissa faire. Elle mangea, avec application, tout ce qu'il lui avait donné. Elle but le thé.

— Dessert !

Il était debout devant elle, le plateau à la main. Hester prit un biscuit. Gerald posa le plateau et la regarda grignoter. Elle avait les chevilles croisées. Sa robe, remontée en paquets, recouvrait à peine ses genoux.

— Tu te sens mieux ?

Elle acquiesça. Elle se sentait repue, somnolente. Gerald lui prit l'assiette et la nappe. Il resta debout devant elle pendant un instant puis s'assit. Sur le lit d'Hester.

— Ça va ?

Il posa la main sur la cuisse d'Hester et se pencha en avant. Il fit remonter la main jusqu'aux seins de sa femme. Puis il l'embrassa. Il glissa le bras sous ses épaules sans libérer ses lèvres. Elle était de nouveau captive... Il s'allongea contre elle.

— Ma chérie...

Il commença à soulever sa robe.

— Mon amour...

Sa main se posa sur la cuisse d'Hester et se mit à fouiller, à pousser, insistante.

— Cela fait si longtemps...

Hester l'accepta, l'accueillit. Elle avait besoin d'effacer Bryce, de chasser Bryce pour toujours de son esprit et de son corps, mais l'attaque de Gerald la prit au dépourvu.

Il se jeta sur elle. Il se mit à pousser de petits gémissements rauques. Elle sentit le menton de l'homme s'enfoncer dans son épaule, ses doigts s'enfoncer en elle. Il la griffait, lui faisait mal. Elle leva les mains et repoussa le visage loin d'elle.

— Arrête ! Arrête !

Elle se roula d'un côté, de l'autre, en repoussant le visage, en frappant. Elle se tordit sur le lit pour se débarrasser de lui.

— Arrête ! cria-t-elle.

Elle se retourna de nouveau et tout son corps se souleva, se libérant enfin. Elle s'écarta, sauta du lit, courut comme s'il la pourchassait, parvint à l'entrée de la salle de bains, claqua la porte et poussa le verrou. Elle s'appuya à la cloison. Il fallait qu'elle prenne un bain. Il fallait qu'elle se lave. Il fallait qu'elle se débarrasse de lui, mais elle était sans forces. Elle s'écroula en sanglotant, blottie contre la porte.

TROISIÈME PARTIE

— Repos, lieutenant, dit l'amiral, assis à son bureau.

Le chauffeur de l'amiral s'était présenté au *Bluegill* vers 11 heures du matin le lendemain du procès pour conduire Gerald Murdoch au quartier général.

— Vous connaissez le commandant Saunders?

Gerald présenta ses respects à Jimmy Saunders.

— Votre procès serait une farce si la situation n'était pas si tragique, dit l'amiral. Jimmy...

Saunders remit à Gerald un imprimé officiel des télécommunications de la marine.

— Lisez, lieutenant.

COM-14 A MINMAR, lut Gerald, UN AVOCAT INDIGÈNE RUSÉ ET DEUX DE SES CONGÉNÈRES ONT TOURNÉ LA JUSTICE EN RIDICULE DANS LA JOURNÉE D'HIER. JURY INCAPABLE PARVENIR VERDICT EN RAISON OBSTINATION DEUX INDIGÈNES. JUSTICE LOCALE IMPUISSANTE. INTENTION FERME PROTÉGER FAMILLES D'OFFICIERS ET MARINS SOUS MON COMMANDEMENT.

L'amiral avait envoyé le câble pour devancer une autre dépêche de Washington.

— Transmettez mes respects et ma sympathie à Hester, lieutenant, dit l'amiral. Et à sa mère. Nous avons tous passé un mauvais moment... Ma porte vous est toujours ouverte, mon petit, ajouta-t-il en raccompagnant Gerald.

Il retourna à son bureau, prit dans le tiroir du milieu une copie de son message au ministre de la Marine et inscrivit en haut : « Pour votre information. Glenn Langdon, amiral, marine des États-Unis. »

Il plia le message et le glissa dans une longue enveloppe commerciale sans en-tête, qu'il cacheta. Il l'adressa au sénateur Floyd Rasmussen, à Washington.

— Chef! cria-t-il...

Dans le couloir, Gerald vit deux officiers s'avancer. Il se pencha au-dessus d'un distributeur d'eau fraîche, bénissant sa chance d'avoir ce refuge. Pourvu qu'ils ne le reconnaissent pas ! Il leur tourna le dos jusqu'à ce qu'ils soient passés, puis il se releva et s'éloigna d'un pas vif vers l'escalier.

« Ma porte vous est toujours ouverte, mon petit », répéta Gerald en lui-même. *Mon petit !* Il avait l'impression d'être marqué au fer.

Quand le chauffeur de l'amiral vit le lieutenant franchir la porte, il descendit de la limousine et se mit au garde-à-vous. Le lieutenant avait l'air de sortir d'un fourgon cellulaire.

— C'est presque l'heure du déjeuner, mon lieutenant, dit le chauffeur. Le lieutenant aimerait-il que je le dépose au club des officiers ?

Gerald s'arrêta devant le chauffeur, un simple matelot.

— Je n'aimerais *pas* que vous me déposiez au club des officiers. J'aimerais retourner au *Bluegill*, est-ce clair ? Vous comprenez ou vous voulez que je mette les points sur les *i* ?

— Oui, mon lieutenant. Au *Bluegill*, mon lieutenant.

Le chauffeur fixait le vide devant lui. Un simple matelot ne regarde jamais un officier dans les yeux et le chauffeur ne voulait pas d'histoires. Il avait la meilleure planque de Pearl. Il resta au garde-à-vous jusqu'à ce que le lieutenant soit bien installé, puis il referma la portière.

Les mains de Gerald ne pouvaient rester immobiles. Elles se mirent à pianoter sur le siège. Au club des officiers ! Il voyait encore, comme si c'était la veille, les deux porcs raconter qu'Hester avait invité et accueilli à bras ouverts les quatre singes de la décapotable.

— Vous ne suivez pas un convoi funèbre, chauffeur !

L'amiral devait lui avoir salement botté le cul, se dit le chauffeur. Il prit un raccourci.

Quand la voiture s'arrêta devant les abris des sous-marins, Gerald ouvrit la portière lui-même.

— Ne vous dérangez pas ! lança-t-il en descendant.

Il aperçut des officiers et des matelots qui quittaient le sous-marin pour aller à la cantine. Quelqu'un interpella Gerald, mais il continua son chemin·en agitant la main pour rendre le salut. Il était incapable de subir un autre témoignage de sympathie, incapable de serrer la main d'un autre homme et de répéter une fois de plus sa litanie de reconnaissance. Le manque de sommeil le rendait nerveux. Il avait les jambes lourdes. Il était exténué, à bout de nerfs.

— Salut, mon lieutenant.

Gerald n'avait pas vu Duane York. Le petit torpilleur gringalet en treillis délavé et casquette blanche était sorti de nulle part.

— Je ne vous avais même pas vu.

— Je passe facilement inaperçu, répondit Duane en souriant.

216

Pendant un instant de démence, Gerald eut envie de sauter au cou du petit matelot. Comme si Duane était son seul véritable ami au monde.

— Vous avez des projets, Duane ? Pour le déjeuner ?

Duane ne s'était pas trompé. Le lieutenant marchait comme un somnambule quand il l'avait aperçu.

— La cantine, c'est tout. Je peux facilement m'en passer.

— Je ne veux pas que vous vous passiez de déjeuner, dit Gerald Pourquoi n'irions-nous pas quelque part, en dehors de la base ?

— Parfait pour moi, mon lieutenant, répondit Duane.

Combien d'officiers inviteraient un simple matelot à déjeuner ? Pas un. Zéro. Il n'y en avait pas un comme le lieutenant. Duane aurait déserté si le lieutenant le lui avait demandé.

Le lieutenant n'ajouta pas un mot jusqu'à la voiture. De nouveau, il marchait comme un somnambule. Duane faillit lui conseiller de se faire porter malade.

— Vous voulez que je prenne le volant, mon lieutenant ?

Gerald acquiesça d'un hochement de tête et remit les clés à Duane. Il s'assit, ôta sa casquette et la posa sur le tableau de bord. De temps en temps, Duane lui lançait un coup d'œil. Le lieutenant semblait en état d'hypnose. Il filait un mauvais coton. Soudain, il lança un coup de poing dans la portière.

— Ils sont coupables !

Telle était donc la réponse à l'énigme, se dit Duane.

— Je le sais depuis le début, mon lieutenant.

— Vous le savez. Je le sais. Mais personne d'autre ! lança Gerald en frappant de nouveau la portière. Et ces salopards sont dans les rues, libres comme l'air, à nous *narguer* !

Duane s'arrêta à l'entrée et attendit que la sentinelle lui fît signe. Il sortit de Pearl Harbor. Peu lui importait de sauter un repas. Il laisserait le lieutenant décider.

— J'aimerais coincer ces salopards et leur faire dire la vérité à coups de trique ! dit Gerald.

L'idée frappa Duane de stupeur. Au début, il eut le souffle coupé, comme s'il courait sur une pente raide. Il se retourna sur son siège et s'approcha de la glace pour avoir davantage d'air. Il jeta à Gerald un autre coup d'œil à la dérobée. Le lieutenant était immobile à côté de lui comme si on le conduisait aux fers. Duane lâcha le volant puis le ressaisit, plus haut. Il eut l'impression qu'un clairon venait de sonner la charge et, en un sens, c'était bien le cas. Non, il ne se déroberait pas, jamais de la vie, parce que personne ne l'avait jamais traité comme le lieutenant. Le lieutenant lui avait prouvé ses sentiments au moins cent fois. C'était à présent le tour de Duane.

— Je sais ce que vous ressentez, mon lieutenant, dit-il. Absolument. Leur faire dire la vérité à coups de trique et tout... Seulement, vous ne pouvez pas faire ça vous-même, mon lieutenant.

Quand Gerald se tourna vers lui, il ajouta :

— Moi, je peux.

— *Vous !*

Gerald secoua la tête.

— Moi et quelques amis, dit Duane.

— Vous ne pouvez pas. Non. C'est hors de question, Duane, hors de question.

Duane quitta la route, se rangea sur le bas-côté et coupa le moteur.

— Mon lieutenant, vous m'avez dit un jour que j'étais un bon ami. Je me rappelle vos paroles : « Vous êtes un bon ami, Duane. » Jusqu'à maintenant, c'était l'inverse, c'était *vous* qui étiez un bon ami pour moi. Jamais je n'ai eu l'occasion de prouver que je suis un bon ami pour vous. L'occasion, la voilà.

— Je ne peux pas vous laisser courir ce risque, dit Gerald en secouant de nouveau la tête.

— Écoutez-moi, mon lieutenant. D'accord ? Vous m'écoutez, c'est tout. Ils sont coupables. Les flics, le juge et le jury ne le croient pas. Il n'y a donc qu'une solution : montrer la preuve à tout le monde. Laissez-moi faire ça pour vous, mon lieutenant. J'y tiens...

Le samedi matin qui suivit, après l'inspection, le *Bluegill* se vida. Les officiers et les hommes quittaient la base en permission de week-end, seuls restaient à bord les hommes de garde, sous le commandement de l'enseigne Denis Watrous. L'enseigne aperçut Gerald à l'avant, près de l'échelle de la timonerie. Il lui sourit.

— Mon lieutenant, si vous êtes tellement amoureux de ce bâtiment, je peux m'arranger pour que vous passiez le week-end à son bord...

— Je ne voudrais pas vous priver de ce plaisir, répondit Gerald. J'ai oublié mes affaires de tennis.

Il se dirigea vers la salle des torpilles. Il ouvrit un casier à outils et en sortit le petit sac de toile qu'il avait acheté deux ou trois jours plus tôt. Le manche d'une raquette de tennis dépassait du sac. Gerald traversa lentement le sous-marin, vérifiant qu'il était bien vide. En arrivant près du magasin d'armes, il s'arrêta dans la coursive. Il attendit, aux aguets, sans bouger. Quand il fut bien certain d'être seul, il ouvrit le sac de toile, qu'il tenait dans sa main gauche. De sa main droite, il prit une clé dans sa poche et ouvrit le magasin. La porte de fer grinça. Il fallait faire vite. Il mit deux pistolets automatiques de calibre 45 dans le sac, puis il prit dans une caisse de munitions deux chargeurs pleins. Il se releva et referma la porte à clé.

Il tira sur le cordon du sac et attendit, l'oreille tendue. Il était sauvé. Il serait sur le quai dans moins d'une minute. Il croisa l'enseigne Watrous, une tasse de café à la main, à la porte de la salle de garde.

— J'espère que vous allez les saigner à blanc, mon lieutenant.

Gerald se figea.

— *Quoi ?* Que dites-vous ?

L'enseigne Watrous montra le sac de toile.

— Au tennis. J'espère que vous gagnerez, dit-il.

— Oh... Oui, bien sûr. Merci.

Il quitta le sous-marin d'un pas vif, en essuyant les gouttes de sueur sur sa lèvre supérieure.

Gerald quitta Pearl Harbor avec le sac de sport sur le siège avant, près de lui. Il s'arrêta sur le bord de la route, dans un endroit désert. Il ouvrit le sac. Il enfonça un chargeur dans l'un des automatiques et mit la sécurité. Il procéda de même pour le second. Il prit également dans le sac une grande enveloppe contenant quatre feuilles de papier machine. Sur chaque feuille, Gerald avait dactylographié : J'AVOUE QUE J'AI VIOLÉ HESTER MURDOCH. Au-dessous, sur la première feuille, il avait dactylographié JOSEPH LILIUOHÉ, avec des pointillés à l'endroit prévu pour la signature. Les autres feuilles étaient destinées aux copains de Liliuohé. Gerald vérifia les quatre textes. Tout était prêt. Il rangea les feuilles dans l'enveloppe, qu'il remit dans le sac.

Il se rendit dans le centre d'Honolulu et y resta toute la journée. En fin d'après-midi, il gara sa voiture près du palais Iolani. Il regarda sa montre-bracelet. 17 h 17. Le sac de sport était toujours près de lui. Gerald prit son portefeuille. Il contenait 100 dollars. Il glissa l'argent sous le sac. Ses doigts se mirent à tambouriner sur le volant. Il pouvait voir sa montre dans sa tête.

— Juste à l'heure, dit Duane York en ouvrant la portière.

Il portait une chemise hawaïenne vague qui tombait presque à mi-cuisse. Il s'assit à côté de Gerald.

— 5 heures et demie, dit-il en posant la main sur le sac. Je prends ça, mon lieutenant.

— Oui, mais interdiction de l'utiliser, Duane.

— De l'utiliser ? Vous n'en avez apporté qu'un, mon lieutenant ?

— J'ai suivi le plan. Interdiction de *les* utiliser. Cela fait également partie du plan, dit Gerald en prenant l'argent sous le sac. Vous avez loué les voitures ?

— J'ai donné au type une avance de 5 dollars. Il m'a retenu deux bagnoles.

Gerald lui remit l'argent.

— Je ne veux pas que cela vous coûte le moindre sou, dit Gerald.

— Mais mon lieutenant, je *n'achète pas* ces deux voitures.

— Vous devez être paré. A tout hasard.

Duane allongea la jambe droite pour enfoncer les billets dans sa poche.

— Tout est parfait, dit-il. On se voit lundi, mon lieutenant.

Ils s'étaient fixé rendez-vous le lundi matin avant l'aurore, pour que Gerald puisse rapporter les armes au magasin. Duane tenait le sac de sport. Gerald posa la main dessus.

— Je tiens à remercier vos amis, dit-il.

Duane le regarda.

— Mon lieutenant, suivez mon conseil : filez, dit-il en souriant. Il s'agit d'une mission de volontaires, et vous n'en faites pas partie.

Il ouvrit la portière.

— Duane ?... Merci.

Le petit gringalet en chemise sport vague hocha la tête et s'en fut.

Quelques minutes après 8 heures, une voiture s'arrêta dans le noir près d'un carrefour, à Papakoléa. Duane York était au volant. Une autre voiture, venant d'en face, s'arrêta de l'autre côté du carrefour. Le conducteur fit un appel de phares et Duane répondit de même. Forrest Kinselman se trouvait au volant de l'autre voiture, avec Wesley Trask à côté de lui. Conrad Hensel était assis à la droite de Duane. Ils servaient tous les quatre à bord du *Bluegill,* comme simples matelots.

— C'est parti, maintenant, dit Connie.

Duane le dévisagea.

— Si tu veux dégager, dégage.

— J'ai dit que j'étais dans le coup, j'y reste.

Connie baissa la glace pour cracher dehors.

— Si seulement j'avais roupillé un peu ! dit-il.

— Fous le camp, merde.

Connie se retourna, bousculant le sac de sport posé sur le siège.

— Ta gueule, Duane. J'ai dit que j'étais avec toi, je suis avec toi.

— D'accord, mais ne pense plus à roupiller. Nous avons fait un plan de bataille, et il ne faut jamais changer les plans de bataille.

Ils se tournèrent vers le carrefour. Un homme traversa la rue. Un autre. Deux femmes. Une femme portant un bébé d'un bras et traînant une fillette avec l'autre main. Un homme et une femme. Deux gamins d'une dizaine d'années.

— Ces salauds ne rentrent jamais chez eux ? dit Duane.

Beaucoup plus tard, Connie se pencha en avant, la tête presque contre le pare-brise.

— Là-bas !

Deux longues ombres, projetées par le bec de gaz, parurent au coin de la rue.

— Je suis censé sortir en mer avec mon père demain matin, dit une voix.

— Tu dormiras sur le bateau, répondit une autre voix.

Duane plongea la main dans le sac de sport à la recherche de l'automatique. Il eut l'impression de saisir un bloc de glace.

— Prépare-toi.

— Comment sais-tu que ce sont eux ?

— Je les ai vus, dit Duane.

Ils chuchotaient. Il regarda les deux jeunes Hawaïens. Ils étaient trop loin pour les identifier. Il sortit le gros automatique du sac et se pencha par la portière pour mieux voir. Bon Dieu ! Il en tenait deux, le plus jeune et un autre.

— Vite !

Connie descendit de voiture et claqua la portière. Le cœur de Duane courait à un kilomètre à la minute ; il refusa d'y songer. Il avait la bouche sèche ; il refusa d'y songer. Il descendit de voiture et attendit dans l'ombre, tandis que Connie s'avançait vers les deux silhouettes.

— Hep ! Où est-ce qu'on est ? demanda Connie. Comment je fais pour rentrer en ville ?

David Kwan et Harry Pohukaïna s'arrêtèrent. Connie s'arrêta à son tour.

— C'est dans l'autre sens, répondit David en tendant le bras vers Duane.

— Vous voulez pas me montrer ?

Ils s'avancèrent, le jeune et l'autre. Duane entreprit de les contourner, en évitant les lumières.

— Quel est le chemin le plus court ? Je vais tomber en panne d'essence, dit Connie.

Duane eut l'impression que son cœur allait transpercer sa chemise ; il refusa d'y songer et avança droit sur eux, dans la lumière, le pistolet braqué.

— Allez, montrez-lui le chemin. Tous les deux ! dit-il.

Ils avaient la bouche ouverte comme des poissons sur le sable.

— Avancez ! Vite ! Vite !

Il fallait qu'ils sortent du carrefour avant que quelqu'un se présente.

— Tu l'as entendu, non ? lança Connie en poussant David puis Harry.

Il conduisit les deux jeunes gens vers la deuxième voiture. Wesley

Trask descendit d'un bond, ouvrit la portière arrière, puis reprit sa place à l'avant.

— Qui êtes-vous ? dit Harry. Vous n'êtes pas des flics !

Duane lui balança un crochet.

— Ta gueule ! Vos gueules !

Il le bouscula. Forrest fit démarrer le moteur.

— Montez ! dit Duane en enfonçant l'automatique dans les reins de David. Montez, nom de Dieu !

Il avait hâte de les voir filer. Wesley Trask, à genoux sur le siège avant, braquait l'autre automatique vers la banquette arrière. Connie poussa Harry dans la voiture et Duane bouscula David Kwan.

— Fous le camp ! cria Duane à Forrest.

La voiture démarra sur les chapeaux de roues.

— Deux à la marque, et deux à venir, dit Connie en lançant un coup de coude à Duane, le sourire aux lèvres. Alors, comment tu trouves notre opération ?

— On n'est encore qu'à mi-chemin, répondit Duane.

Akura Yoshida, la mère de Mike, était toujours dans sa cuisine avant le point du jour. Elle avait cuisiné pour des *Haolés* pendant des années, avant et après son mariage, et les horaires de travail qu'ils exigeaient d'elle s'étaient transformés en habitude. La lampe de sa cuisine était toujours la première lumière allumée du quartier. Et elle commençait toujours par balayer la cuisine, qu'elle avait déjà balayée la veille au soir avant d'aller se coucher. Elle venait d'ouvrir la porte de derrière et de la caler avec la poubelle quand elle entendit son fils dire :

— Où m'emmenez-vous, merde ?

Akura Yoshida lâcha son balai et sortit de la cuisine en courant. Elle vit une voiture tourner au coin de la rue. Elle ne vit pas Mike. Elle cria son nom et s'élança dans la rue en hurlant.

— Mike ! Mike ! On a emmené Mike.

C'était une toute petite bonne femme avec des cheveux noirs qui tombaient jusqu'à sa taille.

— On a emmené Mike ! hurla-t-elle, et elle commença à se griffer les joues.

Duane roula sans phares très loin de la maison de Mike. Connie était à genoux à côté de Duane, tourné vers Mike sur la banquette arrière, le gros automatique braqué sur le prisonnier.

— Qui êtes-vous ? Où m'emmenez-vous ? demanda Mike en fixant l'arme et le doigt posé sur la détente.

— Ferme-la, dit Duane. Ferme-la, c'est tout ce qu'on te demande.

Il tourna la clé de contact. Le moteur s'arrêta. La voiture glissa le long du trottoir. Ils se trouvaient à deux pas de la maison de Joe Liliuohé. Il vit des lumières s'allumer dans la maison — il attendait le grand, le chef, celui qui avait largué Hester Murdoch devant l'hôpital après en avoir terminé avec elle.

— Il est probablement en train de dormir là-dedans, dit Connie. Il doit être chez lui depuis minuit.

— Où est ton copain? demanda Duane.

Mike était paralysé. Il avait du mal à respirer. Le trou, au bout du canon, était aussi énorme que l'entrée d'une grotte, et il se rapprochait de lui.

— Je ne sais pas. Ma parole. Devant Dieu, je ne sais pas. *Je ne sais pas!*

Il allait mourir. Des lumières s'allumèrent dans une autre maison.

— Ils sont tous en train de se réveiller, dit Connie.

— Boucle-la!

Duane saisit l'automatique et releva le canon vers le front de Mike. Il voulait absolument le chef.

— Où est-il? Parle, sinon tu n'auras plus jamais l'occasion de parler.

— Ma parole, répéta Mike. Devant Dieu.

Il avait l'impression de flotter, comme s'il n'avait plus aucun poids, comme s'il était déjà mort.

— Devant Dieu...

— On ferait mieux de décrocher, dit Connie. Tout le monde a entendu la vieille gueuler, là-bas. On va se mettre à nos trousses. En voilà un!

Duane se retourna. Un homme. Encore assez loin, mais il marchait vers la voiture.

— Il va nous repérer et appeler au secours, dit Connie.

— J'aurais dû venir ici en premier, lança Duane.

— C'est trop tard, maintenant, répondit Connie. C'est *trop tard*.

— D'accord, d'accord.

Duane rendit l'automatique à Connie et lança le moteur. Il passa en première, embraya et s'engagea sur la chaussée, en cherchant toujours des yeux le chef, Joe.

— Sarah! Sarah! Réveille-toi! lança Elizabeth Liliuohé, sa mère, debout au pied du lit. Ils ont emmené Mike Yoshida. Juste devant sa maison. Des hommes dans une voiture!

— Où est Joe ?

— Nulle part ! Il a disparu !

Elizabeth Liliuohé se laissa tomber sur le lit et enfouit son visage entre ses mains. Elle commença à se balancer d'avant en arrière. Sarah enfila sa robe de chambre et des pantoufles. Elle prit sa voiture pour se rendre chez David Kwan. Il y avait des gens devant la porte et Sarah connut la réponse avant même de s'arrêter. David avait disparu. Elle se rendit chez Harry Pohukaïna. Le frère d'Harry lui dit :

— Les flics l'ont emmené.

« Joe ne court aucun risque, se dit Sarah en retournant chez elle à toute allure. Comment le sais-tu ? Il est avec Becky Hanatani. Tu te fais des idées. Tu te berces de faux espoirs. Ils l'ont emmené. Non, il est sain et sauf, avec Becky ! » Mais Sarah n'en croyait rien.

Elle entra dans la maison en coup de vent et téléphona aussitôt à Tom.

— J'arrive de suite, dit-il.

— Non. Je viens chez toi.

Elle courut dans sa chambre en enlevant son peignoir. Elizabeth Liliuohé était toujours assise sur le lit, les yeux tournés vers le mur.

— Je ne le reverrai jamais, dit-elle.

— Joe est sain et sauf, lui dit Sarah sans y croire. Il ne court aucun risque.

Tom était déjà dans la rue, marchant dans la direction de la maison de Sarah, lorsque celle-ci arriva dans son quartier.

— Ce n'est pas la police, dit-il, en ouvrant la portière de la décapotable. J'ai téléphoné.

— Je l'ai compris dès le début, répondit Sarah en prenant le chemin de l'appartement de Becky Hanatani. La police n'est pas obligée de venir au milieu de la nuit. Elle arrive à n'importe quelle heure. Ils sont en train de les lyncher ! cria-t-elle. Ils vont les pendre. C'est ce qu'ils font aux États-Unis.

— Hawaï n'est pas les États-Unis.

— C'est pire, répliqua-t-elle en le regardant comme s'il était un ennemi. Tu es allé aux États-Unis ! Tu as vécu avec des gens là-bas, dans le même immeuble ! Combien de fois as-tu vécu avec eux, *ici ?* Combien de fois as-tu mangé avec eux, *ici ?* Ici, ils peuvent nous faire n'importe quoi. Ici, nous ne sommes pas des êtres humains pour eux.

Elle s'animait, enflammée par une vie entière d'humiliation, d'exclusion.

— Ils peuvent nous faire n'importe quoi ! Et ils le font ! Si quelqu'un discute, ils le jettent dehors. Peu leur importe qu'il crève de faim ! Quand les Japonais ont entamé leur grève, ils les ont jetés à la porte des ranchs.

Sarah était encore fillette à l'époque, mais elle se souvenait des clameurs de protestation. Les Japonais avaient été traités comme des traîtres.

— Nous sommes moins que des bêtes ! lança-t-elle en tremblant de rage froide. Nous leur *appartenons !* Ils possèdent tout ! Les journaux sont à eux ! On ne peut pas lire la vérité dans les journaux ! Hawaï n'est pas les États-Unis ? dit-elle, furieuse même contre Tom. Oh non ! Aucune chance ! C'est un autre pays, *leur* pays. Ils ont encore des prisons privées dans leurs domaines. Mon oncle a été jeté en prison pour être rentré chez lui sans autorisation quand ma tante a eu un bébé. Ils l'ont jeté en prison. Et ils ne l'ont pas payé tant qu'il y est resté. Mon oncle a entendu dire au régisseur de la plantation qu'il fallait maintenir les salaires très bas, parce que, si l'on payait des salaires plus élevés, les hommes travailleraient moins.

Sarah se mordit la lèvre, refusant de pleurer.

— Je regrette qu'on ne les ait pas jugés coupables. Au moins, ils seraient vivants.

Le feu passa au vert. Sarah tendit le bras par la portière.

— Pourquoi tournes-tu ? dit Tom. Nous devons aller signaler la disparition à la police.

— Il faut que je trouve Joe. A moins qu'ils l'aient enlevé.

Sarah s'arrêta devant l'appartement de Becky Hanatani. Becky habitait au premier. Tom suivit Sarah dans l'escalier, jusqu'au balcon qui courait sur toute la longueur de l'immeuble. Elle appuya sur la sonnette. Pas de réponse. Elle frappa. Tom frappa. Sarah se mit à marteler la porte de ses poings. Tom voulut l'arrêter, mais elle le repoussa. Il fallut qu'il lui saisisse les poignets et l'écarte de la porte.

— Sarah !

Il la maintint jusqu'à ce qu'elle cesse de se débattre.

— Ils ont aussi emmené Becky, s'écria-t-elle en s'effondrant contre Tom, aussi vaincue soudain que sa mère.

Il la sentit faible et sans défense entre ses bras et il éprouva comme une bouffée d'amour. Il ne fallait pas qu'il la laisse sombrer dans le désespoir.

— Sarah ?

Il blottit son visage dans les cheveux de la jeune femme.

— Il y a un autre endroit, dit-il en la prenant par la taille pour l'entraîner vers l'escalier.

Elle ne résista pas. Elle était étourdie, brisée par le calvaire de l'heure précédente.

— Je vais prendre le volant, dit Tom en s'avançant vers la décapotable.

Il l'aida à monter en voiture, puis il prit la direction de la mer. Il quitta Honolulu, parvint en rase campagne et continua jusqu'au chemin de terre, dans lequel il s'engagea pour atteindre la plage. Rien n'avait changé depuis la dernière fois qu'il était venu là, dix ans auparavant. Le chemin longeait l'océan en bordure de la plage de sable fin.

L'eau s'était retirée, on devait être presque à marée basse. Il y avait une large bande de sable plat, brillant, sûrement très dur, à la limite de l'eau. Tom s'arrêta.

— Je reviens de suite.

A peine était-il descendu de voiture que la jeune femme le rejoignit.

— Je ne peux pas rester là comme ça! dit-elle. Pourquoi es-tu venu ici? Il faut que nous trouvions Joe, *si* c'est encore possible... Il n'y a rien ici! lança-t-elle en écartant les bras. Tu nous fais perdre notre temps!

Elle fit demi-tour vers la décapotable. Tom ne la suivit pas.

— Sarah. Joe est peut-être ici.

Elle s'arrêta et ouvrit la portière. Tom lui tourna le dos et commença à s'éloigner. Il pouvait voir la courbe de la petite anse, au loin.

Il entendit Sarah refermer la portière. Il continua d'avancer, l'oreille tendue. Pas de bruit de moteur. Uniquement le clapotis des vaguelettes sur le sable. Puis Sarah le rattrapa.

— Il n'y a personne ici. La plage est vide. Nous ferions mieux de le chercher. Tom!

Il s'arrêta et tendit le bras. Ils étaient presque arrivés à l'entrée de l'anse. Dans un lointain passé, la mer avait creusé dans le promontoire une sorte de niche concave. Les tempêtes avaient roulé sur la plage de gros rochers qui demeuraient dispersés dans l'anse. Près d'un de ces énormes blocs, au-delà de la ligne de haute mer, se trouvait une sorte de paquet enveloppé dans une couverture. Sarah toucha le bras de Tom.

— Tu crois?...

— Nous venions souvent ici, Joe et moi, répondit Tom. Il n'y a pas meilleur endroit pour se faire porter par le ressac, sans planche.

Il avait hâte de se rendre près de la couverture, mais Sarah l'arrêta. Elle lui prit la main. Ils se touchaient, hanche contre hanche, épaule contre épaule. Tom pouvait la sentir jusqu'au fond de lui. Il eut envie de la tenir ainsi pour toujours.

— Que deviendrais-je sans toi?

Sarah porta la main du jeune homme à ses lèvres.

— Tu ne seras jamais sans moi.

Il eut envie de l'embrasser, mais ils continuèrent de marcher, main dans la main, au milieu des gros rochers.

La tête de Joe dépassait de la couverture. Sarah et Tom virent bientôt le visage de Becky contre l'épaule de Joe. Tom appuya du bout du pied sur la couverture.

— Joe.

— Joe, réveille-toi, dit Sarah en se penchant pour le secouer.

Il s'éveilla, aveuglé par le jour, puis il plissa les yeux et les reconnut. Il sourit.

— D'où sortez-vous ?... Réveille-toi, la belle au bois dormant, dit-il en repoussant Becky.

— Oh... Je dormais si bien... murmura la jeune femme.

Elle était belle, avec de grands yeux noirs et des lèvres charnues. Elle aurait été splendide si elle avait surveillé sa ligne. Mais Becky Hanatani adorait manger, manger n'importe quoi. Elle adorait faire la cuisine, manger et regarder manger ceux avec qui elle se trouvait.

— Pourquoi me réveilles-tu ?... Sarah !

— Tom... On va prendre un bain ? Tout de suite ? demanda Joe.

— Ils ont emmené Mike Yoshida, Harry et David, dit Sarah.

Joe jaillit hors de la couverture, dont il se dégagea à coups de pied.

— *Qui ?* Emmené *où ?* Tom, qu'est-ce qu'elle raconte ?

Tom lui expliqua ce qu'il savait des enlèvements. Joe se leva, il était en maillot de bain,

— Il faut qu'on les trouve, dit-il en enfilant son pantalon.

— Pas toi, Joe, dit Sarah. C'est un lynchage !

— Bon Dieu, je ne sais même pas par où commencer à chercher, dit Joe.

Becky se leva, enveloppée dans la couverture, et leur tourna le dos pour commencer à s'habiller.

— Ce n'est pas toi qui les cherches, dit Sarah, ce sont eux qui te cherchent.

— Nous te ramenons à la maison, dit Tom. Ensuite, j'irai prévenir la police.

— La *police !* lança Joe, incrédule. La police, c'est l'ennemi.

— Nous perdons du temps, répondit Tom. Tu rentres chez toi, Joe, et tu y restes. Des hommes ont été kidnappés, cela regarde la police. La police réglera la question.

— Je suis libre, nom de Dieu. Même leur maudit juge a dit que j'étais libre.

— Cesse de discuter, dit Sarah. Il faut qu'on parte. Tu n'es pas en sécurité ici. Tu n'es en sécurité nulle part dans les rues.

Joe ramassa la couverture.

— Quand je pense à eux trois ! Tu sais quel âge a David Kwan ? C'est un *bébé !*... toute cette putain d'affaire est de ma faute, lança-t-il en partant vers la décapotable.

Les autres le suivirent. Dans la voiture, Sarah dit à Becky :

— Il faut que nous conduisions d'abord Joe à la maison.

— Je veux rester avec lui, répondit Becky.

— Plus vite, Tom, plus vite, dit Sarah.

Elizabeth Liliuohé entendit la voiture et sortit de la maison avant même que Tom coupe le moteur.

— Il n'est pas rentré ! cria-t-elle.

Puis elle vit Joe à l'arrière. Elle saisit le bras de Sarah et la tira hors de la voiture pour pouvoir enlacer Joe.

Dans la maison, Joe se mit à tourner comme un lion en cage.

— Et vous voulez que je reste ici, à me *cacher,* pendant que les autres sont je ne sais où ?

— Oui, dit Sarah... Oui, oui, oui.

— Tu ne peux pas les aider, expliqua Tom. Seule la police peut les aider. Sarah, tu m'accompagnes ?

Joe prit le téléphone comme s'il allait le lui lancer à la figure.

— Appelle-les. Pour tout le bien que ça fera...

— Il faut ordonner une enquête, dit Tom. C'est pour cela que je vais au centre ville. Un délit a été commis. La police ne peut pas faire comme s'il ne s'était rien passé.

Sarah sortit de la maison avec lui.

— Prends la voiture, lui dit-elle. J'ai peur de partir. Joe risque de s'en aller. Tom ?... Je veux rester ici et je voudrais être avec toi.

Elle posa la main sur son bras.

— Tu es avec moi, répondit Tom. Je te l'ai dit. Tu es toujours avec moi, à présent. Nous ne nous quittons plus jamais.

Elle embrassa Tom et l'accompagna jusqu'à la décapotable.

— Fais attention, lui dit-elle. Sois prudent. Pour moi.

Tom s'arrêta devant le commissariat central. Le sergent de la réception lisait les bandes dessinées du journal du dimanche.

— Sergent ?

Les bandes dessinées s'abaissèrent.

— J'aimerais voir le capitaine Maddox.

— Demain.

Les bandes dessinées remontèrent. Tom s'éloigna dans le couloir. Le bruit du soulier qui grattait le sol agaça le sergent. Il baissa de nouveau les bandes dessinées et lança à l'intrus un regard furieux.

Tom se dirigea vers un téléphone payant et ouvrit l'annuaire. Il posa le doigt sous le nom de Curtis Maddox et répéta le numéro à voix basse. Il glissa une pièce dans l'appareil et indiqua le numéro à la standardiste. La sonnerie ne se prolongea que quelques secondes.

— Maddox.

— Capitaine, je m'appelle Tom Haléhoné, je...

— L'avocat, dit Maddox.

Il était à plat ventre sous les couvertures. Il regarda le réveil à côté de son automatique, dans l'étui. Même pas 8 heures.

— Oui, capitaine, dit Tom. Trois hommes ont été kidnappés.

— Allons bon !

Il comprit aussitôt. C'était bien la pire des choses qui pouvait lui arriver. Et il était au lit ! songea-t-il, furieux contre lui-même, comme s'il avait eu la possibilité d'empêcher l'enlèvement. Il repoussa les couvertures, projeta les pieds hors du lit et s'assit, tout nu, l'appareil à la main.

— Quels trois hommes ? interrogea-t-il, en se demandant ce qui était arrivé au quatrième.

— Mike Yoshida, Harry Pohukaïna et David Kwan, dit Tom.

Donc le trois-quarts-centre était en liberté. Pourquoi ? Maddox s'en voulut de perdre du temps.

— Qui prétend qu'ils ont été kidnappés ? Qui l'a vu ?

Tom expliqua à Maddox que la mère de Mike Yoshida avait vu une voiture s'éloigner à toute allure.

— Et les deux autres ? demanda Maddox.

— Ils ne sont pas chez eux. Ils rentrent toujours chez eux, d'habitude.

— Tous les gens qui font des fugues rentraient chez eux, d'habitude.

Qui pouvait être assez cinglé pour alpaguer ces trois types ?

— Capitaine, ils n'ont pas fait de fugue.

— Mais vous avez décidé qu'ils ont été kidnappés. Allez au commissariat central et remplissez un imprimé pour personnes disparues.

— Je suis au commissariat central, dit Tom. Capitaine, je...

— Bureau 103, coupa Maddox. La première porte, à gauche de la vitrine des trophées. Remplissez un imprimé.

Maddox raccrocha comme si l'appareil était aussi fragile qu'un œuf. Il demeura immobile un instant puis décrocha et appela Harvey Koster chez lui. Il attendit douze sonneries.

— Votre correspond ne répond pas, lui dit la standardiste.

Koster se rendait rarement au Club Hawaï, mais Maddox appela.

— Monsieur Koster n'est pas là.

Maddox passa dans la salle de bains et ouvrit les robinets de la baignoire. Qui avait mis la main sur ces trois gamins ? Un seul homme n'aurait pas pu réaliser ce raid. Il fallait plusieurs voitures.

— Un comité de vigilance ! dit-il à haute voix. Des redresseurs de tort.

La ville se divisait. Il entra dans la baignoire.

Il était en train de glisser une cravate sous le col d'une chemise blanche propre quand on sonna à la porte. Il crut qu'il s'agissait de son jeune jardinier, qui venait souvent le dimanche chercher sa paie, mais l'homme était habillé comme un croque-mort. Sans doute un quêteur pour les missionnaires. Il mit la main dans sa poche, puis il vit la décapotable jaune et noir au bout de l'allée. Il connaissait l'identité du visiteur avant que Tom n'ouvre la bouche.

— Désolé de vous déranger, capitaine.

— Mais pas assez désolé pour ne pas me déranger, hein ?

— J'ai rempli les imprimés pour personnes disparues, dit Tom. J'en ai déposé un au nom de chacun des trois hommes kidnappés.

— Vous n'avez que ce mot à la bouche, on dirait. Trois galopins ne sont pas rentrés chez eux hier soir, et vous parlez aussitôt de kidnapping. Mais vous n'avez aucun témoin et pas d'autre preuve qu'une voiture filant à toute allure. Peut-être ne filait-elle pas à toute allure, d'ailleurs, mais passons. Vous connaissez le numéro d'immatriculation ? Quel genre de voiture ? L'année, la marque, le modèle, la couleur ?

— Il faisait encore nuit, capitaine.

— Ils sont peut-être rentrés chez eux à l'heure qu'il est.

— Je me suis arrêté au coin de l'avenue pour téléphoner, répliqua Tom. Ils ne sont pas rentrés.

Il regarda Maddox.

— Leurs mères étaient chez eux.

Ce type est futé, se dit le capitaine. Il ne lui reste pas grand-chose à apprendre.

— Alors, tout ce que vous pouvez faire, c'est laisser la police accomplir son travail, lança-t-il à haute voix.

— Le sergent du bureau des personnes disparues m'a appris que les dossiers ne sont pas transmis pendant les quarante-huit heures qui suivent la requête.

— Vous êtes avocat, vous en comprenez donc la raison, dit Maddox. Quatre-vingt-dix-neuf pour cent des personnes signalées disparues rentrent chez elles au bout de deux jours. Vos copains sont peut-être dans la nature en train de cuver une cuite.

— Ce ne sont pas des *beach boys,* répondit Tom. Ils ne boivent pas. Ils n'étaient pas ensemble. Ils ont disparu séparément. Mike Yoshida était seul quand il a été kidnappé.

Maddox continua de tripoter sa cravate histoire d'occ⌐ ⌐ ses
mains — et ne pas saisir l'avocat au collet.

— Quelqu'un a vu qu'on l'emmenait de force ?

— Sa mère l'a entendu. Elle n'a entendu personne d'autre.

Maddox se retourna vers la porte.

— Capitaine, on est peut-être en train de les lyncher, dit Tom.

— Du balai !

— Il faut que vous fassiez *quelque chose.*

— Voilà ce que je vais faire, dit Maddox. Si vous n'êtes pas dans la
voiture de votre petite amie d'ici trente secondes, je vous embarque
en ville moi-même. Je vous fous en taule pour effraction et désordre
sur la voie publique. Je ne suis pas de service le dimanche, mais, si
vous m'obligez à quitter cette maison, vous serez le premier *Kanaka*
à le regretter. C'est moi qui vous arrêterai, et c'est moi qui porterai
plainte. Vous n'aurez pas autant de chance que vos copains. Vous ne
serez pas libéré sous caution. Vous serez inculpé pour délit contra-
ventionnel et non pour délit majeur ; vous vous retrouverez en route
vers la ferme-pénitencier pour y purger soixante jours avant que je
m'en aille déjeuner demain matin. Les trente secondes sont déjà
commencées, *maître !*

— Vous vous en *foutez,* hein ?

Tom lui tourna le dos et s'éloigna vers la décapotable. Maddox le
suivit des yeux. L'avocat ne le savait pas, mais il se trompait sur toute
la ligne.

Maddox finit de nouer sa cravate, enfila l'étui de son arme et prit
sa veste au portemanteau. Qui avait poissé ces trois types ? N'importe qui dans l'île. Toute cette saloperie d'île était suspecte. Et
pourquoi avaient-ils laissé courir le trois-quarts-centre, le dénommé
Joe ? Le trois-quarts-centre était sans doute le seul des quatre à ne
pas rentrer chez lui. Ces maudits redresseurs de torts lui avaient
lancé une sacrée fourchée de fumier dans la figure. Toute l'île
pouvait s'embraser après cette histoire.

Une forêt rectangulaire couronnait une colline en pente douce. Il y
avait toujours du vent au sommet, et l'on entendait le bruit des
branches et des feuilles. « Hallucinant », s'était dit Duane quand il
avait effectué sa reconnaissance dans les collines, en début de
semaine.

Avec son « fret » réparti entre les deux voitures, Duane partit vers
les collines le dimanche à l'aurore. Aucune route ne pénétrait dans la
forêt et Duane savait donc que personne ne pourrait les suivre.

Conduisez-les là-haut, près des arbres, dit-il.

tenait l'automatique et surveillait ses trois prisonniers. Ils étaient orse nu. Leurs chemises traînaient par terre, sous des cailloux pour que le vent ne les emporte pas. Ils avaient les mains liées derrière le dos et la corde passait autour de leur taille. Chaque prisonnier était attaché face à un arbre. Forrest Kinselman, Wesley Trask et Connie finissaient de les ligoter.

— Tout est paré, dit Forest.

— Attendez...

Duane courut à sa voiture, passa la main par la glace baissée et laissa tomber l'automatique dans le sac de sport, où se trouvait déjà l'autre arme. Il s'empara de l'enveloppe que le lieutenant avait laissée dans le sac. Elle n'était pas cachetée. Duane souleva le rabat et prit les quatre feuilles de papier blanc. J'AVOUE QUE J'AI VIOLÉ HESTER MURDOCH, lut-il. Puis, au-dessous d'un pointillé, le nom : JOSEPH LILIUOHÉ.

Duane le maudit entre ses dents et reposa la feuille dans le sac. Il lut le texte, identique, de la feuille suivante. Le nom, en bas, était celui d'Harry Pohukaïna. Duane lut les déclarations de Mike Yoshida et de David Kwan puis repartit en courant avec les papiers et l'enveloppe.

— Je vais vous lire un truc, dit Duane. « J'avoue que j'ai violé Hester Murdoch. »

— Ce n'est pas vrai, lança David.

— Vous n'avez qu'une chose à faire : signer. Après...

— Nous ne l'avons jamais touchée, dit David.

Duane dut se retenir pour ne pas le frapper en pleine figure.

— Qui est-ce qui lui a démoli le portrait ? Les moustiques ?

Il contourna l'arbre pour que David le voie en face.

— Je te préviens, reprit-il. Tu n'es pas au tribunal à présent. C'est un tribunal d'un autre genre. Et c'est moi qui commande. Alors, ne fais pas le guignol.

— C'est vous le guignol, dit Harry.

— Tu n'auras pas d'autre chance, lança Duane en brandissant les feuilles. Tu as intérêt à signer.

— Ne lui réponds pas, dit Harry.

— Ne le regarde pas, David, ajouta Mike. Ferme les yeux.

— Tu signeras, dit Duane. Je te le promets.

Il glissa les feuilles dans l'enveloppe, qu'il posa par terre avec un caillou par-dessus. Il se redressa, face à ses trois prisonniers, releva sa chemise hawaïenne et posa la main sur la boucle de son ceinturon.

— Je t'ai donné ta chance, dit-il.

Les trois autres marins portaient aussi leur large ceinturon

réglementaire de cuir noir, à boucle de laiton. Ils l'enle   nt en
même temps que Duane.

— Écoutez, dit Harry.

Duane ne put s'empêcher de sourire. Il tenait ces salauds.

— Je prendrai la part de David, dit Harry.

Duane lui lança son poing en pleine figure.

— Vous prendrez tous les deux sa part, cria-t-il en se reculant près de ses camarades.

Il se plaça derrière Harry.

— Il est pour moi, dit-il en levant le ceinturon.

Il y eut un bruit sec et Harry frissonna. Duane frappa une deuxième fois.

— Faut-il que je fasse tout tout seul ? cria-t-il.

Connie frappa Mike Yoshida. Duane bouscula Forrest, qui frappa David. Wesley Trask se plaça près de Connie, derrière Mike, et frappa en alternance avec lui.

Les dos des trois prisonniers devinrent écarlates. Du sang se mit à suinter de la peau. Duane était en sueur. Son bras lui faisait mal. Pourquoi ces trois salauds refusaient-ils de signer ? Ils étaient cinglés : subir une telle correction ! De la démence pure. David poussa un cri, une longue plainte aiguë.

— Arrêtez, dit Duane en levant le bras.

Les trois marins, haletants après l'effort, abaissèrent leurs ceinturons.

— Prêts à signer ?

— Ne me frappez plus, je vous en supplie, dit David Kwan. Je vous en supplie.

Puis il hurla quand le ceinturon, comme un fer brûlant, s'enfonça de nouveau dans sa chair.

— Ferme les yeux, nom de Dieu, dit Harry.

Duane passa devant David.

— Alors, tu signes ?

— Nous n'avons rien fait. Je vous en prie, monsieur. Je vous en prie...

Duane recula et le frappa de nouveau. Du sang se mit à couler sur le dos de David. Harry et Mike étaient couverts de sang. La peau lacérée de leur dos se creusait de rigoles profondes, à vif. Duane continua de les flageller. Il était le seul à frapper maintenant.

— Vous êtes paralysés ou quoi ? lança-t-il aux marins, prêt à retourner la ceinture contre eux.

David hurla. Duane prit sa ceinture par le bout de cuir.

— Servez-vous de la boucle ! lança-t-il.

— Arrêtez ! dit David.

boucle lui déchira le dos.

Ses jambes l'abandonnèrent. Sa tête tomba sur son épaule. Il perdit conscience. Forrest Kinselman vit que le jeune homme était inerte contre l'arbre, il vit le dos brun couvert de sang, et il se détourna pour vomir. Il lâcha son ceinturon et sans cesser de vomir essaya de courir, tant bien que mal, pour fuir l'horreur. Wesley Trask partit à son tour et Connie le suivit, mais sur le côté, pour éviter de marcher dans les vomissures de Forrest. Duane resta seul. Il détestait les salopards contre les arbres, mais il ne pouvait plus continuer. Il ramassa l'enveloppe et partit vers les voitures, puis il se souvint du ceinturon de Forrest. Il devait supprimer tous les indices. Il trouva le ceinturon et s'en alla, laissant les trois salauds ligotés aux arbres. Il était fou de rage. Après tout le mal qu'il s'était donné, le beau plan qu'il avait échafaudé, il n'y avait rien sur les feuilles de papier, sauf le texte dactylographié.

— Foutons le camp, dit Connie.

Duane aurait étranglé volontiers Forrest avec son ceinturon. Il le lui lança.

— Tu crois que personne n'est capable de reconnaître un ceinturon de marin ?

— Tu ne peux pas les laisser là-haut, dit Forrest.

— Tu parles !

— Ils vont mourir, Duane, dit Wesley Trask.

— Ne prononce pas mon nom !

— Il faut couper leurs liens, dit Forrest.

Duane sortit son couteau.

— Fais vite.

Forrest recula.

— Je ne supporte pas de les voir.

Duane offrit le couteau à Connie, mais celui-ci ouvrit la portière de la voiture.

— De la gueule, mais pas de tripes ! dit Duane.

Il lança l'enveloppe dans la voiture et s'éloigna vers les arbres.

— Les cordes ! cria Connie. On ne peut pas laisser les cordes !

Le cœur de Duane cessa de battre. Il avait acheté les cordes en ville. Le vendeur se souviendrait de lui. Il avait oublié les cordes ! Ce dégonflé venait de le sauver.

Duane commença par couper les liens de David, qui s'écroula sur le sol. Puis il coupa ceux de Mike Yoshida. Mike tomba sur le dos, gémit et essaya de se retourner. Duane, d'un coup de pied, le mit à plat ventre. Ensuite, il coupa les liens d'Harry. Harry tomba à genoux puis bascula en avant. Duane se pencha et coupa les liens

autour de leurs poignets, puis il ramassa tous les bouts
tombés sous les arbres. Les mains pleines, il repartit en courant.

— La voici, les filles ! dit Harvey Koster.

Il se trouvait en haut de son escabeau, juste au-dessous des lumières vives, dominant toutes les filles. Il tenait à la main une étoile étincelante. Il était monté contre l'arbre de Noël, sans trop bousculer les branches et les aiguilles. L'ancienne étoile était dans une boîte, par terre, sous l'escabeau. Des boîtes pleines de décorations de Noël jonchaient le sol. Koster avait découvert la nouvelle étoile dans un catalogue qu'on lui avait envoyé de San Francisco au mois d'août. Il l'avait commandée aussitôt.

Il baissa les yeux vers les visages impatients.

— Avez-vous jamais vu quelque chose d'aussi beau ?

Koster et les filles installaient toujours les décorations longtemps avant Noël. Dès la mi-novembre, les filles devenaient impatientes. Début décembre, Koster réunissait toutes les boîtes dans le vaste studio secret, sans fenêtre, derrière son dressing-room. Les filles et lui connaissaient le contenu de chaque boîte, parce qu'un inventaire précis, de la main de Koster, était collé sur chaque couvercle.

Bras tendus, Koster fixa l'étoile en haut de l'arbre. Il était enchanté de son choix.

— Regardez, les filles ! Regardez, leur dit-il, rayonnant.

Koster s'enthousiasmait de son audace. La plupart des filles s'attendaient à ce qu'il suive la même routine que les années précédentes : il commençait généralement par le bas de l'arbre, avec les décorations habituelles. Mais cette année, il n'avait pas pu se retenir. Il était si impatient depuis l'arrivée de l'étoile ! Et il ne lui avait même pas jeté un coup d'œil en cachette...

— Vraiment, Stella, dit Koster à la patineuse sur sa piste. Inutile de faire la moue !

Il descendit lentement, puis il leva les yeux vers l'étoile, ému par son choix. Il savait que Stella était en colère. Il sentait son regard courroucé dans son dos. Il avait peur de se retourner vers elle, mais il ne pouvait pas aborder les fêtes avec une querelle dans sa famille. Il s'avança vers Stella en tremblant.

— Ne me pardonneras-tu pas ?

Il se pencha pour déplacer Debbie, en faisant attention à ses skis.

— Excuse-moi, mon trésor, dit-il en la poussant plus bas, vers le chalet. Stella...

ster se mit à genoux près de la patineuse artistique et baissa la
.

— Pitié, mon trésor.

Au bout d'une éternité, il releva la tête. Stella souriait! Elle lui
avait pardonné! Noël serait un triomphe cette année, Koster en était
certain! Il tendit le cou pour embrasser Stella.

— Tu seras récompensée de ton grand cœur le matin de Noël, lui
murmura-t-il.

Il se leva et s'essuya les mains à son tablier de valet de chambre,
gris à rayures. Debout au milieu des filles, il était aux anges.

— Nous commençons?

Il regarda Sibyl en costume de cheval, à califourchon sur Thor, son
étalon préféré.

— Par quoi commencerons-nous, Sibyl?

Il hocha la tête, rayonnant de fierté.

— La crèche, bien sûr.

Il se dirigea vers les boîtes et prit sans hésiter celle de la crèche. Il
l'avait emballée avec soin dans du papier de soie le Jour de l'An,
onze mois plus tôt. Au moment où il enleva le papier, il sentit qu'un
des Rois Mages avait perdu un bras. Il allait dire aux filles qu'il
achèterait une autre crèche, plus belle, lorsqu'il se rappela le
déplaisir de Stella lorsqu'il avait commencé par la nouvelle étoile.
Koster se tut, gêné. Jamais Stella ne lui pardonnerait deux fois le
même jour.

— Regardez, les filles, un des Rois Mages a perdu un bras, dit-il
en s'adressant directement à Stella. Pas de chagrin, je vous prie. Je
vais le réparer en deux temps, trois mouvements.

Il porta la crèche jusqu'à son coffre à outils et s'assit sur le
tabouret. Mais il ne trouva pas de colle. Il savait très bien qu'il ne
pourrait pas s'en tirer avec des excuses à Stella.

— Il me faut de la colle, les filles.

Sidney Akamura avait un placard rempli de produits d'entretien.
Koster laissa la porte du studio ouverte. Sidney Akamura ne
travaillait jamais pendant le week-end. Koster descendit dans la
cuisine par l'escalier de service et il se trouvait devant les fourneaux
quand il entendit, assourdie, la sonnerie de la porte d'entrée.
Personne ne venait chez Koster sans être invité. Il avait attendu la
semaine entière le moment où il serait seul avec les filles. Il glissa les
mains derrière son dos pour dénouer son tablier. Sachant que Stella
croirait à une autre dérobade de sa part, il se hâta de traverser la
maison.

Maddox n'avait jamais vu Koster sans complet et cravate.

— Je n'aime pas m'imposer ainsi, à l'improviste, monsieur Koster, mais je me suis dit qu'il valait mieux que je vienne. J'ai téléphoné sans succès. J'ai appelé le Club...

— J'étais dans le jardin il y a encore un instant, mentit Koster. Si vous êtes ici, ce doit être grave.

— Très grave.

Pour la première fois de sa vie, il entra dans la maison de Koster. Il suivit son bienfaiteur dans le salon. Jamais Maddox n'avait vu une pièce aussi belle. Pas une seule trace de la présence de Koster. A côté de la maison de Koster, le salon de Doris Ashley avait l'allure d'une écurie. Koster lui indiqua une chaise.

— Asseyez-vous, Curt.

— Trois des quatre jeunes gens de l'affaire du viol ont disparu, dit Maddox, debout.

— Disparu ?

Koster s'assit et croisa les jambes.

— Asseyez-vous, Curt, répéta-t-il.

Maddox prit la chaise que lui indiquait Koster. Il se pencha en avant, le chapeau à la main.

— Ils ont été enlevés la nuit dernière, dit Maddox avant de raconter à Koster la visite de Tom Haléhoné. Ce n'était pas un coup de hasard, mais une expédition organisée. Ils voulaient s'emparer des quatre. Celui qu'ils n'ont pas pris n'a pas dû rentrer chez lui hier soir. Ces quatre gosses...

— Des gosses ?

— L'un d'eux a vingt ans, monsieur Koster.

— Ils ne se sont pas conduits comme des gosses. Comment voyez-vous les choses, Curt ?

— Je crois que quelqu'un — plusieurs personnes en fait — a enlevé ces... hommes pour leur faire avouer qu'ils ont violé Hester Murdoch.

— C'est peut-être une fausse alerte, dit Koster.

— Peut-être. Et peut-être est-on en train de les pendre à une branche, pendant que nous discutons.

Koster bondit de sa chaise.

— *Bon sang !* Il nous faudrait cinquante ans pour faire oublier ça ! Washington prétendrait avoir eu raison depuis le début. Nous ne sommes pas civilisés ! On pourrait oublier notre requête de devenir un État !

Des taches rouges apparurent sur le visage de Koster. Il se mit à tirer sur ses doigts. C'était la première fois que Maddox voyait son protecteur en colère.

— Pourquoi croyez-vous au pire ? dit Koster.

Maddox ne pouvait pas rester assis alors que Koster était debout.
Il se leva.

— Je ne crois rien, monsieur Koster. Mais je me prépare au pire,
parce que en général la suite des événements me donne raison.

— Donc, ce sont des conjectures. Tout ce que vous m'avez
raconté n'est que conjectures.

— Les conjectures font partie de mon travail, répondit Maddox.
Mon instinct me dit que cette affaire est mauvaise. Je peux me
tromper du tout au tout, bien sûr. Oui, j'espère que je me trompe.

— Donnez-moi une autre conjecture, Curt.

— Peut-être reviendront-ils. Peut-être ont-ils été tués. Peut-être
ont-ils été tués et enterrés quelque part, jetés dans l'océan, lestés
pour qu'ils ne refassent jamais surface.

Koster se dirigea vers une table, souleva une boîte laquée et la
reposa.

— Que sait-on à Washington ? demanda-t-il, prêt à répondre à sa
propre question. Quatre indigènes ont violé Hester Murdoch. Un
jury comprenant des indigènes n'a pas pu s'accorder sur un verdict.
Aujourd'hui, trois inculpés sur quatre ont disparu. S'ils ne reviennent jamais, Washington pensera sans doute qu'ils ont eu peur du
deuxième procès. S'ils reviennent, ou si on les trouve, il vous faudra
agir aussitôt. Vous avez dit à leur avocat de s'adresser au bureau des
personnes disparues. Ce bureau, quand intervient-il ?

— Au bout de quarante-huit heures, dit Maddox.

— Beaucoup de choses peuvent se produire pendant deux jours,
Curt.

Il quitta la table et se dirigea vers la table, mais Maddox ne bougea
pas.

— Cela donne aux gens qui les ont enlevés une avance considérable, dit Maddox.

Koster ne s'arrêta pas et Maddox le suivit.

— Vous avez bien fait de venir, Curt, dit Koster à la porte. Je
serai ici toute la journée. Vous pouvez venir à n'importe quel
moment.

Il parlait à l'enfant de douze ans qu'il avait trouvé endormi dans
son entrepôt. Il ouvrit la porte, congédia le gamin et le regarda
s'éloigner.

Koster revint dans la cuisine. Il prit le tablier de valet de chambre
sur la chaise et, brusquement, tira dessus comme pour le déchirer.
Son visage se couvrit de nouveau de taches rouges. Le tablier
résistait. Il refusait de se laisser déchirer ! Il le jeta par terre, lui lança
un coup de pied, puis le suivit en continuant de taper.

Maddox reprit le chemin de sa maison, mais s'arrêta à moins d'un kilomètre de la demeure de Koster. Il resta au volant, sans couper le moteur. Au bout d'un moment, il repartit, mais s'arrêta de nouveau après quelques centaines de mètres. Il entendit des chevaux et leva les yeux. Jay et Chloe McCutcheon partaient en promenade. Ils riaient. Le bruit des sabots des chevaux s'éloigna. Maddox ôta son chapeau et le posa sur le siège.

— On ne peut pas tuer des gens comme ça, dit-il à haute voix.

Au croisement suivant, il ne tourna pas à gauche mais à droite, pour se rendre au commissariat central.

Dans le silence dominical des bureaux, Maddox sortit de l'ascenseur. Sans prendre le temps de s'asseoir, il appela Al Keller chez lui.

— Je préférerais ne pas vous déranger, lui dit-il.

Quand Keller le rejoignit, Maddox avait déjà sur son bureau des photos d'Harry Pohukaïna, Mike Yoshida et David Kwan.

— Quelqu'un les a poissés, dit Maddox.

Il expliqua à Keller que huit autres policiers étaient déjà en route.

— Cinq voitures devraient suffire à courir cette île, dit-il.

— Nous quittons la ville, fit observer Keller. Dans le comté, peut-être pourrions-nous demander l'aide du shérif.

— Le shérif ne s'intéressera sûrement pas à l'affaire. Regardez-les bien, dit-il en lui tendant les clichés.

Il se leva et déboutonna sa veste. Tout le serrait depuis quelque temps. Il avait besoin de nouveaux complets. Pour la première fois, le gamin de douze ans avait désobéi.

Vers 4 heures, le dimanche après-midi, Senso Fujito sortit de son hangar pour se rendre à Waikiki. Il était dans la cabine de sa camionnette Ford modèle T et il transportait deux caisses de cochons de lait au chef de l'Evening Star Hotel. Senso Fujito n'aimait pas conduire, surtout seul et au milieu de la circulation. En général, son fils aîné l'accompagnait, parce que Senso souffrait des reins, mais le jeune homme avait marché sur un clou rouillé la veille.

Senso était déjà loin de chez lui quand il vit l'ivrogne sur le bord de la route, à droite. L'homme tenait à peine sur ses jambes. Il était nu, il n'avait pas de chemise. Senso fit un écart sur sa gauche pour éviter l'ivrogne — un soldat ou un marin. L'homme s'avança au milieu de la route en chancelant, directement vers la camionnette. Si Senso avait un accident, les caisses tomberaient, se briseraient et les porcelets s'enfuiraient. Senso serait obligé de retourner à pied à la ferme et il passerait toute la nuit sur la route. Heureusement, l'homme tomba.

Senso vit alors les deux autres ivrognes sur le bas-côté, puis, juste au moment où il les dépassait, enfin tranquille, il aperçut le sang. Il écrasa la pédale de frein. Quand il descendit de sa camionnette, Harry Pohukaïna s'était relevé.

— Au secours, dit-il avant de retomber.

Maddox déclencha la sirène et prit le chemin de l'hôpital de la Miséricorde.

— Vous allez déranger les malades, capitaine, dit Al Keller, à côté de lui.

— Et après? répondit Maddox, mais il coupa la sirène.

« Contre qui suis-je en fureur? », se demanda-t-il. En arrivant devant l'entrée de la salle des urgences, il reconnut la décapotable jaune et noir.

Harry Pohukaïna était allongé à plat ventre sur une table ; ses bras pendaient de chaque côté et ses mains s'accrochaient aux pieds métalliques carrés comme si sa vie en dépendait. Il était au bout du rouleau. Il fallait qu'ils cessent de le frapper. Qu'ils cessent ou qu'ils le tuent.

Frank Puana le soignait. Peter Monji, de l'autre côté de la table, aidait le docteur. Le docteur avait examiné les trois hommes sur le plateau de la camionnette avant de les transporter dans la salle.

— Un, deux et trois, avait dit le docteur à Peter en montrant les jeunes gens étendus sur les planches à côté des cochons.

Ils avaient soigné d'abord David Kwan, puis Mike Yoshida. Les deux jeunes gens se trouvaient déjà au premier.

Maddox entra dans la salle et s'arrêta comme s'il avait heurté un mur de brique. Al Keller faillit lui rentrer dedans. Il fit un pas de côté et dit :

— Bon Dieu! *Bon Dieu!*...

Maddox fit la grimace, dents serrées. L'infirmier le regarda et Frank leva les yeux.

— Si personne ne les avait ramassés, ils seraient morts, dit-il.

— Où sont les autres? demanda Maddox.

Frank s'était de nouveau penché sur son patient. Maddox s'approcha de l'infirmier. Sur la table, le dos du jeune homme était en bouillie.

— Réponds, petit, dit Maddox. Et vite.

— En haut, souffla Peter. Le docteur les a soignés en premier.

— Qui les a trouvés? demanda Maddox.

— Vous me gênez dans mon travail, dit Frank.

— Taisez-vous! répliqua Maddox. Faites votre travail, je fais le mien. Qui les a trouvés?

— Un paysan, répondit Peter Monji. Un éleveur de porcs.

Maddox appela Al d'un geste. Keller avait l'estomac chaviré. Il s'avança en fixant le bout de ses chaussures.

— Raconte-lui tout ce que tu sais, ordonna Maddox à Peter.

Puis il contourna la table et s'arrêta près de Frank. Il se pencha de côté pour regarder le blessé qui s'accrochait aux pieds de la table. Harry avait les yeux fermés. Maddox se redressa. Il se mit à parler à l'oreille de Frank, très bas.

— Cessez de jouer les *prima donna*. Plus tôt j'apprendrai ce qui s'est passé, plus vite je pourrai me lancer sur la piste. Est-il en mesure de parler?

— Vous êtes aveugle? Il est inconscient! répondit Frank.

Harry entendit les voix, très loin. Ils avaient cessé de le flageller et ils s'en allaient.

— Au secours!

Maddox l'entendit et s'accroupit, le visage au niveau de la table. Le jeune homme avait ouvert les yeux.

— Je suis un flic, petit, dit Maddox. Je veux coincer les types qui t'ont fait ça. J'ai besoin de ton aide. Combien étaient-ils? Décris-moi la voiture. Où vous ont-ils ramassés? Parle aussi longtemps que tu pourras.

— Quatre, murmura Harry. Deux voitures, des automatiques. La nuit dernière. David et moi. Mike. Nous ont ligotés et fouettés...

Ses yeux se refermèrent. Maddox le regarda un instant avant de se relever, à côté de Frank.

— Capitaine.

Keller s'éloigna de la table et s'arrêta près de la porte de la salle. Maddox, d'une chiquenaude, releva le bord de son chapeau et rejoignit Al.

— Rien, lui dit Keller, en essayant de ne pas élever la voix.

Il n'avait pas besoin de regarder le blessé pour le voir et il ne parvenait pas à maîtriser sa colère. Il faudrait le maintenir à l'écart des types qui avaient fait ça — si on les retrouvait.

— Même pas son nom, rien! lança-t-il, furieux.

Il aurait bouffé cet imbécile d'infirmier.

— Un éleveur de porcs! Ils ne lui ont absolument rien demandé!

— Ce ne sont pas des flics, répondit Maddox. Calme-toi... Calme-toi, Al, répéta-t-il à mi-voix.

— Ouais. Un éleveur de porcs, un Jap. Avec une camionnette modèle T, qui livrait un chargement de porcelets en ville. C'est tout, capitaine, dit Al en s'essuyant les mains. *C'est tout!*

— Nous démarrerons de là. Dimanche. Il livrait des porcs un dimanche, donc ce n'était pas pour une boucherie. Les boucheries sont fermées. Il portait sans doute des cochons de lait pour un *luau,* ce soir. Les cuisiniers sont sûrement déjà en train de s'affairer. Prends ma voiture, Al. Demande de l'aide. Commence par Waikiki. Interroge les cuisiniers de tous les hôtels. Méthodiquement, en te dirigeant vers le centre ville. Le chef qui a commandé ces porcelets connaît le nom du paysan et sait où il habite, dit Maddox en ouvrant la porte de la salle des urgences. Demande au standard d'envoyer quelqu'un me chercher. Je serai au commissariat central.

Il posa la main sur l'épaule du rouquin et le poussa sur le seuil.

— Comment va-t-il? dit une voix.

Quand Maddox se retourna, il se trouva en face de leur avocat. Le patient allongé sur la table était entre eux. L'avocat n'avait plus du tout l'air d'un pasteur.

Tom avait laissé Sarah au premier étage, avec le père de David Kwan. Celui-ci s'était effondré devant le lit de David, et Tom et Sarah avaient dû le porter dans la salle d'attente.

— Vous aviez raison, capitaine, dit Tom. Ils avaient disparu, mais ils sont revenus. Il n'a fallu ni quarante-huit ni même vingt-quatre heures. Ils sont là! lança-t-il en tendant le bras vers la table. Voici Harry, ce qu'il en reste. David et Mike sont au premier, ce qu'il reste d'eux! Vous pourrez déchirer les imprimés que j'ai remplis au bureau des personnes disparues.

Maddox s'avança vers lui.

— Est-ce qu'ils peuvent parler?

— Est-ce qu'ils peuvent?... commença Tom, puis il s'arrêta.

Il fallait qu'il évite le grand flic. Il ne pouvait pas supporter sa présence. Il montra Harry.

— Est-ce qu'il peut parler? Regardez-le donc! Vous refusez même de les regarder!

Tom se retourna, mais Maddox l'avait rejoint.

— Où est le quatrième? Liliuohé? lança-t-il en saisissant le bras de Tom. Cessez de me faire perdre mon temps, maître. Je suis sur une affaire criminelle et vous entravez le cours de la justice. Vous voulez parler ici ou vous préférez venir au commissariat central?

— Il est chez lui!

Tom libéra son bras, mais uniquement parce que Maddox l'avait lâché. Maddox regarda l'avocat infirme sortir en traînant la jambe. Il était trop jeune pour avoir peur.

Quinze minutes plus tard, un agent en uniforme ouvrit la porte de la salle des urgences.

— Capitaine? Vous êtes prêt?

Maddox hocha la tête et suivit l'agent. La voiture de ronde était devant l'entrée. Maddox s'arrêta près de la portière, ôta son chapeau et chercha son mouchoir. Il essuya le bord intérieur du chapeau. Les deux agents à l'avant le regardèrent. Sans se recoiffer, il ouvrit la portière de devant.

— Passe à l'arrière, petit, dit-il à l'agent assis à côté du conducteur. Au centre ville, ajouta-t-il en prenant la place du jeune homme.

Il décrocha aussitôt le radiotéléphone.

— Maddox, annonça-t-il au standard. Joseph Liliuohé est un des quatre types du viol Murdoch. Il habite à Papakoléa. Il a été écroué, le sergent de service vous donnera donc son adresse. Envoyez 326 là-bas. S'il n'est pas chez lui, dites-leur de me rappeler en ville. S'il est chez lui, dites-leur de rester là-bas. S'il sort, qu'ils le filent. Partout où il va, ils ne le quittent pas, y compris aux toilettes. Ils restent jusqu'à ce qu'on les relève. A partir de maintenant, surveillance vingt-quatre heures sur vingt-quatre.

La journée tirait sur sa fin. Les becs de gaz s'allumèrent pendant le trajet de l'hôpital au commissariat. Maddox avait déjà oublié sa rencontre avec l'avocat. Il ne songeait qu'au garçon allongé dans la salle des urgences et au plus jeune des trois, David Kwan.

Il essaya de se concentrer, il se força à imaginer la bande de lyncheurs. Quatre dans deux voitures avec deux automatiques. Des automatiques et des fouets. Non, pas des fouets. Les blessures étaient trop larges. Ils avaient utilisé du cuir. Qui ? *Qui ?* N'importe qui dans l'île. La fureur de Maddox se retourna contre la population tout entière. Il n'était sûr que de sa propre innocence et de celle d'Al Keller. Il prit son chapeau sur ses genoux et le fit tourner doucement.

— Déposez-moi à la porte, dit-il.

Il s'éloigna à pas lents, son chapeau à la main. La rue semblait déserte. Le grand hall était vide et faiblement éclairé.

— Cet endroit pue, dit-il à haute voix.

Il monta au premier étage avec l'ascenseur, le dos appuyé à la cloison de la cabine. Il avait mal aux épaules. Mal partout. L'impression de ne pas avoir dormi depuis une semaine.

— Quel dimanche ! s'écria-t-il.

Il faudrait qu'il aille voir ces trois gamins à l'hôpital demain.

— Quel lundi !

Il s'assit à son bureau et mit son chapeau.

— Maddox, dit-il au standard. Al Keller a pris ma voiture. Trouvez-le et dites-lui de m'appeler.

La porte s'ouvrit.

— Laissez tomber, dit Maddox à l'appareil.

Al Keller, sur le seuil, souriait de toutes ses dents.

— Senso Fujito, dit-il. Vous êtes tombé pile, capitaine. Il a livré à l'Evening Star Hotel. Il habite aux cinq cents diables et il y est déjà reparti.

— Vous ne vous attendiez tout de même pas à ce qu'il élève ses cochons dans King Street ?

Maddox se leva et Keller lui donna le bout de papier sur lequel il avait noté l'adresse de Fujito.

— Prenez le reste de la journée, dit-il sans humour.

— Mais ce paysan ?

— Nous sommes sur les dents depuis ce matin, répondit Maddox. La nuit tombe. Il va nous dire où il a trouvé ces types, mais nous serons obligés d'attendre qu'il fasse jour. J'irai le voir demain matin.

Il traversa le bureau et le rouquin le suivit.

— Vous voulez que je passe vous prendre, capitaine ? demanda-t-il en s'arrêtant sur le seuil.

— Vous avez perdu votre dimanche. Occupez-vous donc de vos gosses. Si j'ai besoin d'aide, je crierai au secours.

Maddox retourna chez lui. Il entra par la porte de la cuisine, qu'il traversa dans le noir. Il n'alluma que la lampe de sa table de chevet. Toujours debout, il se déchaussa et ôta son étui à revolver, qu'il posa à côté de la lampe. Il vida ses poches puis se déshabilla. Il posa ses vêtements en tas au pied du lit. Il se laissa tomber sur le lit défait, tendit le bras pour éteindre la lampe et se retourna dans le noir pour tirer le drap sur lui.

Quand il s'éveilla, il chercha l'interrupteur à tâtons et regarda sa montre-bracelet. Il était 4 h 5. Il se leva, nu, et s'étira en cambrant le dos. Il entra dans la salle de bains et se pencha pour ouvrir les robinets de la baignoire. Qui avait fouetté ces types ?

A cause de son effrayante aventure, qu'il avait racontée en détail à sa femme, Senso Fujito se leva plus tard que de coutume. Le clou rouillé avait fait enfler le pied de son fils et il était donc seul dans la porcherie. Quand il eut fini de donner à manger aux truies et à ses deux verrats, il remplit d'eau les auges. Presque 6 heures ! Il était très en retard, mais il fallait qu'il mange une bouchée avant de continuer. Il se dirigeait vers la maison lorsqu'il entendit la voiture sur le chemin.

Maddox appuya sur le klaxon et vit le paysan se figer comme s'il était fait prisonnier, encerclé. Maddox s'arrêta à côté de lui, tendit la main par la portière et montra au paysan son insigne doré.

— Du calme, dit-il en souriant. J'ai besoin de votre aide.

— Je ne parle pas bon anglais, dit Senso.

— Ça suffira, répondit Maddox.

Il fit un geste vers la camionnette modèle T.

— Montrez-moi où vous les avez trouvés. Je vous suis.

Il n'avait pas envie de prendre le paysan avec lui et de le ramener.

Senso avait trop peur pour dire qu'il avait faim. Il avait trop peur pour dire qu'il était en retard et seul, parce que son fils ne pouvait pas marcher. Il hocha plusieurs fois la tête et s'élança vers sa camionnette.

Maddox le suivit, sans passer en troisième. Il avait envie de klaxonner, mais il se retint. Le paysan aurait dû rouler plus vite, peut-être avait-il trop peur pour se souvenir.

— Détends-*toi !* se dit-il à voix haute, en posant le bras droit sur le dossier du siège voisin.

Le modèle T monta sur le bas-côté et s'arrêta. Maddox était devant la cabine de la camionnette avant que Senso Fujito n'ait eu le temps d'ouvrir la portière.

Ils marchèrent le long de la route.

— Vous êtes sûr ? demanda Maddox.

— Ici, dit Senso en frappant le sol du talon. Tous les trois ici.

Maddox leva les yeux. Ils étaient au pied d'une colline en pente douce. Maddox traversa la route. De ce côté-là, la pente descendait, très raide. Jamais les trois garçons n'auraient pu la remonter dans l'état où ils se trouvaient. Maddox n'avait pas remarqué que le paysan l'avait suivi.

— Je pars, maintenant ?

— Oui, vous pouvez partir maintenant.

Il suivit le paysan des yeux. Il courait comme une fille. Il grimpa dans la cabine de sa Ford. Maddox leva la main en visière au-dessus de ses yeux et scruta la colline de l'autre côté de la route. Le modèle T démarra. Maddox se dirigea vers sa voiture et s'arrêta brusquement au milieu de la route. Le modèle T tourna à droite vers la colline. Maddox courut vers sa voiture.

— C'est évident ! dit-il à haute voix.

Le modèle T fit marche arrière lentement pour terminer son demi-tour. Maddox tira sur le démarreur. Le modèle T s'arrêta puis repartit en marche avant : Senso rentrait à la ferme. Quand Maddox croisa la camionnette, il regardait droit devant lui, aussi ne vit-il pas le geste de reconnaissance que lui adressait Senso. Maddox atteignit presque aussitôt le pied de la colline. Il fit demi-tour et s'arrêta, abandonnant sa voiture pour continuer à pied. Il vit les traces des pneus quelques mètres plus loin.

Il reprit sa voiture et monta lentement, cahoté et secoué en tous sens. Sur la crête, il descendit de nouveau de voiture et avança lentement en suivant les rangées parallèles de buissons écrasés. Il parvint à la petite forêt. Le soleil disparut. Maddox se trouva dans l'ombre. La nature était vierge. Un peu partout, des arbres abattus par le temps pourrissaient, se transformaient en poussière.

— Ils se sont arrêtés ici, dit Maddox.

A son entrée dans la forêt, il vit une chemise. Il se baissa pour la ramasser et en vit une autre, que le vent avait poussée contre un arbre. Il trouva la troisième par terre à côté de quatre arbres alignés comme les piquets d'une clôture.

— Ligotés, dit Maddox, répétant les paroles d'Harry Pohukaïna dans la salle des urgences.

Les chemises étaient propres. On avait donc déshabillé les trois gosses avant de les attacher.

Maddox passa d'un arbre à l'autre. Il vit l'écorce abîmée. Il s'accroupit. Le sol nu, humide à l'ombre, était dur, tassé par leurs chaussures la veille. Maddox se redressa et traça lentement un cercle, tête baissée, jusqu'à ce qu'il sorte du bois, au soleil. Il revint en arrière, en évitant de passer au même endroit. Il fouilla la forêt pendant presque deux heures. Il fouilla l'endroit où les voitures s'étaient arrêtées et s'accroupit plus de cent fois pour glisser les mains sous les buissons.

— Je n'avance pas, dit-il en se levant.

Sa chemise, trempée de sueur, collait à son dos. Ils devaient tous être comme fous en ville, et il ne pourrait leur montrer que les chemises des victimes ! Il essuya avec son mouchoir l'intérieur de son chapeau et traversa le petit bois jusqu'à sa voiture.

Il descendit la colline, accroché au volant tandis que la voiture bondissait sur les cailloux et s'enfonçait dans les trous. Il prit la route d'Honolulu. Il fallait qu'il aille à l'hôpital de la Miséricorde. Les gosses devaient être capables de parler, à présent.

— 212, 212.

Maddox décrocha le radiotéléphone.

— Ici 212, dit le standardiste du commissariat central, rendez-vous au bureau du chef Fairly. Il vous a cherché toute la matinée, capitaine.

— Il m'a trouvé, répondit Maddox en raccrochant.

Il continua, sans accélérer, vers la ville, et se rendit directement au bureau du chef de la police.

— Il est seul ? demanda Maddox.

L'agent en uniforme, derrière le bureau des plantons, hocha la tête et fit une grimace. Maddox ouvrit la porte.

— Bonjour, Len.

Leonard Fairly prit le coupe-papier de bronze et regarda Maddox s'avancer. Il ne l'invita pas à s'asseoir.

— Vous avez pris tout votre temps, hein ?

— J'étais en train de travailler, dit Maddox. Je suis encore en train de travailler. Il y a un os ?

— Vous, répliqua le chef Fairly en braquant son coupe-papier. C'est vous, l'os. Vous ne le savez peut-être pas encore, Curt, mais ce n'est pas vous qui commandez la police de cette ville. C'est moi.

Maddox s'avança jusqu'à ce qu'il touche le bureau et baissa les yeux vers le petit bonhomme dans le fauteuil de cuir trop grand pour lui.

— Je suis fatigué, Len. Je tourne en rond depuis hier matin.

— Vous n'avez qu'à vous arrêter.

— Bon Dieu ! Len, crachez le morceau et qu'on en finisse.

— Ne jouez pas au dur avec moi, dit le chef en brandissant son coupe-papier comme s'il venait de tirer une épée de son fourreau. Je ne suis pas votre larbin. Je n'ai pas peur de vous.

Il essayait en tout cas de s'en convaincre.

— Qu'est-ce qui vous a pris de placer une équipe sur Joe Liliuohé ? ajouta-t-il.

Enfin le chef livrait son secret.

— J'ai envoyé ces agents pour le protéger.

— Le *protéger !* Vous ordonnez une surveillance permanente, six agents de police, pour *protéger* un homme coupable de *viol,* le chef de toute la bande ?

— Le jury n'était pas de votre avis, répondit Maddox.

— Hester Ash... Murdoch est de mon avis ! Tout le monde à Hawaï est de mon avis. Tout le monde aux États-Unis est de mon avis. Les sénateurs des États-Unis sont de mon avis.

Il criait presque. Il se mit à poignarder avec son coupe-papier le grand buvard vert de son bureau.

— Pour votre information, je vous signale qu'il n'y a plus d'agents détachés au Punchbowl ! La police ne protège plus l'innocent M. Liliuohé ! Je les ai renvoyés à leurs occupations habituelles ! Le chef de la police les a renvoyés à leurs occupations habituelles.

— Oh oh ! dit Maddox en vidant ses poumons. Revenez sur votre décision, Len. Dites au standard de renvoyer une équipe surveiller la maison.

— Pas tant que je serai chef de la police, dit Fairly, élevant de nouveau la voix. C'est moi le *chef,* ici. J'ai été nommé par le maire. Le maire n'apprécierait pas que j'utilise mes agents pour protéger Joe Liliuohé. Mais alors pas du tout !

Maddox se pencha en avant, poings fermés contre le bureau, et Fairly recula en rentrant la tête dans les épaules, puis se redressa brusquement pour prouver que Maddox ne lui faisait pas peur.

— Il y a une bande de lyncheurs en liberté dans cette ville, dit Maddox. Ils ont presque tué trois gamins hier matin.

— Dommage qu'ils n'aient pas réussi, dit Fairly. Cela aurait économisé aux contribuables les frais d'un second procès.

Maddox ne bougea pas, mais il semblait cependant avancer sur le chef. Leonard Fairly laissa tomber son coupe-papier sur le buvard. Il baissa les yeux et dit, d'une voix calme :

— Vous pouvez disposer.

Le lendemain matin de bonne heure, Sarah conduisit Tom au port, du côté des bateaux de louage, au-delà des grands quais.

— Je reviendrai te chercher, dit-elle.

— Je ne peux pas te garantir l'heure. On ne sait jamais. Cela dépend de la mer.

— J'attendrai, dit Sarah.

— Tu seras fatiguée. Tu n'as pas besoin de venir.

— Si... Pourquoi es-tu si loin ?

Tom se rapprocha d'elle sur la banquette. Leurs cuisses se touchaient.

— Assez près ?

Sarah posa le bras sur la cuisse de Tom, la main à l'intérieur de la cuisse.

— Tu ne peux pas être assez près, dit-elle, ajoutant tout bas : Je te sens tout le temps, maintenant. Tu es avec moi tout le temps. Écoute-moi. Je n'ai jamais été comme ça. Je peux te dire n'importe quoi. J'aimerais que nous puissions aller ailleurs tout de suite. En plein jour, pour que je te voie... au-dessus de moi.

Sa main bougea.

Tom eut envie de l'embrasser. Il eut envie de la serrer dans ses bras. Il eut envie de se perdre dans son étreinte...

Il sentit Sarah contre lui pendant toute la traversée jusqu'à la grande île.

Quand le bateau accosta la jetée de la princesse Luahiné, le capitaine lut l'écriteau : ABSOLUMENT AUCUNE VISITE. ABSOLUMENT AUCUNE EXCEPTION.

— Une dame vraiment hospitalière ! ajouta-t-il.

— Elle n'aime pas qu'on la dérange, répondit Tom.

— Vous allez la déranger. Vous devez avoir vos entrées auprès de Son Altesse. J'ai entendu dire des tas de choses sur Son Altesse. Aucun de nous autres, la populace, n'est assez bon pour elle, dit le capitaine en crachant par-dessus bord. Mais nous avons été assez bons pour la chasser de la ville.

— Personne ne l'a chassée, dit Tom. Elle est partie parce qu'elle a décidé de partir.

Il détestait le capitaine, qui se confondait, à ses yeux, avec la bande qui avait torturé les trois innocents la veille.

— Combien de temps resterez-vous là-haut ? demanda le capitaine.

— Je ne peux pas vous dire.

— Je veux repartir tôt.

Le matelot installa la planche et Tom débarqua.

— Ne traînez pas, hein ? lança le capitaine.

Tom s'arrêta et se retourna vers lui.

— Vous pouvez partir, dit-il.

— Eh ! Vous me devez de l'argent !

— Je vous dois l'aller, répondit Tom en revenant vers le bateau. Je peux vous payer tout de suite. Vous voulez que je vous paie tout de suite ?

Le capitaine tourna le dos et se dirigea vers l'avant du bateau. Tom se dirigea vers le sentier qui montait sur la colline. Il était presque au bout de la jetée quand il entendit le capitaine lancer :

— Patte folle !

Le matelot éclata de rire. Pendant un instant, Tom eut envie de sauter à bord du bateau, de se jeter sur le capitaine et de cogner, de le coucher sur le pont et de le tabasser jusqu'à ce qu'il perde conscience. Ensuite, il s'occuperait du matelot... Comme si celui-ci resterait bras croisés pendant que Tom se débarrassait du capitaine ! Il eut envie de les assommer tous les deux, mais il ne s'arrêta même pas. Il écouta le bruit de son soulier qui grattait. L'insulte du capitaine n'était que l'écho d'une malédiction de toute une vie.

En haut de la colline, Tom ne trouva personne. Aucun signe de la princesse ou de Jack Manakula. Il cria. Il n'entendit que le grondement de la mer, en contrebas. Il se dirigea vers la maison et gravit les marches de la longue galerie. Il vit sur la bergère de rotin un livre ouvert, retourné, avec une paire de lunettes sur la couverture. Il se pencha pour déchiffrer le titre au dos du livre. C'était *les Misérables*. Il s'assit sur la bergère et regarda sa montre.

Le bruit des chevaux le fit sortir de la galerie. Deux chevaux, très loin. Il leva la main en visière au-dessus de ses yeux et se dirigea vers les animaux. Il s'arrêta quand il reconnut la princesse. Elle se dressait sur son cheval comme un menhir. Tom obliqua vers le corral. Jack Manakula accompagnait la princesse. Quand ils s'arrêtèrent, Jack mit pied à terre, mais la princesse resta en selle, les yeux baissés vers le jeune avocat qui traînait la patte. De la sueur perlait à son front et sur son cou. Des mèches de cheveux voletaient au vent.

— Pas un sou de plus, dit-elle.

Tom lui raconta tout. La princesse écouta, les deux mains l'une sur l'autre, appuyées sur le pommeau de la selle. Jack Manakula tira de la poche de sa chemise une blague à tabac et une pochette de papier à cigarette. Il essaya de rouler une cigarette, mais ses mains tremblaient et le tabac tomba. Le papier glissa. Les doigts de Jack se refermèrent sur la feuille à moitié vide. Il la froissa et la jeta. Il jeta aussi la pochette de papier. Il tourna le dos à Tom et posa la tête contre la selle. Tom s'arrêta et leva les yeux vers la princesse.

— Est-ce qu'ils se rétabliront ? demanda-t-elle.

— Est-ce qu'ils vont mourir ? Non, ils ne mourront pas, dit Tom en élevant soudain la voix. Est-ce qu'ils se rétabliront ? *Jamais* ils n'iront bien. Ils ont été *fouettés !* Ils ont été ligotés à des arbres et *fouettés !* Toute la chair de leur dos a été arrachée ! Ils sont sur le ventre et ils ne peuvent pas bouger. Harry se mord les mains. Il a fallu lui attacher les poignets au lit pour l'empêcher de se mordre ! David ne cesse de hurler ! Toutes les trois minutes, il croit qu'ils sont encore en train de le flageller ! Maintenant, ils ne sauront jamais si quelqu'un ne recommencera pas un jour.

La princesse baissa les yeux vers le petit homme maigre en complet sombre. Elle souleva lentement une de ses grosses jambes et descendit de cheval. Son visage et son cou étaient couverts de sueur. Elle s'essuya le visage avec le dos de la main.

— Emmène-la, Jack, dit-elle en donnant une claque sur la croupe de la jument.

La princesse sortit du corral à pas lents. Elle tourna la tête en tous sens, cherchant Tom, qui marchait en retrait, à sa droite.

— Je croyais vous avoir perdu, dit-elle. Je n'ai pas eu cette chance.

— Je suis venu vous raconter ce qui s'est produit.

— Je m'en serais passé, lança la princesse. J'ai vécu trop longtemps pour que les choses de là-bas me surprennent encore. J'en ai déjà trop entendu. Des porcs ! Des rats d'égout ! Et ils emplissent leurs églises tous les dimanches matin comme s'ils étaient des êtres humains. Ce ne sont pas des êtres humains. Ce sont des rebuts de l'humanité. Qui nous a volé notre pays ?... Ils sont sortis des égouts.

Elle s'arrêta en bas des marches et se tourna vers le corral.

— Vas-tu enlever les selles de ces pauvres bêtes ? cria-t-elle.

— Vous ne vous en êtes peut-être pas encore aperçue, répondit Jack sur le même ton, mais je suis né avec seulement deux mains.

— Alors pourquoi ne t'en sers-tu pas ?

Elle s'essuya les joues et le front.

— Je suis restée au soleil si longtemps que j'ai l'impression de tourner à la broche, dit la princesse.

Elle gravit les marches pour se réfugier dans la véranda ombragée. Tom la regarda prendre le livre.

— Cet homme croyait avoir des ennuis, dit-elle de Jean Valjean. Il aurait dû être hawaïen.

Elle s'installa sur la bergère.

— Asseyez-vous. N'attendez donc pas ma permission. Vous avez dit trois. Ils étaient quatre, non ?

Tom prit une chaise près d'elle.

— Joe n'est pas rentré chez lui samedi soir, expliqua-t-il. Il était resté sur la plage avec son amie.

La princesse regarda Jack desseller un des chevaux.

— Ce Joe... Joe comment, déjà ?

— Liliuohé. Joe Liliuohé.

— C'est lui qui s'est arrêté pour ramasser la fille de Doris Ashley, n'est-ce pas ? C'est lui qui a provoqué tout ça, dit la princesse.

— Il lui a sauvé la vie ! Il est passé en justice pour l'avoir conduite à l'hôpital.

La princesse fit claquer le livre sur son genou.

— Cessez de corriger ce que je dis. Vous êtes avocat, vous pouvez comprendre mes paroles. Trouvez ce Joe... Je ne me rappelle jamais son nom. Trouvez-le et envoyez-le ici. Je lui donnerai du travail. Il logera avec les autres ouvriers agricoles. Conduisez-le au port, louez un bateau, dites au capitaine que je le paierai et envoyez ce Joe ici. Quand les trois autres pourront bouger, conduisez-les sur les quais, louez un bateau et envoyez-les aussi. Je vais résoudre le problème du chômage à Papakoléa.

Jack monta sous la galerie et Tom s'écarta.

— Ils vont être cités en justice, dit Tom.

— Ils ont déjà été jugés.

— Le tribunal croira qu'ils cherchent à s'enfuir.

— Vous direz à Phil Murray qu'il peut venir ici constater de ses yeux ce qu'il en est, répondit la princesse. Je paierai également la traversée.

Tom la regarda comme si elle avait pris le parti des kidnappeurs.

— Tout le monde croira qu'ils sont partis parce qu'ils sont coupables.

— En attendant, ils resteront entiers.

Elle regarda Jack.

— Eh bien, dis ce que tu as sur la langue, lui lança-t-elle.

— C'est inutile, répondit Jack.

La princesse souleva l'une de ses grosses jambes et poussa un *Ah-h-h-h* en la faisant passer sur l'autre.

— J'ai tort, lança-t-elle. Ils ne peuvent pas venir ici. Ni aller ailleurs. Il faut qu'ils restent. S'ils partent, tout le monde est coupable. Tous ceux qui ne sont pas *haolés* sur l'île.

Elle regarda Tom.

— Si seulement je ne vous avais jamais vu ! Enfin... Je vais vous donner du travail. Demain matin, allez voir les rédactions des journaux, ceux de langue anglaise et les autres. Allez voir les agences de presse, l'Associated Press et l'autre, la United Press. Racontez-leur tout ce que vous m'avez dit. Ensuite, engagez un photographe ; conduisez-le à l'hôpital pour prendre des clichés, au cas où les *Haolés* décideraient qu'ils ne peuvent pas publier des photos de jeunes gens qui ont l'air de chats écorchés, parce que ça ferait mauvais effet à côté du compte rendu du polo. Ils voudront tous des photos, aux États-Unis. Vous les enverrez personnellement. Le péché a toujours du succès aux États-Unis, surtout quand les pêcheurs sont punis. Si les journalistes ont besoin de renseignements, ne lésinez pas sur la quantité.

Elle s'adossa à la bergère et dévisagea Tom.

— Me voici flanquée d'un associé et je ne sais rien de lui. Vous êtes marié ?

Tom revit Sarah devant lui, debout sur le quai en train de lui faire signe. Il la vit sourire. Son cœur battit plus vite. Tom secoua la tête.

— Et votre famille ? Votre mère et votre père ? Vous êtes bon pour eux ?

— Pas assez, répondit Tom, se souvenant aussitôt des mandats qu'il avait reçus à San Francisco pendant trois ans.

Il se rappela sa mère et son père penchés sur son diplôme quand il était rentré. Ils avaient peur de le toucher. Sa mère avait embrassé Tom comme s'il était un visiteur spécial dans la maison. Son père était resté debout derrière sa chaise dans la cuisine. « Au moins, j'ai fait quelque chose », avait-il dit.

La princesse prit un air sévère.

— Il faudra faire mieux, dit-elle. Partez, maintenant... Attendez ! Elle lui fit signe avec le livre.

— Approchez-vous.

Tom s'arrêta devant elle.

— Si vous voulez qu'on vous respecte, respectez-vous d'abord vous-même, lui dit la princesse. Ayez l'air de quelqu'un, vous deviendrez quelqu'un. Vous connaissez le magasin Hansen, en ville ? Vêtements pour hommes. Demain matin, demandez Bob Hansen.

Dites-lui que je vous envoie. Dites-lui de vous choisir lui-même un complet.

Tom secoua la tête. La princesse regarda Jack.

— Quel associé! lança-t-elle, et à Tom : Vous avez besoin d'autre chose que de ce costume de bain. La dernière fois, vous êtes venu *à la nage* dans ce machin. Allez voir Bob Hansen.

— Je ne peux pas... Je ne peux pas! répéta-t-il plus fort.

Il se souvenait du mandat supplémentaire de sa mère et de son père, un mois avant son examen de droit. Il ne pouvait plus accepter d'argent de personne.

— Je ne le ferai pas... Merci, ajouta-t-il.

La princesse se frotta le nez.

— Penchez-vous.

Tom obéit. Elle redressa le nœud de sa cravate. Puis elle passa les doigts sur ses lèvres et les fit courir sur les cheveux du jeune homme.

— Essayez tout de même d'avoir l'air d'un avocat, lui dit-elle.

D'un geste impatient de son poing serré, elle le chassa de son ranch.

— Au revoir, dit Tom. Au revoir, monsieur Manakula.

Jack porta l'index à son front tandis que Tom traversait la véranda. La princesse le regarda s'éloigner. Elle le vit descendre maladroitement les marches puis traîner la jambe vers la falaise et le sentier de la jetée.

— Pauvre gosse, dit Jack.

— C'est la preuve de ta sottise! lança la princesse en giflant l'accoudoir de la bergère avec son livre. Il est plus coriace que nous deux réunis. Malgré sa jambe, il a gagné.

— C'est un fait, répondit Jack. Vous voulez quelque chose de frais?

La princesse ne répondit pas.

— Citronnade, eau glacée? demanda Jack. Je parle vraiment à un mur...

La princesse suivit Tom du regard jusqu'à ce qu'il disparaisse, caché par la falaise.

— En venant ici, je croyais tout abandonner à Honolulu, dit-elle. Je me figurais que je serais assez loin pour ne plus en entendre parler... Jamais je ne m'en débarrasserai. J'aurais pu aller n'importe où, à vingt mille kilomètres d'ici, et j'aurais encore tout ce poids sur mes épaules. Je suis partie depuis plus de vingt ans et, depuis ici, depuis cette véranda, je peux voir encore chaque rue d'Honolulu, et la moindre masure. Je peux voir les jeunes filles dans les maisons de passe, les bordels où leurs mères les placent, où leurs mères viennent le dimanche matin chercher l'argent pour nourrir la famille. Je peux voir les filles, les voir quand elles débutent et quand elles finissent, quand les maquerelles en ont fini avec elles. Ce sont encore des gamines quand elles en ont terminé, mais elles ne sont plus assez jeunes et fraîches pour les marins et les soldats. Oh ! mon Dieu, Jack, je peux tout voir. Je vois les servantes, si vieilles que leur échine ne se redresse plus. Elles suivent la plage avant le lever du jour pour aller gratter les parquets, à genoux du matin au soir. Je vois les vieux majordomes dans les demeures de Pacific Heights, de Nuuanu Valley et de Maunalani, à qui l'on fait payer les vestes qu'ils usent. Je vois les jardiniers en train de s'incliner, le chapeau à la main, devant tous les nez morveux qui défilent. Je vois les régisseurs de la plantation d'Harvey Koster descendre dans le quartier du Punchbowl pour racoler des gamins dégourdis avant la récolte de la canne. Il n'existe plus pour nous un seul labeur où nous ne soyons pas courbés en deux chaque jour ouvrable de notre vie.

Jack posa le bras sur l'épaule de la princesse. Elle appuya sa tête contre lui.

— Venez dans la maison, dit Jack.

Elle leva les yeux.

— Tout de suite ?

— Bien sûr. Qui nous en empêche ?

— Je suis une grosse vieille.

— Qui dit des sottises, à présent ? demanda-t-il en levant la main pour lui caresser les cheveux. Ne dites donc pas de sottises.

— Sincèrement, je n'en ai pas envie.

— Je vous en donnerai envie... Écoutez, ce qu'il nous a appris m'a déplu autant qu'à vous.

— Si ce n'était pas le cas, serais-tu ici ?

— Alors, venez, dit Jack. Nous serons ensemble et nous oublierons tout pendant un moment.

— Est-ce qu'il y a de l'eau chaude ? demanda la princesse.

— De l'eau chaude ? Pour quoi faire ?

— J'ai besoin d'être propre, dit-elle. Toi aussi. J'ai envie d'un bain.

— Vous n'avez pas besoin d'un bain pour ce que nous allons faire.

— Peut-être crois-tu que tu n'en as pas besoin, répliqua la princesse, mais moi oui. Et si je prends un bain, toi aussi.

— Vous enlevez toute la drôlerie de la chose, avec ces préparatifs. Faisons tout de suite ce que nous avons envie de faire.

La princesse se hissa hors de la bergère.

— Quand apprendras-tu donc que nous ne sommes pas des bêtes. Nous ne sommes pas comme les animaux de là-bas.

Jack lui sourit.

— Sûrement pas.

— En tout cas, pas moi.

— Eh, j'ai une idée, lança Jack en souriant. Allons dans la grange.

— Où ça ? Tu es *loco !*

— Venez donc. Il y a du foin tout frais.

Elle ne put s'empêcher de sourire.

— Le foin gratte.

— Vous oublierez le foin, dit Jack..

Il fit glisser ses doigts sur la main de la princesse.

— Dans le *foin ?*

— Ce sera drôle, dit-il en l'entraînant.

— Un de ces jours, tu me prendras sur un volcan, dit la princesse.

— Zut ! Vous avez saboté ma prochaine surprise.

Il la prit par la taille et posa la main sur ses hanches énormes.

Jeudi soir, quatre jours après l'échec de Duane dans sa tentative d'obtenir des signatures au bas des confessions dactylographiées, Gerald rentra de Pearl Harbor au crépuscule. Il rangea sa voiture dans le garage à côté de la Pierce-Arrow couverte de poussière de Doris Ashley. Il coupa le moteur mais laissa les phares allumés. Il sortit du garage, baissa la lourde porte et poussa le gros verrou.

Il vit de la lumière aux fenêtres de la chambre du premier étage.

— Alléluia ! dit-il d'un ton lugubre.

Il entra dans l'ancienne remise des voitures, passa devant l'escalier sans un regard et se dirigea vers le salon. Hester était pelotonnée dans un fauteuil, jambes repliées sous sa jupe. Elle lisait. Gerald s'arrêta devant le sofa et baissa les yeux vers la couverture pliée et l'oreiller dans le coin.

— Je suppose que tu as envie d'être seul, dit Hester.

— Je suis seul, répondit Gerald.

Hester ferma son livre et se leva.

— Gerald...

Elle attendit qu'il relève la tête.

— Tu détestes être ici. Tu ne devrais pas rester. Pourquoi restes-tu ?

— Je reste parce que je refuse de t'abandonner en des heures difficiles pour toi.

C'était la vérité.

— Bonne nuit, dit-il.

Le silence se prolongea. Tout était immobile.

— Bonne nuit, Hester.

Il la regarda passer devant lui sans un mot et traverser le vestibule jusqu'à l'escalier.

Plus tard, allongé sur le sofa, sous la couverture, il remonta sa pendulette et régla la sonnerie à 6 heures. Son uniforme bleu était suspendu à la poignée de la porte. Quand il s'éveilla, il se prépara rapidement, avec une économie de gestes qu'il avait apprise à l'École navale. Il quitta la remise des voitures avant 7 heures et se dirigea vers le garage au pas de gymnastique. Il souleva la porte du garage, puis se rendit à l'avant de sa voiture. Les phares étaient éteints. Il passa la main par la glace baissée pour tourner l'interrupteur, puis il repartit vers l'ancienne remise. Il décrocha le téléphone, au pied de l'escalier, et appela Doris Ashley.

— J'espère que je ne vous réveille pas.

Doris Ashley s'assit sur son lit, drapée dans les couvertures.

— C'est Hester ?...

— Non, non, rien de grave, la rassura Gerald. Ma voiture refuse de démarrer. La batterie est à plat. Est-ce que je peux prendre la vôtre ?

L'imbécile ! Idiot et incompétent ! Incapable même d'entretenir la batterie de sa voiture !

— Allô ! dit Gerald.

— Venez à la porte, répondit Doris Ashley. L'entrée principale. Attendez !... Ne sonnez pas, surtout.

Elle ne voulait pas avoir Amelia et Theresa sur les bras de si bonne heure. Doris Ashley souleva les couvertures puis les laissa retomber bien à plat sur le lit. Elle avait l'intention de se recoucher. Elle était bien déterminée à se rendormir — après toutes ces nuits d'insomnie. Elle enfila sa robe de chambre et passa dans le dressing-room pour prendre les clés de la Pierce-Arrow.

A son retour de *Windward,* Gerald entra dans le garage et ouvrit le coffre de sa voiture. Le sac de sport se trouvait à côté de sa raquette de tennis. Gerald le prit et monta dans la Pierce-Arrow. Il baissa la glace pour faire entrer un peu d'air frais, puis il lança le moteur de la grosse voiture.

Il était tout seul sur Kahala Avenue, et jusqu'à Waikiki il vit très peu de voitures. La circulation augmenta, mais Gerald arriva au palais Iolani avant 8 heures. Il s'arrêta à l'endroit où il avait fixé rendez-vous à Duane York le samedi précédent. Gerald savait qu'il était en avance. Il ouvrit le sac de sport et en examina le contenu. Il le referma et chercha Duane des yeux, en tous sens, à l'avant, à l'arrière, à droite et à gauche. Il vérifia l'heure à sa montre-bracelet. Si Duane ne venait pas, il faudrait que Gerald continue seul. Mais il n'avait aucune chance tout seul. Il fallait deux hommes. Duane ne lui ferait pas faux bond, il en était certain, mais tant de choses pouvaient se produire. Les batailles navales que Gerald avait étudiées depuis ses premiers galons étaient *bourrées* d'erreurs de calcul. *Où était Duane?* Gerald se retourna sur son siège, examina toutes les silhouettes jusqu'au bout de la rue et se laissa retomber, convaincu que Duane ne viendrait pas, puis il le vit, droit devant lui, à cent mètres.

Duane était en uniforme, comme prévu. Il avançait à petits pas rapides. Gerald vit qu'il regardait sans cesse par-dessus son épaule. Il se pencha pour déverrouiller la portière.

— Vous vous conduisez comme si vous étiez suivi, dit-il.

Duane claqua la portière et fit glisser sur son front son bonnet blanc de simple matelot.

— Je voulais être certain de ne pas laisser de traces, mon lieutenant. Depuis la semaine dernière, la ville grouille de flics. Bon sang, il y en a partout.

— Vous avez eu des difficultés à quitter Pearl? demanda Gerald.

Il avait téléphoné à la base depuis l'ancienne remise pour prévenir qu'il était souffrant.

— Je suis en permission, dit Duane. Jenishek, vous le connaissez, le secrétaire? C'est lui qui m'a fait ma perme. Alors tout s'est bien passé, en tout cas jusqu'ici.

— *Tout* se passera bien, dit Gerald. L'opération se déroule sans un pli. Duane?

Le petit gringalet se retourna.

— Il n'est pas encore trop tard pour renoncer.

— Pas question! dit Duane.

— Vous en êtes certain?

— Je ne vous laisserai jamais tomber, mon lieutenant, répondit-il en passant la main dans les cordons du sac de sport. L'endroit que vous avez choisi pour le... l'opération, mon lieutenant. Vous êtes sûr que c'est un bon endroit et tout? Côté sécurité?

— C'est désert, répondit Gerald. Boisé et désert.

— Oui, mon lieutenant, dit Duane en caressant la toile du sac. Seulement, l'autre endroit, l'endroit de la semaine dernière, c'était boisé et...

Duane s'arrêta de peur que le lieutenant ne le prenne pour un dégonflé.

— En position de combat! lança-t-il en se forçant à sourire.

Il ouvrit la portière, descendit sur le marchepied et passa sur la banquette arrière.

— Vous êtes sûr de l'heure? demanda Gerald.

— Il est comme une horloge, répondit Duane. Même tramway, même arrêt chaque jour.

Gerald avait donné sa voiture à Duane chaque matin, en lui inventant des corvées spéciales en ville, et le matelot rentrait avant l'heure du déjeuner.

— On peut dégager, dit-il.

Gerald passa en première et tourna le gros volant, bras tendu par la portière comme l'exigeait le code de la route. Duane ouvrit le sac de sport et en sortit l'un des deux automatiques de calibre 45.

A trois kilomètres de là, Joe Liliuohé se dirigeait à pied vers l'arrêt du tramway qui le conduirait à l'hôpital de la Miséricorde. Il tenait à la main un exemplaire de l'*Outpost Dispatch,* qu'il montrerait aux copains. Ils avaient leur photo dans le journal, tous les trois, à plat ventre sur leur lit d'hôpital. Il jeta le journal soudain.

— Tu es fou ou quoi ? dit-il à voix haute.

Comme s'ils avaient besoin qu'on leur rappelle leur situation.

— Regarde-les et regarde-toi.

Il s'engagea dans une ruelle...

— Tournez ici, dit Duane, puis, à l'instant où Gerald tendait le bras gauche par la portière : Non, cria-t-il, *à droite !*

Gerald leva le bras et le maintint parallèle à la grosse voiture.

— Ensuite, la deuxième rue à *gauche.*

Joe sortit de la ruelle et se mit à courir. Il ne voulait pas manquer le premier tramway et attendre le suivant.

— Encore à droite, dit Duane, et on arrive.

La Pierce-Arrow tourna.

— L'arrêt du tram est droit devant, dit Duane et, au même instant, ils dépassèrent Joe. Bon Dieu ! C'est lui ! Nous l'avons dépassé !

· Il était sur le bord de son siège, l'automatique à la main.

— Où ? Vous êtes sûr ? Vous êtes certain ?

— C'est lui ! dit Duane. Merde, je l'ai vu toute la semaine ! Arrêtez-vous ici ! Avant l'arrêt du tram, fit-il en montrant l'endroit avec son arme.

Il descendit de la banquette, s'accroupit, souleva son caban avec sa main gauche et enfonça l'automatique derrière son ceinturon. Il avait mal aux jambes. Il enfonça le bonnet blanc sur sa tête.

Gerald pouvait voir l'homme dans le rétroviseur.

— Il arrive, dit-il. Le voilà.

— Je ne peux pas le voir. A quelle distance est-il ? demanda Duane accroupi dans l'espace entre les sièges.

Ses jambes lui faisaient de plus en plus mal et il se releva. Il ouvrit la portière et garda la main sur la poignée, prêt à s'élancer. Le canon de l'automatique s'enfonçait dans son ventre.

— Où est-il ? Il devrait être ici, non ? lança Duane.

Et il le vit. Il ouvrit la portière et tira son caban vers le bas.

— Hep, vous !

Il n'y avait personne dans les parages. Ils avaient de la chance.

Joe vit le marin descendre de la grosse voiture. Pas une voiture de marin, se dit-il. Le marin criait quelque chose à quelqu'un.

— *Vous*, j'ai dit ! lança Duane en tendant l'index vers Joe. Je vous emmène. Affaire officielle.

— Je ne suis pas dans la marine, protesta Joe. Vous vous trompez de bonhomme.

— Joe Liliuohé, cria Duane. Affaire officielle, je vous dis.

Il voulut saisir le bras de Joe, mais celui-ci pivota sur place et frappa la main ouverte de Duane. Il mit tout son poids dans le coup et Duane se trouva en perte d'équilibre.

— Bas les pattes, dit Joe.

Et, pour la première fois, il vit le conducteur de la voiture. Le mari. Ils étaient complètement cinglés, le matelot et lui.

— Qu'est-ce que vous croyez ?... commença Joe, mais il s'arrêta.

Le marin braquait un automatique, gros comme un canon.

— Dans la voiture, dit Duane.

Il fit deux pas, en tenant l'arme droit devant lui, le poignet enfoncé dans son ventre pour essayer de la dissimuler.

— Monte, sinon je te fais sauter la gueule.

Il passa derrière Joe, le poussa de la main gauche et le suivit. Il le bouscula une fois de plus et le poussa à l'arrière de la Pierce-Arrow.

— Démarrez ! Démarrez ! cria Duane debout sur le marchepied.

Il saisit la portière de la main gauche sans cesser de couvrir le salopard avec son arme. Gerald lâcha l'embrayage et écrasa l'accélérateur.

— Que faites-vous ? Qu'est-ce que c'est que cette histoire ? Où m'emmenez-vous ? Ce n'est pas une affaire officielle, dit Joe. Vous n'avez rien d'officiel. Qu'est-ce que vous essayez de faire ?

Il le savait. Il avait vu ce qu'ils avaient fait aux autres.

— Ta gueule, dit Duane.

Il leva l'automatique et répéta, très lentement :

— Ferme ta gueule, tu comprends ? Tu comprends ?

De la main gauche, il caressa doucement le canon de l'arme.

Il faut que tu fasses quelque chose, se dit Joe. Quoi ? *Quelque chose*. Fais semblant d'avoir mal au cœur, comme autrefois à l'école. Tu te penches en arrière et tu vomis, tu fais le même bruit que si tu vomissais. Et s'il bouge, tu lui sautes dessus. En te servant de tes deux mains et de tes pieds pour qu'il lâche l'automatique. S'il le lâche, tu peux le maîtriser. Tous les deux. Les maîtriser tous les deux. Bon Dieu, il me tirera dessus ! Peut-être. Peut-être pas. Ils n'ont pas tiré sur les trois autres. Cesse de perdre du temps...

Il se pencha en arrière et fit un bruit de renvoi.

— Malade. Je suis malade, dit-il à Duane.

— Non. Sûrement pas. Pas dans cette voiture.

— Je vais vomir, je vous dis.

— Si tu vomis, tu ne vomiras pas longtemps, je te le promets, dit Duane.

Gerald pencha la tête.

— Silence, lança-t-il par-dessus son épaule. Tu parleras quand je te le dirai.

— Tu as entendu ? fit Duane.

Gerald se retourna et vit, devant lui, Maddox en train de monter dans sa voiture, le long du trottoir.

— Baissez-vous ! cria-t-il en se penchant sur le volant le temps de croiser la conduite intérieure noire. Baissez la tête ! Vite !

Duane aplatit Joe avec sa main gauche.

— Baisse-toi, il t'a dit ! cria-t-il en se penchant.

Il frappa une deuxième fois.

— Baisse-toi, espèce d'enculé !

Joe glissa entre les sièges avant et la banquette arrière. Duane le dominait, l'arme braquée sur sa tête.

Gerald, au volant, souleva la tête d'un centimètre, puis d'un autre. Il regarda dans le rétroviseur. Maddox n'était-il pas en train de le *filer* ? Il tourna dans la première rue et tendit aussitôt le bras pour signaler qu'il prendrait à gauche. Après avoir tourné, il posa le coude sur la portière et leva le bras pour indiquer qu'il allait virer à droite. Au même instant, Maddox s'arrêtait chez le cordonnier pour déposer une paire de chaussures blanches dont les talons étaient usés.

Les yeux rivés sur le rétroviseur, Gerald fit des détours pendant plus d'un kilomètre. Il avait renoncé à l'endroit prévu, dans les bois, dès l'instant où il avait aperçu Maddox. Il sentait qu'ils ne seraient pas en sécurité en dehors de la ville. Il fallait qu'ils restent à l'abri des regards. A la suite d'autres détours, il retourna vers Waikiki, en direction de Diamond Head et de Kahala Avenue.

— Ça va ? demanda Duane.

— Ça va ! répliqua Gerald d'un ton sec.

Il ne pouvait prendre aucun risque. Sans jamais dépasser la vitesse limite, il se dirigea vers *Windward*. D'une manière ou d'une autre, il avait l'intention d'aller jusqu'au bout de sa mission. Personne ne parla jusqu'à ce que la voiture franchisse les grandes grilles.

— Nous sommes arrivés. Vous pouvez vous asseoir. Surveillez-le, Duane.

Duane contempla la vaste demeure. Joe se redressa sur la banquette arrière et regarda à son tour la longue bâtisse avec son immense entrée. Gerald arrêta la voiture, descendit d'un bond et ouvrit la portière derrière Joe.

— Toi, sors !

Dans une crise de rage soudaine, il tendit le bras dans la voiture pour saisir le poignet de Joe. Duane poussa Joe, glissa sur la banquette derrière lui et descendit de voiture à son tour.

— A l'intérieur, dit Gerald.

Duane enfonça le canon de l'automatique dans les côtes de Joe.

— Tu as entendu ? dit-il.

Gerald se plaça lui aussi derrière Joe.

— Qu'est-ce qu'on fait *ici* ? chuchota Duane.

— J'ai eu l'impression que nous étions filés, répondit Gerald.

Il passa devant pour ouvrir l'énorme porte.

— Conduisez-le directement dans le salon, dit-il.

Il referma la porte et les suivit. Le salon était baigné de soleil. Les doubles portes vitrées, exposées à l'est, vers les États-Unis, étaient grandes ouvertes et la lumière formait de larges taches claires sur les tapis.

Gerald saisit une chaise et la plaça au milieu de la pièce, loin de tous les meubles.

— Assieds-toi là.

Joe se dirigea vers la chaise et Duane rejoignit Gerald en face de leur prisonnier. A l'autre bout de la pièce, la double porte s'ouvrit et Theresa vit le lieutenant avec deux inconnus, dont un *Kanaka* assis sur une chaise. C'était bien la première fois que Theresa voyait un *Kanaka* assis dans le salon. Elle demeura paralysée un instant puis vit l'automatique et recula comme si on l'avait tirée en arrière au lasso.

Gerald brandit une feuille de papier pliée et un stylo.

— Signe ça et tu pourras partir. Tu pourras quitter cette maison librement. Nous te laisserons sortir.

— Prends ce papier, merde ! dit Duane.

— C'est moi qui m'occupe de tout, lui lança Gerald. Lis ça, ordonna-t-il à Joe.

Joe lut l'unique phrase, dactylographiée : « J'avoue que j'ai violé Hester Murdoch. » Il vit son nom, au-dessous. Il leva les yeux vers eux. Il ne s'attendait pas du tout à ça. Quand ils s'étaient emparés de lui, il était certain qu'ils allaient le tuer. Quand ils l'avaient conduit dans la maison, il avait cru qu'ils le ligoteraient pour le fouetter comme les autres. Ils étaient cinglés. Ils étaient complètement cinglés tous les deux. Il était en présence de deux déments. Gerald lui tendit le stylo.

— Signe et tu pourras partir.

— Je ne l'ai pas fait ! dit Joe. Nous ne l'avons pas fait. Je vous le jure, lieutenant.

— Fini de mentir ! dit Gerald.

— Je ne mens pas ! C'est la *vérité !* Nous avons toujours dit la vérité.

Le cauchemar recommençait.

Gerald bondit et souleva le bras de Joe pour lui glisser le stylo dans la main.

— *Signe ça !*

Il criait. Il fallait qu'il cesse de crier. Il s'était juré d'aller jusqu'au bout calmement, sans colère, sans émotion. Il recula de la chaise et respira à fond.

— Personne ne te fera de mal, dit-il. Tu as ma parole.

Il tendit l'index vers la feuille de papier.

— Vous me demandez de mentir, dit Joe. Vous voudriez que je m'envoie moi-même en prison pour une chose que je n'ai pas faite, que nous n'avons pas faite. *Je... n'ai... rien... fait !* Combien de fois faudra-t-il que je le dise, que je le répète ? *Je... n'ai... rien... fait !*

Il lança la feuille de papier à Gerald. Elle voleta un instant au-dessus du tapis, près de la chaise, puis tomba sur ses souliers. Il rentra les jambes. Le stylo roula.

— Espèce de sale... commença Duane, mais il s'arrêta dès qu'il sentit la main du lieutenant sur son épaule.

— Je m'occupe de tout, je vous ai dit ! Ne vous en mêlez pas. C'est un ordre.

Bon Dieu, le lieutenant se retournait contre lui !

Gerald lâcha Duane et se baissa pour ramasser la feuille et le stylo. Il les posa sur les genoux de Joe.

— Tu vas signer ça, dit-il sans élever la voix.

Il s'en était convaincu.

— Gerald !

Doris Ashley entra par la porte du vestibule. Quand Joe la vit, il faillit hurler. Elle l'avait sauvé. Il se leva, oubliant le stylo et la feuille, qui tombèrent sur le tapis.

Doris Ashley vit l'homme au visage brun se lever de sa chaise. *Sa chaise !* Elle vit au même instant le marin gringalet qui tenait une arme. Et elle vit son gendre, l'idiot, le fou, qui avait envahi sa maison — *sa maison, Windward !* — avec ces deux...

— Sortez de chez moi !

Duane fit un pas vers Joe.

— Assieds-toi, toi !

— Écoutez, madame, dit Joe en s'asseyant. Madame, vite, madame. Ils m'ont kidnappé. Ils m'ont enlevé dans la rue. Aidez-moi, madame. Je vous en supplie, aidez-moi.

Doris Ashley s'arrêta en face de Gerald.

— Vous vous êtes servi de *ma* voiture pour ça ? Vous l'avez emmené *ici* ?

— Oui, ici, répondit Gerald. *Ici !*

Il en avait assez de subir les ordres de cette femme, de subir les ordres des autres, d'écouter tout le monde, et les salauds du club des officiers.

— Je ne pouvais pas le conduire à la remise. Vous vouliez que je le conduise à Hester ?

— Quittez cette maison, dit Mme Ashley. Tout de suite. Partez sans délai.

— Partez sans délai ? Quand je voudrai ! lança Gerald. Je partirai quand il me plaira.

— Sortez ! dit Doris. Sortez ! Vous ! cria-t-elle à Duane. Sortez de chez moi !

Elle tendit l'index vers Joe.

— Emmenez-le et disparaissez !

— Ne l'écoutez pas, dit Gerald à Duane.

— Désolé, madame, répondit Duane.

— Ta gueule ! cria Gerald. Je ne te le répéterai pas : Ferme-la ! C'est moi qui parle ! C'est moi qui commande.

Il lança à Doris Ashley un regard fou.

— C'est moi qui commande !

Il se baissa, ramassa la feuille et le stylo et les plaça sous le nez de Joe.

— Signe !

Joe comprit qu'il n'avait aucune chance s'il se taisait. Doris Ashley représentait sa seule chance. Elle était la seule personne dans la pièce, dans le monde, en mesure de le sauver.

— Madame, ils veulent me faire signer ça, dit-il en lui montrant la feuille et le stylo. Ils veulent me faire avouer que je l'ai violée. C'est faux. Je ne l'ai pas fait. Devant Dieu, je ne l'ai pas fait. J'ai dit la vérité. Je vous en supplie, madame, je vous en supplie.

Doris comprit qu'elle avait affaire à un fou : Gerald était devenu fou. Jamais il ne remettrait les pieds à *Windward*. Elle enverrait Theresa et Amelia, cet après-midi même, emballer ses vêtements. Elle engagerait quelqu'un pour emporter ses vêtements à Pearl Harbor. Non, elle rangerait les vêtements elle-même. Elle apporte-rait les vêtements à Pearl dès demain matin. Doris conduirait Hester au bureau de son avocat dans la matinée. Non, elle convoquerait l'avocat à *Windward*. Preston réglait toujours ses affaires à la maison.

— Je vous ordonne de sortir !

— « Je vous ordonne de sortir ! », répéta Gerald. *Vous* m'ordonnez de sortir... Je vous ordonne de rester. Je vous ordonne de partir. Je vous ordonne de vous asseoir, de vous lever, de marcher, de parler... Vous m'ordonnez de vivre dans la remise des voitures, lança-t-il en braquant l'index vers elle.

Doris Ashley crut qu'il allait lui sauter dessus.

— Sortez, vous-même, cria-t-il, puis il se tourna vers Joe. *Signe ça !*

— Madame, parlez-lui, dit Joe. Je vous en supplie... Madame...

— Donne-moi ce revolver ! dit Gerald en tendant la main vers Duane. Donne-moi ce *revolver !*

— Écoutez, mon lieutenant... commença Duane, vraiment inquiet.

Gerald lui arracha le 45 des mains.

— Mon lieutenant... J'ai enlevé la sécurité.

— Si vous ne quittez pas cette maison immédiatement, je vous ferai expulser ! lança Doris Ashley. Je vous ferai expulser par l'amiral.

— Tu l'as entendu, dit Gerald, penché vers Joe. Il a enlevé la sécurité. Il y a une balle dans le canon. La balle qui t'est destinée. Signe ce papier.

— Gerald !

— Signe ce papier !

Joe fixa l'arme, incapable de détourner son regard du canon béant.

— Madame, faites quelque chose. Madame.

L'automatique bougea, lentement, lentement, et la gueule se trouva braquée droit sur ses yeux.

— Madame, je vous en supplie. Si je signe, je vais aller en prison. Ce n'est pas moi qui l'ai fait. Madame...

— Signe ce papier, répéta Gerald. Il faut que tu le signes. Il n'y a pas de « Madame ». Il n'y a personne ici, sauf toi et moi.

— Bon Dieu, monsieur... lieutenant. Je vous dis la vérité. Je le jure sur la tête de ma mère.

— Signe !

— Vous me demandez de faire une chose que... dit Joe, et Gerald appuya sur la détente.

Un coup de tonnerre éclata dans la pièce. Du sang épais, rouge, gicla dans l'air. Du sang jaillit et tomba en cascade du visage qui avait disparu soudain, déchiqueté, détruit. Du sang recouvrit les cheveux et le crâne du mort, tué sur le coup et projeté en arrière par l'impact de l'énorme balle qui avait effacé ses traits. Le mort, précipité contre le dossier par la balle, tomba à terre avec la chaise et du sang se mit à éclabousser le tapis, formant de petites rigoles qui dessinèrent une sorte de poulpe rouge sur la laine épaisse.

Le recul fit pivoter Gerald en arrière. De la fumée s'éleva du canon de l'arme puis dériva dans la pièce jusqu'aux rayons de soleil, attirée par les portes-fenêtres ouvertes, pareille à une nappe de brume dans le ciel.

— Oh! mon Dieu, mon lieutenant, dit Duane.

Le type était mort. Le sang ne s'arrêtait pas. Le sang coulait vers Duane.

— Oh! mon Dieu.

Les jambes du mort, restées accrochées à la chaise renversée, glissèrent lentement sur le tapis. Un soulier se prit au barreau de la chaise, la jambe se souleva et davantage de sang jaillit du trou creusé dans le visage de l'homme.

— Il... dit Gerald. Je l'avais averti.

Il s'éloigna du mort à reculons, puis une table l'arrêta. Il gardait l'arme à la main, comme s'il attendait que l'homme se relève.

Doris Ashley vit sa chaise — brisée, tordue, inutilisable. Elle vit son tapis, le tapis qu'elle et Preston avaient dessiné —, et le sang qui imprégnait sa haute laine. Elle vit l'homme mort sur le sol de sa maison, de *sa* maison.

— Il faut le conduire dans un hôpital, dit Gerald.

— Un hôpital? Il est mort, répondit Duane. Mon lieutenant, il est mort.

— Il est mort? Il est mort?

Mme Ashley regarda l'imbécile, l'imbécile inutile. Il fallait qu'elle se sauve. Qu'elle réfléchisse. Mais comment réfléchir?

— Prenez cette arme, ordonna-t-elle à Duane. Prenez-lui cette arme.

Duane se dirigea vers le lieutenant et posa la main sur le canon de l'automatique. Il était chaud. Duane secoua l'arme et Gerald la lâcha. Duane bloqua le cran de sécurité.

— Il est mort, dit Gerald.

Doris Ashley traversa la pièce.

— Gerald, reprenez-vous, dit-elle.

Il la regardait comme s'il ne la voyait pas.

— Madame, dit Duane. Écoutez, madame. Le lieutenant va aller très bien, ma parole. J'en ai vu d'autres comme ça, dans les vapes la première fois qu'ils montent au pas de tir. Ça passera, madame.

Il tira Gerald par la manche.

— Mon lieutenant, il faut qu'on se débarrasse de lui. Aidez-moi.

— Ne bougez pas ! lança Doris.

Elle ne pouvait pas permettre à ces deux idiots de partir avec le cadavre. Elle ne pouvait pas leur faire confiance. Ils l'impliqueraient. Ils l'avaient *déjà* impliquée. Un meurtre avait été commis à *Windward !*

— Apportez-moi les clés de la Pierce-Arrow, dit-elle. Apportez-moi les *clés !*

Duane hocha la tête et enfonça l'automatique dans sa ceinture. Lorsqu'il se dirigea vers le vestibule, Doris Ashley entra dans la cuisine.

— Amelia ! Theresa !

La cuisine était vide. Elle alla jusqu'à la porte conduisant à l'escalier de service, puis revint dans la cuisine. Elle entendit la porte d'entrée s'ouvrir puis se refermer. Elle hâta le pas et ouvrit brusquement la porte de la réserve. Amelia et Theresa étaient blotties l'une contre l'autre dans la petite pièce sombre, les yeux agrandis par la terreur.

— Venez ici.

Doris Ashley pénétra dans la réserve et arracha Amelia des bras de Theresa, qui s'écroula par terre.

— J'ai besoin de serviettes, dit-elle. De grandes serviettes de bain.

— J'ai peur, répondit Amelia.

— Apporte-moi des serviettes. Tu les poseras ici, sur la table.

Elle tira Amelia vers l'escalier de service, puis la poussa sur les premières marches.

Quand elle revint dans le salon, le marin parlait à Gerald.

— Donnez-moi les clés, dit Doris Ashley.

— Les voici, madame, dit Duane.

— J'en prends l'entière responsabilité, dit Gerald.

— Je vais vous donner des serviettes, lança Doris. Enveloppez-le... Enveloppez-le dans les serviettes. Couvrez-le. Transportez-le à l'arrière de la voiture, devant la banquette. Il sera entre vous. Vous tirerez les rideaux des portières.

— Oui, madame.

Doris Ashley regarda son tapis. Il faudrait qu'elle se débarrasse du tapis. Mais c'était impossible. Du sang. Elle mettrait Amelia et Theresa au travail. Ensuite, elle déplacerait les meubles de façon à cacher l'endroit. Non. Elle cacherait le tapis au grenier et en achèterait un neuf.

— Je leur expliquerai que vous n'avez rien à voir dans cette affaire, dit Gerald.

— Vous ne leur expliquerez rien! *Rien!* Vous m'entendez? Vous m'entendez?

Pourquoi ne s'était-il pas tué du même coup? Elle entendit un cri de femme. Theresa! A son retour, elle mettrait Theresa à la porte. Non. Elle ne pourrait pas. Theresa resterait avec elle jusqu'à sa mort, à présent. Theresa et Amelia, à perpétuité. Comme le tapis. Elle ne pouvait plus s'en débarrasser. Elle se tourna vers Duane.

— Aidez-moi à arranger les serviettes.

Doris Ashley les quitta pour aller ouvrir la portière arrière de la grosse conduite intérieure, puis revint dans le vestibule.

— Soulevez-le. Gerald!

— Mon lieutenant? Vous me donnez un coup de main, d'accord? Attrapez les jambes...

Duane prit le cadavre par les épaules. Les serviettes de toilette pendaient à gauche et à droite du corps. Des gouttes de sang s'égrenèrent tout le long du vestibule. Une serviette glissa.

— Continuez! lança Doris. Ne vous arrêtez pas.

Ils la dépassèrent, elle revint sur ses pas et ramassa, entre le pouce et l'index, la serviette tachée de traînées rouges.

Le corps gisait sur le plancher, devant la banquette arrière. Gerald restait debout à côté de la portière ouverte.

— Montez, mon lieutenant! dit Duane.

Doris Ashley laissa tomber la serviette à l'arrière et poussa Gerald.

— Il se reprend, madame, lui assura Duane.

— J'assume toute la responsabilité, dit Gerald.

Au moment où Mme Ashley franchit les grilles, Duane lui demanda :

— Que faisons-nous à présent, madame?

— Vous vous débarrasserez du corps. Je connais un endroit.

Preston avait vendu le terrain pour une bouchée de pain des années auparavant. Un terrain sans valeur qui n'avait jamais été loti en parcelles à bâtir.

A cinq kilomètres de *Windward,* Kenneth Christofferson se trouvait dans une voiture de ronde, garée sous un arbre, une cigarette aux lèvres. La femme de son collègue habituel venait d'accoucher et Kenny se trouvait donc seul. Il avait baissé le radio-téléphone. Le collègue de Kenny était à moitié sourd et, la plupart du temps, on avait l'impression que le standardiste du commissariat central se trouvait sur le siège arrière. Tout à coup, Kenny vit la grosse voiture surgir comme une chauve-souris sortie des enfers. Kenny s'engagea sur la route et lança sa sirène. La grosse voiture était déjà très loin. Kenny l'aurait sûrement perdue, mais, en haut d'une côte, le chauffeur dut mal évaluer le virage, et la limousine, une Pierce-Arrow de la taille d'un sous-marin, dérapa dans les buissons.

Kenny ouvrit la boîte à gants et saisit son carnet de contraventions. Il descendit de la voiture de ronde et baissa légèrement la visière de sa casquette. Il y avait des types à l'arrière et, lorsque Kenny arriva près de la Pierce, l'un d'eux croisa les jambes. Une serviette était accrochée à son soulier, et elle était couverte de sang.

Kenny dégaina son arme.

— Racontez-moi tout ce que vous savez, demanda Maddox à Kenny Christofferson en s'avançant vers la Pierce-Arrow.

Le standard avait prévenu Maddox à l'hôpital de la Miséricorde. Chaque jour, il rendait visite aux trois garçons flagellés. Gentiment, en douceur, il leur faisait répéter à n'en plus finir leurs récits de ce qui s'était passé. Il espérait y déceler un indice, un fil conducteur, l'ombre d'un élément susceptible de le mettre sur la trace des hommes qui les avaient fouettés.

Le virage où Doris Ashley avait perdu le contrôle de sa voiture était envahi de véhicules de la police : plusieurs voitures de ronde, une fourgonnette, le panier à salade, l'ambulance de la morgue, le fourgon du laboratoire. Il y avait des flics partout. Tout en écoutant Kenny Christofferson, Maddox fixait du regard Gerald et le matelot gringalet, debout près de la grosse conduite intérieure, menottes aux poignets.

— Vous mettrez tout ça par écrit dans votre procès-verbal d'arrestation, dit-il à Kenny.

Il vit les serviettes, roses de sang, qui recouvraient le cadavre allongé dans les mauvaises herbes.

Maddox s'arrêta à la hauteur de la portière arrière de la Pierce-Arrow. Il examina les deux hommes avec soin, en commençant par leurs chaussures. Il y avait du sang sur leurs chaussures, sur l'uniforme du marin et sur celui du lieutenant. Maddox eut soudain envie de les gifler pour leur sottise, et cela le surprit.

— Vous auriez pu aussi bien le tuer en pleine ville, au milieu de la rue, lieutenant.

Gerald se trouvait en face de Maddox mais regardait dans le vide, loin derrière lui. Al Keller s'avança en courant.

— Capitaine !... Personne n'a passé les menottes à Doris Ashley, lui chuchota-t-il à l'oreille. Et quand je suis arrivé, je ne l'ai pas fait non plus.

Maddox hocha la tête et regarda Gerald.

— Je ne m'attendais pas à cela de vous, lieutenant. On me dit que l'automatique est un modèle réglementaire de la marine, il s'agit donc de votre arme. Nous le prouverons grâce aux empreintes digitales.

Gerald était aussi près de la position de garde-à-vous que possible pour un homme ayant des menottes aux poignets.

— Pourquoi le tuer ? demanda Maddox. Vous êtes un homme intelligent, un homme bien élevé. Vous êtes un officier de marine. Pourquoi l'avez-vous tué ?

Maddox avait besoin de connaître la réponse, d'apprendre pourquoi un homme supérieur comme ce lieutenant pouvait commettre un crime. Le lieutenant avait prémédité son acte. L'arme venait de Pearl, d'une armurerie de Pearl, probablement celle du sous-marin. Le lieutenant avait donc pris l'automatique avec l'intention de tuer Joe Liliuohé. Il savait pourquoi il s'emparait de cette arme au moment où il l'avait prise.

— Pourquoi avez-vous fait ça, lieutenant ? répéta Maddox, et il entendit la voix de Doris Ashley.

— Ne lui parlez pas, disait-elle.

Elle se trouvait à la droite de Maddox, mais elle ne le regardait pas. C'était à Gerald qu'elle parlait.

— Vous avez des droits. Vous n'êtes pas un criminel ordinaire.

— Keller ! cria Maddox, bien que le rouquin fût tout près de lui. Emmenez-les tous en ville ! Dans le fourgon ! Montez dans le fourgon avec eux ! Écrouez-les ! Prenez leurs empreintes digitales ! Vous, personnellement !

Maddox pivota sur place, face à Doris Ashley. Ils étaient si près l'un de l'autre qu'ils auraient pu s'embrasser.

— Il n'est pas ordinaire, dit Maddox, mais il est criminel. Vous êtes tous criminels. Vous êtes suspects dans une affaire de meurtre et vous serez traités comme tels. Keller ! hurla-t-il de nouveau.

Al Keller se trouvait entre Gerald et Duane, qu'il conduisait vers le panier à salade, en les tenant par le bras.

— Vous en oubliez un ! lança Maddox.

Le rouquin ne bougea pas. Maddox prit Doris Ashley par le bras et la conduisit vers Kenny.

— Mettez-la dans le fourgon cellulaire.

Maddox regarda le défilé vers le panier à salade, attendant que sa colère s'apaise. Il vit que les flics, un peu partout, s'étaient figés au milieu de leur travail à cause de son coup de gueule.

— Rideau ! dit Maddox, et, plus fort : Le spectacle est terminé.

Quand Kenny referma les portes du panier à salade derrière Doris Ashley, Maddox se retourna enfin.

Il se pencha pour soulever les serviettes sanglantes qui recouvraient le corps.

— Il n'en reste pas grand-chose, dit une voix.

Maddox lâcha les serviettes et se redressa. Il s'éloigna de la Pierce-Arrow pour parler à Vern Kappel, le chef du labo de la police, près de son fourgon. Kappel lui montra les deux automatiques.

— Celui-ci est encore chaud, dit-il.

— Combien de coups ?

— Un seul. Cela suffit avec ce calibre. Vous devriez voir le résultat.

— Je veux d'abord qu'ils vous disent où il a été tué, répondit Kappel.

— Je le sais déjà. Les serviettes dans lesquelles ils l'ont enveloppé ne viennent pas d'une ferme. Ce sont les serviettes de Doris Ashley. Il a été tué à *Windward*.

Kappel regarda longuement Maddox, puis posa le couvercle métallique de la boîte contenant les deux armes.

— *Windward ?*

— Suivez-moi, dit Maddox. J'ai besoin de cette balle, nous ferions mieux de ne pas traîner. J'emmène une voiture de ronde.

Kappel se frotta la joue.

— Il nous faut un mandat de perquisition, capitaine.

— Je m'en ferai donner un à l'estomac, quand nous retournerons au commissariat central, lança Maddox.

Se laissant de nouveau emporter par la colère, il claqua la portière arrière du fourgon.

— Montez...

Une cloche d'église sonnait 1 heure de l'après-midi quand Maddox tourna dans la rue latérale, près du commissariat central. Il suivait le fourgon du labo, que l'on stationnait dans le garage de l'immeuble côté sud. Il voulait éviter les journalistes, qui devaient faire le pied de grue devant l'entrée principale. Il ne vit donc pas la limousine Buick portant le fanion à quatre étoiles qui attendait devant l'entrée principale.

L'un des agents que Maddox avait emmenés à *Windward* avait trouvé la balle de 45 sous les quatre griffes de bronze d'un lampadaire, près du long mur dans lequel s'ouvraient les portes-fenêtres de la terrasse. Maddox avait ramassé la feuille de papier sous la table où l'on servait le thé, en utilisant son mouchoir, et l'avait remise à Vern Kappel.

Maddox entra dans le garage.

— « J'avoue que j'ai violé Hester Murdoch », dit-il à haute voix. Et ils voulaient que Joe Liliuohé le signe ! En tout cas, il n'aurait

270

pas besoin de prévenir la famille. En traversant Waikiki, il avait entendu les petits marchands de journaux crier : « Édition spéciale ! »

— Capitaine !

Maddox descendit de voiture et attendit Kappel, qui lui chuchota, d'un ton de conspirateur :

— N'oubliez pas le mandat de perquisition.

— Tu parles !

Il quitta Kappel, passa devant le panier à salade et se dirigea vers une porte ne portant aucune inscription, qui donnait sur un couloir étroit. Au plafond, les lampes, très espacées, étaient protégées par des grilles d'acier depuis qu'un détenu en cavale avait essayé de s'électrocuter, debout sur une chaise. Maddox ralentit en arrivant presque au bout du corridor et ouvrit une autre porte anonyme. Il pénétra dans une immense pièce sans fenêtres. Le sol et les murs étaient en béton. La pièce était divisée en deux parties par une grille de grosses barres d'acier. Les cris rauques, obscènes, d'une bonne douzaine d'ivrognes accueillirent Maddox. Il se trouvait au dépôt, au « violon », où l'on gardait les détenus aussitôt après les formalités d'écrou. Maddox était venu chercher le lieutenant Murdoch pour le conduire dans son bureau.

— Eh !

Le lieutenant s'en allait. Le matelot et lui se trouvaient en compagnie d'un officier de marine en uniforme blanc, et le gardien du dépôt leur tenait la porte, juste en face de Maddox à l'autre bout de la pièce. Maddox s'élança au pas gymnastique.

— Refermez cette porte.

Le défilé s'arrêta. Le gardien porte-clés baissa le bras et la porte se referma. Les trois hommes en uniforme se retournèrent mais Maddox était déjà près d'eux. Il reconnut aussitôt l'homme aux larges épaules, un peu lourd, aux côtés des prisonniers. C'était le commandant Saunders — l'athlète de l'équipe nationale.

— Ordre du chef, dit le geôlier. Il m'a appelé *en personne*.

— Je suis venu chercher les prisonniers, dit Saunders.

— Ce ne sont pas vos prisonniers.

Le gardien porte-clés commença à se tortiller.

— Le chef m'a donné l'ordre *en personne*, capitaine.

— L'ordre de les lui remettre ?... murmura Maddox.

— Le chef Fairly vous expliquera, dit Saunders.

Où croyez-vous aller comme ça ?

— En haut, répondit Saunders. Tout de suite, capitaine. Vous pouvez rester ou nous accompagner.

Maddox fit signe au geôlier et celui-ci ouvrit la porte.

Ils sortirent du violon et s'arrêtèrent devant les ascenseurs. Maddox resta à côté de Gerald, épaule contre épaule, lorsqu'ils longèrent le couloir conduisant au bureau du chef de la police.

Maddox entra le dernier, derrière le gros commandant, mais il vit, depuis le seuil, l'amiral au milieu de la pièce et il comprit au premier regard que le bureau appartenait à Glenn Langdon. L'amiral avait pris la situation en main. Doris Ashley était assise à sa droite, à l'écart des autres. Elle avait les jambes croisées et les mains sur les genoux. A la vue de Maddox, elle fut saisie de rage. Elle aurait aimé écraser de ses talons l'homme arrogant et cruel qui avait osé poser la main sur son bras quelques heures auparavant.

En apercevant Maddox, le chef quitta son bureau et contourna Saunders.

— On ne vous a pas demandé de venir, lança-t-il à mi-voix.

Maddox ne le regarda pas. Il s'adressa directement à l'amiral.

— Je suis ici avec les prisonniers.

— Vous êtes relevé, répondit l'amiral.

Le chef se plaça devant Maddox.

— Continuez votre service, capitaine, dit-il.

— Ces personnes sont soupçonnées de *meurtre,* lança Maddox. Elles sont détenues pour un *meurtre.*

— J'en assume l'entière responsabilité, répondit l'amiral.

— Les suspects ne relèvent pas de votre responsabilité, dit Maddox, mais de la nôtre. Cette affaire n'est pas de votre ressort, mais du nôtre.

— Je vous ordonne... commença le chef, mais l'amiral le coupa.

— Vous me faites perdre mon temps, dit-il en se dirigeant vers le bureau. Mme Ashley et ces hommes vont être conduits à Pearl Harbor. Ils resteront à Pearl jusqu'au moment où leur présence sera requise par le tribunal.

Il prit, sur le bureau, sa casquette et ses gants gris.

— Je garantis leur comparution.

— Glenn...

Doris Ashley, debout, attendait l'amiral. Il vint à ses côtés.

— Hester ne peut pas rester toute seule, dit Doris Ashley. Elle doit être aux côtés de son mari en ces heures terribles.

— J'aurais dû y songer, dit l'amiral, en faisant signe au commandant Saunders. Jimmy, réclamez une voiture et allez à *Windward.* Vous ramènerez Mme Murdoch à mes quartiers. Elle demeurera avec nous.

Gerald eut envie de se jeter par la fenêtre. Il eut envie de demander au capitaine de lui passer de nouveau les menottes et de le conduire à la cellule du sous-sol. *Hester!* Dans la même *pièce,* le même *lit!*

— Nous pouvons partir, Doris, dit l'amiral.

Gerald vit le commandant sortir du bureau et se rappela que Saunders vivait au casernement des officiers célibataires. Il était sauvé. Il se réfugierait au casernement des célibataires avant l'arrivée d'Hester à Pearl Harbor.

Maddox regarda le chef suivre l'amiral, puis le dépasser pour ouvrir la porte comme un larbin. Ils sortirent. Le chef leur promit sa coopération sans réserve, puis referma la porte et se retourna comme s'il avait l'intention d'empêcher Maddox de passer. Maddox n'avait pas bougé.

— C'est la dernière fois que vous défiez mon autorité! dit le chef.

Sa veine gonflée, sur son front, formait comme une corde.

— Fini! Fini d'entrer dans ce bureau avec vos grands airs et de ramener votre grande gueule. Vous ne me faites pas peur avec votre M. Harvey Koster. Il me remercierait d'avoir confié Doris Ashley à l'amiral! Vous avez brandi Harvey Koster au-dessus de ma tête pendant assez longtemps.

— Espèce de petit enculé! dit Maddox, comme s'il constatait une évidence.

Le chef ouvrit la bouche mais resta sans voix et, quand Maddox fit un pas vers lui, il se glissa derrière son bureau comme si c'était un rempart. Maddox continua d'avancer, le bras tendu vers la porte.

— Vous devriez être avec eux, dit-il. Vous êtes aussi coupable qu'eux. Plus coupable.

Le chef prit son coupe-papier.

— Nous allons voir, à présent, qui commande dans ce service! dit-il.

Maddox sentit exploser en lui toutes les semaines, tous les mois de frustration et d'impuissance qu'il venait de vivre depuis qu'il avait entendu Hester Murdoch identifier les quatre jeunes gens à l'hôpital de la Miséricorde. Il était sûr qu'elle mentait. Il s'était laissé enliser de défaite en défaite et, maintenant, il ne parvenait plus à se contrôler. Il bondit vers le bureau, et le chef, stupéfait, passa derrière son grand fauteuil, qu'il saisit à deux mains comme un bouclier.

— C'est vous qui commandez dans ce service, espèce d'assassin! cria Maddox. C'est *vous* qui avez tué ce gosse! Joe Liliuohé serait encore en vie si vous n'aviez pas retiré les hommes que j'avais détachés pour le protéger. Vous avez tendu le piège! Vous l'avez envoyé à l'abattoir tout nu, nom de Dieu!

— Je vous ferai passer en conseil de discipline! hurla le chef en brandissant son coupe-papier comme si Maddox l'attaquait à l'épée. Je porterai plainte contre vous !

— Allez-y ! dit Maddox en frappant le bureau avec son poing fermé. Tout de suite ! Qu'est-ce que vous attendez ?

Il se pencha, décrocha le téléphone et le fit claquer sur le bureau, juste devant le fauteuil.

— Vous raconterez votre histoire et je raconterai la mienne ! cria-t-il. Vous direz au conseil que je vous ai traité d'enculé et nous compterons les types qui ne sont pas de mon avis ! Ensuite, je leur dirai que j'ai fait mettre Joe Liliuohé sous surveillance vingt-quatre heures sur vingt-quatre et que vous avez annulé mon ordre ! Je les conduirai à la morgue pour leur montrer ce que la balle de 45 a fait de son visage, ce qu'il en reste ! Ensuite, j'irai aux bureaux de l'*Outpost Dispatch* et je mettrai Jeff Terwilliger dans notre petit secret.

Il dévisagea le petit bonhomme qui ne bougeait pas, accroché au fauteuil trop grand.

— Harvey Koster !... laissa tomber Maddox. Je n'ai pas eu besoin d'Harvey Koster pour obtenir mon insigne, et je n'ai besoin ni de lui ni de personne sur la terre du bon Dieu pour la conserver... Petit merdeux, dit-il en boutonnant sa veste.

Il lui tourna le dos et se dirigea vers la porte.

Les trois suspects dans l'affaire du meurtre de Joe Liliuohé devaient comparaître en audience d'inculpation le lendemain matin, vendredi. A 8 heures, l'amiral téléphona au greffier du tribunal municipal pour lui dire que Doris Ashley n'était pas encore remise du choc des vingt-quatre heures précédentes et ne pourrait pas quitter la résidence de l'amiral à Pearl Harbor. Comme les tribunaux ne siègent ni le samedi ni le dimanche, l'amiral informa la justice que ses invités comparaîtraient le lundi matin.

Le vendredi matin, lendemain du jour où Jimmy Saunders l'avait conduite à Pearl Harbor, Hester s'éveilla longtemps avant que l'amiral téléphone au palais de justice. La veille, elle avait ouvert la porte de l'ancienne remise des voitures en croyant qu'il s'agissait d'Amelia ou de Theresa, envoyées en mission spéciale par sa mère. Le commandant s'était présenté et, avant même qu'il dise : « J'ai de mauvaises nouvelles, madame Murdoch », Hester avait compris que quelque chose d'horrible était arrivé à Gerald.

— Il n'est pas mort... dit Hester se sentant déjà coupable.

Elle ne parvenait pas à l'imaginer mort. Elle voulait seulement qu'il s'en aille, qu'il disparaisse à jamais.

— *Gerald* n'est pas mort, répondit Saunders et il lui raconta ce qui s'était passé. Voulez-vous que je vous serve quelque chose? demanda-t-il à la jeune femme qui était devenue livide. Voulez-vous vous asseoir?

Elle était debout au pied de l'escalier, le regard vide, comme si le commandant n'était pas là.

Elle avait devant les yeux Joseph Liliuohé, assis dans la salle d'audience avec les trois autres jeunes gens, puis debout lorsque le président ajournait la séance chaque jour — et elle attendit qu'il se retourne pour la regarder, comme il faisait à chaque fois. Puis elle le vit les yeux clos et les mains croisées sur son ventre. Elle le vit dans la tombe, dans la nuit de la terre... Et Gerald attendait. Sa mère attendait.

— Vous devriez emporter quelques affaires, madame Murdoch, lui conseilla le commandant.

Il la regarda monter l'escalier. Il eut l'impression d'être venu la chercher à la place d'un camarade, le soir du bal de la promotion.

Hester posa sa valise sur le lit puis se dirigea vers la commode. L'image du mort était sur sa lingerie, sur la tête du lit, bloquait la penderie... Hester recula puis avança, comme un bœuf entravé trace un cercle sans fin autour de son piquet. Elle essaya de fixer l'image du bœuf dans sa tête, mais celle du mort revint lui rappeler qui l'avait tué. C'était *Hester* qui l'avait tué. Elle jeta quelques vêtements dans la valise et courut dans la salle de bains.

Elle prit la bouteille de teinture d'iode dans la petite pharmacie et se souvint brusquement de Jeanne d'Arc avec la croix, sur le bûcher. Elle dévissa le bouchon puis regarda les tibias croisés de l'étiquette, et le mot POISON en lettres rouges. Elle pencha la bouteille et regarda une goutte, puis une autre, tomber dans le lavabo. Elle avait envie de mourir. Elle méritait de mourir. Les assassins devaient payer pour leurs crimes.

— Lâche! dit-elle à haute voix, vaincue.

Elle reboucha la bouteille.

— Madame Murdoch!

Saunders, inquiet, l'avait suivie. Hester referma la pharmacie et revint dans la chambre.

— Si vous êtes prête, permettez-moi de vous aider, dit Saunders.

Impossible de fuir. Elle allait être enfermée avec Gerald et sa mère à Pearl Harbor. *Bryce!*

— Je suis prête, répondit-elle, en se méprisant de penser à lui.

S'il venait à la demeure de l'amiral, elle resterait au premier. Elle s'enfermerait à clé dans sa chambre.

Quand Jimmy Saunders, la valise d'Hester à la main, conduisit la jeune femme dans le salon de l'amiral, Doris Ashley lui annonça :

— Gerald logera au casernement des officiers célibataires.

Hester remercia le Dieu charitable qui l'avait prise en pitié...

Le vendredi matin à l'aurore, séparée de sa mère par la salle de bains attenante aux deux chambres, Hester s'habilla sans bruit. Elle prit ses chaussures à la main et longea le couloir sur la pointe des pieds jusqu'à ce qu'elle ait dépassé la porte de sa mère. Elle s'arrêta en haut de l'escalier et enfila ses mocassins en se tenant à la rampe. Elle était presque à la porte quand une voix appela :

— Mademoiselle ?

Un Philippin en chemise blanche, mais sans nœud papillon noir ni veste de service, apparut sous l'arche donnant dans la salle à manger.

— Petit déjeuner ?

— Merci, répondit Hester. Plus tard.

Elle sortit avant que sa mère ne puisse l'arrêter. Dehors, elle marcha en retenant son souffle, comme si l'on était en train de juger son allure, sans regarder à gauche ni à droite. Elle avait cessé de se faire des reproches. Elle était incapable de freiner l'impulsion qu'elle ressentait. C'était comme une soif, un besoin au-delà de toute compréhension, un désir qu'il fallait assouvir. Elle arrêta le premier officier qu'elle vit pour lui demander où se trouvaient les abris des sous-marins.

« Des panthères », se dit-elle en regardant les unités noires, fines et sveltes, à demi immergées. Des matelots montaient à bord prendre leur service de la journée et, soudain, Hester vit Joseph Liliuohé parmi eux. Il était mort. Elle se détourna, comme elle l'avait fait, jour après jour, dans la salle d'audience, et regarda fixement l'horizon, sur lequel elle plaça Guam, l'île de Wake, Tahiti et les Philippines, jusqu'à ce qu'elle ose regarder de nouveau les sous-marins. A sa gauche, elle l'aperçut qui marchait de son pas dégagé.

— Bonjour, Bryce.

Bryce s'arrêta. Il vit les sous-mariniers qui se dirigeaient vers leurs unités. Puis il distingua la femme, une souris quelconque, mince, pas plus grosse qu'un jockey.

— Bryce, répéta-t-elle, et cette fois il eut l'impression qu'une main l'avait saisi au collet et l'étouffait.

Hester se trouvait à Pearl parce que Gerald et sa mère y étaient. « Fais gaffe, vieux, se dit Bryce, tu dois paraître content de la voir. » Il se força à sourire, puis cessa de sourire aussitôt. Gerald avait *assassiné* un homme.

— Je me promenais, dit Hester.

Ils étaient tous les deux damnés, damnés ensemble. Ils avaient tous les deux tué Joseph Liliuohé.

Bryce savait qu'elle mentait : elle l'avait guetté au passage.

— Comment va Gerald ? demanda-t-il.

— Il est au casernement des célibataires, dit Hester. Tu as reçu ma lettre ?

Il eut envie de la jeter à l'eau.

— Tu n'aurais pas dû m'écrire, Hester. Ne... commença-t-il, mais il se ravisa. J'espère que tu ne le referas jamais, Hester.

Elle le détestait. Elle se détestait. Elle le méprisait et elle se méprisait parce qu'elle avait envie de le toucher, de sentir ses cheveux, ou son bras, ou sa poitrine, ou n'importe quoi sous sa main.

— Je n'aurai pas besoin d'écrire, dit-elle. Je suis ici, à la résidence de l'amiral.

Il regarda sa montre-bracelet.

— Il est temps que je me présente à bord.

Elle collait à lui. Il se força de nouveau à sourire.

— Il n'y a aucune femme à bord, Hester, ajouta-t-il.

— Bryce, attends ! Nous pouvons nous rencontrer quelque part, dit-elle en levant la main pour se protéger les yeux du soleil.

— Mais oui. Nous nous croiserons, dit Bryce.

— Non. Je veux te voir. J'étais si seule. Je suis si seule. Cet homme... ce jeune homme était innocent. Maintenant, il est mort, et il était innocent.

— Moi aussi ! dit Bryce, et il ajouta très vite : Il faut vraiment que je monte à bord, Hester.

Il lui tourna le dos et s'éloigna à grands pas. Hester eut envie de se jeter sur lui. De le rosser, de le battre comme il l'avait battue. Elle eut envie de le mutiler. Un cri sourd, un cri de désespoir lui échappa. Elle s'était crue irrémédiablement condamnée, mais il lui restait encore une voie libre. Elle se mit à courir.

Elle vit la limousine de l'amiral s'éloigner de la résidence. Elle monta les marches de bois et la porte s'ouvrit. Le domestique qu'elle avait déjà vu lui tint la porte.

— Petit déjeuner maintenant, mademoiselle ?

Hester se tourna vers la salle à manger. Elle était vide. Elle passa devant le Philippin et s'élança vers l'escalier.

— Non, merci. Pas de petit déjeuner.

Elle referma la porte de sa chambre lentement, sans bruit, et enleva ses mocassins. Elle se dirigea vers la salle de bains sur la pointe des pieds, ouvrit et alla fermer au verrou la porte d'en face.

— Hester ?

La voix de Doris Ashey était faible, mais Hester entendit les pas de sa mère. Elle se pencha sur la baignoire et ouvrit les deux robinets, en laissant la bonde ouverte. Elle se redressa, saisit une serviette et traversa la chambre en s'essuyant les mains. Elle prit son sac à main. Elle avait gardé le numéro de téléphone dans une petite poche de son sac, depuis le premier jour, à l'hôpital de la Miséricorde. Elle connaissait le numéro par cœur. Elle l'avait regardé cent fois depuis, mille fois. Elle le regarda de nouveau avant de s'asseoir sur le lit et de poser le téléphone sur ses genoux.

Elle entendit la sonnerie. Cette fois, elle était prête à parler. Elle ne pouvait plus attendre. Elle entendit la deuxième sonnerie. Il fallait qu'il réponde ! Hester était presque heureuse. Elle pourrait enfin cesser de se détester. Oui ! Il était là !

— Monsieur Haléhoné à l'appareil ?

— Oui, répondit Tom.

— Monsieur Haléhoné, l'avocat ? demanda Hester. Vous étiez l'avocat de Joseph...

Le téléphone lui échappa des mains. Doris Ashley tenait l'appareil. Elle se mit à tirer sur le fil comme un pêcheur ramenant sa prise, à deux mains, jusqu'au mur de la chambre. Elle était en robe de chambre. Elle s'agenouilla, lâcha le téléphone, mais se pencha au-dessus de lui pour le protéger pendant qu'elle arrachait le fil de la prise murale.

Elle resta à genoux pendant un instant, le souffle court, incapable de se lever après ce sauvetage *in extremis*. Elle avait demandé qu'on lui apporte son petit déjeuner dans sa chambre et elle se forçait à manger pour reprendre des forces, lorsqu'elle avait entendu Hester dans la salle de bains. Le domestique philippin lui avait appris qu'Hester était sortie à la première heure. Et maintenant, elle prenait un bain ! Pourquoi n'avait-elle pas pris de bain avant de s'habiller, comme Doris lui avait enseigné ? Doris avait frappé à la porte de la salle de bains. Elle avait posé son oreille contre la porte et appelé Hester. N'obtenant pas de réponse, entendant seulement l'eau tomber en cascade comme si une digue s'était rompue, elle avait couru dans le couloir jusqu'à la chambre de sa fille.

Elle se releva. Péniblement. Elle était dans un état lamentable, les cheveux en bataille, le peignoir ouvert, sali, de travers. Elle s'avança vers Hester, raccrocha brusquement le téléphone débranché et enroula autour de l'appareil le fil noir caoutchouté. Elle expliquerait au Philippin qu'Hester s'était pris le pied dans le fil. Elle lui dirait de ne pas le faire réparer. Il faudrait qu'elle se montre éternellement vigilante...

Épuisée par l'épreuve, Doris Ashley se laissa tomber sur le lit près de sa fille.

— Je t'ai sauvée, mon bébé, dit-elle. Je t'ai *sauvée* quand tu étais perdue. Et voici comment tu as décidé de me récompenser !

— Ils n'ont pas voulu le laisser vivre ici, dit Sarah. Je ne veux pas l'enterrer ici.

Tom était avec elle dans la petite maison astiquée. Elle s'adressait à son père. Sa mère s'était barricadée dans la chambre, toute seule, et elle se balançait sur le bord du lit, en serrant contre elle la chemise de Joe qu'elle était en train de repasser quand elle avait appris sa mort.

— Ce n'est pas notre île, dit Sarah à son père. Elle leur appartient. Mais l'océan ne leur appartient pas... Voudras-tu m'aider ? ajouta-t-elle en prenant la main de Tom.

Il n'y eut aucun faire-part. Personne ne se présenta chez les Liliuohé. Ni l'*Outpost Dispatch* ni l'*Islander* ne publièrent quoi que ce fût. Et pourtant, vers 7 heures le dimanche matin, des pêcheurs installés sur la grève, assez loin d'Honolulu vers l'ouest, virent des gens s'avancer le long de la plage : un homme seul, deux femmes, ou un homme et une femme. Certains étaient endimanchés, avec des souliers et des chaussettes, d'autres avaient des vêtements en loques, mais propres, et marchaient pieds nus dans leurs sandales bon marché. Quelques-un portaient leurs sandales à la main. Plusieurs pêcheurs posèrent des questions et se joignirent aux gens, avec leurs cannes à pêche, leurs boîtes d'appâts et les poissons qu'ils avaient pris, dans des petits seaux d'eau de mer. Certains pêcheurs continuèrent de pêcher un moment, puis, l'un après l'autre, se joignirent à la procession. Bientôt, plus personne ne pêchait.

Lorsqu'ils arrivèrent à l'anse où Sarah et Tom avaient trouvé Joe sous une couverture avec Becky Hanatani, ceux qui étaient pieds nus chaussèrent leurs sandales. La plupart ne se connaissaient pas et, pendant longtemps, ils demeurèrent immobiles et silencieux, séparés par les rochers jetés sur la grève par l'océan. On n'entendait que le bruit du ressac sur le sable.

D'autres avaient pris le tramway jusqu'au terminus puis avaient continué à pied. Certains étaient venus en voiture, à cinq, six et même sept par véhicule, avec leurs enfants, et les voitures s'arrêtaient auprès des gens qui marchaient, pour leur permettre de monter sur les marchepieds. Senso Fujito vint dans sa camionnette, avec sa femme et ses enfants, y compris le fils aîné dont le pied était encore enflé. Il s'arrêta pour prendre des gens jusqu'à ce que le plateau de sa camionnette fût plein. D'autres camions arrivèrent avec des gens assis et debout derrière la cabine.

Il en venait de partout. Des Hawaïens de Papakoléa et de Kakaao, des Chinois de Liliha et de Makiki, de Manoa et de Nuuanu, des Japonais de Kalihi, de Moïliihi et de Damon Tract. Ils formaient une horde paisible sur le sable chaud, sous le soleil, à côté du Pacifique ami. Des enfants étaient montés sur les roches. Tous regardaient la mer.

Puis un homme qui avait bonne vue tendit le bras vers des points minuscules dans le lointain.

— Là, fit-il.

— Où ? demanda une voix.

Et quelqu'un d'autre dit :

— Je ne vois rien.

Mais tous s'avancèrent au bord de l'eau, portèrent la main à leur front et scrutèrent l'océan. Bientôt, les points devinrent des bateaux, deux pirogues à balancier, minces comme des allumettes, avec cinq rameurs dans chacune. Derrière elles, tiré par des cordes le reliant aux deux autres embarcations, une sorte de radeau. Au milieu du radeau se trouvait un cercueil de bois tout simple avec des cordes pour poignées. Tom, Sarah, le père de Sarah et Becky Hanatani étaient accroupis à côté du cercueil.

Sur la plage, plusieurs jeunes hommes roulèrent le bas de leur pantalon, puis ôtèrent leurs chaussures et leurs chaussettes pour entrer dans l'eau. Ils haleraient les pirogues sur le sable. Les gens se regroupèrent en un vaste arc de cercle autour des bateaux.

Loin derrière, Maddox laissa sa voiture au milieu des autres conduites intérieures et des camions pour descendre à pied jusqu'à l'anse.

L'apparition des bateaux, la vue du cercueil, la vue de Sarah, de son père, de Becky et de l'avocat, le nombre croissant de jeunes gens entrant dans le ressac, retenaient toute l'attention de l'assemblée, si bien que Maddox put s'avancer sans que personne ne le remarque. Il regarda les jeunes gens dans l'eau tirer les pirogues. Il vit les rameurs sauter par-dessus bord, entourer le radeau et le pousser sur le sable. Il se rapprocha de l'eau pour mieux voir et heurta une épaule. Aussitôt, Senso Fujito écarta les deux bras et attira contre lui sa femme et ses enfants. Il avait reconnu le policier venu à sa ferme. Il murmura quelques mots à sa femme, un des enfants parla à un copain qu'il venait de se faire sur la plage. Les deux enfants regardèrent Maddox. D'autres enfants se joignirent à eux, mais leurs parents les tirèrent en arrière. Senso et sa famille s'éloignèrent de Maddox, puis tous les autres, après un bref coup d'œil, s'écartèrent pour l'isoler. Il n'y avait pas un seul autre *Haolé* sur la plage.

Son nom et son grade se répandirent dans la foule comme une traînée de poudre. Les jeunes dans l'eau le regardèrent et l'un d'eux cria :

— Laissez-nous tranquilles !

Un ami le mit en garde, mais le jeune homme cria de plus belle :

— Vous n'avez rien à faire ici. Ce n'est pas Honolulu !

Un autre jeune se mit à crier, puis un troisième, et le premier sortit de l'eau pour se diriger vers Maddox. Un des rameurs le suivit, puis plusieurs autres. Des adolescents et des adultes, enhardis par le courage des hommes de tête, se joignirent à eux et le groupe devint plus nombreux. Maddox eut bientôt en face de lui une meute en colère.

— Vous devriez avoir honte de votre attitude, dit-il. Ce n'est pas un *luau*. C'est un enterrement.

Ils continuèrent de crier, pleins de défi. Ils ne le menaçaient pas. Ils avaient une simple réaction de détresse — envers Joe Liliuohé et envers eux-mêmes —, une réaction provoquée par la peur, par les dépossessions et l'exploitation subies pendant des générations, par le manque d'égards, le mépris et les brimades dont ils avaient été victimes. Ils ne se laisseraient pas réduire au silence. Leurs voix s'élevaient en une rumeur violente, enflammée ; et parce qu'ils étaient en groupe et qu'ils avaient vu le cercueil, ils devenaient hostiles et prêts à se venger.

— Laissez-moi passer ! dit Tom.

Avec Sarah à ses côtés, jouant des coudes, il se fraya un chemin dans la masse compacte qui formait un arc de cercle autour de Maddox, acculé maintenant à la mer.

— *Laissez-moi passer !* cria Tom, trois fois, dix fois.

Il prit Sarah par la main puis baissa la tête et fonça. Il faillit tomber. La masse le repoussa d'un côté, de l'autre, mais il refusa de se laisser arrêter et finit par arriver au premier rang, à bout de souffle, devant Maddox.

Il avança d'un pas, puis de deux, et se plaça, en même temps que Sarah, entre le reste de la foule et Maddox. Il resta le dos tourné à la foule, comme si elle n'existait pas. Il garda le silence et, presque aussitôt, tout le monde se tut.

— Une bande plutôt bruyante, dit Maddox.

Sarah se rapprocha de Tom et murmura :

— Je ne veux pas de lui ici.

Tom se rappela son coup de fil à Maddox depuis le téléphone public du commissariat central. Il se rappela l'instant où il avait sonné à la porte du capitaine. Il se rappela, il entendit de nouveau, l'insolence calculée de la voix de Maddox, sa menace de l'arrêter, de l'envoyer à la ferme-pénitencier. Il aurait aimé répéter à Maddox tout ce que celui-ci lui avait jeté au visage une semaine auparavant. Il en fut incapable. Il aurait aimé lancer la foule hostile contre Maddox — elle était prête à le faire, Tom en était certain. Il en fut incapable. Il aurait aimé humilier Maddox, il aurait aimé le chasser de la plage, mais non... Il ne pouvait pas.

— Dis-lui de partir, chuchota Sarah.

— Sarah, nous ne pouvons pas...

Elle le coupa.

— Si tu refuses, je le ferai !

Elle ne chuchotait plus. Maddox l'entendit. Tout le monde l'entendit.

— S'il part, je pars, répondit Tom.

Sarah resta sans voix, stupéfaite.

— Je partirai avec lui, poursuivit Tom. Je ne lui ai pas demandé de venir. Je regrette qu'il soit venu. Mais il est ici. Nous n'interdisons rien aux gens, ce sont *eux* qui interdisent. Nous ne chassons personne. Ce sont *eux* qui le font. Nous ne flagellons pas, nous ne torturons pas, nous n'assassinons personne, ce sont *eux* qui le font. Donc il reste, Sarah. Sinon, nous devenons comme *eux*.

Maddox regarda le boiteux et la jeune femme. Elle ne répondit pas. Elle fixa Maddox puis prit la main de l'avocat. Main dans la main, ils retournèrent au milieu de la foule. Maddox n'entendit pas ce que leur disait l'avocat, mais les gens s'écartèrent devant le couple. Aussitôt, les hommes et les adolescents qui avaient convergé vers Maddox se dirigèrent vers les pirogues. Le capitaine se trouva seul. Il leva un pied et ôta sa chaussure pour vider le sable ; il faillit perdre l'équilibre mais il la remit. Il suivit les autres.

Tom regarda le père de Sarah sur le radeau. Il regarda Becky, qui avait posé un bras en travers du cercueil comme pour protéger Joe. Le père de Sarah était tourné vers la foule, mais semblait seul avec son fils. Sarah regarda son père.

— Il est mort lui aussi, dit-elle.

Ils s'arrêtèrent devant le radeau, et les hommes qui les accompagnaient, ceux qui avaient défié Maddox, se mêlèrent au reste de la foule, aux femmes et aux enfants, pour laisser Sarah et Tom tout seuls. Sarah dégagea sa main de celle du jeune homme.

— Il est temps, dit-elle.

— Reste ici, dit Tom.

Il avait promis à Sarah de prononcer quelques mots. Il avait essayé de rédiger un texte, sur son bloc-notes jaune, mais les phrases qu'il avait écrites sonnaient faux. Rien de ce qu'il avait écrit ne correspondait à Joe et, de guerre lasse, il avait écarté son bloc.

La foule attendait, silencieuse, patiente. Sarah attendait. Et Tom ne savait ni comment ni par où commencer.

— Joe Liliuohé, dit-il, puis il s'arrêta en voyant Maddox se joindre à la foule. Joe Liliuohé était un type merveilleux, amical et rieur.

Il s'aperçut qu'enfin il répondait à Maddox. En réalité, c'était uniquement à Maddox qu'il parlait.

— Je ne veux pas dire qu'il riait toujours. Mais il était toujours *prêt* à rire. Prêt à faire la fête. J'ai fait davantage la fête, ici même, avec Joe, que pendant tout le reste de mon existence. Joe vous rendait la vie meilleure par sa seule présence. Il pouvait vous faire sourire quand vous n'en aviez pas envie. C'était vrai pour tout le monde, pour les gosses comme pour les adultes. Tout le monde le savait, et on se pressait autour de lui. Il a passé presque toute sa vie, sa courte vie, au milieu d'une foule. Chacun était l'ami de Joe. Et le jour de sa mort tragique, quand il a été enlevé sur le chemin de l'hôpital de la Miséricorde où il allait voir ses amis, ce n'est pas seulement sa mère, son père et sa sœur qui l'ont perdu. La perte a été ressentie par des centaines, peut-être des milliers de personnes.

Tom entendit Sarah pleurer, mais fut incapable de la regarder. S'il la regardait, il ne pourrait pas continuer. Il fixa des yeux Maddox.

— Joe n'aurait pas dû mourir, reprit Tom. Il est mort parce qu'il habitait ici, sur cette île, dans ce Territoire. S'il avait habité ailleurs, il serait encore en vie. Et il avait envie de partir. Quand il a été arrêté, accusé d'un crime qu'il n'avait pas commis, il a voulu s'enfuir. C'est moi qui l'ai fait rester... Je lui ai dit : « Tu es innocent ! Tu n'as aucune raison d'avoir peur ! » Alors il est resté. Et maintenant, il est mort.

Tom avala sa salive et sentit Sarah le toucher, poser la main sur son bras pour le presser de continuer.

— Il y a des gens sur cette île, un peu partout, qui se figurent qu'il s'agit d'une sorte de propriété privée leur appartenant. S'il se produit le moindre événement susceptible de troubler leur paix, ils résolvent le problème à coups de fouet et de revolver. Ils ont eu le dernier mot en toute chose depuis si longtemps qu'ils se croient propriétaires de cette île. Et c'est la vérité. Ils la possèdent. Ils possèdent le commerce du Territoire et les plantations du Territoire. Ce qu'ils n'ont pas pu acheter, ils l'ont pris de force. Ils se le sont attribué, comme des prospecteurs une concession d'or. La seule différence, c'est que les prospecteurs s'attribuent des concessions dans les déserts. Hawaï n'était pas un désert.

« Cette île est une sorte de miracle, reprit Tom, ou plutôt elle le serait si *ces gens* acceptaient le fait, pourtant très simple, que tous les hommes naissent égaux. Il n'en faudrait pas davantage. C'est la seule chose qui manque. Ici même, à Oahu, nous avons accueilli des personnes venues de tous les pays de la terre, et elles vivent ensemble en paix. Elles grandissent ensemble, se marient ensemble. Nous sommes parvenus au point où, dans des milliers de cas, il n'y a plus d'Hawaïens, de Japonais, de Chinois, de Tahitiens, de Philippins, de Fidjiens, de Français, de Hollandais, de Portugais ou de quoi que ce soit. Ils n'y ont sans doute jamais songé, mais ils ont réalisé le miracle de cette île. Ici, au milieu du plus vaste océan de la terre, sur un rocher de la taille d'un timbre-poste, nous avons réalisé une des merveilles du monde, la *véritable* merveille du monde. Il nous a suffi de *vivre avec* d'autres gens, avec les gens d'à côté et ceux du trottoir d'en face pour mettre fin à la plus ancienne et la plus pernicieuse maladie de l'histoire. Depuis l'origine des temps, des hommes ont tué d'autres hommes pour la seule raison qu'ils étaient " différents ". Nous avons cessé d'être " différents ".

« Mais il y a l'autre partie de la population, la minorité. Voici cent cinquante-deux ans que le capitaine Cook a accosté ici, mais la plupart de *ces gens* se comportent comme s'ils n'avaient pas encore défait leurs valises. Ils n'ont pas ouvert leurs portes d'entrée — sauf à leurs pareils. Ils font tous partie d'une vaste conspiration. Ils n'ont pas eu besoin de cent cinquante-deux ans pour créer leur pays. Mais même cela n'est pas le vrai problème. Le vrai problème, c'est qu'au fond d'eux-mêmes ils croient que nous leur appartenons. Voilà pourquoi ils pensent que Joe Liliuohé était coupable. Voilà pourquoi, maintenant, il est mort.

Tom se tut. Il fixa des yeux Maddox, qui n'avait pas bougé.

— Joe aimait toute chose, mais ce qu'il aimait le plus était l'océan, reprit Tom. C'est donc en son sein qu'il reposera, au large. Il nageait toujours très loin vers le large, très loin.

Il baissa la tête, ses paupières ne cessaient de cligner.

— Joe, dit-il tout bas, comme s'ils étaient seuls ensemble, sur le sable chaud de l'anse, en train de se reposer avant de replonger dans la mer. Joe...

Trois jours après que le cercueil de Joe Liliuohé fut immergé, à plus d'un mille nautique de la côte, la température baissa brusquement d'une dizaine de degrés sur la côte Est des État-Unis. Les radiateurs des automobiles gelèrent et de longues files de voitures tombèrent en panne, moteurs fumants, de la frontière canadienne jusqu'à Atlanta. L'hiver avait été doux et les stations-service n'étaient pas prêtes. Les stocks d'alcool, que l'on utilisait comme antigel, s'épuisèrent rapidement. Du soir au matin, de pots à fumée brûlaient entre les rangs de citronniers et d'orangers d'un bout à l'autre de la Floride, et à Washington la neige se mit à tomber dans la nuit.

A 8 heures le lendemain matin, la circulation dans la capitale fédérale se coagula en une masse compacte. La neige drue étouffait Washington sous son voile. Les tramways et les autobus étaient bondés de gens ayant laissé leur voiture chez eux. Il y avait des accidents de la circulation partout. Les hôpitaux étaient remplis de blessés et la police ne parvenait pas à répondre à tous les appels — le standard était engorgé.

— Une plaie m'a été envoyée du ciel, dit Floyd Rasmussen. Le président va annuler mon audience.

— Le président des États-Unis ne cesse pas de travailler à cause d'une chute de neige, répondit Phoebe, assise confortablement dans le bureau du sénateur. Assieds-toi, Floyd. Tu vas t'épuiser.

L'audience de Rasmussen à la Maison-Blanche était fixée à 3 heures de l'après-midi.

— Nous ne pourrons pas quitter le Capitole, répliqua Rasmussen. Nous ne pourrons pas passer.

— La voiture du président passera, répondit Phoebe en se levant du sofa pour prendre Rasmussen par le bras. Téléphone à la Maison-Blanche. Dis-leur de t'envoyer un véhicule.

En arrivant près du bureau, Phoebe décrocha.

— Il ne peut pas annuler une audience avec quelqu'un qu'une voiture de la présidence conduira jusqu'à la porte du Bureau ovale.

Rasmussen prit l'appareil et s'assit...

La neige cessa de tomber alors qu'il descendait Pennsylvania Avenue dans la voiture officielle du président. Quand il ressortit de la Maison-Blanche avec les autres, juste après 3 heures et demie, les nuages s'entrouvrirent et un rayon de soleil s'échappa, qui métamorphosa soudain Washington en décor de conte de fées. Rasmussen comprit qu'il recevait un signe du ciel. Il éprouvait les sentiments de Moïse arrivant devant la mer Rouge.

Six autres sénateurs l'accompagnaient : Bowman de Georgie, Fox du Mississippi, Reynolds de l'Utah, Glanda de l'Illinois, Stillman du Nebraska et Ewing du Kentucky, tous élus de longue date. Rasmussen était le seul « jeune », mais il faisait figure de chef, et personne ne s'y trompait.

Les photographes des journaux étaient déjà à l'œuvre. Rasmussen se tourna vers Ewing et lui parla pour ne pas avoir l'air de poser. Pas de précipitation aujourd'hui. Il avait sollicité une audience l'après-midi justement parce qu'il préférait les journaux du matin. Quand les photographes laissèrent la place aux journalistes, Rasmussen s'avança pour s'assurer que les gens de la radio l'entendraient bien. Les caméras des actualités se mirent à tourner.

— Je commencerai par une déclaration, dit Rasmussen en sortant les feuilles de sa poche intérieure. Tout d'abord, je tiens à rappeler que je suis simplement le porte-parole de mes éminents collègues, à mes côtés. Le porte-parole de la *masse* de collègues éminents, honorables et *craignant Dieu* qui, au Sénat et à la Chambre, se sont joints à moi dans cette croisade pour protéger des Américains sans défense, au-delà des mers, à des milliers de kilomètres de leur terre natale.

Rasmussen souleva ses feuilles comme s'il brandissait une torche.

— J'ai ici les noms de cent vingt-cinq sénateurs et représentants des États-Unis. Ils parlent au nom des multitudes, dans chaque ville et chaque village, chaque foyer et chaque ferme, d'un bout à l'autre de notre grande République. Ils élèvent la voix en un cri unanime, un cri de justice. Doris Ashley, le lieutenant Gerald Murdoch et le matelot de deuxième classe York doivent être *libérés*. Et libérés *tout de suite!*

Rasmussen s'arrêta et baissa le bras. Il baissa la voix.

— Je l'ai porté à la connaissance du président.

L'article sur l'entrevue de la Maison-Blanche parut en première page de l'*Outpost Dispatch* le jeudi matin, à côté d'une photo récente de Rasmussen, provenant des archives du journal. Dans son bureau, Harvey Koster lut sans sauter un seul mot le compte rendu de l'entretien du sénateur avec le président. Il replia le journal et le posa sur le bureau à cylindre. Il demeura silencieux, figé, pendant longtemps. Il fit enfin pivoter son fauteuil et décrocha le téléphone. Il passa plusieurs coups de fil.

Il ne fut prêt à parler à Doris Ashley qu'en fin d'après-midi. Il repoussa au lendemain matin. Il avait eu une journée épuisante, mais ce n'était pas la seule raison : il n'aimait pas quitter sa maison le soir en abandonnant les filles après la tombée de la nuit. Sa secrétaire ne prenait aucun rendez-vous l'après-midi après 4 heures et demie.

Avant de quitter le bureau, Koster jeta l'*Outpost Dispatch* dans la corbeille à papier. Floyd Rasmussen, photographié en première page du quotidien, le dévisagea. La visite du sénateur à la Maison-Blanche avait forcé Koster à choisir Walter Bergman.

En 1931, Walter Bergman était le plus célèbre, le plus éminent avocat des États-Unis depuis de longues années. C'était un avocat d'assises dont le nom apparaissait régulièrement à la « une » des journaux. Walter Bergman avait plaidé dans presque tous les procès célèbres d'Amérique au cours des cinquante-deux années où il avait exercé ses talents. Jamais les affaires dont il s'occupait n'étaient banales, et il n'avait jamais défendu des inculpés ordinaires. Jamais Walter Bergman n'avait accepté une affaire parce qu'il avait besoin d'un client, même à ses débuts, dans les petits bureaux d'un immeuble modeste de Chicago. Pour l'intéresser, il fallait que le dossier comporte un élément exceptionnel. Et Bergman n'avait jamais travaillé pour un autre avocat. Au bout de quelques années, sa clientèle était devenue importante. Et les clients venaient à lui dans les mêmes petits bureaux de ses débuts. Harvey Koster avait l'adresse de Chicago dans sa poche lorsqu'il arriva à la résidence de l'amiral, le vendredi matin.

Doris Ashley était seule.

— Eh bien, Harvey, vous êtes venu voir la prisonnière ?

— J'ai du mal à penser à vous en ces termes, dit Koster. Vous ne devriez pas être ici.

— Philip Murray ne partage pas votre avis, répondit Doris Ashley en se tournant vers la large véranda qui s'étendait au-delà du salon au plafond bas. Je ne peux sortir de la maison que sous bonne garde. Des marins en armes.

— En tout cas, l'amiral vous a évité la prison.

— C'est une prison, dit Doris Ashley. C'est ma prison.

— Vous avez Hester avec vous.

Doris Ashley regarda l'homme entre deux âges assis à côté d'elle. On aurait dit un mendiant espérant une aumône, au milieu d'une longue queue. Et Doris Ashley l'envia. Non à cause de son argent, de ses domaines ou de ses entrepôts, mais parce qu'il était *libre*.

— Oui, j'ai Hester.

Elle quitta Koster et sortit sous la véranda. Il la suivit.

— Je vais comparaître en justice pour meurtre, Harvey.

Le soleil blessa les yeux de Koster.

— Vous avez songé à un avocat, Doris ?

— J'ai un avocat, répondit-elle. Alton Wormser.

— Alton Wormser n'a pas plaidé depuis presque vingt ans. Il n'a jamais plaidé dans une affaire criminelle. Or Philip Murray a l'habitude des affaires criminelles. C'est sa partie.

— Personne, dans les îles, n'est davantage respecté qu'Alton.

— Vous avez besoin d'un homme meilleur que Murray devant une cour d'assises, insista Koster. Il vous faut un avocat comme Walter Bergman.

— L'homme de Chicago ? demanda Doris Ashley. Le vieux ?

— Son cerveau n'a pas vieilli, répondit Koster. C'est le meilleur. Personne n'a de meilleures références que lui.

— Il faudra que je le paie, dit-elle. Il doit être cher.

— Il demandera probablement 25 000 dollars.

Doris Ashley posa la main sur le garde-fou de la galerie. La peinture blanche étincelait. La main courante était humide mais aussi propre que les tables de *Windward*.

— Bergman musellera Philip Murray.

— Pour 25 000, dit Doris Ashley.

— Il demandera aussi des frais de séjour. Pour lui et sa femme.

— Au Western Sky, bien entendu, murmura Doris.

Elle se rappela la « suite présidentielle ». Elle se rappela sa nuit de noces dans la suite, avec Preston Ashley. Elle aurait pu répéter les excuses qu'il lui avait présentées.

Elle regarda l'océan. Elle n'avait pas tué cet homme. C'était Gerald qui l'avait tué. Les empreintes digitales de Gerald se trouvaient sur l'automatique. Elle était ici, emprisonnée, avec *Windward* à la merci d'Amelia et de Theresa — tout cela à cause de Gerald. Elle voulait qu'il soit châtié. Elle voulait que Gerald sorte de sa vie et de la vie d'Hester. Elle voulait retourner à *Windward* avec Hester. Elle fermerait la remise des voitures pour toujours.

— Je n'ai rien à craindre, lança-t-elle.

Koster quitta Pearl Harbor et se dirigea directement au bureau du télégraphe, dans le centre d'Honolulu. Il engagea Walter Bergman pour défendre les inculpés du meurtre de Joe Liliuohé. Il garantit personnellement le paiement des honoraires. Bergman avait obtenu plus d'acquittements que n'importe quel autre avocat en Amérique. Si les inculpés étaient libérés, plus personne à Washington ne pourrait ouvrir la bouche. Koster savait que c'était très risqué, mais il n'avait pas le choix.

QUATRIÈME PARTIE

— Indiquez-moi le moyen le plus aisé et le plus rapide de monter sur le pont de promenade, dit Maddox au commissaire de bord. Utilisez *gauche* et *droite,* je ne suis pas marin pour deux sous.

Le commissaire lui indiqua le chemin.

— Je cherche le 24 B, précisa Maddox, et il répéta le numéro de la cabine en s'éloignant, bras tendu pour s'appuyer à la cloison de métal.

Il n'aimait pas les bateaux.

Harvey Koster lui avait demandé d'attendre le paquebot *Hawaiian Queen* et d'accompagner Walter Bergman à terre. Maddox était arrivé à la tour Aloha une heure avant que les remorqueurs ne traînent le *Queen* le long du quai. Il avait envoyé à la tour une voiture de ronde supplémentaire et deux agents. Il donna ses instructions aux hommes et les quitta. Il fut le premier visiteur à bord.

Il s'arrêta devant la première porte du pont de promenade. C'était le 36 B. Il suivit la coursive en se tenant au bastingage. Devant le 24 B, il ôta son chapeau et frappa. Il attendit, puis frappa de nouveau.

— Qu'est-ce que c'est ? demanda une voix de femme.

Elle apparut à sa droite, sur le seuil d'une cabine ne portant aucun numéro. Maddox lui donna la trentaine. Elle était mince et pâle. Une peau très blanche de bébé. Des cheveux de la couleur des feuilles d'automne, raie de côté et ondulations sur la nuque. Elle portait une robe marron clair boutonnée sur le devant, avec une ceinture plus foncée à la taille et une écharpe blanche autour du cou. Maddox apprécia son élégance, mince et sans ostentation.

— Je suis venu chercher Walter Bergman, dit-il.

La femme avança d'un pas et Maddox vit ses yeux. Ils étaient d'un vert intense, le vert de l'herbe sous la pluie, avec de petites taches d'or. Maddox n'avait jamais vu des yeux comme ceux-là.

— Qui êtes-vous ? demanda-t-elle.

Maddox plongea la main dans sa poche et la ressortit, paume ouverte, pour lui montrer son insigne de cuivre.

— J'appartiens à la police d'Honolulu. Je suis venu à bord pour faciliter la descente à terre de maître Walter Bergman.

Il rempocha son insigne.

— Je suis Mme Bergman, répondit la femme.

Et Maddox devina aussitôt son histoire, de la première à la dernière ligne. Ses vêtements n'étaient qu'une façade. Ce n'était qu'une donzelle de plus qui avait mis la main sur un compte en banque. Il ressentit une bouffée de colère. En fait, il était furieux contre lui-même de s'être laissé abuser ainsi. Et pourtant, il fut incapable de se détourner d'elle. Il fallait qu'il regarde la poudre d'or dans ses yeux et l'ondulation de ses cheveux sur sa peau si blanche. Il se rappela que Walter Bergman avait soixante-seize ans. Il l'avait lu quelque part. La donzelle n'avait même pas la moitié de son âge.

Ils entendirent une voix d'homme.

— Lenore ?

Elle tourna la tête vers la porte.

— Je reviens dans une minute, dit-elle ; puis, à Maddox : Je vous ai arrêté parce que j'essaie de le protéger. Tout le monde le harcèle et il ne veut froisser les sentiments de personne. Il refuse de se ménager.

Elle ouvrit la porte.

— Nous n'en avons pas pour longtemps. Merci d'être venu.

Maddox essuya avec son mouchoir l'intérieur de son chapeau, puis il replia le mouchoir et le remit dans sa pochette. « Soixante-seize ans », se dit-il. Un matelot s'avança, presque entièrement dissimulé derrière la malle qu'il portait, et Maddox se colla à la cloison pour le laisser passer.

— Voulez-vous entrer, je vous prie, capitaine.

Elle tenait la porte ouverte. Jamais personne n'avait remarqué le mot CAPITAINE sur son insigne, au-dessus de l'étoile. Il ôta son chapeau et se donna l'ordre de ne pas regarder ses yeux vert et or.

Walter Bergman était assis dans un fauteuil à côté de la couchette. Maddox regarda la porte de communication et, au-delà, l'autre cabine et l'autre couchette.

Bergman avait des cheveux gris, d'un gris lumineux, comme la glace d'un fleuve. Ils étaient hérissés, en bataille. L'avocat était net, impeccable, mais semblait déplacé dans ses vêtements, comme un paysan habillé pour aller en ville. Il portait une chemise bleue avec des manchettes amidonnées et un col dur, de couleur blanche. Sa cravate et son pantalon étaient bleus. Maddox vit le veston bleu sur la couchette. Jamais Maddox ne se laissait impressionner, mais il avait lu des articles sur Bergman, qui était célèbre partout, et, pour cette raison — peut-être aussi parce qu'il examinait tout le monde —,

il remarqua les mains du vieillard. Elles étaient grosses, dispropor-
tionnées, avec des doigts épais aux articulations noueuses, les mains
d'un manuel, d'un homme épuisé par de longues décennies de
labeur.

— J'apprécie votre courtoisie, capitaine, dit Bergman.

Quand il se leva, sa taille étonna Maddox. Il ne lui avait pas paru
grand dans le fauteuil, mais il l'était, plus grand que lui-même. Et
mince. Décharné. Il avait le teint pâle, comme sa femme, mais son
visage était gris, terreux. Maddox avait en face de lui un homme
malade.

— Nous pouvons partir dès que vous serez prêt, dit Maddox.

Il vit Bergman heurter la couchette. L'avocat avait donc une
mauvaise vue. Maddox prit le veston et le lui présenta.

— Merci beaucoup, dit Bergman.

Maddox fit un pas de côté pour pouvoir regárder la femme.

— Il y a un attroupement sur le quai, dit-il. Honolulu est plein de
journalistes venus pour le procès. Nous pouvons les éviter. Nous
passerons par une porte de fret. Ma voiture attend en face.

La femme s'arrêta à côté de lui et il essaya de ne plus la regarder.

— Nous vous en sommes très reconnaissants, capitaine, dit-elle.

— Je vais dénicher un porteur pour les bagages.

Il revint avec un matelot, qui entra dans la cabine avec son chariot.
Ils suivirent l'homme jusqu'à un monte-charge qui les conduisit dans
les entrailles du bateau. Quand la porte s'ouvrit, Maddox vit sa
voiture juste devant eux, gardée par les deux agents. Une large
planche permettait d'accéder au quai. On entendait déjà les *ukulélés*.

— Lenore, écoute ! dit Bergman.

Quand il souriait, il ressemblait à un enfant. Maddox vit la femme
le prendre par le bras. Bergman avait épousé une infirmière.

— Excusez-moi, dit Maddox. Secouez-vous un peu, lança-t-il au
marin.

Il les précéda pour appeler les deux agents.

— Donnez-nous un coup de main.

Le quai était envahi par la foule habituelle des arrivées et des
départs, amis et connaissances des passagers, et tout le petit monde
qui essaie de gagner son pain au crochet des touristes. Maddox
remarqua la horde des journalistes et des photographes, aux
premiers rangs. Il aida le marin et les agents à ranger les bagages à
l'arrière de la voiture, puis il donna un pourboire au marin. Ensuite,
il fit signe à la femme et à Bergman d'avancer. En contournant la
voiture pour ouvrir les deux portières, il vit Jeff Terwilliger qui se
précipitait vers lui, suivi par les autres journalistes et photographes.

— Arrêtez-les, lança-t-il aux agents, et, à Bergman : Nous ferons bien de ne pas traîner.

Il recula pour aider la femme à monter à l'avant, mais elle se mit à l'arrière, à côté des valises.

— Tu ne vas pas voir grand-chose, Lenore, dit Bergman. J'aurais préféré que tu profites du paysage.

— Maddox ! cria Terwilliger, mais les agents le bloquèrent.

Maddox fit le tour de la voiture pour se mettre au volant. Les agents étaient débordés. Il posa la main sur le klaxon et quitta le quai.

Il pouvait la voir dans l'angle du rétroviseur. Elle avait baissé la glace et la brise jouait dans ses cheveux.

— Qu'en dis-tu, Lenore ? demanda Bergman.

— Je n'ai jamais rien vu d'aussi propre.

— C'est lavé en permanence, expliqua Maddox. Les collines bloquent les nuages, et il y a une petite averse presque chaque jour.

— L'odeur me rappelle le passé, dit Bergman. J'ai été élevé à la campagne. Environ un mois après la fonte des neiges, vers le début de mai, la terre s'ouvrait. Le sol devenait noir et les fleurs sauvages poussaient. Tout sentait bon. Êtes-vous un homme de la campagne, capitaine ?

— Je suis né ici, à Honolulu.

C'était à elle qu'il parlait.

— Hawaïen de naissance, dit Bergman. Tu entends ça, Lenore ?

— Oui, Walter.

Elle regardait par la glace baissée.

Maddox tourna dans Kalakau Avenue.

— Nous arrivons à Waikiki, dit-il.

Elle ne serait plus là dans cinq minutes. Il apercevait déjà le Western Sky sur sa droite.

— Voici votre hôtel.

Il obliqua dans l'allée, qui traçait une large courbe au milieu des jardins de l'hôtel. Ils dépassèrent un rhododendron et un hibiscus géant, plantés derrière des plates-bandes magnifiques de fleurs annuelles. Maddox s'arrêta et posa le carton POLICE derrière le pare-brise.

— Je vais chercher un porteur.

Quand il revint, elle aidait Bergman à descendre de voiture. Ils le remercièrent, Bergman lui serra la main, puis elle tendit la sienne. Une main de soie. Et elle s'éloigna, au bras de Bergman. Maddox aida le porteur. Il était pressé de partir.

Mais il ne partit pas. Il alla ranger sa voiture au-delà de l'entrée de l'hôtel. Il appellerait le commissariat central depuis une cabine téléphonique du hall.

A son entrée, il vit le directeur conduire les Bergman vers les ascenseurs. Il s'arrêta, invisible, jusqu'à ce qu'ils aient disparu.

— Maddox, dit-il à l'appareil. Du nouveau ?

— Tout est calme, capitaine, répondit l'agent du standard.

Maddox traversa le hall. Le soleil semblait venir de la mer. Dehors, protégé à chaque extrémité par des coupe-vent en verre, s'étendait une vaste salle à manger. Maddox remarqua les nappes blanches. Il regarda les convives, des femmes à la mode et des hommes bien habillés — à un million de kilomètres du meurtre et du procès. Il écouta le cliquetis de l'argenterie et le tintement des verres. L'élégance, la sérénité, le luxe sensuel, étaient hypnotiques. Jamais Maddox n'était entré dans l'hôtel de sa propre initiative, mais uniquement parce que son travail exigeait sa présence ; ce jour-là, pourtant, il traversa le hall à pas lents, comme s'il était l'un d'eux.

Maddox s'arrêta à l'endroit où les tapis faisaient place aux dalles de pierre de la salle à manger. Le maître d'hôtel vint à sa rencontre, un paquet de gros menus sous le bras.

— Combien serez-vous, monsieur ?

— Je suis seul, répondit Maddox.

Il ne déjeunait jamais. Elle était en haut, quelque part. Peut-être juste au-dessus de lui.

— Je pourrai vous donner une table dans quelques minutes, dit le maître d'hôtel. Sans doute dix minutes, peut-être un peu plus.

Maddox acquiesça. Le maître d'hôtel l'abandonna pour aller accueillir un homme et deux femmes. L'homme portait un pantalon de flanelle blanche avec des chaussures blanches et un blazer bleu marine. Maddox regarda le maître d'hôtel les conduire à une table. Il se retourna. Elle était près de lui, il pouvait la toucher.

— Oh ! dit-il.

Il retint son souffle, la poitrine nouée.

— Capitaine...

— Vous attendez M. Bergman ?

Soudain, ce fut la question la plus importante qu'il ait jamais posée.

— Il se repose, dit-elle en esquissant un sourire triste. Il tient absolument à voir ses clients cet après-midi.

— Dans ce cas, peut-être... J'attendais... Voulez-vous déjeuner ? demanda-t-il en se maudissant de sa balourdise. Vous n'êtes pas ici pour acheter le journal. Je veux dire : voulez-vous que nous déjeunions ensemble.

— Merci, capitaine. Ce sera un plaisir.

Maddox leva le bras pour faire signe au maître d'hôtel, mais le laissa retomber aussitôt, en se maudissant de nouveau. Fini, pour l'instant, de montrer son insigne. Elle s'était tournée vers l'océan, et il la regarda.

Le maître d'hôtel revint.

— Madame est avec moi. Deux personnes, lui dit Maddox.

— Je peux vous donner une table tout de suite.

Elle suivit le maître d'hôtel et Maddox leur emboîta le pas. Tous les hommes levaient les yeux vers elle à son passage.

Le maître d'hôtel tira une chaise.

— Une seconde, dit Maddox en se dirigeant vers la chaise d'en face. Prenez celle-ci, madame Bergman. Vous aurez une belle vue jusqu'à Diamond Head.

— Vous avez l'air de bien connaître Honolulu, monsieur, lui dit le maître d'hôtel.

— Un peu, répliqua Maddox, et quand ils furent assis : Comment trouvez-vous le décor ?

— A couper le souffle. Merci, capitaine.

— Je suis capitaine quand je travaille. Mais je ne travaille pas en ce moment. Je m'appelle Curtis. Curt.

Il lui tendit un verre d'eau.

— D'accord, Curt, dit-elle. Je m'appelle Lenore.

— J'avais de l'avance sur vous. J'ai entendu votre mari vous appeler.

Ils gardèrent le silence. Lenore ouvrit le menu.

— Si vous avez envie de quelque chose et que vous ne le voyez pas, demandez-le-moi, dit Maddox. On dirait que je vous bouscule. Pourtant, je n'aime pas me faire talonner.

Lenore baissa le menu. Elle souriait. Toute trace de tristesse avait disparu. Les deux bouts du foulard autour de son cou flottaient au vent comme des ailes. Maddox eut envie de les mettre en cage.

— Bousculer, talonner, dit-elle. Jamais je n'ai entendu parler comme vous.

— Nous ne vivons pas du même côté de la rue, vous et moi.

Lenore rit et Maddox lui sourit.

— Mais les deux côtés se ressemblent, non ? dit-il.

Elle hocha la tête, sans cesser de rire, puis ils se turent.

— De toute façon, que désirez-vous ?

— Une salade ? Une salade de fruits de mer ?

— Ça me paraît excellent. La même chose pour moi.

Il fit signe à un garçon et commanda les salades et du café.

Le garçon revint trop tôt à son gré, le déjeuner s'acheva trop vite.

— Je vais commander un autre café, proposa Maddox, mais·
Lenore secoua la tête.

Et Maddox comprit que tout était terminé avant même d'avoir
commencé.

Lenore pencha la tête en arrière et ferma les yeux. Il vit la courbe
blanche de son cou au-dessus du foulard. Elle ouvrit les yeux et
sourit. Maddox eut soudain envie de chasser tout le monde.

— J'aimerais m'étirer, comme un chat au soleil.

— Faites-le, répondit Maddox. Faites ce qu'il vous plaît.

— Et vous, capitaine... Curt. Vous faites ce qu'il vous plaît ?

— Je n'accepte pas facilement les ordres. Je suppose que cela tient
au fait que je vis seul. Faire ce qui vous plaît devient une habitude. Je
n'ai jamais eu personne sur le dos pour me donner des ordres.

Lenore saisit sa tasse et regarda le fond de café qui restait.

— Vous êtes... seul ?

— Je suis le seul Maddox sur l'île, dit-il.

Elle souleva la tasse, comme un rempart entre eux.

— Vous devez vous sentir solitaire.

— Il faut vivre avec ce qu'on a...

Il lui en avait déjà trop dit.

— Vous aviez envie de vous étirer, ajouta-t-il.

— C'est passé.

Elle posa la tasse sans boire. Maddox comprit qu'elle allait se lever
avant même d'ouvrir la bouche.

— Walter a peut-être besoin de moi.

Il se leva avant elle.

— Merci beaucoup, murmura Lenore.

Ses yeux avaient maintenant une autre nuance de vert.

— Quand votre mari doit-il voir ses clients ?

— Il m'a dit que nous partirions vers 3 heures.

— Il vous faudra un taxi pour vous conduire à Pearl, et un autre
pour vous ramener, dit Maddox. Vous risquez une longue attente là-
bas. Je vous y conduirai.

— Je ne peux pas demander... commença Lenore.

— Vous n'avez rien demandé, coupa Maddox. A 3 heures.

Il resta debout jusqu'à ce qu'elle ait disparu. Quand il se rassit
pour attendre la note, il choisit la chaise qu'elle avait occupée. Il posa
la main sur la table, les doigts sur la fourchette qu'elle avait touchée.

Dans sa voiture, Maddox la revit, assise en face de lui. Il évoqua le
rose pâle de ses ongles quand elle levait son verre. Et sa tête penchée
en arrière vers le ciel. Dans l'allée de chez lui, il se rappela qu'il
s'était retourné deux fois — une fois sur le bateau, une fois à l'entrée
de la salle à manger de l'hôtel — et qu'elle était apparue devant lui.

— Une sorcière, dit-il à haute voix.

Il prit un deuxième bain et se rasa une deuxième fois. Il abandonna sur le lit tout ce qu'il portait sur lui dans la matinée. Il était revenu dans le hall du Western Sky longtemps avant 3 heures. Il portait un complet de gabardine marron clair et une chemise blanche propre. Son étui était très loin sur sa hanche, caché par le veston. Il regarda la pendule au-dessus de la réception. Quelques minutes avant 3 heures, il s'avança vers les téléphones intérieurs. Quand Lenore répondit, Maddox s'appuya au mur. La voix de cette femme lui nouait la gorge.

— Allô! dit-il. Prêts?

— Oh! c'est vous. Oui, je crois. Ne quittez pas. Un instant.

Maddox attendit.

— Il descend tout de suite, dit-elle.

— Et vous?

— Walter sera occupé avec ses clients.

— Pearl n'est pas la porte à côté, dit Maddox, ce serait pour vous l'occasion de découvrir l'île.

— Nous venons d'arriver, répondit Lenore. J'ai tout le temps.

— Évidemment. Je serai près des ascenseurs.

Il s'éloigna des téléphones. Il n'aurait jamais dû exhumer ce vieux complet de gabardine. Il ne l'avait jamais aimé. Il décida de le donner à l'un des jeunes du commissariat. Elle n'avait déjeuné avec lui que par politesse. Pourquoi diable avait-il décidé de déjeuner avec elle? Un ascenseur s'arrêta et deux couples en sortirent. Derrière eux, Maddox vit Lenore avec Bergman. De nouveau, il sentit comme une barre sur sa poitrine.

Elle avait changé de toilette, elle aussi, et elle avait arrangé un foulard clair sur ses cheveux. Maddox se dit qu'elle avait décidé d'accompagner Bergman jusqu'à la voiture. Il ne parvenait pas à se mettre en colère contre elle. Et il ne parvenait pas à détacher son regard de cette femme.

— Cela ne vous ennuie pas d'avoir Lenore sur les bras pendant un moment, capitaine? On ne peut pas rester enfermé à Honolulu, dit Bergman.

Lenore était entre eux. Dehors, Bergman passa devant elle.

— Lenore, tu te mettras à l'avant avec le capitaine.

Elle ne dit rien. Maddox lui ouvrit la portière et elle le remercia comme si elle parlait à un chauffeur de taxi.

Maddox s'arrêta à un feu rouge. La pluie se mit à tomber.

— Nous aurons peut-être de la chance, dit-il en tendant le bras. Tenez, là-bas! Sur les hauteurs.

L'arc-en-ciel, aux couleurs pâles, presque transparentes, traçait une immense voûte au-dessus des collines.

— Regarde, Lenore, dit Bergman. La plus jolie chose que j'aie jamais vue.

— Adorable, répondit-elle.

Maddox la regarda. Elle était assise comme sur un prie-Dieu, avec son sac à main sur les genoux. Quelle partie de plaisir !

A Pearl Harbor, Maddox s'arrêta près de la guérite de la police maritime.

— Je conduis Me Walter Bergman, dit-il. C'est l'avocat des personnes hébergées à la résidence.

— Oui, monsieur. L'amiral vous attend, monsieur. L'amiral se trouve à la résidence, monsieur. Avez-vous besoin d'une escorte, monsieur ?

Maddox secoua la tête et passa en première. Elle n'avait pas bougé une seule fois.

Un Philippin attendait au pied du large escalier conduisant à la résidence de l'amiral. Il était à côté de la voiture quand Maddox s'arrêta. Au moment où Bergman descendit, elle se tourna vers lui.

— As-tu du chocolat ?

Maddox apprit ainsi que Bergman était diabétique.

— Facile à vérifier, dit l'avocat.

Il se mit à tâter ses poches. Lenore ouvrit son sac à main et tendit une grosse tablette plate qui disparut dans la large paume de Bergman.

— J'aurais juré que j'en avais, s'écria-t-il.

— Excusez-moi, dit Maddox en se penchant devant Lenore (ils auraient pu être deux inconnus dans une salle de cinéma). Vous en avez pour combien de temps ?

— Disons une heure au plus, lui répliqua Bergman, et au Philippin : Passez devant, jeune homme.

Le Philippin conduisit Bergman dans le salon de l'amiral. Glenn Langdon, en uniforme blanc, se dressa devant lui.

— Je suis l'amiral Langdon, dit-il.

Il ne lui tendit pas la main, mais Bergman lui offrit la sienne.

— C'est bien la première fois de ma carrière que je rencontre un amiral, dit-il.

Il vit la femme, assise toute seule près des fenêtres. Il vit les deux jeunes gens en civil, un de chaque côté de la femme, mais à distance. Elle avait fait un trône de son fauteuil.

— Ce procès est une honte, dit l'amiral.

— Il n'a pas encore commencé, répondit Bergman.

— Il ne devrait pas avoir lieu. Traîner des Américains en justice sous prétexte qu'un indigène a reçu ce qu'il méritait, voilà le vrai crime.

— Notre régime s'appuie sur des lois, amiral, répondit Bergman. C'est justement ce qui nous distingue des indigènes.

— Vous êtes loin des États-Unis, dit l'amiral, et la distance ne se compte pas seulement en kilomètres. Nous, nous *vivons* parmi eux. Vous vous êtes fait une réputation. J'espère que vous serez à la hauteur de votre gloire. Je compte sur vous pour que ces personnes ressortent du tribunal libres et sans tache.

— Je suis toujours entré dans une salle d'audience avec cet espoir, répondit Bergman. Jamais de ma vie je n'ai plaidé une cause avec l'intention de la perdre. Mais il y a un jury entre nous et la liberté.

— C'est votre affaire !

Bergman ne comprenait pas pourquoi l'amiral se croyait obligé de hausser le ton.

— Si je me mettais au travail... dit-il.

L'amiral traversa la pièce, laissant Bergman le suivre. Il s'arrêta devant Doris Ashley et fit les présentations.

Bergman ne s'attendait pas à la voir quitter son trône, ce qu'elle ne fit évidemment pas. Il tendit la main et s'inclina.

— Voici le lieutenant Gerald Murdoch, dit l'amiral. Et le matelot Duane York.

Bergman serra la main des deux hommes et se tourna vers l'amiral.

— Amiral, je vous serais obligé de me laisser seul avec mes clients, dit-il.

Au premier regard, Walter Bergman avait déplu à Doris Ashley et il venait de prouver qu'elle ne s'était pas trompée dans son jugement.

— Nous sommes dans la demeure de l'amiral, dit-elle. Il nous a ouvert sa porte. Il est mon ami le plus sincère et mon protecteur. Je préférerais qu'il reste à mes côtés.

— Oh ! ça ne me dérangerait pas, moi, dit Bergman. Mais je suis venu ici pour faire connaissance. Tout ce que je peux savoir, c'est par mes clients que je l'apprends, et je me débrouille mieux si je suis seul.

— Laissons-le faire à sa manière, Doris, lança l'amiral. Je serai dans mon bureau.

Il ne regarda pas Bergman, qui le suivit pour refermer les portes. Quand l'avocat se retourna, il se frottait les mains.

— Je ne peux pas espérer que vous vous détendiez complètement, mais j'aimerais tout de même que vous essayiez, dit-il en traversant la pièce. Souvenez-vous que ce n'est pas moi, l'ennemi. Il y a encore une minute, vous étiez trois. Maintenant, nous sommes quatre. Je suis dans le coup. Je suis dans le coup depuis que j'ai été engagé. J'ai lu tout ce que les journaux ont imprimé. Pendant la traversée, j'ai écouté la TSF. J'ai même lu le journal du bateau tous les jours. Donc l'affaire ne m'est pas inconnue. Mais je suis un inconnu pour vous, et vous des inconnus pour moi. Je veux entendre votre son de cloche. Commençons donc par vous, lieutenant.

— Gerald a agi en état de légitime défense, dit Doris Ashley.

Bergman regarda Gerald comme s'il ne l'avait pas entendue.

— Nous nous battions, dit Gerald, et, dans la bagarre, l'arme s'est déchargée.

— Vous aviez à la main un automatique de calibre 45 et cet homme, le mort, se battait avec vous ? demanda Bergman.

— Il a attaqué Gerald, dit Doris Ashley.

Bergman attendit que Gerald réponde.

— Il m'a sauté dessus.

— A quelle distance étiez-vous l'un de l'autre ? demanda Bergman.

— Je ne peux pas vous dire, monsieur, bredouilla Gerald. Tout s'est passé si vite ! Il a bondi de la chaise.

— A quelle distance environ ? insista Bergman. A combien de mètres de vous se trouvait votre prisonnier quand il a bondi sur vous et votre arme ?

— Environ un mètre cinquante, dit Gerald.

Bergman se tourna vers Duane.

— Vous vous en souvenez, jeune homme ?

— Ouais. Un mètre cinquante environ, répondit le matelot. Il a sauté de la chaise sur le lieutenant.

— Il a sauté d'une chaise...

Bergman prit une chaise et la posa en face de Gerald. Il se plaça à côté du jeune homme et fit une grande enjambée puis une petite pour mesurer un mètre cinquante. Il posa la chaise contre son soulier, puis s'assit.

— Je suis votre prisonnier, dit-il. Vous braquez un automatique vers moi. Pourquoi sauterais-je sur un homme armé ?

— Personne ne peut répondre à cette question, lança Doris Ashley.

— Cela n'empêchera pas le procureur de la poser, dit Bergman. Il pourra la poser douze fois, une fois à chaque homme dans le box des jurés. Lieutenant ?... Pourquoi votre prisonnier a-t-il sauté sur vous ?

— Parce qu'il était coupable ! dit Duane.

— Il n'était pas *jugé* coupable, dit Bergman. Le jury n'était pas parvenu à une décision.

— Il nous a dit qu'il était coupable, répondit Duane.

Et l'avocat était censé les *aider* !

— A-t-il avoué, lieutenant ?

— Et comment ! Il a *avoué,* répondit Duane.

— Lieutenant, aviez-vous l'intention de le tuer après qu'il eut avoué ? demanda Bergman.

— Gerald n'est pas un assassin, dit Doris Ashley.

— Beaucoup de gens qui tuent ne sont pas des assassins, madame, répondit Bergman. Ce sont des victimes eux aussi ; les victimes d'une émotion momentanée qu'ils ne parviennent pas à maîtriser.

Il joignit ses mains.

— Aviez-vous l'intention de le tuer ? demanda-t-il à Gerald.

— Non, monsieur. Je n'ai jamais eu l'intention de tuer personne. Ni lui ni un autre, répondit Gerald.

— Vous dites qu'il a sauté sur vous. Donc il a dû croire que vous étiez prêt à le tuer, reprit l'avocat sans quitter Gerald des yeux. Dans votre bagarre, a-t-il tenu l'arme ?

— Nous l'avons tenue tous les deux, dit Gerald.

— Il a sauté de la chaise... Vous tenez l'automatique de calibre 45. Braquez-le vers moi, lieutenant.

— Gerald ne se rappelle pas s'il braquait l'arme, dit Doris Ashley.

Bergman pivota sur la chaise pour se trouver en face de Doris Ashley.

— Madame, je suis votre avocat. J'ai été engagé pour vous défendre. C'est la raison de ma présence ici, dans cette pièce. Je suis le seul avocat dans cette pièce et donc la seule personne qui connaisse la loi, les tribunaux, les procès et en particulier la procédure criminelle. Je suis en train de préparer mon affaire. Je pose des questions. Quand je vous pose une question, je compte sur une réponse de votre part. Quand je lui pose une question, dit-il en montrant Duane, je compte sur une réponse de sa part. Quand je pose une question au lieutenant, je veux que la réponse vienne de lui. A partir de maintenant, nous ferons les choses à ma manière. C'est la seule manière que nous adopterons tant que je resterai votre avocat. Vous êtes accusés d'un crime très grave. La peine prévue par la loi est la peine capitale, la mort, le châtiment suprême. Vous êtes vraiment mal partis. Vous avez besoin d'aide, de la meilleure aide. que vous estimez pouvoir obtenir. La loi dit que vous avez le droit de vous faire assister par un conseil, un conseil de votre choix. Si ce que vous venez d'entendre ne vous convient pas, peut-être serait-il plus sage que vous engagiez un autre avocat. Une voiture m'attend à la porte, elle me ramènera à mon hôtel.

Doris Ashley garda le silence, et Bergman se retourna vers le lieutenant.

— Étiez-vous en train de braquer l'automatique vers lui, lieutenant ?

— Je ne peux pas vous le dire au juste, répondit Gerald.

— Mais vous teniez l'arme, l'automatique de calibre 45. Votre prisonnier l'a vu. Il a vu aussi ce jeune matelot, à vos côtés. Deux hommes, dont un armé, contre un seul...

Bergman bondit de la chaise vers Gerald, mains tendues devant lui. Les bras de Gerald se levèrent instinctivement et Bergman lui saisit le poignet droit à deux mains. Il ne lâcha pas.

— Nous nous battons, dit-il. Résistez, lieutenant.

Bergman maintint la main de Gerald vers le bas, au-dessous de la taille, puis, brusquement, il la lâcha et recula d'un pas. Il haletait; il avait du mal à respirer. Son visage était devenu gris. Il posa la main sur le dossier de la chaise et s'assit lourdement. Sa poitrine se soulevait et s'abaissait; le bruit rauque, creux, de sa respiration emplit la pièce. Au bout d'un instant, il se leva, non sans effort, et il se tourna vers Gerald comme s'ils étaient seuls.

— J'ai soixante-seize ans, lieutenant. Je suis diabétique. Je ne pèse pas plus qu'une poignée de foin, mais j'ai maintenu votre main en bas. Si vous aviez tenu une arme et si le coup de feu était parti, la balle se serait logée dans le parquet de l'amiral.

— Gerald a répondu en toute sincérité et en toute bonne foi, dit Doris Ashley. C'est un homme intègre, un officier de la marine des États-Unis.

— Pourquoi vous êtes-vous enfui, lieutenant ?

Gerald joignit les mains derrière son dos et commença à tirer sur ses doigts.

— Enfui ? dit-il.

— Un agent de police vous a arrêté pour excès de vitesse, répondit l'avocat. Mᵐᵉ Ashley était au volant et le mort se trouvait à l'arrière de la voiture avec vous et le matelot York. Vous étiez en train de vous enfuir. Pourquoi ?

— Je n'ai jamais pensé qu'on me croirait, répondit Gerald.

— J'ai l'impression que nous arrivons enfin au point de départ que je réclamais il y a un moment, dit Bergman. Vous avez raison, lieutenant. Je ne vous crois pas, moi non plus.

Il se tourna vers Doris Ashley.

— Je ne crois aucun de vous. Je n'ai pas entendu un seul mot de vrai dans cette pièce depuis que l'amiral est sorti. Je vous ai dit que j'ai lu ce que l'on a écrit sur cette affaire. Joe Liliuohé a été tué par une seule balle provenant d'un automatique de calibre 45. Je vous ai parlé de cette arme une bonne douzaine de fois. J'avais de bonnes raisons de me répéter. J'ai passé plus de cinquante ans dans des salles d'audience, la plupart du temps avec une arme en face de moi. Je connais à peu près toutes les armes fabriquées sur cette planète. Aucune arme de poing ne tire de balles de calibre supérieur à 45. La balle de l'automatique que vous teniez a touché Joe Liliuohé sur le côté gauche du visage. Elle a traversé la mâchoire, le palais supérieur et le palais inférieur, puis le larynx et elle est ressortie par le cou. Cette balle n'a pas été tirée par une arme de biais, elle n'est venue ni d'en haut ni d'en bas. Elle est sortie d'un automatique tenu à l'horizontale.

Bergman leva la main, simula un revolver avec son index tendu et son pouce levé, et le braqua vers Gerald.

— Vous m'avez menti depuis le début, lieutenant.

Il baissa le bras et joignit les mains.

— Il nous faut donc recommencer à la case départ. J'espère que, cette fois, vous me direz la vérité. Je vous défendrai mieux si je connais la vérité. Si vous continuez de mentir, à moi et à la cour, vous paierez pour vos mensonges. Vous paierez tous les trois.

Doris Ashley bondit de son fauteuil.

— Vous cherchez à nous faire peur ! lança-t-elle. Vous n'avez rien fait d'autre depuis votre arrivée que chercher à nous effrayer ! Retournez donc à votre voiture !

— Attendez une minute, dit Gerald.

Doris Ashley ne l'entendit pas. Bergman se leva.

— J'ai mon propre avocat, poursuivit Doris. Mon ami. C'est mon ami.

Jamais elle n'aurait dû écouter Harvey Koster. Peu lui importait si Harvey Koster cessait de lui adresser la parole. Elle ne l'avait jamais aimé. Et Preston ne l'avait jamais aimé non plus.

— Il nous aidera, lui. Ce n'est pas une brute, dit-elle.

Bergman se détourna.

— Non ! dit Gerald.

Il s'avança soudain, tout près de l'avocat, prêt à le retenir si celui-ci essayait de s'en aller.

— Il a raison ! dit Gerald. Vous avez raison ! répéta-t-il à Bergman. Je mentais ! Je lui ai tiré dessus !

— *Il* l'a provoqué ! dit Duane. C'était *lui* qui mentait, l'indigène ! Gerald fit un pas vers lui.

— Silence ! Vous, bouclez-la !

Puis il pivota brusquement et s'avança vers Doris Ashley.

— Nous ne pouvons pas lui raconter d'histoires ! Nous ne sommes pas avec des journalistes ou avec la police ! S'il ne me croit pas, le procureur ne me croira pas non plus ! Ni le jury.

Gerald s'essuya les lèvres, debout devant Doris Ashley, la

mettant au défi de répondre. Il ne supportait plus la voix de cette femme. La pièce devint silencieuse. Gerald se retourna vers Bergman.

— Vous avez sans doute envie de vous asseoir.

— Pas d'objection, lieutenant. Je suis plutôt vanné.

Il se rassit. Debout près de lui, Gerald se mit à raconter.

Quand Bergman entra dans la résidence de l'amiral avec le Philippin, Maddox dit :

— Il en a pour un bout de temps. Qu'est-ce que vous aimeriez voir en particulier ?

— Mon mari risque d'avoir besoin de moi, répondit Lenore.

Maddox la regarda. Elle avait la main sur la portière comme si elle s'apprêtait à fuir. Il ne s'était pas rendu compte qu'elle avait peur.

— Nous ne serons pas loin, dit-il.

Ils étaient à un million de kilomètres l'un de l'autre.

— Je préfère attendre, dit Lenore. Vous n'êtes pas obligé de rester à cause de moi.

Elle ouvrit la portière.

— Une seconde, lança-t-il.

Tout allait de travers. Il était en train de la perdre.

— Lenore.

Il ne put obtenir qu'elle lève les yeux.

— Je ne vais nulle part. Je l'ai conduit ici. C'est moi qui l'ai proposé.

Elle resta assise, comme une prisonnière.

— Je me disais seulement que vous aimeriez visiter un peu l'endroit. Il y a de jolis coins par ici, le long de la mer.

Il eut envie de la toucher.

— Pour rien au monde, je ne voudrais vous blesser, dit-il.

Elle se tourna enfin vers lui.

— Est-ce que j'ai... commença-t-elle, puis elle se tut. Je ne peux pas être absente longtemps...

— Vous pouvez me faire confiance.

C'était une promesse solennelle.

Quand Maddox tourna la clé de contact, elle dit :

— Ne pourrions-nous pas nous promener à pied ?

Maddox aurait accepté même des échasses. A peine avait-elle posé le pied sur le marchepied qu'il avait contourné la voiture pour attendre près de la portière. Il eut envie de lui tendre la main, mais il resta à l'écart. Il resta aussi à l'écart lorsqu'ils traversèrent la place d'armes. Il se comportait avec elle comme si elle était un papillon. Ils se dirigèrent vers la jetée où Gerald avait conduit Hester lors de leur première rencontre.

— L'océan me paraît dangereux, dit Lenore. J'ai toujours été en mesure de voir l'autre côté de l'eau : les fleuves, les lacs...

La jetée était déserte. Ils allèrent jusqu'au bout et s'appuyèrent au garde-fou.

— Ça n'a pas l'air tellement effrayant, ici, dit-il.

— Ça me fait peur.

Maddox se demanda si elle savait qu'ils ne parlaient plus de l'océan.

— Vous êtes en sécurité, dit-il, essayant de la convaincre, pour ne pas la perdre.

— Je ne me *sens* pas en sécurité, dit Lenore. Jamais je ne me suis trouvée loin de chez moi.

Elle ne parlait pas non plus de chez elle.

— Un type des États-Unis m'a raconté qu'Honolulu, le centre ville, ressemble à n'importe quelle ville de là-bas, dit Maddox.

Il n'entendit pour réponse que le clapotis des petites vagues contre la jetée. Elle refusait même de lui parler.

— Nous pourrions aller du côté des vaisseaux, dit-il.

Elle regarda par-dessus son épaule. Croyait-elle donc que Bergman les surveillait !

— J'aimerais mieux pas, dit Lenore. Je veux dire... Y a-t-il toujours du vent ! demanda-t-elle après un silence. Il déboutonna son veston.

— Mettez-le sur vos épaules.

— Non, non. Merci, capitaine.

Elle leva la main pour l'arrêter. Personne, jamais, n'avait fait aussi mal à Maddox. Il cessa de respirer comme s'il avait reçu un coup de poing.

— Capitaine... murmura-t-il. Qu'est-il arrivé à Curt ? Qu'est-il arrivé ?

Pour la première fois de sa vie, Maddox suppliait.

— J'ai dû oublier, dit-elle.

Elle mentait, et il le comprit. Il comprit qu'il l'avait perdue. Il recula. Comme pour s'éloigner du pleurnichard qui s'était laissé aller à supplier un instant plus tôt. Il était écœuré par son attitude servile.

— Je suppose que vous avez oublié également le déjeuner, dit-il. J'ai passé les vingt dernières années avec des gens qui perdaient la mémoire. Vous les attrapez la main dans le sac, mais leur mémoire s'est fait la malle. Vous pouvez me rappeler que je parle mal.

Enfin, elle le regarda. Enfin, il put voir ses yeux. Il mettrait longtemps à l'oublier...

— Je me rappelle le déjeuner, dit-elle. J'ai dit à Walter que j'avais déjeuné avec le capitaine Maddox. Vous *êtes* le capitaine Maddox, une personne que j'ai rencontrée ce matin. Nous sommes des inconnus. Je ne vous connais pas du tout.

— Vous me connaissez, dit Maddox. Vous me connaissez et je vous connais. Nous avons fait connaissance au déjeuner. Il n'y a pas eu une minute, une seconde de ce déjeuner où nous n'étions pas ensemble. Ensemble. Alors, laissez tomber votre numéro sur les inconnus. Peut-être me direz-vous pourquoi vous vous comportez comme si j'étais un pestiféré depuis que nous avons quitté l'hôtel. Vous avez essayé de vous cacher dans votre chambre. Vous y seriez encore si votre mari n'avait pas insisté. Vous étiez prête à lui laisser traverser la moitié de l'île sans vous ; et il a presque fallu que je vous arrache de la voiture parce que vous refusiez de la quitter. Depuis que vous êtes sortie de l'ascenseur, vous m'avez traité comme si j'étais un espion.

— Vous n'avez aucun droit de... commença-t-elle, mais elle se tut.

— Personne n'a de droits, répondit Maddox. Je n'ai jamais eu de droits. Si j'avais attendu d'avoir des droits, je dormirais encore à la rue.

Il vit les lèvres de Lenore se mettre à trembler. Comme un enfant encerclé par les « grands ». Il avait commis une erreur. Il était retourné à son point de départ, tout seul, et il passerait son prochain réveillon de Noël comme les précédents, tout seul dans un restaurant, quelque part.

— Oubliez ça, dit-il. Les mots me sont sortis de la bouche. Une de mes mauvaises habitudes.

— J'aimerais revenir, murmura Lenore.

— Je me doutais que vous diriez ça, répondit Maddox, s'avouant vaincu. Je ne vous le reproche pas. Tout ce que je voulais, c'était que vous passiez un après-midi agréable, et tout ce que j'ai réussi, c'est d'en faire un désastre. Entièrement de ma faute.

Jamais il ne s'était excusé.

— Je crois que ce serait plus facile si je partais maintenant.

— Puisque vous y tenez.

Il ne lui ferait pas peur une seconde de plus.

— Vous dites que je ne mérite pas de reproches, mais je me sens fautive, dit Lenore. Je dois l'être.

Elle était de nouveau avec lui.

— Vous n'avez rien fait de mal.

— Vous aviez raison, dit-elle. Vous semblez voir les choses en moi. Oui, j'avais peur de venir. L'hôtel était la sécurité. J'ai encore peur. Vous voyez, je ne suis pas... sociable. J'ai vécu... Je n'ai pas vécu. J'ai été protégée toute ma vie.

— Je ne vous ferai aucun mal, Lenore.

Elle sourit, comme pour dissimuler qu'elle souffrait.

— J'ai compris que... Quand? Sur le bateau? Ce matin me semble si loin, si loin. J'étais en vacances, des vacances paisibles. Notre vie est toujours paisible. Vous...

Elle s'interrompit.

— Nous sommes simplement deux personnes qui s'entendent bien, dit Maddox.

— J'ai l'impression d'être prise dans un tourbillon, d'avoir perdu le contrôle de moi-même. Je veux que cela cesse. Je veux... être tranquille.

Maddox se montra prudent. Elle avait l'air moins effrayée. Mais il ne pouvait prendre aucun risque.

— La tranquillité... Est-ce mieux? Ou plus sûr?

— Oui, vous voyez en moi... Plus sûr. J'ai toujours vécu dans la sécurité. Je ne peux pas changer.

Maddox ne la crut pas, il ne pouvait pas la croire. Elle tourna le dos à la mer, à *eux*.

— La maison de l'amiral est la sécurité, dit-elle.

Quand elle leva les yeux vers lui, Maddox eut envie de la saisir et de disparaître avec elle.

— Je suis une femme mariée, ajouta-t-elle.

— Vous n'avez rien fait de mal. Vous avez déjeuné.

— Et maintenant je suis avec vous. J'ai un mari. Vous êtes seul.

— N'êtes-vous pas... seule? dit-il, sans se départir de sa prudence.

Il s'attendait à ce qu'elle le quitte, mais elle détourna simplement les yeux — et elle fut de nouveau très loin.

— Nous nous sommes mutuellement sauvés. Nous nous sommes mutuellement sauvé la vie, dit-elle en s'éloignant du garde-fou. Quand j'étais jeune, je croyais que personne au monde n'avait plus de chance que moi.

Maddox comprit qu'ils retournaient à la voiture. Elle lui raconta qu'elle était fille unique et que son père était l'associé de Walter Bergman. Ils habitaient des maisons voisines et, l'été, ils partageaient la même villa et le même bateau sur le lac Chippewa, dans le Wisconsin. Son père et Bergman s'y rendaient le vendredi soir.

— J'avais deux pères et deux mères, dit Lenore. Ils sont venus tous les quatre quand j'ai reçu mes diplômes.

Un affreux jour d'été, les parents de Lenore trouvèrent la mort dans un accident de voiture. Elle avait vingt-cinq ans. Elle n'était jamais retournée chez elle. Bergman et sa femme avaient pris le relais. Ils avaient vendu la maison et les meubles. Un mois plus tard, la femme de Bergman se n'était pas réveillée.

— Il aurait aimé mourir avec elle, dit Lenore. Pendant longtemps, il a refusé de quitter la maison. Quand il est retourné à son cabinet, il lui arrivait de rentrer au milieu de la journée comme pour s'assurer que j'étais encore là. Il a toujours eu plus de clients qu'il ne peut en défendre. Peu à peu, il est redevenu lui-même. Il était temps que je m'en aille. Que je trouve ma place dans le monde. Tout le monde pensait que je restais pour m'occuper de Walter, mais· ce n'était que la moitié de l'histoire. J'avais peur de partir. Walter le comprenait.

Un jour, Bergman lui avait demandé de l'accompagner à son bureau. Il lui avait montré un nouveau testament qui l'instituait sa légataire universelle. Il lui avait lu, à haute voix, le début : « A mon épouse Lenore... »

Sur la jetée, Lenore s'arrêta près d'un banc et se tourna de nouveau vers Maddox.

— J'aurais été perdue sans lui, dit-elle. Je n'étais pas prête... Je ne suis pas encore prête, ajouta-t-elle en un murmure.

Elle demandait à Maddox d'oublier leur déjeuner.

Elle lui parut entièrement vulnérable. Jamais il n'avait ouvert sa porte à un vagabond. Jamais il n'avait partagé, même pas avec un chien ou un chat. Mais il était prêt à la protéger pour la vie. Il ne s'était pas trompé. Elle était absolument seule.

Il fallait qu'il la touche. Un revolver ne l'en aurait pas empêché. Il tendit la main vers le bras nu de la jeune femme. Il sentit la soie de sa peau contre sa paume. Il la sentit partout en lui, stupéfait de l'effet produit dans son propre corps. Il entendit qu'elle retenait son souffle, mais elle ne s'écarta pas. Elle avait la tête baissée. Il s'aperçut qu'elle tremblait, puis cela passa.

— Voulez-vous enlever votre foulard ? demanda-t-il.

Il l'avait lâchée, ils étaient libérés. Reconnaissante, elle leva les bras pour dénouer le foulard et le faire glisser sur sa coiffure. Maddox souriait.

— Vous êtes beaucoup plus jeune sans foulard.

Elle sourit, hésitante, craintive.

— Curt... dit-elle, puis elle s'interrompit, s'écarta, passa derrière le banc et regarda vers la place d'armes. Voici Walter.

Elle noua le foulard autour de son cou, puis quitta la jetée. Elle agita le bras, mais elle éfait trop loin de la voiture. Ils traversèrent la place d'armes sans ajouter un mot. Maddox lui laissa prendre de l'avance. De nouveau, elle agita le bras.

— Walter !

Bergman était adossé à la calandre.

— Vous attendez depuis longtemps ? demanda Lenore.

— Je n'ai pas eu le temps de m'en apercevoir, répondit l'avocat. Vous lui avez montré les curiosités de l'île, capitaine ?

— Nous sommes allés sur la jetée, dit Maddox.

— Asseyez-vous à l'avant, Walter, proposa Lenore.

C'était trop tard, Bergman montait déjà à l'arrière.

— Vous savez, je préfère la banquette. Il y a davantage de place pour allonger les jambes.

Ils furent donc de nouveau ensemble. Maddox pouvait voir la courbe de sa jambe, sa cuisse, son bras nu. Il pouvait voir ses mains jointes sur le sac à main. Il connaissait son parfum, à présent, il serait capable de le reconnaître, de le reconnaître à jamais.

— Vous avez été très aimable pour nous, capitaine, dit Bergman. Nous vous en sommes reconnaissants. Le premier jour qu'un homme passe dans un nouvel endroit est toujours le plus difficile, que ce soit au jardin d'enfants ou sur une nouvelle affaire. Vous nous avez aplani les difficultés dès l'instant où nous avons débarqué. Je ne pense pas que cela entre dans vos attributions. J'ai traîné dans pas mal de commissariats : les capitaines ne servent pas de chauffeur. Ce que vous avez fait pour nous est d'autant plus aimable. Nous vous en sommes très obligés.

— C'est un plaisir de rendre service, répondit Maddox.

Ils quittèrent Pearl, et Bergman continua de bavarder en s'extasiant sur les beautés de l'île. Il parlait sans discontinuer, posait des questions à Maddox. Il parlait encore quand Maddox s'arrêta devant l'entrée du Western Sky. Le groom s'avança vers la voiture, mais Maddox descendit. Il n'avait pas envie de perdre Lenore si tôt.

— J'ai prononcé mon discours de remerciements, capitaine, dit Bergman. Je ne vous l'infligerai pas une deuxième fois.

— A Pearl, vous m'avez demandé si j'avais montré le paysage à Mme Bergman, dit Maddox. Je serais ravi de vous faire visiter l'île ensemble. Vous aurez le temps avant le procès.

— Tu entends ça, Lenore ? Nous vous prendrons au mot, capitaine, dit l'avocat.

La journée était donc terminée, Maddox ôta son chapeau. Lenore lui tendait déjà la main.

— Merci pour tout.

De nouveau, Maddox sentit une barre sur sa poitrine. Il eut envie d'enfermer la main de la jeune femme entre les siennes.

— C'était un plaisir.

Maddox se dirigea vers le commissariat central, lentement, son chapeau à côté de lui, le bras droit posé sur le dossier du siège — le siège de Lenore. Le parfum de Lenore emplissait la voiture. Il songea à s'arrêter dans une parfumerie pour sentir les flacons jusqu'à ce qu'il trouve le bon.

— Eh! dit-il à voix haute, surpris par ses propres pensées.

Au bureau, il lut les procès-verbaux de la journée, puis descendit le couloir jusqu'à la salle des policiers pour parler à Al Keller avant que celui-ci ne rentre chez lui. Il revint dans son bureau, remonta les stores vénitiens et ouvrit les fenêtres. Le soleil était bas à l'ouest et les fenêtres de l'autre côté de la rue semblaient en feu.

— Très beau, dit-il.

La nuit tomba vite. Maddox traversa son bureau pour allumer les lampes puis revint s'asseoir. La brise faisait cliqueter les stores vénitiens. Maddox ferma la fenêtre à guillotine. Il songea à dîner, et la perspective de s'attabler seul lui fit faire la grimace. Pourquoi n'avait-il pas rencontré quelqu'un qui ne soit pas marié? Il s'arrête-rait n'importe où sur le chemin de chez lui. Il en avait assez des sempiternels biftecks et côtes de porc.

— Une salade de fruits de mer, dit-il à haute voix, mais il ne pouvait pas retourner à l'hôtel.

Il sourit. Il posa la main sur le téléphone. Il ne connaissait même pas le numéro.

— Maddox, dit-il à l'agent du standard. Passez-moi le Western Sky...

— Allô!

Il aurait reconnu sa voix au milieu d'une émeute. Il se pencha en arrière dans son fauteuil, le téléphone sur les genoux.

— Ici le cap... Curt Maddox. Il se trouve que je suis libre demain, mentit-il. Nous pourrions aller visiter deux ou trois endroits.

— Demain? dit Lenore, et Maddox comprit qu'elle avait peur de nouveau. Je vais le dire à mon mari.

— Passez-le-moi, lança Maddox. Il ne voulait prendre aucun risque. Allô! monsieur Bergman? J'étais en train de dire à votre femme que j'avais une journée de liberté demain. Nous pourrions faire un peu de tourisme.

Un matin de la semaine suivante, à la première heure, la princesse sortit de chez elle pour commencer sa journée. Elle avait des vêtements propres et des bottes usées qui lui montaient jusqu'à mi-mollet. Jack Manakula la vit s'arrêter, refermer la porte et fixer l'écran-moustiquaire. D'habitude, elle sortait comme si elle avait le diable à ses trousses. Jack se trouvait dans le corral avec leurs chevaux sellés. Il la vit s'arrêter de nouveau et regarder autour d'elle comme si les chevaux, le corral, la grange et lui-même n'étaient pas là.

— Alors, plus envie ? cria-t-il. Je parle à un mur, ronchonna-t-il entre ses dents, ajoutant à l'intention de la princesse : Vous ne m'avez même pas laissé finir mon café !

La princesse l'avait chassé de la table et envoyé seller les chevaux pour qu'ils puissent partir aussitôt. Sous les yeux de Jack, qui commençait à se demander si elle n'était pas malade, elle finit par descendre de la véranda, à pas lents. Jack sortit du corral avec les chevaux. Lorsqu'ils se rencontrèrent, la princesse dit :

— Comment puis-je rester ici ?

Ils avaient écouté à la TSF les premiers commentaires sur le procès imminent et, la semaine précédente, ils avaient reçu une lettre de Tom Haléhoné. Il avait joint à sa lettre des coupures de presse — des articles câblés depuis les États-Unis signalant une campagne de plus en plus active en faveur des accusés. Au Sénat, Floyd Rasmussen avait exigé le renvoi de tous les artistes hawaïens en représentation. « Nous aurons de la chance si le procès suit son cours jusqu'au bout », écrivait Tom, ajoutant qu'il serait dans la salle d'audience dès le premier jour.

— Bravo pour notre camp, avait murmuré la princesse après avoir lu la lettre de Tom.

Jack Manakula avait craqué une allumette sur son blue-jean et, tandis qu'il allumait la cigarette qu'il venait de rouler, la princesse avait ajouté :

— Je devrais être là-bas.

— Pour faire quoi ?

— *Être* là-bas, j'ai dit.

La princesse avait chassé de la main la fumée que Jack venait de souffler.

— Pour faire quoi ? je répète. Ne vous occupez pas de ça, Lu, avait-il dit, en baissant le bras pour éloigner sa cigarette...

Et maintenant, debout avec les chevaux au milieu de l'enclos entre la maison et le corral, Jack Manakula lui proposa :

— Je vais prendre des couvertures et une gamelle, nous passerons la nuit dehors.

— Jack...

Il lui tendit les rênes de son cheval, mais elle ne les prit pas.

— Jack, ils sont en train de nous tuer. De sang-froid. Si je reste, cela signifie que je ne m'en soucie pas, dit la princesse. Viens m'aider à faire les bagages.

Dans l'après-midi, elle envoya un message à Tom avec son émetteur radio.

Le lendemain matin de bonne heure, Tom se rendit au port d'Honolulu. Un bateau de San Francisco avait accosté près de la tour Aloha à l'aurore et il pouvait voir les hautes cheminées noires dominant les entrepôts. Sarah avait insisté pour qu'il baisse la capote de la voiture. Assis au soleil, il regardait Sand Island. Il savait qu'il attendrait longtemps — il ne pouvait prendre le risque d'être en retard.

Quand il entendit les cloches sonner midi, il descendit de la décapotable pour s'étirer. Debout à côté de la voiture, il aperçut le beau yacht blanc qui s'avançait dans la passe Kalihi. Il descendit vers les quais. Les moteurs puissants du bateau traçaient un large sillage blanc. Tom crut voir près du bastingage une silhouette qui ne lui était pas inconnue, mais il n'en était pas certain. Puis le yacht se rapprocha et il distingua la robe ornée de motifs aux couleurs vives. Tom agita le bras et, l'instant suivant, la princesse lui rendit son salut. Deux hommes d'équipage se tenaient à l'avant et à l'arrière, des cordages à la main, et, au moment où le yacht effleura le quai, ils sautèrent à terre pour l'amarrer. Les deux marins sautèrent de nouveau à bord pour ouvrir une section du bastingage et mettre en place la planche de débarquement. Tom monta à bord pour saluer la princesse. Il se baissa pour prendre une valise.

— Lâchez ça, dit-elle. Vous êtes un avocat, pas un porteur.

Les marins l'entendirent.

— Je ne voulais qu'aider, dit Tom.

— J'ai payé pour qu'on m'aide, répondit-elle. Vous avez retenu un taxi?

Tom tendit le bras et elle vit la décapotable.

— Je comprends pourquoi vous ne pouvez pas vous offrir un complet neuf.

Les deux marins écoutaient. Tom leur tourna le dos.

— Elle n'est pas à moi, dit-il. C'est la voiture que... Joe était au volant le soir où... C'est la voiture de sa sœur.

La princesse vit le rouge monter aux joues du jeune homme. Elle essaya de réprimer un sourire, mais sans y parvenir.

— Aidez-moi à descendre de ce baquet.

Sa robe traînait jusqu'à terre et elle la releva à deux mains. Tom lui prit le bras.

— J'ai dit : « Aidez-moi. » Tenez bon, voyons!

Elle s'arrêta au bord de la planche et lança, sans un regard aux marins :

— Apportez les bagages!

313

Elle descendit la planche de débarquement comme un enfant marchant en équilibre sur une clôture.

Tom ouvrit le capot du spider et les marins y entassèrent les bagages. Tout l'arrière de la décapotable était plein. La princesse leur donna de l'argent.

— Remontez la capote, dit-elle à Tom. Je ne suis pas venue pour me donner en spectacle.

Tom remonta la capote et la fixa. La princesse posa les deux mains sur la voiture, comme si elle allait se mettre en selle.

— J'espère que cette carriole peut supporter le poids.

Kalakau Avenue, à la hauteur du Western Sky, était envahie par les taxis conduisant aux hôtels de Waikiki les passagers du bateau de San Francisco. L'allée du Western Sky était bloquée. La princesse ouvrit la portière.

— Faites décharger par un groom, dit-elle. Je ne veux pas vous voir avec autre chose à la main qu'un porte-documents.

Elle sortit sa jambe droite puis se figea.

— Mais cet engin remue !

Tom saisit le frein à main et tira, tout en écrasant la pédale du frein.

— Ne bougez pas, dit la princesse.

Elle se pencha au-dehors puis s'accrocha d'une main au pare-brise et de l'autre à la portière. Elle descendit de la voiture comme si elle plongeait dans un précipice. Elle se tourna vers Tom, dans la voiture.

— Quand vous reviendrez, faites-le avec la jeune fille.

— Elle travaille jusqu'à 6 heures.

— Je serai réveillée, répondit la princesse.

Tom la regarda s'éloigner vers l'entrée de l'hôtel. La robe longue traînait.

Dans le hall du Western Sky, la princesse s'arrêta au bout de la queue des passagers du paquebot qui attendaient près du comptoir de la réception. Les hommes et les femmes devant elle tournaient sans cesse la tête pour la regarder. Elle prit le parti de les ignorer. Elle était fatiguée, elle ne songeait qu'à prendre un bain et se glisser dans des draps propres. Elle n'avait presque pas dormi la nuit précédente.

L'employé de la réception était trop occupé pour remarquer la princesse avant qu'elle n'arrive près du comptoir, derrière l'homme à qui il donnait une chambre, un médecin de Pennsylvanie. Le médecin se pencha pour signer la carte et l'employé vit la femme énorme dans sa robe insensée. Il se figea devant cette apparition. Elle aurait dû se trouver dans un kiosque de foire, pour appâter les touristes avec son baragouin. Pourquoi le portier lui avait-il permis d'entrer? Pourquoi le chef des porteurs l'avait-il laissée arriver jusqu'ici?

— Un groom? demanda le médecin.

— Oui, docteur, répondit l'employé en appuyant sur la sonnerie. Il arrive, docteur. Bon séjour, docteur.

Il lui tendit sa clé.

— Je désire une suite, dit la princesse. Je crois que le 300 est à l'angle.

L'employé de la réception comprit tout : cette femme avait travaillé autrefois à l'hôtel, avant son arrivée, et on l'avait renvoyée parce qu'elle était folle. Elle avait touché ses allocations ce matin, et, heureuse dans sa tête de cinglée, elle était venue en ville s'offrir des vacances.

— Elle est prise, répondit-il. La suite 300 est prise.

— Je ne veux rien du côté de la rue, dit la princesse. Je prendrai une des suites d'angle sur l'océan.

— C'est pris, dit l'employé en regardant la longue queue derrière la folle. Je crois que vous feriez mieux de partir.

— Qu'avez-vous de libre?

— Excusez-moi, répondit l'employé.

Il quitta le comptoir à grands pas et disparut dans les bureaux de la direction, derrière les casiers à lettres. A la droite de la princesse, du côté de la mer, Walter Bergman et Lenore sortirent du restaurant en terrasse donnant sur le Pacifique. L'avocat s'arrêta.

— Regarde cette femme. On dirait une déesse.

— Elle est belle, répondit Lenore.

Ils entendirent le touriste derrière la princesse lancer :

— Qu'est-ce qu'on attend?

La princesse Luahiné se retourna pour dévisager l'homme. Sa femme et lui portaient des *léis* autour du cou.

— C'est moi qu'on attend, dit la princesse. Il vous faudra attendre jusqu'à ce que je sois logée.

Bergman sourit. Il vit un homme chauve dont le ventre retombait par-dessus sa ceinture se diriger à grands pas vers la queue, et un autre homme, derrière le comptoir, soulever la partie articulée pour se diriger vers la princesse. L'employé qui avait disparu reprit sa place. Bergman continua de regarder, ravi.

— Je suis le directeur adjoint, dit Arnold Klemeth. Désolé, mais toutes nos chambres sont réservées.

— L'homme devant moi n'avait pas réservé, dit la princesse. On lui a tout de même donné une chambre.

— Vous arrivez trop tard, répondit Klemeth. Grogan!

Il fit signe à l'homme chauve.

— Vous partez ! dit Grogan, le détective de l'hôtel.

La princesse parut ne pas remarquer sa présence.

— Vous l'avez entendu, dit Klemeth.

Lenore vit Maddox entrer dans le hall. Elle leva le bras. Il agita la main. Il souriait, mais la jeune femme vit son sourire s'effacer à mesure qu'il traversait le hall. Il changea de direction brusquement, pour longer la queue des hommes et des femmes attendant leur chambre.

Le directeur adjoint, à côté de la princesse, parlait à mi-voix.

— Si vous ne partez pas, je vous ferai expulser.

— Quel est le problème ? demanda Maddox, qui avait tout compris au premier regard.

— Je crois pouvoir régler ça, Maddox, dit Grogan.

— Vous avez autre chose à faire, répondit Maddox.

— Dites donc ! Vous ne parlez pas à un de vos flics pouilleux, lança Grogan.

— Cette femme... commença le directeur adjoint.

Maddox le coupa :

— Cette femme ? Vous ne la connaissez pas ? Vous ne l'avez pas reconnue ? C'est la princesse Luahiné. Donnez-lui ce qu'elle désire. Et vite, avant qu'elle ne vous fasse jeter à la rue. Vous seriez incapable de trouver même une tente à louer sur cette île.

Klemeth blêmit.

— Désolé, dit-il. Vous n'aviez pas... Vous avez dit 300 ? Oui, 300. Très bien. C'est parfait, dit-il, évinçant sans hésitation le couple de Seattle, quelque part dans la queue derrière la princesse, qui avait réservé une suite avant de prendre le bateau. Il regarda vers le hall et dit à haute voix :

— Concierge !

Bergman se rapprocha de la scène.

— Laissez tomber, dit Maddox en montrant le détective de l'hôtel. Grogan est ici. Il pourra s'occuper des bagages.

Bergman sourit.

— Je ne porte pas les valises, répondit Grogan.

Il se détourna, mais Maddox regarda Klemeth.

— Une seconde, dit le directeur adjoint en tendant la main vers l'employé de la réception. Il claqua des doigts.

L'employé lui remit la clé.

— Excusez-moi, madame, dit le directeur adjoint en se glissant devant elle pour donner la clé à Grogan. Occupez-vous des bagages de madame. Vous accompagnerez madame à sa suite. Vous examinerez la suite et, s'il manque quoi que ce soit pour le confort de madame, vous me rendrez compte personnellement. C'est vu, ou vous préférez me retrouver dans mon bureau ?

Il sourit à la princesse Luahiné.

— C'est un plaisir de vous servir.

La princesse fit comme si elle n'avait rien entendu. Elle se rapprocha de Maddox.

— Vous n'avez pas changé, lui dit-elle. Vous n'avez même pas l'air plus âgé. Comment faites-vous pour rester si mince ?

— Ce sont les soucis, répondit Maddox. J'ai beaucoup de soucis. Et maintenant, encore plus que je ne le pensais il y a une heure.

— Le Territoire ne vous chargera jamais de l'accueil des visiteurs, lui lança la princesse.

— Vous auriez pu leur dire qui vous êtes. Venir ici vous livrer à ces petits jeux ! Que serait-il arrivé si je ne m'étais pas trouvé à l'hôtel ? Si ce balourd vous avait jetée dehors ?

— Ce ne serait pas la première fois.

— Cela vous amuse. Pourquoi êtes-vous venue ? On m'a dit que vous vous plaisiez dans la grande île.

— J'avais juré de ne jamais refaire la traversée. Vous m'avez obligée à rompre mon serment.

— Moi ? dit Maddox.

— Vous et les autres. Vous tous, les partisans de l'ordre et de la paix.

— C'est pour ça qu'on me paie. Pour maintenir la paix. Mais vous êtes arrivée, et la nouvelle va se répandre avant le coucher du soleil. La paix va être plus difficile à maintenir.

— Oui, vous vous faites du souci, dit la princesse. Mais vous vous inquiétez pour *vous*. Vous et les autres. Vous pouvez respirer sans crainte, Maddox. Je ne suis pas Napoléon.

— Vous êtes leur Napoléon. Vous êtes ce qu'ils ont de plus grand.

— De plus grand et de plus gros. Vous n'êtes pas si malin que je croyais, Maddox. Je suis ici parce que je ne pouvais pas rester là-bas. Je me sentais coupable. Vous avez déclaré l'ouverture de la chasse contre nous.

— Vous recommencez, dit Maddox. *J'ai* déclaré ? Moi ?

— Vous n'enterrerez pas les morts, répondit la princesse.

Maddox voulut prendre son chapeau puis se rappela qu'il l'avait volontairement laissé dans la voiture parce qu'il venait au-devant de Lenore.

— Nous avons un homicide, dit-il. Nous avons trois suspects arrêtés. Le grand jury...

— On me tient informée, coupa la princesse. Je sais où sont les suspects « arrêtés ». Je suis allée à la résidence de l'amiral longtemps avant que cet amiral-là n'ait vu les îles. Le palais d'été de mon arrière-grand-père se trouvait sur ce promontoire. Le premier amiral qui est venu ici nous aider à profiter de la vie avait l'œil. Il a choisi l'endroit pour lui. Il a abattu le palais — il prétendait qu'il était plein de courants d'air. Il avait raison. Mon arrière-grand-père aimait vivre à la dure. C'était un costaud. Les gens disaient qu'il n'y avait pas meilleur surfeur dans toutes les îles. Sa conception du sport consistait à nager au large de Diamond Head et à montrer le chemin aux bateaux entrant dans le port. Bref, le premier amiral a bâti là-bas son propre palais. *Nous* l'avons bâti pour lui. Ils n'avaient pas besoin de nous tuer à l'époque. Il leur suffisait de braquer leurs armes.

Maddox savait que Lenore, debout à côté de Bergman, les observait — et attendait. Il avait consulté cent fois sa montre depuis qu'il s'était réveillé, mais il ne s'attendait pas à rencontrer la princesse.

— J'espère que vous ferez un séjour agréable dans notre ville, dit-il.

Il la quitta et traversa la queue de clients attendant au comptoir de réception. Personne ne le regarda. Tous les yeux étaient fixés sur la grosse dame à robe voyante qui traversait le hall dallé d'un pas majestueux, en direction des ascenseurs. Maddox rejoignit Lenore et Bergman.

— Désolé de vous avoir fait attendre.

Lenore lui sourit.

— Bonjour... capitaine.

Elle était tout près de lui. A portée de sa main. Maddox remarqua les minuscules taches de rousseur provoquées par le soleil. Il scruta ses yeux, d'un vert plus foncé à l'intérieur de l'hôtel.

— Bonjour capitaine, dit Bergman. Voyons, qui est cette femme royale ?

— Vous ne pouviez pas tomber plus juste. Royale est bien le mot. C'est une princesse. C'était. La princesse Luahiné.

Bergman se tourna vers Lenore.

— Tu as entendu ça ? Je lui tire mon chapeau : elle est parfaite dans son rôle. N'est-ce pas, Lenore ?

Maddox le vit poser sa grosse main noueuse sur le bras nu de la jeune femme. Les manchettes amidonnées de Bergman dépassaient de sa veste et Maddox songea à un cadavre habillé pour des funérailles.

— Je crois que nous devrions prendre la route, dit-il.

— Où allons-nous aujourd'hui ? demanda l'avocat.

Maddox leur avait déjà montré les beautés de la ville et des environs.

— Nous pourrions quitter Honolulu et visiter un peu l'île.

— C'est vous le chef d'expédition, répondit Bergman en se dirigeant vers la sortie. J'ai l'impression que vous avez épargné de gros ennuis au personnel de l'hôtel, capitaine.

— Des nouveaux venus. Ils ne la connaissaient pas. Hawaï est civilisé à présent, comme les États-Unis.

— Civilisé ? dit Lenore, et Bergman gloussa.

— N'as-tu pas remarqué, Lenore, que le capitaine a une façon bien à lui de dire les choses ? lança Bergman.

Maddox leur tint les portes et ils sortirent.

— Par ici...

Il les précéda pour ouvrir les portières de la voiture.

— Montez avec le capitaine, dit Bergman. Donnez-moi une chance d'allonger les jambes à l'arrière.

Et Maddox eut donc Lenore une fois de plus à ses côtés. Il pouvait voir la chaussure de Lenore, marron et blanc, contre la boîte de vitesses. Et la main de Lenore, sur le dossier du siège, n'était qu'à quelques centimètres de son épaule.

— Qu'avons-nous en début de programme ? demanda l'avocat.

— Je me suis dit que nous pourrions gagner l'autre côté de l'île.

— Nous vous serons très reconnaissants de nous expliquer tout ce qui est intéressant en chemin, dit Bergman.

Il ne cessait jamais de parler. Il s'extasiait sur chaque demeure, chaque panorama de la côte, chaque nappe de nuages encerclant la cime d'une colline, chaque oiseau s'envolant d'un arbre. Il était émerveillé par le paysage et les odeurs, il bavardait de tout avec l'enthousiasme sans retenue d'un enfant.

Ils suivaient une corniche quand, soudain, Bergman se pencha par la glace ouverte.

— Regarde donc cette plage ! Lenore, c'est une fête pour les yeux. Capitaine, n'y a-t-il pas de chemin pour y descendre ?

— Nous pouvons nous en rapprocher, dit Maddox. La route descend un peu plus loin, et nous pouvons nous engager dans une sorte de lit de ruisseau à sec.

Ils arrivèrent en bas de la côte et Maddox quitta la route.

— Ça me rappelle nos promenades dans les torrents, chez nous, pendant les mois d'été, dit Bergman. Nous marchions pieds nus sans jamais nous en soucier.

Maddox s'arrêta à côté d'un rocher d'une trentaine de mètres de hauteur, et presque aussi large. Bergman fut le premier à descendre de voiture. Il se dirigea vers l'eau à grands pas. Les pans de son veston ouvert voletaient.

Ils suivirent Bergman. Maddox regarda Lenore. Son nez commençait à rougir sous le soleil. Il eut envie de lui toucher le nez. Dès qu'il était près d'elle, il lui venait des idées folles. Devant eux, Bergman leva les deux bras, pareil à un explorateur faisant signe à ses bateaux. Quand ils se rapprochèrent, il se retourna.

— Êtes-vous pressé, capitaine ?

— J'ai pris l'après-midi.

— C'est sûrement la dernière chance que j'aurai de faire l'école buissonnière. Pouvons-nous rester un peu ? J'ai envie de m'allonger au soleil, dit Bergman en ôtant sa veste. Accordez-moi quelques minutes, voulez-vous ?

Il se baissa lentement, main tendue à la rencontre du sable. Il posa la tête sur sa veste pliée et ferma les yeux. Maddox vit que Lenore regardait Bergman. Le policier se détourna et, pendant un instant, se trouva seul, persuadé qu'il allait le rester. Puis il vit l'ombre de la jeune femme sur le sable, près de la sienne. Il sentit de nouveau une barre oppressante sur sa poitrine.

— Seuls pour la première fois depuis la jetée, dit-il.

Elle gardait le silence. Il avait l'impression qu'il ne respirait plus.

— Lenore ?

Elle ne répondit pas. Elle n'avait pas connu de repos depuis l'après-midi à Pearl Harbor. Elle ne parvenait pas à chasser cet homme de son esprit. Elle songeait constamment à lui : quand elle s'éveillait, dans son bain, quand elle lisait, en face de Bergman au petit déjeuner, quand Bergman ou n'importe qui d'autre lui parlait, quand, dans son lit, elle attendait le sommeil. Elle priait pour que chaque excursion avec Maddox fût la dernière, mais elle avait peine à ne pas bondir sur le téléphone chaque fois qu'il sonnait...

Ils se dirigèrent vers le gros rocher. Pour Maddox, toute une vie s'était écoulée depuis qu'elle lui avait adressé la parole sur le bateau et qu'il s'était retourné vers elle. Ils pénétrèrent dans l'ombre du rocher, enfin invisibles de la mer, et se firent face.

Maddox la regarda, saisi d'admiration. Elle était devenue une partie de lui-même. Il avait toujours été seul, mais sa vie jusqu'à leur rencontre lui paraissait maintenant étrangère, comme si toutes ces années appartenaient à un autre homme. Il leva la main pour glisser les doigts dans les cheveux de la jeune femme.

— Inutile d'avoir peur, dit-il.

Elle posa la main sur celle de Maddox. Elle avait les doigts frais et fragiles, arachnéens.

— Je n'ai pas peur... pas maintenant. Je l'ai voulu... Être seule avec vous, dit-elle en levant les yeux vers lui. Vous avez envie de m'embrasser ?

Il s'avança vers elle en ouvrant les bras pour l'enlacer. Il la vit fermer les yeux et lever la tête. Il se pencha pour poser les lèvres sur celles de Lenore. Il sentit que les bras de Lenore l'attiraient vers elle, il sentit le corps svelte de Lenore, les cheveux de Lenore contre son visage, il devina l'immense don qu'elle lui accordait, il se sentit élu, sacré.

— Curt, murmura-t-elle lorsque leurs lèvres s'effleurèrent. Je ne vous connais pas et vous avez changé ma vie.

Il aurait aimé répondre, lui dire qu'elle était belle, lui dire ce qu'elle avait fait pour lui, ce qu'elle lui avait déjà donné. Mais les mots lui manquèrent. Il ne put que sourire et lever la main pour toucher son nez du bout de l'index.

— Vous avez attrapé un coup de soleil...

Il se pencha pour l'embrasser. Elle soupira et se serra contre lui. Il eut envie de l'emmener, en abandonnant Bergman sur la plage.

— Lenore.

Elle avait des yeux immenses ; il entendait sa respiration.

— Vous viendrez me voir ce soir ? dit-il, et il put lire de la peur sur les traits de la jeune femme. Vous saviez que je vous le demanderais. Vous le saviez, n'est-ce pas ?

Elle acquiesça d'un signe de tête, mais ne le regarda pas ni ne s'éloigna.

— J'ai attendu, dit Maddox. Je ne voulais pas vous bousculer. Mais tout cela ne compte pas, nous savons l'un et l'autre que cela ne compte pas. Les promenades en voiture ne comptent pas. Il faut que nous soyons seuls. Vous viendrez me voir ?

— Il... Nous avons été invités à dîner. Il y a une soirée au bar de l'hôtel.

— Demain soir, dit Maddox.

— Je...

Il crut l'avoir perdue.

— Qu'est-ce que je dirai ? demanda-t-elle.

— Ce sera plus facile si vous ne dites rien, lui répondit Maddox. Si vous inventez une histoire, vous serez obligée de la confirmer avec un autre mensonge. Nous pouvons nous donner rendez-vous tard. Si... Si quelqu'un vous cherche, remarque votre absence, dites que vous étiez allée vous promener sur la plage.

— Je ne peux pas, dit Lenore.

Maddox crut qu'il allait s'effondrer. Il la regarda, il contempla ses yeux, ses minuscules taches de rousseur, ses cheveux qu'agitait la brise. Il fallait qu'il la fixe dans sa mémoire parce qu'il ne pouvait pas insister davantage. De nouveau, il était seul, et il éprouva une lassitude qui le paralysait presque.

— Nous n'avons même pas commencé, dit-il. Nous avons terminé avant de commencer.

Lenore posa deux doigts sur les lèvres de Maddox.

— Non, Curt. Non. Non, dit-elle en faisant glisser la main sur sa joue. Je ne peux pas m'en aller... le soir. Je voulais vous demander si vous pourrez vous rendre libre une autre fois dans l'après-midi.

Maddox commença à sourire.

— Demain ? A 1 heure ?

Elle acquiesça. Maddox était si heureux qu'il devint comme fou. Il posa les mains sur les épaules de Lenore et Lenore glissa ses mains à l'intérieur de son veston, doigts écartés contre la chemise. Elle était perdue, perdue.

Le lendemain matin à l'aurore, Ginny Partridge prépara le café puis laissa la cafetière au chaud le temps de prendre son bain. Quand elle eut terminé, elle emplit une tasse et l'apporta dans la chambre à coucher.

— Lève-toi et souris ! lança-t-elle.

Bryce la vit debout près du lit.

— Ce n'est pas mon anniversaire, dit-il. Ce n'est pas non plus le *tien*.

Pourquoi cet air de mystère ? Encore un de ses stupides petits secrets, se dit-il. Il prit la tasse et la soucoupe, qu'il posa sur la table de chevet.

— Pas avant de me laver les dents, grogna-t-il.

Il sortit du lit, nu, et Ginny le suivit avec le café. Elle ne se lassait jamais de le regarder.

Elle retourna dans la chambre en toute hâte, lança sa robe de chambre sur le lit et commença à s'habiller, les yeux brillants d'excitation. Elle était devant le miroir en train d'hésiter sur le choix d'une ceinture quand Bryce apparut, une serviette autour des reins.

— Ce n'est pas non plus *notre* anniversaire, dit-il. Alors, mets-moi au parfum.

Elle s'adressa au miroir.

— Je te conduis à Pearl, dit-elle en pivotant sur ses talons.

Il fronça les sourcils. Prudente, elle avait attendu la dernière minute. Pour qu'il ne puisse pas refuser.

— J'ai mille choses à faire en ville et il me faut la voiture. J'ai groupé toutes mes courses, Bryce. Je vais te conduire et je reviendrai te chercher, dit-elle en s'avançant vers lui. Je ne serai pas en retard. Croix de bois, croix de fer, ajouta-t-elle en lui prenant la serviette.

Mon amour, je suis enfermée ici depuis si longtemps que j'ai l'impression d'être prisonnière. Je vais t'apporter du café brûlant...

Vers midi ce jour-là, un matelot vint chercher Bryce dans le sous-marin.

— Message pour vous, mon lieutenant. Présentez-vous au club des officiers.

Bryce se redressa.

— Me présenter à qui ?

— On ne me l'a pas dit, mon lieutenant. « Qu'il se présente au club des officiers », c'est tout.

Bryce tendit la main.

— Donnez-moi le message.

— Je vous l'ai donné, mon lieutenant. Un type est venu du club des officiers, il a parlé à l'enseigne Watrous et l'enseigne Watrous m'a donné l'ordre de vous prévenir.

Bryce passa à l'avant pour se laver les mains. Il était impossible que ce fût Hester. Elle n'aurait pas choisi le club des officiers. Qui l'avait fait demander ? « Tu le découvriras bientôt, vieux », se dit-il. Il se rappela que Ginny avait la voiture. Il serait obligé d'aller à ce maudit club à pied.

Lorsqu'il y arriva, collant de sueur après le long trajet depuis les abris des sous-marins, une voiture s'arrêta et six hommes coincés à l'intérieur en descendirent. Ils entrèrent devant lui et il les suivit. Le coudoiement, les conversations, les appels des serveurs, l'oppressèrent aussitôt. Il eut envie de se frayer un chemin dehors, à coups de poing.

— Bryce ?

Il leva la tête, essayant de trouver un visage ami.

— *Bryce !*

Une main lui lança une claque sur l'épaule et il se retourna. Gerald. Bryce sentit son estomac se creuser. Elle avait tout raconté à Gerald et, bien entendu, Gerald voulait lui parler d'homme à homme.

— C'est toi, l'homme mystère ? dit Bryce.

Et au même instant, tellement soulagé qu'il crut s'évanouir, il comprit qu'il s'était trompé. Le visage de Gerald ne trahissait aucune émotion.

— C'est toi qui as envoyé un matelot au *Bluegill* avec un message ?

— J'ai reçu un message moi aussi, répondit Gerald. Présentez-vous au club. En te voyant... J'ai cru...

— On va régler ça, dit Bryce. Viens, Gerald.

Il le prit par le bras et arrêta le premier serveur philippin qu'ils croisèrent.

— Lieutenants Murdoch et Partridge. On nous attend.

— Une minute, lança le Philippin, mais Bryce lui retint le poignet et se mit à serrer.

— Cette minute-ci ? répondit Bryce sans lâcher ni Gerald ni le Philippin, qui les conduisit jusqu'à un Philippin plus âgé. Lieutenants Murdoch et Partridge. Qui nous a fait venir ?

Le vieil homme sourit.

— Suivez-moi, je vous prie.

Il entra dans la vaste salle à manger et se dirigea vers les tables près des fenêtres. Bryce marchait derrière le Philippin, avec Gerald à sa gauche.

— C'est ta femme, dit Gerald. C'est Ginny.

Le Philippin les regarda par-dessus son épaule en souriant.

— Mme Partridge, oui, dit-il.

Effectivement, Bryce vit Ginny à une table, dos à la fenêtre, en face d'une autre femme. Il vit le menu sur la table à côté du coude de l'autre femme. La garce ! Folle, combinarde et garce !

Bryce vit que Ginny souriait, mais sans avoir l'air de s'amuser vraiment. La garce lui avait raconté ! C'était Hester qui avait manigancé ce maudit repas. Elle les avait fait venir pour l'épreuve finale — pour les couler tous. Et l'idiot, à sa gauche, allait maintenant lui tirer dessus, à lui aussi.

— Voici vos messieurs, madame Partridge, dit le Philippin, et Hester se retourna, les mains sur les accoudoirs du fauteuil, comme prête à bondir.

— Salut, dit Ginny, sans cesser de sourire.

Elle sentit au plus profond d'elle-même la colère rentrée de Bryce et cela lui fit peur.

— Bonjour, Gerald, dit-elle en posant sur le fauteuil à sa gauche une main qui tremblait. Gerald, asseyez-vous ici. Et Bryce ici... Voilà, nous sommes réunis.

Ginny baissa les bras, glissa les mains sous la nappe et tira sur ses doigts.

— J'ai pensé que ce serait gentil de déjeuner tous ensemble, Hester et Gerald, dit-elle, et sa voix s'éleva au-dessus du bruit des sièges tandis que Bryce et Gerald s'asseyaient. Vous avez été enfermés, isolés, et nous nous sommes fait du souci pour vous deux, n'est-ce pas, Bryce ? Alors, je me suis dit que vous aimeriez être avec quelqu'un d'autre, pour changer. J'ai fait promettre aux gens d'ici de ne rien raconter à personne, et je n'ai pas prononcé un mot. Tu ne te doutais de rien, n'est-ce pas, Bryce ? Ce matin, j'ai fait comme si j'avais besoin de la voiture pour faire des courses, mais je n'ai pas quitté Pearl. J'ai déposé Bryce et je suis venue ici, au club. Tout le monde a été très gentil et compréhensif. J'espère que vous n'êtes pas fâchés contre moi...

Personne ne répondit. Ils formaient un carré de silence au milieu de l'exubérance détendue, masculine et un peu vulgaire du club.

— J'espérais... reprit Ginny, mais elle s'arrêta, convaincue de son échec.

— Vous êtes très aimable, dit Hester en évitant de regarder Bryce, comme si elle était seule avec Ginny. C'est une merveilleuse surprise.

Ginny ne la crut pas une seconde.

— Je tiens à vous remercier tous les deux, dit Gerald. Je tiens à vous dire que c'est la première fois depuis... La première fois que je me sens... comme un être humain.

Hester se tourna sur son siège et le genou de Bryce effleura le sien. Elle écarta sa jambe, se sentant salie soudain — marquée, oui, comme si le fait de le toucher l'avait marquée au fer.

Il fallait que Bryce dise quelque chose.

— Tu n'as pas changé, Gerald. Tu es le meilleur compagnon d'armes qu'un homme ait jamais eu.

Ginny se redressa, sauvée de son fiasco, et leva son verre d'eau.

— A Gerald, dit-elle. En lui souhaitant bonne traversée et prompt retour parmi ses compagnons d'armes.

Bryce dut lever son verre.

— A la vôtre ? A la vôtre, dit-il en attendant que cette espèce de garce stupide lève son verre à son tour. Hester...

— Oh ! pardon...

Elle leva son verre. Elle avait longuement envisagé de tuer Bryce, puis de se tuer — pour qu'il ne fasse plus de mal à personne. Le vœu secret, silencieux, qu'elle fit en levant son verre, fut un appel de délivrance. Puisse-t-elle se libérer de l'homme cruel et malfaisant assis à ses côtés.

Ils burent pour consacrer le vœu. L'eau revigora Ginny. Elle avait eu raison de les réunir. Elle était si fière que Bryce ait fait l'éloge de Gerald.

— Maintenant, dit Ginny, commandez tout ce que vos cœurs désirent — votre cœur désire, corrigea-t-elle. Pas question de s'en tenir au plat du jour. C'est votre fête. Notre fête.

— A la vôtre, à la vôtre, dit Bryce.

Tandis que Bryce, au club des officiers, écoutait les caquetages de Ginny, Maddox, au centre ville, roulait en seconde en inspectant les deux côtés de la rue. Il avait indiqué à Lenore l'endroit où il la retrouverait. Il ne voulait pas qu'elle reste plantée à un carrefour comme une pocharde. Elle n'était ni devant le premier pâté de maisons ni devant le deuxième. Il tourna pour revenir à son point de départ et recommencer son manège. Elle était peut-être en retard. Bergman était peut-être tombé malade. Ou même Lenore.

Elle était là — elle regardait la vitrine d'une bijouterie du côté de la rue où Maddox se trouvait. Le monde changea. Maddox eut envie de sauter par la portière et de laisser la voiture au milieu de la rue. Il dépassa Lenore et se gara à l'angle de la rue suivante.

Lenore ne l'avait pas vu. Elle était encore devant la vitrine de la bijouterie, son sac sous le bras, les mains jointes. Aucune femme, jamais, nulle part, n'avait eu autant de beauté, autant de... classe. Il ne voulait pas lui faire peur, et il lança « Bonjour ! » en arrivant près d'elle.

Lenore leva les yeux et le vit s'avancer sous le soleil. Il souriait. Elle sentit qu'il veillerait sur sa sécurité au cours de cette périlleuse aventure. Il donnait l'impression d'être le maître de la rue, comme si tout lui appartenait, et il partageait son domaine avec elle, elle seule. Les gens autour d'eux disparurent, les voitures s'effacèrent, les bruits de la journée s'estompèrent. Lenore ne vit et n'entendit plus rien : l'homme en complet marron et chemise blanche l'avait enveloppée dans son espace, un territoire sûr, impénétrable. Il la faisait trembler.

— Je ne suis pas en retard, dit Maddox. Je n'ai pas su vous trouver la première fois que j'ai fait le tour.

— J'étais entrée dans un magasin, répondit Lenore. J'ai vu une robe. Ils avaient ma taille, mais seulement dans un coloris qui...

Elle s'interrompit.

— Je ne sais plus ce que je raconte. Vous...

De nouveau, elle s'interrompit.

— Moi non plus, dit Maddox.

Il recula pour lui laisser de la place, puis l'aida à monter dans la voiture. C'était comme s'il avait tenu une poignée de plumes.

Ils ne parlèrent ni l'un ni l'autre tant que Maddox roula dans le quartier commerçant. Il se dirigea vers les collines.

— Vous m'emmenez... Vous nous emmenez... quelque part ?

— Oui... Quelque part, dit Maddox, et ils gardèrent de nouveau le silence jusqu'à ce qu'il ajoute : C'est drôle, non ? Nous avons beaucoup vécu, nous ne sommes plus des gosses, mais nous nous conduisons comme des gosses. Nous commençons à zéro, vous et moi. Table rase.

Il la regarda.

— Vous avez peur ? lui demanda-t-il.

— Non. Oui. Un peu. C'est... différent. Je ne veux pas vous quitter, dit Lenore, en regardant droit devant elle. Je ne peux pas vous quitter. Je suis restée loin de vous vingt-quatre heures et cela m'a paru une éternité. J'ai l'impression d'avoir tellement vieilli depuis hier, depuis que nous nous sommes séparés.

— Nous sommes deux bavards, hein ? dit Maddox. Nous n'avons pas cessé de parler depuis que je vous ai vue sur le bateau. Et pourtant je n'ai rien dit. Je n'ai pas commencé. En dehors du travail, je n'ai jamais beaucoup parlé. Maintenant, je ne peux pas attendre. Je dois avoir des milliers de choses à vous dire.

— Dites-les-moi, Curt, je vous en prie.

Elle le toucha.

— Là, vous m'avez bien attrapé ! répondit Maddox. Je ne sais plus rien.

Ils éclatèrent de rire en même temps, heureux, à l'aise ensemble, puis Maddox arriva dans sa rue, tourna, et s'engagea dans son allée. Elle écarta sa main et Maddox eut l'impression qu'elle l'avait quitté.

— Où sommes-nous ? demanda-t-elle en un murmure.

— Chez moi... Lenore, dit-il en lui prenant le menton. Nous pouvons retourner en ville.

— Je veux être avec vous.

Elle ouvrit la portière pour descendre de voiture et resta debout au milieu de l'allée, la tête basse. Maddox comprit qu'elle se cachait — sans doute croyait-elle que, si elle ne voyait personne, personne ne la verrait. Ils se dirigèrent vers la maison.

— La porte est ouverte, dit Lenore.

— Je voulais aérer la maison pour vous. J'habite seul ici, je ne viens que pour dormir. Les pièces ne sont jamais aérées. Oh ! rien n'aura disparu, dit-il, répondant à une question informulée. Il n'y a rien à l'intérieur.

Elle le regarda avec de grands yeux surpris et ses mains se crispèrent comme s'il s'était avancé vers elle à l'improviste.

— Votre maison est très agréable, Curt, murmura-t-elle en entrant.

— On dirait la vitrine d'un magasin d'ameublement. Quand j'ai acheté la maison, j'ai simplement indiqué au marchand de meubles combien j'avais de pièces. Nous sommes encore en train de bavarder, hein ? C'est parce que nous sommes des amateurs.

Il se rapprocha d'elle.

— Lenore, murmura-t-il.

Il lui prit son sac et le posa sur un fauteuil. Leurs yeux se rencontrèrent et le monde disparut. Il se pencha en avant, sans lever les bras, et il l'embrassa.

Ce fut comme un signal. Lenore soupira et leva les bras pour se serrer contre lui. Elle avait cessé de penser.

— Curt, Curt, dit-elle et sa voix enflamma Maddox.

Il la saisit d'un bras, puis passa l'autre bras sous ses jambes et se redressa. Elle était inerte dans ses bras, les yeux clos. Il vit les taches de couleur vive sur ses pommettes et il sentit sa chaleur. Il traversa la maison en la portant ainsi jusqu'à sa chambre.

Une fois sur le lit, Lenore l'attira sur elle. Il lut, dans ses yeux agrandis, désir, langueur, effroi et angoisse. Mais elle n'était plus capable de revenir en arrière, et elle ne le voulait pas. Quand il l'embrassa, elle s'offrit.

Maddox avait brisé ses chaînes. Pour la première fois de sa vie, il était libre. Elle l'avait libéré.

Après, Maddox garda le silence longtemps. Plus tard, quand ils quittèrent la chambre, il lui parla.

— Il faut que je vous dise quelque chose.

— Ne pouvons-nous pas parler dans la voiture ? demanda-t-elle, tandis que la peur revenait.

— Je n'en ai pas pour longtemps, et je veux le faire ici. Ici, il n'y a que nous. Dans la voiture, ce sera fini, murmura-t-il en lui prenant le visage dans sa main. Je vous aime, Lenore. Je ne l'ai jamais dit à personne. Je n'ai jamais cru que je le dirais un jour, je ne l'imaginais même pas, je n'imaginais pas que c'était dans mes cartes. Je ne pouvais pas vous laisser sortir de cette maison sans vous l'avouer.

— Maintenant, je crois que j'ai la force de vous dire adieu, répondit Lenore.

— Nous ne nous dirons jamais adieu. Pas nous.

Dans la voiture, ils gardèrent de nouveau le silence. Quand ils arrivèrent au milieu de la circulation, le monde extérieur s'interposa et l'imminence de leur séparation changea Lenore.

— Vous me manquez déjà, dit Maddox.

— Je suis ici, mon chéri.

— Non. Vous êtes repartie là-bas, il y a un instant.

Il s'arrêta derrière un taxi.

— J'ai envie de recommencer, dit-elle. De retourner avec vous.

— Il ne faudrait pas insister beaucoup pour que je fasse demi-tour. Je suis déjà presque là-bas. Je suis à mi-chemin de nulle part.

— A mi-chemin de nulle part, répéta Lenore. Dans le territoire des enchantements.

Elle l'embrassa et ouvrit la portière.

Maddox l'accompagna jusqu'au taxi et paya le chauffeur. Lenore le regarda.

— Curt, donnez-moi quelque chose. N'importe quoi. Une chose à vous.

Elle prit le mouchoir plié dans la pochette de son complet, puis se pencha pour entrer dans le taxi.

Maddox referma la portière. Il regarda la voiture se perdre au milieu des autres. Il se remit au volant et ne bougea pas pendant un moment. Il n'était pas prêt à rentrer au commissariat central, à abandonner Lenore. Soudain, il sourit et tourna la clé pour lancer le moteur. Il revint à la bijouterie où il avait trouvé Lenore.

Il entra et se dirigea vers la vitrine. Un homme sortit de derrière un comptoir en verre.

— C'est un plaisir de vous recevoir dans notre magasin, capitaine, dit l'homme.

Maddox ne se souvenait pas de l'avoir vu.

— Ce jade, là, dit Maddox en montrant du doigt. Celui-ci...

— Adorable, dit l'homme en se penchant dans la vitrine pour prendre le collier de jade que Maddox avait choisi. Une pièce adorable...

— Tenez-le plus haut.

L'homme souleva le collier par les deux bouts, jusqu'à la hauteur de son nœud de cravate.

— Ouais ! dit Maddox, parfaitement heureux de nouveau.

En dehors du cadeau qu'il faisait à Harvey Koster chaque année à Noël, il n'avait jamais rien acheté à personne. L'homme prit dans la vitrine le long écrin de velours et Maddox le suivit jusqu'au comptoir.

— Il me faudrait une carte, dit Maddox. Une carte et une enveloppe. Je veux un paquet cadeau, vous mettrez la carte au-dessus et vous envelopperez le tout avec une étiquette de livraison sur le papier d'emballage. C'est possible ?

— Selon vos désirs, capitaine.

L'homme remit à Maddox une petite enveloppe de laquelle dépassait une carte. Maddox se retourna. Sur la carte, il écrivit : « Vous pourrez dire que vous l'avez acheté en vous promenant cet après-midi. » Il glissa la carte dans l'enveloppe et la cacheta. Il traça un L majuscule sur l'enveloppe et attendit que l'homme eût fini d'envelopper le collier. Maddox glissa l'enveloppe sous le ruban.

— Faites le paquet, dit-il en prenant son chéquier. A combien s'élèvent les dégâts ?

L'homme le lui dit et Maddox le fixa du regard sans bouger, son chéquier ouvert à la main.

— Nous pouvons vous proposer un crédit, capitaine. Sans frais supplémentaires pour un homme comme vous.

— Trop tard pour les formalités.

— Nous avons d'autres bijoux, moins...

— Pas question, coupa Maddox.

Le collier appartenait à Lenore. Il lui appartenait depuis que Maddox l'avait vu.

Maddox sortit de la bijouterie. Il sentait le paquet dans la poche de sa veste. Il avait Lenore avec lui. Dans sa voiture, il posa le cadeau sur le volant et inscrivit sur l'étiquette, en majuscules : LENORE BERGMAN. Il se rendit au Western Sky avec le paquet sur les genoux.

Il s'arrêta derrière le dernier taxi, au bout de la queue. Le chauffeur dormait, la visière de sa casquette posée sur le nez. Maddox releva la casquette et le secoua. Quand le chauffeur ouvrit les yeux, Maddox avait de la monnaie dans une main et l'écrin emballé dans l'autre. Il donna ses instructions au chauffeur.

— Laissez votre casquette, dit-il.

Il attendit, les coudes sur la portière ouverte du taxi. Elle était là-haut, du côté de l'océan. Il eut envie de faire le tour de l'hôtel jusqu'à la plage et de lancer des graviers sur les vitres de sa fenêtre. « Tu es un vrai gamin », se dit-il. Le chauffeur de taxi revenait.

— Qu'est-ce que vous avez fait ?

— Comme vous m'avez dit. Je suis allé au comptoir et j'ai remis le pourboire et le paquet à un groom. « Livraison pour la dame, j'ai dit. Laissez-le dans son casier. »

Maddox lui donna un dollar, retourna à sa voiture et prit le chemin du commissariat central.

Ce même après-midi, le Dr Frank Puana et Mary Sue rendirent visite à la mère de Frank dans la maison d'une propreté exemplaire où il était né et où il avait grandi jusqu'à son départ pour Seattle. Mary Sue fixa un appareil à prendre la tension artérielle sur le bras gauche de Norma Puana.

— Si vous venez me voir, pourquoi ne pas amener les enfants ? demanda-t-elle. Pourquoi ne puis-je pas voir mes petits-enfants ?

Frank prit un ophtalmoscope dans son sac.

— Nous n'avons pas été seuls un instant depuis qu'ils ont eu les oreillons, répondit Mary Sue. C'est la première fois que nous passons quelques heures ensemble depuis longtemps, Frank et moi.

Une collègue de Mary Sue à l'hôpital de la Miséricorde avait accepté de garder Eric et Jonathan. Mary Sue et Frank étaient allés à leur plage préférée avant de rendre visite à la vieille dame.

Frank leva l'ophtalmoscope, alluma la lumière et examina l'œil gauche de sa mère à travers l'appareil. L'ophtalmoscope offre au médecin le seul moyen non chirurgical de voir les vaisseaux sanguins d'un malade. Frank regarda les sillons rouge clair. Il vit les points rouges minuscules, de forme irrégulière, pareils à des fleurs microscopiques — des hémorragies rétiniennes, plus qu'il ne pouvait en compter. Son diagnostic, instantané, confirma ce qu'il savait depuis des mois. Sa mère souffrait d'hypertension maligne. Il examina l'autre œil parce que c'était la règle de son métier, puis il coupa la lumière, tandis que Mary Sue rangeait l'appareil à mesurer la tension.

— Frank, c'est 11/8, dit-elle, et à sa belle-mère : Il faut que vous veniez vivre chez nous.

— C'est ma maison, répondit Norma Puana. Je veux mourir dans ma maison.

— Il n'est pas question que tu meures ! mentit Frank.

— Je ne vivrai pas éternellement, Frank, même avec un fils médecin.

— En venant chez nous, vous pourrez suivre un régime spécial et vous vous sentirez mieux, répondit Mary Sue.

— Vous avez votre maison, j'ai la mienne, s'entêta Norma. Deux femmes sous le même toit... Et d'ailleurs, je...

Elle s'interrompit, le visage tordu de douleur, et elle porta les mains à ses oreilles. Son hypertension provoquait des tintements d'oreilles qui se transformaient souvent en un vacarme insupportable.

— Ils ne cesseront donc jamais ! dit-elle. Ils font jouer leur phonographe jour et nuit, jour et nuit.

Frank avait parlé à la voisine des mois auparavant. Le phonographe était petit et les deux frères à qui il appartenait le gardaient toujours dans leur chambre.

— Ils font attention, Frank, avait répondu la mère des gamins. Ils adorent votre mère. Je n'entends même pas la musique depuis ma cuisine.

Ils restèrent avec la mère de Frank jusqu'à ce que le tintement d'oreilles s'apaise, mais ils ne parvinrent pas à la convaincre de déménager.

— Je me sens tellement coupable de la laisser seule. Peut-être devrions-nous nous installer chez elle pendant quelque temps, dit Mary Sue en montant dans la voiture.

Frank regarda Mary Sue. Après les heures qu'ils avaient passées sur la plage, son visage était tout rose. Ses cheveux blonds étaient coiffés en arrière. Elle s'était changée sur la plage, elle portait une robe fourreau à taille basse. Frank l'avait regardée se changer. Il l'avait regardée enlever le sable de ses jambes. Il s'était souvenu de leur rencontre à l'hôpital : tout en blanc, elle portait sa coiffe comme une couronne. Il avait fait sa connaissance le soir du vingt-cinquième anniversaire de Mary Sue. Elle était descendue dans la salle des urgences chercher un malade que Frank avait soigné. Elle était si amicale, elle bavardait avec tant d'aisance et de chaleur sincère que Frank s'était inventé une raison de l'aider à monter le malade au premier avec le garçon de salle. Il avait pensé à elle le lendemain et, au cours de la semaine suivante, il avait posé des questions aux autres infirmières. « Cette Mary Sue, elle est ici depuis longtemps ? » et « Vient-elle des États-Unis ? » Il apprit beaucoup de choses sur elle, y compris ses horaires de travail, et il s'arrangea, deux semaines après leur rencontre dans la salle des urgences, pour arriver à l'hôpital juste au moment où elle en sortait. Il lui laissa un message, pour lui demander un rendez-vous.

Il vécut les plus belles heures de sa vie. Mary Sue lui communiqua aussitôt sa bonne humeur irréductible et ses joies toutes simples. Elle lui donna l'impression qu'il était charmant, plein d'esprit et de galanterie, l'impression qu'il avait de l'audace. Quand ils se séparèrent, il lui demanda, d'un ton grave, s'il pourrait la revoir.

C'était l'automne et, à Noël, Frank lui offrit un peignoir brodé chinois. Deux mois plus tard, il lui demanda de l'accompagner chez sa mère. En fin de soirée, dans la voiture, Mary Sue lui lança :

— Vous avez une idée derrière la tête, n'est-ce pas ?

Il la demanda en mariage...

Ce jour-là, après avoir refermé la portière, Frank se tourna vers elle.

— Tu songes sérieusement à t'installer chez ma mère, n'est-ce pas ? Et sais-tu pourquoi ? Parce que tu n'as jamais vécu ici. Regarde cet endroit !

La rue était sordide et cela le révoltait.

— Tu veux vraiment que *mes enfants* viennent ici ? Tu veux qu'ils *jouent* ici ?

La voiture fit une embardée quand Frank écrasa l'accélérateur, et les pneus soulevèrent de la poussière.

Frank contourna le quartier des boutiques et prit à l'est, vers l'hôpital de la Miséricorde. Mary Sue était assise dans son coin, contre la portière, la tête près de la glace baissée. Elle avait les yeux clos. On aurait dit un tableau. Frank se jura d'engager un peintre pour faire son portrait.

— On s'est bien amusés, tout seuls sur la plage, dit-il.

— Hum, hum, répondit-elle en se redressant, comme si elle chassait soudain leur journée de son esprit. Je n'aime pas penser à demain. Quand vas-tu dormir ?

— C'est l'affaire d'une semaine.

Frank commençait un remplacement le lendemain matin, au cabinet d'un médecin japonais de Moiliili. Frank avait accepté la proposition sans réserve. Ils avaient besoin d'argent.

— Toute la journée à Moiliili et toute la nuit à l'hôpital, dit Mary Sue. Tu seras crevé.

— Et riche ! lança-t-il en souriant.

Mary Sue lui donna un coup de poing sur le bras. Frank poussa un cri de douleur feinte. Il dépassa l'entrée principale de l'hôpital et tourna vers le parking et la salle des urgences. Il faisait ce détour avant de rentrer chez lui pour prendre les chaussures qu'il utilisait au travail. Elles étaient éculées, sales et tachées de sang après des années d'usage, mais il ne tenait pas à abîmer son unique paire de chaussures convenable pour la racaille de Moiliili.

— Ne traîne pas, Frank, lui dit Mary Sue. Je suis inquiète pour les enfants. C'est la première fois.

— Je fais l'aller et retour, dit Frank.

Il s'arrêta devant une Packard grand tourisme vert pâle, avec un plaid assorti à l'arrière et deux roues de secours dans leurs logements sur les ailes avant. Les chromes étincelaient au soleil. Une voiture splendide, et Frank jeta en passant un coup d'œil à l'intérieur. Il y avait deux piles de dossiers et de papiers sur le siège avant. Frank entra dans la salle des urgences.

— Bonsoir, Pete.

L'infirmier lui rendit son salut tandis qu'il se dirigeait vers le vestiaire des médecins, derrière les ascenseurs.

Frank prit ses chaussures dans son placard, en pensant à la Packard. Il imagina Mary Sue à l'intérieur, il la vit au volant, avec Eric et Jonathan à côté d'elle, ses deux fils habillés comme des écoliers anglais. Quand il sortit du vestiaire, il souriait.

— Frank !

Guy Tremaine descendait de l'ascenseur, une valise de cuir à la main.

— Je suis content de vous trouver, Frank. Cela me donne l'occasion de vous faire mes adieux.

Le Dr Tremaine avait l'une des meilleures clientèles d'Honolulu. C'était le seul médecin de l'hôpital qui eût jamais pris en considération l'existence de Frank. Ils se serrèrent la main. Tremaine expliqua qu'il cessait d'exercer. Depuis plusieurs années, sa femme souffrait de sclérose en plaques et ils partaient faire une longue croisière autour du monde.

Il y avait un poste vacant à l'hôpital ! Frank allait être admis dans le personnel médical en titre ! Pourquoi Claude Lansing ne l'avait-il pas averti ? Il écouta Guy Tremaine jusqu'au bout et lui répondit : « Désolé de vous voir partir, docteur », mais il était tellement impatient ! Cela faisait une éternité qu'il attendait ! Et Claude Lansing allait quitter son bureau...

— Je vous souhaite une merveilleuse croisière, docteur, dit Frank.

Il appuya sur le bouton des ascenseurs et leva les yeux. Les deux ascenseurs se trouvaient au niveau du deuxième étage. Frank s'élança dans l'escalier.

Quand il arriva sur le palier du deuxième, il était essoufflé. Il ne pouvait pas courir : il y avait des infirmières dans le corridor et des visiteurs au chevet des malades. Frank longea le mur vers le bureau de l'angle du bâtiment.

— Je voudrais voir le Dr Lansing.

La secrétaire de Lansing dévisagea l'homme à la chemise vague et au pantalon informe et délavé qui tenait à la main une paire de chaussures sales.

— Je suis le Dr Puana, dit Frank en posant les chaussures par terre.

La secrétaire ne bougea pas.

— Dites-lui que je suis le Dr Puana. Ou préférez-vous que je le lui annonce moi-même ?

La secrétaire repoussa sa chaise et se leva. Elle passa devant Frank comme s'il n'existait pas, ouvrit la porte du bureau de Lansing juste ce qu'il fallait pour se glisser à l'intérieur et la referma derrière elle. Frank resta le nez devant la porte. Pourquoi Lansing ne lui avait-il rien dit ? Il recula, comme pour se préparer à bondir. Où la secrétaire était-elle passée ? La porte s'ouvrit et se referma aussitôt.

— Le docteur ne peut pas vous recevoir maintenant, dit la secrétaire en revenant s'asseoir.

— J'attendrai.

— Il ne peut pas vous recevoir aujourd'hui.

Frank eut envie de la tuer.

— Qui est avec lui ?

— Vous feriez mieux de partir, dit la secrétaire.

Elle se retourna et glissa une feuille de papier dans sa machine à écrire. Frank s'avança vers la machine.

— Vous savez qui je suis ?

— Oui, je sais qui vous êtes, dit-elle. Et vous feriez mieux de partir. Prenez vos chaussures et partez.

Elle se mit à taper, mais s'arrêta brusquement parce que Frank se dirigeait vers la porte de Lansing.

— Vous ne pouvez pas... dit-elle.

Mais Frank était déjà entré.

Le bureau de Lansing était entièrement vide. Elle avait menti. Frank sentit le sang lui monter aux joues. Elle allait lui dire la vérité! Il ne partirait pas avant de connaître la vérité! Il se retourna vers la porte mais entendit un bruit d'eau. Alors seulement il remarqua la lumière venant de la porte entrebâillée de la salle de bains.

— Docteur Lansing!

— Oh! Frank...

Le Dr Lansing s'arrêta sur le pas de la porte pour éteindre la lumière. Il rangea son peigne dans sa poche. L'alcool à 90° qu'il venait de prendre avec un peu de jus d'ananas commença à faire effet.

— Edna ne vous a pas prévenu? Je suis attendu à une réunion.

— Guy Tremaine s'en va. Il y a un poste vacant dans le personnel, dit Frank.

— Pas exactement, répliqua Lansing en se dirigeant vers son bureau. Je voulais justement vous en parler. Le poste a été pourvu.

— C'est mon poste! dit Frank.

Il en aurait pleuré. Il eut envie de saisir au collet cet ivrogne, ce menteur, et de l'étouffer avec ses deux mains.

— Il est à moi! Vous m'avez promis le premier poste vacant.

— Baissez la voix, dit Lansing.

L'alcool formait comme un cocon autour de lui.

— Je baisse la voix. Je baisse la voix, mais vous pouvez m'entendre, n'est-ce pas? lança Frank en s'avançant. Vous pouvez m'entendre. Vous m'avez promis le premier poste vacant.

— Cela s'est révélé impossible, mentit Lansing. J'ai essayé, mais le bureau...

— Le bureau! coupa Frank en haussant le ton. Le bureau suit vos recommandations! C'est vous le chef du personnel médical! Vous m'avez dit que vous me feriez entrer...

— Je vous ai dit de parler moins fort.

Il en avait assez de ce *Kanaka,* de ce moricaud sorti du caniveau.

— Avez-vous peur qu'on m'entende?

Frank frissonna. Quand il leva le bras, sa main tremblait.

— Si vous voulez savoir, *tout le monde* va m'entendre! Vous m'avez promis ce poste! Vous allez tenir votre promesse, sinon tout le monde à l'hôpital m'entendra! Tout le monde à Honolulu m'entendra. Je parlerai à toute la ville, à tout le Territoire, d'Hester Ashley ou Dieu sait comment elle s'appelle maintenant!

— Je ne crois pas, répondit Lansing froidement. Vous n'ouvrirez pas la bouche. C'est vous qui avez procédé à l'opération, *docteur* Puana. Le dossier en fera foi. J'y ai veillé. C'est votre nom qui se trouve sur le rapport de chirurgie.

— Espèce de menteur ! cria Frank. Espèce d'ivrogne. C'est une honte. Vous êtes une honte ! Vous êtes un menteur, un ivrogne et une honte.

— Voulez-vous voir le dossier ? Dois-je vous montrer le dossier ? Lansing agita le bras en signe d'adieu.

— Alors, sortez ! dit-il.

— Vous m'avez fait une promesse !

Frank s'élança et Lansing bondit en arrière, le dos au mur.

— Sortez d'ici ! Sortez de mon bureau ! Sortez, ou je vous fais traîner dehors ! Je ferai monter la police pour vous jeter dehors ! lança-t-il en montrant le téléphone. Et vous y resterez ! Jamais vous ne remettrez le pied dans cet hôpital ! Jamais vous ne ferez partie de l'équipe médicale officielle tant que je serai directeur !

Lansing vit l'homme en face de lui se flétrir soudain. Comme s'il fondait sur place. Il eut envie de le chasser à coups de pied.

— Vous m'empêchez de faire mon travail, ajouta-t-il, regrettant la réunion de bureau qu'il avait inventée.

Au moment où Frank entra dans la salle des urgences par l'accès du corridor, Mary Sue venait de franchir la porte donnant sur la rue, juste en face de lui.

— Avez-vous vu ?... commença-t-elle. Frank ! Qu'y a-t-il ?

Peter Monji regarda le toubib, les souliers à la main, avancer comme s'il suivait un cercueil. Derrière Mary Sue, la porte se referma. Elle tendit la main vers Frank, mais il parut ne pas la voir. Elle lui prit le bras, l'entraîna vers la porte, puis jusqu'à la voiture.

— Frank, parle-moi. Tu es resté si longtemps. Mon amour, dis-moi ce qui s'est passé.

— Dans la voiture.

— Je vais conduire, dit Mary Sue, mais Frank ouvrit la portière de gauche et lança ses chaussures sur la banquette arrière.

— Je peux conduire ! Je peux encore conduire ! lança-t-il.

Mary Sue fit le tour de la voiture et s'assit près de lui.

— Quelque chose d'affreux s'est produit, dit-elle en se tenant contre lui. Je t'en prie, Frank, raconte-moi. Je t'en supplie.

Il sortit du parking et prit le chemin de la maison.

— J'étais avec Claude Lansing, dit-il.

Et il continua. Mary Sue écouta, la main sur le dos de Frank. Elle se mit à le masser doucement. Elle ne l'interrompit pas et, quand Frank se tut, elle lui prit la main et embrassa le bout de ses doigts.

— Tu crois que je vais continuer à supporter cette vie ? dit-elle. Pas question. Il nous a rendu service, Frank. Lansing nous a rendu le plus grand service qui soit. Sais-tu ce qu'il a fait ? Il nous a mis sur un bateau. Toi, moi, Eric et Jonathan : sur un bateau en partance pour les États-Unis. Il nous a arrachés à notre malheur.

— Il m'a menti ! Il m'a traité comme de la merde !

— C'est lui, la merde, Frank. Lansing n'est que de la merde, dit Mary Sue. Il ne pourrait pas exercer aux États-Unis. L'argent de Delphine Lansing ne pourrait pas lui *acheter* son poste à l'hôpital.

— Sa secrétaire ne voulait même pas me laisser entrer dans son bureau ! Il a fallu que j'entre de force.

Mary Sue se remit à lui masser le dos.

— C'est la dernière fois, mon amour, dit-elle, d'un ton de promesse. Personne ne te traitera plus jamais ainsi. Là-bas, ils se battront pour t'avoir dans leurs services, s'écria-t-elle, s'enthousiasmant soudain. Frank, faisons nos valises ce soir ! Nous allons coucher les enfants et commencer tout de suite. Nous trouverons un bateau. Souviens-toi : à la signature du bail, nous avons payé le loyer du dernier mois.

— Retiens tes chevaux, répondit Frank, agacé. Je commence un remplacement demain.

— Pour une semaine ! lança Mary Sue en se tournant sur le siège, les jambes croisées sous sa robe, face à lui. Cela nous donnera quelques jours de plus pour nous retourner. Frank, c'est un présage. Ce remplacement, je veux dire. Il tombe à pic. Nous aurons besoin de l'argent.

— Et la voiture ?

— Vends-la ! lança Mary Sue, tout excitée. Nous la vendrons ! Nous en achèterons une neuve à San Francisco ! Tu es docteur en médecine ! Les banques adorent prêter de l'argent aux médecins ! Nous partirons au Wisconsin en voiture ! Nous montrerons aux enfants leur nouveau pays ! Le Grand Canyon, le parc de Yellowstone. Le parc du Glacier, le désert Peint, la forêt Pétrifiée, les Black Hills, dit-elle en parcourant la carte en tous sens. Et les Dells ! Frank, ah ! quand tu verras les Dells ! Même en hiver ! Nous louerons un chalet l'été prochain. Tu n'as jamais pris de vacances de ta vie, Frank.

— Et ma mère ?

— Ta mère ?

— Que suis-je censé faire ? Lui dire adieu comme à une vieille Eskimo sur une glace flottante ?

— Nous l'emmènerons, répondit Mary Sue, refusant de laisser quoi que ce fût ternir son optimisme. Nous l'emmènerons avec nous.

— Écoute-toi donc ! Tu entends ce que tu racontes ? lança Frank en agitant le bras. Elle ne quittera pas sa maison !

Mary Sue se retourna, décroisa les jambes et s'assit face à la route.

— Frank, nous quittons Honolulu. C'est la seule chose à faire, tu en as eu la preuve aujourd'hui. Combien d'autres preuves te faut-il ? Combien de fois faudra-t-il encore que l'on te traîne dans la boue ? dit-elle d'une voix calme, distincte, enfonçant les mots comme à coups de marteau. Nous allons partir aux États-Unis, où les hommes naissent égaux. Égaux, Frank. C'est dans la Constitution.

— Tu n'entends rien de ce que je dis. Que vais-je faire de ma mère ?

— Je t'ai répondu : emmène-la avec nous. Si elle refuse de venir... Frank, c'est quatre contre un. Quatre vies contre une.

— Je ne suis pas aussi dénué de sentiments que toi, répondit Frank.

— Dénuée de sentiments, moi ? répliqua-t-elle avec mépris. Il y a une heure, je t'ai proposé d'aller vivre chez elle, d'emmener mes enfants chez elle.

— Je ne voulais pas dire ça... Mes paroles ont dépassé ma pensée. Ne pourrait-il donc rien faire correctement ?

— Frank, je pars, dit Mary Sue. Nous partons, les enfants et moi. Avec ou sans toi, mentit-elle. Je le ferai.

— On dirait qu'il y a la peste ! On dirait que nous fuyons une épidémie. On ne peut pas faire ses valises et recommencer une nouvelle vie du jour au lendemain. On ne peut pas, Mary Sue.

La voiture cahota soudain et fit une embardée sur la droite. Frank écrasa la pédale de frein.

— Un pneu crevé.

Ils étaient à deux rues de chez eux. Mary Sue ouvrit la portière.

— Eh bien, répare-le ! dit-elle sans le regarder. Il faut que tu raccompagnes Kay à son appartement.

C'était l'infirmière qui gardait Eric et Jonathan. Mary Sue claqua la portière. Elle se dirigea vers la maison au pas de charge. Frank descendit, ouvrit le coffre et se pencha pour prendre le cric :

— La vendre ! grogna-t-il d'un air dégoûté. A qui ? Il faudrait être aveugle pour acheter ce tas de ferraille.

A Pearl Harbor, quelques heures plus tôt. Bryce descendit sur la route et leva le bras vers le camion de la marine qui s'avançait. Les deux matelots, dans la cabine, se rendaient à Honolulu pour prendre livraison de carcasses de bœufs destinées au réfectoire de la troupe. Le camion s'arrêta et Bryce se dirigea vers la cabine.

— Vous allez en ville ?

La porte s'ouvrit.

— Je passe à l'arrière, dit le matelot assis à côté du chauffeur.

Bryce s'accrocha à la portière et monta sur le marchepied.

— Ne bougez pas. Ça ira comme ça.

Les marins se serrèrent et Bryce s'assit. Il garda le silence, par conséquent les marins s'abstinrent de parler. Bryce pouvait voir, aussi nettement que si elle se trouvait sur le capot du camion, la table à côté des fenêtres, au club des officiers. Il pouvait voir Hester lui tendre le plat de céleri en branches. Il pouvait voir Ginny et l'*entendre*. Elle avait parlé du début à la fin de la malheureuse « surprise » qu'elle avait organisée. La garce ! Quelle folle ! Le faire venir au club, les faire venir *tous,* pour jouer à la bonne Samaritaine ! Il était resté aussi longtemps qu'il avait pu le supporter.

— Le devoir m'appelle, avait-il lancé en se levant.

— Je serai avec Hester, répondit Ginny. C'est loin de l'endroit où tu es ?

— Un saut, trois bonds et une cabriole.

Ginny leva la tête et Bryce fut donc contraint de l'embrasser. Il dut aussi serrer la main de Gerald et lui témoigner son soutien indéfectible. Il dut inclure Hester dans le lot et, lorsqu'il quitta le club, enfin libéré, il découvrit qu'il restait emprisonné par l'épreuve qu'il venait de subir et dont il croyait en avoir terminé.

Il revint au *Bluegill,* mais fut incapable de rester à bord. Il ne parvenait pas à se concentrer. Il ne parvenait pas à libérer son esprit du piège que Ginny avait tendu. Il déclara à l'officier de semaine qu'il était souffrant et quitta le *Bluegill.* Non seulement Hester l'avait pourchassé d'un bout à l'autre de Pearl, mais maintenant sa femme s'était jointe à la meute. Il n'avait pas envie d'aller chercher Ginny, il n'avait pas assez confiance en lui.

— Elle m'attendra longtemps ! dit-il à haute voix en tournant le dos aux abris des sous-marins et à la résidence de l'amiral.

Il se dirigea vers le garage et arrêta le premier camion en partance.

— Au prochain coin de rue, dit Bryce lorsque le camion s'engagea dans les embouteillages du centre ville.

Le chauffeur obliqua vers le trottoir.

— Merci, matelot.

Bryce descendit, dans une rue inconnue, au milieu d'inconnus. C'était volontaire de sa part. Il avait trop vu de visages familiers. Il traversa la chaussée et continua, sans but. Au bout de deux ou trois cents mètres, il remarqua, suspendue au-dessus du trottoir, l'enseigne : NOUS NE FERMONS JAMAIS ! Il s'arrêta au-dessous. La porte était ouverte. Il y avait de la sciure sur le parquet.

— Dégueulasse ! dit Bryce, et il entra.

Il se crut dans une grotte. Il demeura immobile un instant, puis commença à mieux voir. Sur le bar à sa droite, près de la caisse enregistreuse, se trouvait une lampe articulée. Une autre lumière brillait faiblement au-dessus de deux portes, où l'on lisait les mots DAMES et MESSIEURS. A l'autre bout de la salle, tout le long du mur faisant face au comptoir, se trouvait une rangée de stalles à angle droit. Quelqu'un ronflait. Bryce se dirigea vers le bar, sans s'approcher des trois hommes accoudés au milieu. Il s'arrêta près de la caisse enregistreuse. Le barman s'avança en s'essuyant les mains au tablier attaché à sa taille. Il était grand, cadavérique, avec une cigarette coincée derrière l'oreille.

— Ce sera quoi ?

— Qu'est-ce que vous avez ? demanda Bryce.

— Petite bière.

Il s'agissait de la boisson à 3,2 % d'alcool, apparue sur le marché au moment de la Prohibition, et autorisée légalement à la vente.

— Petite bière et quoi ?

— Petite bière et petite bière, répondit le barman. C'est pas un *speakeasy*. Ici on est réglo.

— Tu parles !

Bryce n'avait pas envie d'entendre une autre voix. Il prit un billet dans sa poche. Le barman lui apporta une bouteille décapsulée et un verre. Les ronflements agaçaient Bryce.

— Bruyante, votre musique d'ambiance, dit-il.

Le barman ramassa l'argent.

— On est dans un pays libre, matelot, répondit-il.

Un homme sortit d'une des stalles derrière Bryce et traversa la salle. Le barman appuya sur le clavier de la caisse enregistreuse, qui s'ouvrit avec un tintement de clochette. Il posa la monnaie de Bryce à côté de la bouteille de bière. L'homme s'avança jusqu'au bar et leva l'index et le majeur.

— Aboule ! dit-il.

Il était de la même taille que Bryce mais deux fois plus gros, un poids lourd à la poitrine et aux épaules énormes, qui faisaient songer à un lutteur japonais. Il y avait probablement un peu de Japonais en lui et un peu de n'importe quoi pour faire bonne mesure, se dit Bryce. Il avait la peau plus sombre que celle d'un Hawaïen : un métis pur sang, plaisanta le lieutenant. L'homme avait roulé les manches de sa chemise et Bryce remarqua, sur son bras droit, le serpent tatoué. L'homme paya les deux bouteilles et retourna vers les stalles. Bryce emplit son verre.

La bière était glacée. Bryce vida le verre et y versa le reste de la bouteille. Il posa les deux coudes sur le comptoir et s'aperçut que le ronflement avait cessé. Il commanda une autre bouteille, qu'il but tranquillement, profitant pleinement de sa solitude, du refuge qu'il avait trouvé dans cette salle fraîche, silencieuse, dont la pénombre n'était troublée que par les deux ronds de lumière. Quand son verre fut de nouveau vide, Bryce leva le bras et fit signe au barman.

— Aboule ! dit-il.

Et pour la première fois de la journée, il sourit.

Il entendit des pas, puis une femme passa au bout du bar, à gauche de Bryce. Elle était bien en chair, presque dodue, avec des cheveux noirs à la garçonne. Ses seins tressaillaient à chaque pas. Au passage, elle lança à Bryce un regard appuyé, puis ouvrit la porte marquée DAMES. Le barman posa la bière devant Bryce et emporta la bouteille vide. Bryce emplit son verre. Il vit l'homme au serpent tatoué revenir près du bar et attendre que le barman ait servi les trois clients, à l'autre bout.

Quand la femme revint à sa stalle, elle regarda de nouveau Bryce. Bryce tourna le dos au bar, le verre à la main. Quand la femme s'assit, il la suivit. Il en avait vraiment marre de la bonne société, après cette putain d'année... Il avait envie de crasse, de vraie crasse.

— Salut, dit-il.

Elle le regardait de la tête aux pieds comme s'il était exposé sur le marché aux esclaves.

— On ne vous a pas appris à ôter votre casquette devant les dames ?

— Je n'aime pas les dames, répondit Bryce en souriant. Ni les messieurs.

Il s'appuya à la cloison de la stalle.

Elle s'empara d'une bouteille vide, puis elle fit glisser lentement son doigt le long du goulot.

— Qu'est-ce que vous aimez ? demanda la femme.

Quelqu'un écarta Bryce et il eut l'impression d'être bousculé par un camion de dix tonnes. La bière gicla de son verre. Bryce posa le verre sur la table, secoua ses mains mouillées, puis leva les yeux. Il avait en face de lui le poids lourd tatoué, ses deux bouteilles de bière à la main.

— Tu te trompes d'auge, matelot, dit l'homme.

Bryce recula pour s'écarter de la stalle.

— Tu as sans doute raison, parce que je ne vois qu'un seul cochon, répondit Bryce.

Le poids lourd se pencha pour poser les deux bouteilles sur la table, puis, toujours penché, lança un crochet du gauche. Bryce n'était pas à l'endroit prévu mais derrière l'homme, dont il suivait les gestes. Au moment où l'homme pivota et leva le bras, Bryce le frappa, très haut sur le visage, près de l'œil. L'homme vacilla, poussa un grognement de douleur et s'avança. Bryce le frappa de nouveau, du gauche, et fit un pas en avant pour redoubler avec son poing droit.

— Arrêtez ! lança la femme en s'accrochant à la table pour sortir de la stalle.

L'homme fonça vers Bryce, qui l'esquiva, s'accroupit et lui plaça un direct dans le ventre.

— Arrêtez ! cria la femme en se jetant sur Bryce.

Il la projeta contre la cloison, perdant sa casquette du même coup, puis, tandis que son adversaire chancelait, tête baissée et bras inertes, Bryce se campa devant lui et se mit à cogner. L'homme était comme paralysé.

— Bas les pattes ! dit le barman. Bas les pattes ! répéta-t-il plus fort.

Mais Bryce ne l'entendit pas. Il n'entendait plus rien, il ne voyait plus rien en dehors de la blessure sur le visage sanglant de l'homme qui l'avait cherché. Le poids lourd recula d'un pas mal assuré et Bryce le suivit, les pieds bien à plat sur le sol, en équilibre parfait pour donner davantage de puissance à ses crochets. Les trois hommes qui buvaient ensemble convergèrent vers le marin.

— Cessez, dit l'un d'eux.

— Allons, marin, vous voyez bien qu'il est lessivé, dit le deuxième.

Le barman contourna la caisse enregistreuse, en remontant son tablier dans la main gauche pour ne pas trébucher.

— Arrêtez-le ! se mit à hurler la femme.

La porte d'entrée se garnit de gens surgis de la rue, tassés sur le seuil pour assister à la bagarre.

— C'est une boucherie ! cria une voix.

— Vous ne pouvez donc pas l'arrêter ? gémit la femme.

— Bas les pattes, j'ai dit ! brailla le barman en bousculant les trois hommes qui entouraient Bryce et le poids lourd.

Bryce plaça un autre crochet. Il ne vit pas le barman lever la main droite, qui brandissait une matraque — un tutau de plomb enveloppé de sparadrap. Le barman, ahanant sous l'effort, toucha Bryce juste au-dessus de l'oreille.

Bryce tomba en avant, le visage dans la sciure. La femme traversa la salle en courant et bouscula la foule rassemblée sur le pas de la porte. Les jambes du tatoué se plièrent soudain et il s'écroula lentement, allongé sur le flanc. Du sang suintait de son visage.

Le barman remit la matraque dans sa poche.

— Quelle merde ! dit-il en donnant un coup de pied dans la casquette de Bryce, qui roula jusqu'à la jambe de son propriétaire. Ici on est réglo... N'y touchez pas, ajouta-t-il. La police s'en occupera.

Il passa derrière son comptoir pour téléphoner au commissariat central.

— C'est ouvert, lança Maddox en réponse au coup frappé à sa porte, et Al Keller entra dans le bureau.

Il était un peu plus de 6 heures. Le rouquin, mal rasé, était habillé comme un trimard, un clodo. Maddox sourit à son inspecteur préféré.

— Vous auriez dû vous faire acteur.

— Ma femme prétend que je fais peur aux gosses, répondit Keller en s'avançant vers le bureau. Je me sers d'une voiture du service pour la surveillance de Pacific Heights...

Maddox avait mis Keller de service de nuit après trois cambriolages successifs dans ce quartier chic d'Honolulu.

— Quand je suis allé au garage prendre ma voiture, le 316 réclamait le fourgon. Encore une bagarre avec un officier de marine, capitaine.

Pour la première fois de la journée, Maddox oublia Lenore. Il décrocha le téléphone.

— Maddox. Passez-moi le service des voitures.

— Le barman a dû se servir de sa matraque sur le type... Le marin, expliqua Keller. Il était en train de massacrer l'autre.

— De le massacrer ? Décidément, ça devient une manie, dit Maddox ; puis, au téléphone : d'abord, l'adresse où vous avez envoyé le 316 ?

Il écouta.

— Appelez l'équipe et passez-moi l'un d'eux.

Il se mit à pianoter sur son bureau, puis Keller le vit se pencher sur le téléphone, les doigts crispés autour du combiné.

— Dites-moi ce que vous avez trouvé, dit-il, puis il écouta. Il avait tout de même sa plaque d'identité militaire, non ?

Il leva les yeux vers Al puis fit semblant de griffonner sur son bureau avec le bout du doigt. Keller prit dans sa poche un petit calepin auquel était fixé un crayon.

— Bryce, dit Maddox. Épelez. B... R... Y... C... E... Bryce Partridge. Lieutenant. Embarqué sur le *Bluegill*. Le *Bluegill* ?

Keller se figea. Le *Bluegill* était le sous-marin de Murdoch.

— Je veux la déposition du barman, dit Maddox, tandis que Keller se remettait à écrire. Et les dépositions de tous les témoins.

La princesse avait raison. La chasse était ouverte en ville. Il raccrocha d'un geste violent et, quand ils se leva, son fauteuil heurta le mur. En contournant le bureau, il se cogna la cuisse.

— Le fourgon revient, dit Maddox.

Dans le garage du sous-sol, le rouquin demanda :

— Vous voulez que je reste dans le coin, capitaine ?

— Peut-être, répondit Maddox, puis il ajouta, d'un ton cassant : Non ! On nous paie pour faire la police d'Honolulu, pas celle de la marine des États-Unis !

Maddox le laissa sur la rampe conduisant au garage. Dehors, la lumière commençait à baisser. Maddox s'arrêta à l'entrée de la rampe. Les phares de la voiture d'Al Keller éclairèrent la chaussée d'accès et Maddox s'écarta. Le rouquin sortit pour passer la nuit dans l'ombre, à Pacific Heights.

— Le *Bluegill,* dit Maddox à haute voix. Curieux !

Il resta à l'entrée de la rampe jusqu'à ce qu'il entende le gros moteur du fourgon cellulaire, le panier à salade. Il entra dans le bâtiment et se dirigea vers la porte conduisant au violon.

L'agent qui conduisait était seul dans la cabine.

— L'un d'eux est en marmelade, capitaine, dit-il, en ouvrant les portes arrière du fourgon.

A l'intérieur, sur le banc de droite, Maddox vit l'officier de marine, menottes aux poings, assis à côté du deuxième agent.

— Je vous présente Bryce Partridge, capitaine, dit le chauffeur. Pas maladroit avec ses paluches.

Bryce regardait devant lui sans rien voir.

L'autre agent poussa Bryce.

— Terminus, dit-il. Il faudra me donner un coup de main pour l'autre zozo, il est encore dans les vapes.

Maddox regarda l'agent traîner Bryce hors du panier à salade. Il le vit vaciller. Il leva la main, tendit l'index et l'agita devant le visage de Bryce. Les yeux du lieutenant suivirent le doigt.

— Voyons un peu le perdant, dit Maddox.

Le chauffeur monta dans le fourgon.

— Il va falloir une grue pour le soulever, dit-il en se penchant vers l'homme tabassé. Il pèse une tonne.

Poussant d'un côté, tirant de l'autre, ils parvinrent à redresser le tatoué. Maddox pencha la tête à l'intérieur du fourgon. Le visage de l'homme était comme de la viande hachée. Au milieu, ses yeux semblaient deux rochers violacés. Tout le visage était en sang. Le nez était aplati et sans couleur, brisé au premier coup de poing. Du sang coagulé bloquait les narines.

— Déjà vu une gueule dans cet état, capitaine ? demanda le chauffeur.

Maddox secoua la tête.

— Je veux dire, j'aime bien la boxe, mais même sur le ring, et ça fait longtemps que j'y vais, je n'ai pas vu pire. On dirait que le marin s'est servi d'un couteau.

Derrière eux, l'agent qui tenait Bryce dit :

— Je vais boucler celui-ci et j'envoie quelqu'un pour vous donner la main.

Maddox recula.

— Vous noterez : coups et blessures *caractérisés,* dit Maddox. Il passera en justice. Nous tiendrons le punching-ball au chaud, Phil Murray en aura besoin à l'audience.

Il se pencha de nouveau dans le fourgon.

— Il faut d'abord le faire recoudre. Conduisez-le à l'hôpital de la Miséricorde et attendez...

Maddox s'interrompit, pivota brusquement.

— Non !

On aurait pu entendre sa voix dans la rue à trois cents mètres. Il marcha vers Bryce comme pour l'exécuter de suite.

L'hôpital de la Miséricorde. « Une bague aurait pu faire ça, une chevalière », avait dit le D^r Je-ne-sais-qui dans la salle des urgences, près d'Hester Murdoch allongée sur la table. Maddox s'arrêta devant Bryce, dont la main droite était immobilisée par les menottes. Il prit le poignet gauche de Bryce et vit la grosse chevalière au chaton denté de l'École navale, avec l'année de la promotion en relief : *1925.*

— Je l'emmène, dit Maddox.

L'agent chercha sa clé.

— Vous voulez les menottes, capitaine ?

— Il n'ira nulle part.

C'était une promesse. Quand on lui ôta les menottes, Bryce se frotta le poignet droit.

— Allons faire un tour, lieutenant, dit Maddox.

La scie à ruban continuait sa plainte stridente dans la tête de Bryce. Son crâne vibrait sous la violence d'un grondement, qui semblait venir de très loin. Le garage tanguait lentement d'un côté, puis remontait lentement de l'autre. L'homme devant lui était flou. Il semblait de travers et soudain il disparut, comme derrière un écran.

Puis Bryce sentit la main de l'homme sur son bras. Ils marchaient sur un sol qui basculait...

— Capitaine !

Le chauffeur lui tendit la casquette du lieutenant.

— Je ne veux pas que la marine prétende que nous l'avons fauchée.

Maddox sortit du garage lentement, en soutenant Bryce par le bras.

Ils descendirent de l'ascenseur au premier et Maddox s'arrêta près du distributeur d'eau.

— Servez-vous.

Bryce but, commença à se redresser, puis se pencha pour boire de nouveau. L'eau froide le revigora. Il put enfin clairement distinguer l'homme, celui qu'on appelait capitaine. Le sol ne basculait plus. C'était un sol horizontal. Les murs du couloir étaient droits. Maddox ouvrit la porte de son bureau.

Il prit une chaise, la plaça en face de son fauteuil et posa la casquette dessus.

— Lieutenant...

Maddox contourna le bureau et s'arrêta près des fenêtres. La nuit était tombée, il vit les becs de gaz à travers les stores vénitiens. Bryce s'assit, tenant sa casquette à deux mains. Maddox s'installa à son tour.

— Vous savez qui je suis, lieutenant ?

Bryce pouvait le voir nettement, à présent. C'était un homme de grande taille, mince et athlétique. Visiblement prêt à tout.

— Un capitaine de la police.

— Capitaine Maddox. Curt Maddox.

Il se pencha en arrière, prenant ses aises comme s'il allait bavarder avec un ami, très loin du commissariat central.

— Savez-vous pourquoi je vous ai fait venir ici, lieutenant ?

— A cause de la bagarre.

— D'*une* bagarre, dit Maddox. Pas celle de ce soir. Je vous ai déjà coincé pour celle de ce soir. Vous êtes à bord du *Bluegill*, le sous-marin de Murdoch, pas vrai ? Vous devez être copains.

— Compagnons d'armes, répondit Bryce.

— Vous connaissez sans doute sa femme, étant son compagnon d'armes et tout... dit Maddox.

Il vit les doigts de Bryce se crisper sur la casquette. Il vit ses phalanges devenir blanches.

— Oui, je la connais. Nous nous connaissons tous. Pourquoi ?

— Vous vous trouviez à la Whispering Inn, le soir où tout a

commencé, dit Maddox, au petit bonheur. Vous étiez avec les Murdoch.

— Tout le monde était avec tout le monde. C'était une réception. Nous étions tous ensemble.

— Vous et les Murdoch. Hester et Gerald.

— Et ma *femme,* dit Bryce. Il y avait ma femme. La réception était en son honneur, pour fêter son arrivée.

— Ouais... soupira Maddox. Son arrivée à Hawaï?

— C'est cela. Son arrivée à Hawaï. Pourquoi me posez-vous toutes ces questions?

Maddox entendit un camion s'avancer dans la rue, de plus en plus présent, puis le moteur s'arrêta.

— Vous étiez donc seul jusque-là, n'est-ce pas? Seul pendant combien de temps, lieutenant.

— Qu'est-ce que ça change? Vous m'avez arrêté pour me protéger, dit Bryce. Je suis innocent. Il m'a frappé.

— Bien sûr... Donc vous étiez avec les Murdoch à la Whispering Inn. Et avec votre femme. Tous ensemble, avez-vous dit. Mais pas tout le temps. Hester Murdoch est sortie. L'avez-vous vue sortir, lieutenant?

Un autre camion s'approcha et s'arrêta.

— L'avez-vous vue sortir, lieutenant?

— Vous me posez des questions sur une chose qui s'est produite il y a longtemps, un soir de l'automne dernier...

Maddox vit bouger les pieds du lieutenant. Il avait envie de s'enfuir.

— Je ne peux pas me rappeler ce qui s'est passé l'automne dernier, ajouta Bryce.

— Moi, je peux, répliqua Maddox. Avez-vous dansé avec Hester Murdoch?

— Non, je n'ai pas dansé avec elle.

— Vous voyez, vous vous rappelez que vous n'avez pas dansé avec elle. Vous vous rappelez peut-être que vous l'avez emmenée faire un tour? Elle a quitté la salle pour aller faire un tour. Y avait-il quelqu'un avec elle?

— Je vous l'ai dit, je ne peux pas me rappeler!

— Rafraîchissez votre mémoire, comme on dit.

Bryce serra le poing sous sa casquette.

— Vous n'avez pas le droit de me garder ici comme ça.

— Je le prends, lui dit Maddox. Où étiez-vous quand Hester Murdoch s'est éclipsée?

— Je vous ai dit que je ne peux pas me rappeler. Je dansais sans doute avec ma femme.

— Bien sûr...

— C'est la vérité.

Jamais il n'aurait dû entrer dans ce bar. Jamais il n'aurait dû poser les yeux sur cette pute à deux sous.

— J'entends ça toute la journée, dit Maddox. Personne ne me ment jamais. Vous me dites la vérité. Hester Murdoch m'a dit la vérité.

Il ouvrit le tiroir du milieu de son bureau et en sortit une enveloppe.

— Seulement, je cherche encore le type qui l'a envoyée à l'hôpital.

— Ces hommes ont été pris ! s'écria Bryce en élevant la voix. Hester a identifié ces hommes.

— Le jury ne l'a pas crue, répondit Maddox. Je ne l'ai pas crue non plus, mais je n'avais rien sur quoi m'appuyer. Jusqu'à ce soir.

Il vida l'enveloppe comme si elle contenait des pierres précieuses. Un bouton de chemise blanche d'homme tomba dans la paume de sa main.

— Ceci ne vient pas des chemises que les jeunes gens portaient, dit Maddox. Tendez votre main gauche, lieutenant.

— Je désire téléphoner à un avocat, dit Bryce.

— Bien sûr. L'agent, en bas, disait qu'il n'avait jamais vu un visage dans cet état. Moi, si. Le visage d'Hester Murdoch, le soir de la réception en l'honneur de l'arrivée de votre femme. Inutile de me montrer cette chevalière, je l'ai vue.

Bryce bondit de sa chaise.

— Vous n'arriverez même pas à l'ascenseur, lui dit Maddox.

Bryce le regarda ranger le bouton de chemise dans l'enveloppe.

— J'ai le droit de téléphoner à un avocat, dit-il.

Maddox se leva et contourna le bureau.

— Elle n'a pas été violée. A mon avis, les vrais « copains » du *Bluegill,* c'étaient vous et *elle.* Jusqu'à ce que votre femme survienne. A mon avis, vous aviez décidé de lui dire adieu le soir du retour de votre femme, mais la petite Hester n'a rien voulu entendre. A mon avis, vous vous êtes expliqués tous les deux non loin de la Whispering Inn et vous avez joué des poings. Vous êtes un méchant, lieutenant. Il faut qu'on vous empêche de traîner dans les rues avant que vous ne descendiez quelqu'un avec votre chevalière. Votre vraie place, c'est dans une cellule capitonnée, et c'est là que je vais vous mettre.

— C'est vous qui mériteriez une cellule, capitaine, répondit Bryce.

— On verra. Très bientôt. Vous allez l'avoir, votre avocat. Il sera à vos côtés. Ainsi qu'Hester Murdoch et son mari. Et le pauvre type que vous avez failli tuer aujourd'hui. J'expliquerai à Gerald Murdoch qu'il s'est trompé de bonhomme, qu'il n'a pas descendu le bon. Nous verrons qui il croira : vous et sa femme, ou bien moi.

— Vous essayez... dit Bryce, mais Maddox abattit le poing sur son bureau et il se tut.

— J'ai enfin pigé ! s'écria Maddox, en secouant la tête comme s'il se reprochait sa stupidité. Tout était là, devant moi ! Si ces gamins ne l'ont pas violée, ils ne l'ont pas tabassée non plus. C'est vous qui l'avez tabassée ! lança-t-il, l'index tendu. C'est *vous !* Elle voulait que vous fassiez quelque chose, pour son gosse ! Elle vous a menacé de tout raconter à votre femme, d'arrêter la musique et d'annoncer elle-même l'heureux événement !

Le grondement d'un autre camion, tout proche, emplit le bureau puis cessa brusquement. Maddox entendit des pas dans le couloir.

— Capitaine !

On frappait à la porte.

— Repos, lieutenant, dit Maddox en traversant le bureau.

Il ouvrit. C'était le sergent de réception. Derrière lui et à ses côtés, trois hommes en uniforme de la marine : le commandant Saunders et deux éléphants avec des brassards de la police navale et armés de longues matraques blanches. Chacun d'eux portait sur son uniforme un baudrier soutenant l'étui d'un automatique de calibre 45...

Trois heures plus tôt, à la résidence de l'amiral, un des boys philippins envoyés au *Bluegill* était revenu :

— Le lieutenant Bryce a quitté le *Bluegill* il y a très longtemps, dit-il.

— Il savait que je l'attendais, s'étonna Ginny. Je lui ai dit que je l'attendais ici. Hester, vous m'avez entendue le lui dire, n'est-ce pas ?

Doris Ashley regarda Ginny, qui ne pouvait pas s'empêcher de remonter ses cheveux en arrière avec ses épingles. Cette femme n'était plus maîtresse d'elle-même.

— Il est peut-être avec Gerald, avança Doris Ashley. Sans doute au club des officiers.

— Nous avons appelé Gerald ! expliqua Ginny. Nous avons appelé le club des officiers !

— Ce n'est pas un enfant, dit Doris Ashley. Il n'a pas disparu.

Ginny eut envie de cracher au visage de cette femme arrogante, assise là comme une maîtresse d'école et qui parlait de Bryce comme s'il était simplement en retard.

— Il est parti ! dit Ginny.

— Nous pouvons l'attendre dans ma chambre, proposa Hester à voix basse.

— Il faut que je trouve Bryce ! dit Ginny. Il est...

Elle s'interrompit, en levant la main qui tenait l'épingle à cheveux devant son visage, comme pour se protéger les yeux. *Ils* le tenaient ! Ces trois sauvages s'étaient emparés de lui. Ils se vengeaient de leur ami mort ! Ils s'étaient faufilés dans la base, sur le sentier de la guerre, et ils avaient sauté sur Bryce comme auparavant sur Hester. Ils allaient le tuer, l'offrir en sacrifice au cours d'un de leurs rites païens !

— Je vais voir l'amiral ! dit Ginny

— Me voici, répondit l'amiral, que le chauffeur venait de déposer devant sa porte.

Ginny courut vers lui.

— Mon mari a disparu !

Elle continua de parler tandis que l'amiral se dirigeait vers le téléphone pour ordonner des recherches. Il craignait de nouveaux ennuis...

Au commissariat central, dans le couloir du bureau de Maddox, le sergent de la réception présenta le commandant Saunders.

— Nous nous sommes déjà rencontrés, dit Jimmy Saunders.

Maddox se déplaça légèrement pour bloquer la porte.

— Vous ne l'emmènerez pas, dit-il. Pas celui-ci.

— Capitaine, je ne veux pas d'histoires, dit Saunders. Je n'ai aucune envie d'avoir des histoires avec vous.

— Vous m'en voyez soulagé, répondit Maddox, parce que j'avais l'impression que cela nous pendait au nez.

— Je suis venu chercher le lieutenant Partridge, dit Saunders.

Bryce fit un pas vers Maddox, en se jurant de ne plus jamais lever les poings de sa vie. Il promit à Dieu. Il promit de ne jamais parler à une seule femme en dehors de Ginny, jusqu'au jour de sa mort. Il jura sur son honneur de marin. Il jura de ne plus jamais remettre les pieds dans un bar. Il se rendrait directement de chez lui à Pearl et de Pearl chez lui.

— Votre lieutenant est accusé de coups et blessures caractérisés dans la ville d'Honolulu, dit Maddox.

— Nous enquêterons sur l'incident, répondit Saunders.

— Vous ne marcherez pas sur mes plates-bandes, lança Maddox. Et l'enquête est terminée. La victime se trouve à l'hôpital de la Miséricorde et j'ai relevé les déclarations des témoins. Le lieutenant a droit à un procès équitable. Il passera en justice, commandant.

Il fit demi-tour et repoussa Bryce.

— Reculez ! le prévint-il.

Quand il se retourna, il vit les deux marins entourant Saunders lever leurs matraques.

— Dites-leur de reculer, ordonna-t-il.

— Le lieutenant Partridge est un officier de la marine des États-Unis, il se trouve donc sous la juridiction du ministère de la Marine, répondit Saunders. Remettez-le-moi, capitaine.

Maddox leva l'index vers le sergent de la réception.

— Descendez et envoyez-moi tous les agents qui se trouvent dans l'immeuble.

— Reculez, capitaine ! dit Saunders.

— Vous aimeriez que je vienne sur votre bateau, revolver au poing, et que je vous arrache la barre des mains ? lui répliqua Maddox. Si vous êtes encore ici dans dix secondes, vous serez au bloc demain, lança-t-il au sergent.

— L'affaire n'est plus entre ses mains, capitaine, dit Saunders. Ni dans les vôtres. Ni dans les miennes. Je n'ai pas marché sur vos plates-bandes, c'est l'amiral qui l'a fait. Il a décrété le couvre-feu à partir de 6 heures pour tous les indigènes d'Honolulu, et sa décision est déjà en vigueur. Voyez donc vous-mêmes, dit-il en montrant les fenêtres.

Le sergent de la police acquiesça.

— Le chef a téléphoné, capitaine. Il a ordonné au standard de le signaler à toutes les voitures.

Maddox recula d'un pas et referma la porte à clé. Il passa devant Bryce sans le regarder. Il se dirigea vers les fenêtres et écarta les stores vénitiens. Trois camions de la Marine étaient stationnés devant l'immeuble et deux matelots de la police navale montaient la garde de chaque côté de la rue. Maddox baissa le bras. Il s'écarta, puis s'arrêta à côté de Bryce.

— Nous n'en avons pas fini, dit-il, mais il savait que l'homme riait sous cape.

Il tourna la clé, ouvrit la porte toute grande, puis s'écarta du seuil.

— Sortez-le d'ici, dit Maddox. Il empeste l'atmosphère.

Il retourna près des fenêtres et regarda la rue. Il vit le commandant et ses deux gardes du corps quitter le commissariat central avec le lieutenant et monter dans une voiture de la marine, devant les camions. La voiture démarra. Deux groupes de deux hommes de la police navale convergèrent vers le carrefour, où un homme traversait la rue. A côté des quatre chasseurs, le gibier semblait un nain. Il disparut derrière leur masse, puis Maddox l'aperçut entre deux colosses : ils le conduisaient vers les camions. Il fit claquer les stores contre la fenêtre et s'assit, de biais par rapport au bureau, jambes écartées.

— Cette espèce de mollusque ! dit-il en songeant au chef de la police.

Mais il savait bien que le chef Fairly n'avait aucun pouvoir en ces circonstances. Lui-même n'avait aucun pouvoir.

— Une vraie baraque foraine, lança-t-il à haute voix.

Il était fatigué jusqu'à la moelle des os.

— Rentre chez toi, ordonna-t-il.

Il songea à l'homme traîné vers le camion de la marine et, incapable de tenir sa mémoire en échec, il revit le cercueil de Joe Liliuohé s'éloigner sur le radeau, vers le large. Il s'ébroua. Tous les muscles lui faisaient mal. Il tendit la main vers le téléphone, mais il l'écarta aussitôt. Ils avaient placé des oreilles au standard, c'était certain. Il se leva, se dirigea vers la porte et éteignit la lumière. Il descendit par l'escalier et traversa le hall jusqu'au téléphone public.

La police navale patrouillait partout. Non loin du Western Sky, Maddox vit un camion de la marine garé dans Kalakau Avenue et deux matelots en sentinelle devant l'hôtel. Il s'engagea dans l'allée et doubla la queue des taxis pour s'arrêter au-delà de l'entrée. Il plaça sa plaque POLICE derrière le pare-brise et descendit de voiture. Lenore, là-haut, devait écouter Bergman. Maddox eut l'impression que des années s'étaient écoulées depuis leur rendez-vous de l'après-midi.

Le hall de l'hôtel était frais ; les lumières, tamisées. Il pouvait voir les chandelles sur les tables du restaurant en terrasse, où quelques dîneurs s'attardaient encore, près de la mer. De la musique tombait de nulle part. Une femme éclata de rire et une voix s'extasia :

— Merveilleux ! Simplement merveilleux !

Maddox se dirigea vers les ascenseurs puis revint sur ses pas. Il ne pouvait pas s'en empêcher. Il se dirigea vers le comptoir du réceptionniste et s'arrêta en face du casier à lettres. L'écrin ne s'y trouvait plus. Elle avait donc le collier. Il songea à elle devant le miroir avec le collier. Il songea à elle avec lui, chez lui, cet après-midi-là.

Personne d'autre dans l'ascenseur. Le couloir était désert. Le tapis épais étouffait ses pas. Il appuya sur la sonnette et, au bout d'un instant, la porte s'ouvrit.

— Vous ne correspondez pas à l'idée que je me fais d'un chevalier servant, dit la princesse en s'écartant.

Elle portait une robe longue et vague, entièrement blanche. Sa chevelure était remontée et retenue par une barrette d'ivoire. Maddox la suivit dans la suite silencieuse et parfumée. Des fleurs partout. Sur une table à côté d'un grand fauteuil, chacune dans un vase aux formes élancés, se trouvaient plusieurs orchidées. Splendides.

— Vous ne cessez jamais de travailler ?

— On ne m'a pas donné de carte pour pointer, répondit Maddox.

Pendant un instant, ils se dévisagèrent sans un mot. Jamais ils ne s'étaient trouvés seuls ensemble, mais il existait entre eux une certaine intimité. Ils n'avaient pas de secrets. Ils étaient l'un et l'autre des personnages de second plan, mais ils possédaient l'un et l'autre beaucoup de pouvoir. Ils se trouvaient dans la situation des souverains de deux pays ayant une frontière commune : pleins de méfiance l'un pour l'autre, mais aussi de respect — et d'inquiétude. Le seul trait d'humanité que la princesse ait jamais découvert en Harvey Koster était son attachement à Maddox.

— J'écoute, dit la princesse. Si je refusais, vous parleriez quand même.

— L'amiral a ordonné le couvre-feu à partir de 6 heures du soir.

— Les gens d'ici ne s'en sont guère aperçu.

— Ce n'est pas pour les gens d'ici, répondit Maddox, et la princesse le regarda comme si c'était lui qui avait persuadé l'amiral d'intervenir.

— De toute façon, je ne suis pas un oiseau de nuit, dit-elle en s'installant dans le fauteuil à côté des orchidées. A-t-il débarqué un canon ? demanda-t-elle, mais elle continua sans laisser à Maddox le temps de répondre. Je me souviens du jour où ils ont rompu notre bail du palais. L'amiral de l'époque est arrivé avec un canon. Ma mère lui a demandé de parlementer. Elle était reine, le pays lui appartenait, mais elle était cependant disposée à s'asseoir en face de lui. Elle lui a envoyé un message, mais il n'a pas daigné répondre. La réponse était le canon. Vous êtes un sale peuple, Maddox.

— Ce n'est pas moi qui ai décrété le couvre-feu.

— Mais l'amiral n'a pas instauré le couvre-feu pour vous, répondit la princesse.

— Personne ne vous arrêtera dans les rues, vous non plus, dit Maddox, fatigué d'échanger des piques avec elle. Ce couvre-feu va déchirer l'île. L'amiral ne connaît pas Honolulu. Vivre à Pearl, c'est comme vivre sur un bateau. Et, à un amiral sur un bateau, à n'importe quel officier d'ailleurs, il n'est pas question de répondre « mais », « si » ou « peut-être ». Seulement, Honolulu n'est pas un bateau. Ces gens ne sont pas des marins. L'amiral aurait mieux fait de les mettre tous sur un radeau.

— Ils survivront, dit la princesse. Ils ont bien survécu jusqu'ici.

— Vous faites l'autruche, lança Maddox. Vous êtes restée sur la grande île si longtemps que c'est devenu une habitude.

— Attention, Maddox...

— Sinon vous ferez quoi ? Je prends la peine de me déranger pour vous dire qu'il y a le couvre-feu et vous me donnez une leçon d'histoire! Réveillez-vous! L'amiral vient de jeter un filet sur ces gens. Il leur dicte quand ils peuvent sortir et quand ils doivent rentrer. Il n'a pas débarqué un canon mais suffisamment de pistolets automatiques pour transformer cette ville en passoire. On ne peut pas enfermer toute une ville. Les vieux se tiendront tranquilles parce qu'ils se souviennent du passé, comme vous. Mais il ne se passera pas trois jours avant qu'un gosse pas plus haut que trois pommes entraîne d'autres gamins dans une escapade nocturne. Sans raison. Simplement parce qu'ils sont jeunes et qu'ils ont le sang chaud. La plupart de ces marins sont également des gosses et ont le sang chaud, eux aussi. Il y aura des enterrements à la pelle.

— Vous devriez vous présenter aux élections, dit la princesse.

Maddox s'avança vers elle et ne s'arrêta que devant le fauteuil.

— Je ne suis pas venu ici pour entendre vos boutades. Je les connais déjà. Et je commence à en avoir marre, ajouta-t-il plus fort.

— Moi, je commence à avoir marre de vous! répliqua la princesse sur le même ton. Reculez! Reculez! répéta-t-elle avec un geste de la main. Je regrette de ne pas avoir d'éperons aux pieds.

Maddox s'écarta.

— Et maintenant, écoutez-moi bien, capitaine Curtis Maddox. Vous m'avez dit que vous vouliez me voir. Je vous ai reçu. Vous m'avez appris qu'on nous a fait présent d'un couvre-feu. *Aloha!*

Maddox posa son chapeau sur le sofa et s'assit sur l'accoudoir, en face de la princesse.

— Nous ne faisons que commencer, dit-il.

— Quelqu'un m'avait conseillé de ne pas bouger. J'aurais dû l'écouter.

— Vous êtes la seule chance que nous ayons.

— Je ne suis pas Mlle Dieu tout-puissant!

Maddox garda le silence.

— Je n'ai jamais vu cet amiral, dit la princesse.

— Vous vous présenterez, répliqua Maddox. Je vous conduirai à Pearl dans ma voiture.

— *Ce soir?*

— Oui, ce soir. Tout de suite. Il est peut-être déjà trop tard. Un idiot est peut-être en train de quitter en douce Papakoléa ou Makiki, à deux mètres d'un marin en armes. Le marin dit : « Halte-là! », mais l'autre ne s'arrête pas. Il est peut-être déjà à la morgue pendant que nous discutons à n'en plus finir.

— Vous me donnez la migraine.

— Nous discutons encore!... Écoutez, on ne peut pas maintenir l'ordre dans un endroit où une personne sur deux est enfermée toutes les nuits, même si c'est dans sa propre maison.

— Toujours les mêmes... dit la princesse.

Elle laissa sa phrase en suspens. Elle posa les mains sur les accoudoirs du fauteuil et poussa de toutes ses forces pour se lever. Maddox s'écarta du sofa.

— Non ! dit la princesse, en finissant de se hisser.

Maddox prit son chapeau. Elle soufflait après l'effort.

— C'est comme sortir d'une ornière de boue. Fichez le camp.

Maddox la regarda dans les yeux.

— Je vous emmène.

— Vous n'êtes pas idiot. Alors n'agissez pas comme si vous l'étiez ! L'amiral me botterait les fesses. Il penserait à l'autre amiral, lui aussi — celui qui nous a jetés hors du palais. Il se sentirait obligé de prouver qu'il est aussi dur que lui.

— Il faut que quelqu'un intervienne, dit Maddox.

— Plus vous resterez, plus longtemps durera ma migraine, répondit la princesse.

Maddox la regarda puis, au bout d'un instant, se dirigea vers la porte. La princesse sortit sur la terrasse et demeura face à la mer. La lune était basse, très lumineuse, et l'eau prenait des reflets d'argent La princesse croisa les bras et saisit ses épaules.

— Froid, dit-elle à haute voix.

Elle passa de la terrasse à sa chambre, prit dans un tiroir un châle de laine blanche et le jeta sur ses épaules. Elle sortit de la chambre, mais revint aussitôt sur ses pas chercher son sac à main.

— On oublierait sa tête si elle n'était pas vissée sur les épaules, dit-elle.

Elle s'arrêta de nouveau et ouvrit son sac pour vérifier qu'elle avait de l'argent.

— En avant toutes !

Elle ouvrit la porte du couloir, puis hésita.

— Oh ! Jack, Jack, murmura-t-elle avant de sortir de l'appartement.

Quand le taxi s'arrêta au terme de sa course, la princesse lui demanda d'attendre. Elle descendit puis s'arrêta et resserra son châle.

— L'homme vit dans une jungle, dit-elle à mi-voix.

Elle avança lentement, posant un pied, puis l'autre, comme un alpiniste. En arrivant près de la haie d'hibiscus, elle vit des lumières allumées au rez-de-chaussée et au premier étage, estompées par l'écran de bougainvillées recouvrant la façade de la demeure d'Harvey Koster.

La princesse n'avait pas téléphoné parce qu'elle croyait tout ce que Maddox lui avait dit, et elle ne voulait pas donner à Harvey Koster l'occasion d'éviter ou de repousser un rendez-vous. Elle savait, comme tous ceux qui connaissaient Koster, qu'en dehors du bal officiel du gouverneur il n'acceptait aucune invitation le soir. Quand elle arriva à l'entrée, elle était essoufflée. Elle trouva la sonnette et appuya sur le bouton. Une fois. Dix fois. Puis elle frappa à coups redoublés jusqu'à ce que sa main lui fasse mal. Harvey Koster était à l'intérieur. Il n'aurait pas laissé les lumières allumées dans une maison vide.

— Il doit être sourd comme un pot, dit-elle à haute voix en frappant de nouveau, mais avec sa main gauche.

Elle essaya d'ouvrir la porte. Elle était fermée à clé. Soulevant sa robe, elle revint dans l'allée et contourna la maison. Elle vit le garage à sa gauche et, sur la droite, à l'arrière, une porte de service que Sidney Akamura avait oublié de fermer à clé ce jour-là après avoir sorti les poubelles pour le ramassage hebdomadaire.

Elle entra dans le noir. Elle glissa la main sur le mur et trouva un interrupteur. Plusieurs marches, puis la cuisine. Le souffle court, elle appela :

— Harvey ?

Voyant de la lumière sous une porte, elle l'ouvrit. Elle entra dans un petit vestibule donnant sur un patio. Le salon se trouvait au-delà. L'élégance, le décor sans faille de la maison, surprirent la princesse.

— Harvey ?

Elle se dirigea vers l'escalier majestueux, puis s'arrêta brusquement, l'oreille tendue. Un bruit, une musique. Elle continua jusqu'au pied de l'escalier et s'arrêta de nouveau sous la lanterne allumée, suspendue au plafond. Le silence régnait de nouveau.

— Harvey ?

La princesse Luahiné saisit la rampe et commença à monter. Entendant de nouveau la musique, elle s'arrêta puis reprit son ascension. Il lui fallut se reposer en haut des marches. Elle entendait la musique distinctement à présent, stridente, presque discordante.

— Harvey ?

Elle se dirigea vers l'endroit d'où émanait la musique : une porte ouverte, celle de la chambre de Koster. Elle était vide. La musique se rapprocha. La princesse entra. Elle fut aussitôt éblouie par les lumières, sur sa gauche. Elle embrassa du regard le dressing-room de Koster et, au-delà, le monde qu'il avait créé et peuplé.

A genoux, en bras de chemise, Koster tournait le dos à la princesse. Il était près d'un bateau-théâtre du Mississippi, en extase devant le spectacle donné par la troupe, fou d'amour pour Margot, la vedette. L'orgue de Barbarie miniature l'enchantait. Koster l'avait fait jouer constamment depuis l'arrivée du bateau. Il parlait à Margot à mi-voix, essayant d'attirer son attention tandis qu'elle faisait ses adieux à sa mère et jurait de sauver la plantation.

La princesse ne bougea pas. Elle contempla, autour de Koster, les centaines de femmes, toutes différentes. Sans bruit, sur la pointe des pieds, elle quitta la chambre à coucher. Elle revint au milieu de l'escalier et attendit que l'orgue se taise. Elle mit ses mains en porte-voix et cria :

— Harvey ! Harvey !

Puis, saisissant la rampe pour se soutenir et conserver son équilibre, elle descendit en toute hâte. Elle ouvrit la porte d'entrée, se retourna sur le seuil et cria de nouveau :

— Harvey !

Elle vit Harvey Koster s'avancer en haut de l'escalier en boutonnant sa veste. Il avait la tête d'un homme aux abois. Elle avait dû lui faire très peur. Et il ne savait pas tout... Koster s'arrêta.

— *Lu ? Lu ?*

— En chair et en os, dit la princesse. Tout entière.

Koster se mit à descendre.

— D'où venez-vous ? Qu'est-ce qui vous amène ici ? Je ne vous ai pas entendue. Comment êtes-vous entrée ?

Sa voix était haut perchée et les mots se bousculaient sur ses lèvres.

— Je commencerai par la fin, répondit la princesse. Je suis entrée comme tout le monde, Harvey. J'ai sonné et, comme vous n'avez pas répondu, j'ai ouvert la porte. Cessez de me traiter comme si j'étais un cambrioleur.

Koster avait fermé la porte à clé tous les soirs depuis que la maison avait été construite. Était-il possible qu'il ait oublié ? Non, absolument pas. Et, pourtant, la princesse était entrée. Il était tellement pressé de voir son beau bateau neuf !

— Vous m'avez surpris, Lu.

— Ne pourrions-nous pas nous asseoir ? Je suis fatiguée.

Elle passa devant lui, entra dans le salon et s'affala dans un fauteuil. Il la suivit et s'assit.

— Qu'est-ce qui m'amène ici ? dit la princesse. C'est le couvre-feu, Harvey. Avez-vous entendu parler du couvre-feu ?

— Est-ce pour cela que vous êtes venue ? Cela ne vous touche pas, Lu.

Il croisa les jambes. Il sentit qu'il retrouvait son état normal.

— Oh ! cela me touche, Harvey, dit la princesse. Cela nous touche tous les deux.

— Voyons, Lu, nous avons rencontré bien des traverses, vous et moi. Nous survivrons au couvre-feu. Il fait partie de la vie, maintenant, comme la mer autour de nous. Nous apprendrons à vivre avec le couvre-feu comme nous avons appris à vivre avec la mer.

— La mer est dangereuse, mais les gens ne sont pas obligés de la subir. On les force à subir le couvre-feu.

— Nous devons maintenir le *statu quo,* dit Koster.

— Les armes à la main? Avec les marins ramassant les vieilles dames dans les rues? En jetant les vieilles dames en prison? Vous devriez être inquiet, Harvey, dit la princesse. Votre fils est au milieu de tout ça, au commissariat central. Il est très inquiet, lui.

Koster regarda le vide derrière la princesse. Elle avait toujours appelé Curt Maddox « son fils » et il n'avait jamais osé la contredire. De toute façon, il ne pouvait pas l'empêcher de parler. Personne dans le Territoire ne pouvait toucher à la princesse Luahiné.

— Ils obéiront, dit Koster. Ils sont raisonnables.

— Les jeunes ne sont pas raisonnables. Ils n'ont pas été élevés avec des revolvers braqués sur eux ni avec vos régisseurs de plantation sur le dos. Les jeunes se croient américains.

— Ils le sont! répliqua Koster d'un ton véhément. Ils sont citoyens du Territoire.

— Mon œil! lança la princesse.

— Vous vous trompez, Lu. Nous avons fait d'énormes progrès. Vous avez perdu le contact, là-bas sur la grande île.

— Pas tout à fait, répondit-elle. J'ai entendu parler de l'enterrement en mer, par exemple.

— Affreux, concéda Koster. Épouvantable. Un véritable revers. Ce sénateur, à Washington, nous a causé beaucoup de tort. Il semble oublier ce que nous avons accompli. J'aimerais qu'il vienne voir de ses yeux, qu'il constate ce que nous avons fait d'Hawaï. Nous sommes sur la bonne voie, Lu. Nous ne resterons pas toujours un Territoire, un bâtard adopté. Nous entrerons dans l'Union, une étoile de plus sur le drapeau des États-Unis. Nous enverrons deux sénateurs à Washington et des représentants à la Chambre.

— J'espère que vous réussirez, Harvey, mais vous n'avez aucune chance si ce couvre-feu n'est pas levé.

— On ne peut pas discuter avec la marine.

— Je ne discute avec personne. Je suis partie d'ici parce que je ne voulais pas discuter. J'ai décidé de vivre ce qui me restait de vie pour moi, moi, et moi. J'ai commis une seule erreur : j'ai choisi la grande île au lieu de l'Alaska, la Nouvelle-Zélande ou... Tombouctou.

La princesse soupira et se hissa à la verticale. Koster se leva.

— Nous devons être raisonnables, dit-il.

Demain matin, il prendrait des renseignements sur un système d'alarme adaptable à la porte. Si elle n'était pas fermée à clé à 6 heures, l'alarme sonnerait. Ce serait son couvre-feu personnel.

— Comment êtes-vous venue ici, Lu ? demanda-t-il. Voulez-vous que je vous raccompagne en voiture ?

— La séance n'est pas levée, répliqua la princesse. Pas tout à fait. Je suis fatiguée. J'avais l'habitude de dormir à la même heure que les oiseaux, là-bas sur la grande île. Harvey, il faut lever ce couvre-feu, dit-elle en levant la main pour le faire taire. Je vous donne jusqu'à demain midi. Si vous ne m'avez pas appelée à midi — vous ou un autre —, je quitterai le Western Sky. Je m'installerai à Papakoléa, à la pension d'Opal Néhoa. J'observerai le couvre-feu, très bien ! Mais je l'étendrai. J'ordonnerai un couvre-feu de vingt-quatre heures. Après-demain, il n'y aura pas une seule servante, cuisinière, blanchisseuse, jardinier, portier, docker ou autre à son poste dans Honolulu. Je fermerai Honolulu, Harvey. Et Honolulu restera fermé, non pas jusqu'à ce que le couvre-feu soit levé, mais quelque temps *après*, afin que vous n'ayez pas envie de recommencer.

Elle remonta le châle sur ses épaules.

— Oui, une voiture m'attend, Harvey.·

Dans le taxi, sur le chemin de l'hôtel, la princesse murmura :

— Des poupées...

Elle avait besoin d'un bain.

Le lendemain matin, à 10 heures, l'amiral arriva au palais Iolani, où le gouverneur Martin Snelling le remercia d'avoir répondu si vite à son appel. Le gouverneur lui déclara qu'il levait le couvre-feu.

— D'ailleurs, lui dit-il, je l'ai déjà annoncé à la presse, et j'ai déjà câblé au délégué du Territoire.

CINQUIÈME PARTIE

A Washington, quelques minutes avant midi, le jour où Doris Ashley, Gerald Murdoch et Duane York passaient en jugement pour le meurtre de Joseph Liliuohé, le sénateur Floyd Rasmussen s'arrêta d'écrire, après un parafe extravagant.

— Prêt.

— Lis-le, dit Phoebe Rasmussen, trônant sur la banquette près de la porte du bureau du sénateur.

Elle avait ses gants et ses protège-chaussures. Les fenêtres du bureau, entièrement givrées, vibraient à chaque rafale de vent. Le sénateur leva son bloc-notes.

— « Toute l'Amérique compte sur vous pour libérer trois innocentes victimes de la sauvagerie et de la barbarie. Floyd Rasmussen, sénateur des États-Unis. »

— Tu n'es pas toute l'Amérique, Floyd, dit sa femme.

— Je suis le porte-parole du pays, dit Rasmussen. Le temps presse.

Il rapprocha le téléphone.

— Floyd! lança Phoebe comme un coup de fouet, et la main de Rasmussen se figea. Tu n'es pas une voix isolée. Tu as mobilisé une force redoutable. Il faut que les noms des cent vingt-six sénateurs et représentants figurent sur le message.

— Nous entrons en séance dans un instant...

Rasmussen aimait être présent au moment de la prière.

— Tu as la liste, dit Phoebe.

— Chère amie, répondit-il d'une voix suppliante, j'envoie un télégramme. Dans un télégramme, chaque mot compte. Les noms propres comptent. Et ce n'est pas couvert par mes frais de représentation. C'est moi qui paie.

— C'est *nous* qui payons, lui rappela Phoebe. Nous publierons le câble dans notre prochaine lettre aux électeurs, pour leur rappeler que tu es le chef d'une grande croisade.

Rasmussen prit sur son bureau la liste des noms. Tandis qu'il donnait son nom à la standardiste des télégrammes, Phoebe quitta la banquette et s'avança vers le bureau.

— Floyd! s'écria-t-elle. Où l'adresses-tu?

— A l'hôtel, répondit Rasmussen. Au Western Sky...

Quatre heures plus tard, sous le soleil d'Honolulu, les journalistes et photographes formaient une masse compacte à l'entrée du palais de justice. Le chauffeur de l'amiral essayait sans succès de les éloigner de la limousine noire garée entre les deux panneaux STATIONNEMENT INTERDIT, près de l'escalier d'honneur.

Derrière eux, isolés ou par petits groupes de deux ou trois, des hommes et des femmes à la peau sombre ou jaune se hâtaient de gagner la salle des pas perdus. Ils prenaient tous des airs furtifs. Des Hawaïens, des Chinois ou des Japonais, des natifs des quatre coins du Pacifique Sud. C'étaient les retardataires. Une longue queue s'était formée avant l'ouverture des portes du palais. Puis la foule s'était engouffrée dans l'escalier conduisant à la galerie et les gens attendaient maintenant qu'un huissier ouvre la salle d'audience où seraient jugés les trois inculpés du meurtre de Joseph Liliuohé. Ces hommes et ces femmes se montraient extrêmement disciplinés et soumis. Ils suivirent les instructions de l'huissier à la lettre. Ceux qui arrivèrent les derniers s'alignèrent contre les murs du fond.

La sélection d'un jury n'attire en général aucun public. Les hommes et les femmes présents ce jour-là n'avaient pas été enrôlés, ils n'étaient pas là à la suite d'une action concertée. En dehors des époux, des mères et des filles, des pères et des fils, et des personnes venues avec un ou deux camarades, ces gens ne se connaissaient pas. Ils étaient arrivés là sans se consulter, comme aux obsèques de Joseph Liliuohé sur la plage : ils en avaient éprouvé le besoin, ils n'avaient pas pu s'en empêcher. Aucun ne fut menacé ou molesté. Il n'y avait que deux agents de faction au palais, un à chaque bout du bâtiment. Harvey Koster avait parlé au chef de la police. Koster n'avait pas envie de recevoir une nouvelle visite de la princesse Luahiné.

Les seules personnes à l'extérieur du palais ce matin-là étaient les journalistes. Il en était venu de partout pour le procès : de San Francisco et Los Angeles, de Londres, Milan et Berlin, de Manille et Hong Kong, de Tokyo et de Sydney. Le juge Geoffrey Kesselring avait fait installer une salle de presse dans le sous-sol du palais, équipée de lignes directes avec les services « Étranger » des grands journaux.

Ils attendaient sur le trottoir, serrés les uns contre les autres. Une voix lança :

— C'est lui.

Les photographes réglèrent leur vitesse d'obturation et entourèrent le taxi, qui s'arrêta près de la limousine de l'amiral.

— C'est une dame, dit une voix.

— Sa femme, lança Jeff Terwilliger, à l'écart de la meute.

Lenore descendit du taxi et tendit la main. Bergman la lui prit et
descendit à son tour. Les flashes crépitèrent, projetant des éclairs de
lumière vive suivis de panaches de fumée. Les journalistes lançaient
déjà des questions.

— Calmez vos chevaux, messieurs, leur dit Bergman ; et à·
Lenore : Inutile que tu restes.

— Je t'accompagne à l'intérieur.

— Je suis trop délabré pour discuter.

Lenore lui emboîta le pas et les journalistes les encerclèrent.

— Rien à glaner pour vous aujourd'hui, leur lança Bergman.
Nous commençons à choisir les membres du jury.

— Combien de temps croyez-vous que cela durera ?

— Ce n'est pas la première fois que vous assistez à un procès,
voyons ! Cela prendra le temps qu'il faudra pour remplir douze sièges
avec douze braves hommes intègres.

Il répondit à leurs questions jusqu'au bas de l'escalier conduisant à
la salle d'audience, située au premier. Quand les journalistes
l'abandonnèrent, Bergman se tourna vers Lenore.

— Je crois que je peux me débrouiller seul, maintenant.

— Tu as du chocolat ? demanda-t-elle.

Il hocha la tête.

— Amuse-toi bien, dit-il.

— J'ai l'intention de faire le tour des magasins.

— Bonne chasse...

Il posa la main sur la rampe et commença à monter. Lenore lui dit
au revoir d'un geste et se retourna. Elle tremblait. Elle essaya de
marcher d'un pas normal, nonchalant, jusqu'à la porte de la salle des
pas perdus. Elle savait que Maddox l'attendait.

Bergman était arrivé, volontairement, après tout le monde. En
entrant dans la salle d'audience, il joignit les mains derrière le dos et
s'arrêta pour regarder autour de lui. A sa droite, du côté du box du
jury, se trouvaient des hommes en complet, portant cravate. Des
Blancs, des bruns, des très sombres et quelques Orientaux. Tous
silencieux, l'air morose. C'étaient les cinquante hommes parmi
lesquels les douze jurés seraient choisis.

Sur sa gauche, à l'intérieur de la barrière, tout au fond de la salle,
le juge Kesselring avait prévu quatre rangées de longues tables et de
chaises pliantes pour les journalistes et les dessinateurs qui suivraient

le procès. Bergman, debout au fond de l'allée centrale, vit que toutes les chaises étaient occupées.

C'était à cause du public, à l'extérieur de la barrière, que Bergman s'était arrêté. Des gens calmes, doux et discrets, comme s'ils avaient peur d'attirer l'attention — mais ils n'étaient pas là pour soutenir les inculpés. Ils représentaient le mort, et c'était donc un public hostile. Bergman aurait préféré une salle vide.

En descendant l'allée, il vit les trois inculpés à la table de la défense : les deux hommes en uniforme bleu, assis côte à côte ; Doris Ashley à l'écart. A l'écart également, Coleman Wadsworth, l'avocat d'Harvey Koster, à qui celui-ci avait ordonné d'assister Bergman.

Philip Murray et Leslie McAdams se trouvaient à la table de l'accusation. Enfin, Bergman remarqua au premier rang, près de l'allée, juste derrière Doris Ashley, l'amiral Glenn Langdon, tout seul. Bergman dénoua ses mains de derrière son dos : plus question de traîner.

— Madame Ashley !

L'amiral entendit Bergman et se leva, près de la barrière.

— Regardez-moi les jurés pressentis ! dit-il.

— Plus tard, lança Bergman en ouvrant la petite porte.

Il laissa l'amiral planté dans l'allée et s'arrêta à côté de Doris Ashley.

— Où est votre fille ?

— Elle ne passe pas en justice.

Elle lui tourna le dos et fixa le box du jury encore vide. Bergman s'avança entre elle et Coleman Wadsworth.

— Son mari passe en justice, dit Bergman. Son mari et sa mère. Inculpés de meurtre. C'est votre fille qui a mis le feu aux poudres, c'est à cause d'elle que son mari est dans cette salle, ainsi que vous, et nous tous. Votre fille risque de se trouver veuve avant la fin de l'année. M. Wadsworth et moi ferons de notre mieux pour l'éviter, mais il faut nous aider. Jamais je n'ai eu autant besoin d'aide. Hester Murdoch est une jeune femme au destin tragique, elle a été profondément blessée et elle en garde des cicatrices. Tous les cœurs battront pour elle. Tout le monde compatit avec les souffrances d'Hester Murdoch. Je veux la voir dans cette salle d'audience chaque jour, toute la journée. Je veux que les jurés — dont certains, je l'espère, auront des filles — l'aient sous les yeux chaque jour. Où est-elle ?

Doris Ashley n'avait pas peur de lui. Elle leva les yeux vers Bergman, refusant de se laisser rudoyer.

— Vous êtes grossier et insultant à mon égard, dit-elle.

— Hester se trouve à la résidence de l'amiral, dit Gerald.

Bergman se retourna brusquement et se dirigea vers la barrière.

— Amiral ! Je veux Hester Murdoch ici. *Ici !* dit Bergman en montrant le premier rang. Elle est déjà en retard. Faites-la escorter dans cette salle par une personne de confiance, qui l'accompagnera jusqu'à vous. Je suppose qu'organiser le transport d'une personne n'est pas le genre de mission que l'on demande communément à un amiral, mais je ne suis pas d'Honolulu et je ne connais pas un chat.

— Ma voiture est dans la rue, dit l'amiral. Je vais demander à un huissier de donner l'ordre à mon chauffeur.

— Il faudra qu'il fasse l'aller et retour. Nous pouvons gagner la moitié du temps si vous téléphonez.

— Vous ne pouvez pas laisser un seul de ces types entrer dans le box des jurés, dit l'amiral en tendant le bras vers les cinquante hommes tirés au sort.

— Dépêchez-vous, amiral, je vous prie.

Bergman leur tourna le dos et se dirigea vers la table de l'accusation en passant les deux mains sur ses cheveux. Philip Murray et Leslie McAdams se levèrent. Bergman tendit la main en souriant.

— Maître...

— Bonjour, maître Bergman, dit Murray, puis il présenta McAdams.

— On dirait que vous venez juste de passer votre diplôme, lui dit le vieil avocat.

— Pas tout à fait, répondit McAdams.

— Peut-être un jour essaierez-vous de voir la cour de mon côté. Murray sourit.

— Il est ici justement parce que vous êtes de l'autre côté de la cour, monsieur Bergman.

— Je me méfierai de lui, dit Bergman en parcourant la salle des yeux. Un beau palais.

— La réplique de celui de Philadelphie, un des plus anciens d'Amérique.

— Joli, joli.

Il revint à la table de la défense et s'assit en face de Coleman Wadsworth, qui lui tendit une liste de noms dactylographiée.

— Voici les noms des jurés pressentis, monsieur Bergman.

— J'aimerais que vous m'appeliez « Walter ». Cela me gêne qu'un homme de votre âge m'appelle « monsieur ».

Il lut les noms, en jetant de temps à autre un coup d'œil aux hommes derrière la barrière. L'amiral rentra dans la salle d'audience. Wadsworth attira l'attention de Bergman et lui fit signe. Bergman leva les yeux vers l'amiral, debout au premier rang.

— J'ai fait mon travail, lança l'amiral. A vous de faire le vôtre.

Bergman plongea la main dans sa poche et en sortit l'enveloppe qu'on lui avait remise au moment où il quittait l'hôtel. Quand le juge Kesselring entra dans la salle d'audience, Bergman était en train de lire le câble de Rasmussen.

Geoffrey Kesselring était de grande taille et se tenait très droit. Il venait d'avoir cinquante-cinq ans et, depuis dix ans, il avait pris du poids. Comme son père, des cheveux blancs lui poussèrent avant la trentaine. C'était le modèle même du magistrat tel que se le représente le public. Originaire du Territoire, il descendait d'un immigrant allemand qui avait débuté comme caissier dans un magasin de fournitures de marine. Son grand-père, le premier Kesselring, était un homme ambitieux et économe. Le magasin se trouvait sur les quais et, au bout d'un an, le caissier commença à prêter de l'argent, à titre privé. D'abord de petites sommes, 1 dollar, 5 ou 10 dollars. Il s'agissait de prêts à court terme, une semaine ou deux, et les taux étaient usuraires. Il était toujours disponible, surtout le dimanche quand les noceurs du samedi soir se réveillaient les poches vides. L'immigrant réussit et quitta le magasin pour s'établir à son compte, d'abord dans un petit bureau près des entrepôts, puis dans le quartier financier. A sa mort, il laissa à son fils, le père du juge, un des plus importants établissements de crédit d'Hawaï. Kesselring et Compagnie rachetait des traites à des entreprises ayant besoin de liquidités, en prélevant les mêmes taux usuraires que le caissier des quais.

Geoffrey Kesselring, fils unique élevé dans l'opulence, avait fait ses études secondaires à Punahou avec les rejetons des familles détenant le pouvoir à Hawaï, puis il s'était embarqué pour la métropole avec plusieurs de ses camarades, pour s'inscrire à Harvard. Excellent étudiant, attiré par le droit, il n'eut aucun mal à décrocher ses diplômes.

Il retourna aussitôt auprès d'un père qui l'adorait et qui l'associa à l'entreprise familiale. Kesselring et Compagnie continua de prospérer. Le jeune homme mena la vie dorée de l'élite de l'île. Il devint un joueur de polo de premier plan, un des membres les plus brillants de la bonne société.

Au début de la guerre, en 1914, les Kesselring, comme le Tout-Hawaï, soutinrent les Alliés sans réserve. Mais il se produisit vite un changement d'attitude à l'égard de ces Kesselring allemands, même parmi leurs amis et leurs relations d'affaires. En mai 1915, un sous-marin allemand coula le *Lusitania*. Il y avait de nombreux Américains parmi les 1 198 passagers qui sombrèrent avec le bateau. Aux États-Unis, la haine des Allemands prit la forme d'une épidémie, et, à Hawaï, le patriotisme fut particulièrement fervent et vengeur.

Kesselring et Compagnie se trouva écartée du jour au lendemain. Le père de Geoffrey s'effondra sous les attaques personnelles haineuses qui accompagnèrent le boycott. En 1917, quand l'Amérique entra en guerre, le jeune Kesselring fut contraint de fermer l'entreprise que l'immigrant allemand avait fondée dans le magasin de fournitures maritimes des quais.

Geoffrey Kesselring, marié et père de deux enfants, n'était pas mobilisable. Il essaya de s'engager, mais on le refusa. Il ouvrit un cabinet d'avocat. Aucun client ne se présenta. C'était un paria, et il avait presque épuisé la totalité de ses ressources quand un de ses condisciples de Punahou le sauva : Harvey Koster obtint pour Kesselring une place vacante de magistrat au tribunal de première instance.

Le nouveau juge était un homme de tempérament et nul ne pouvait nier ses capacités. En 1918, quand la guerre s'acheva et que les préjugés ignobles et injustifiés s'estompèrent, plusieurs cabinets juridiques d'Honolulu lui proposèrent une association. Il refusa. Sa carrière était tracée. Il s'éleva rapidement dans la hiérarchie et devint magistrat d'assises avant l'âge de quarante-cinq ans.

Au moment où la cour prit place, Wadsworth se pencha vers Bergman.

— C'est un tatillon.

— Ne l'oublions pas, répondit l'avocat de Chicago.

Le juge baissa les yeux vers lui.

— Bienvenue, monsieur Bergman, dit Kesselring. J'ai entendu parler de vous et de vos succès pendant toute ma carrière professionnelle. C'est un honneur de vous avoir à ma cour.

Bergman se leva.

— Jamais je n'ai été accueilli de façon plus aimable, Votre Honneur, répondit-il. Merci. Et, à ce propos, j'aimerais signaler que, depuis mon arrivée, il ne s'est pas déroulé un seul jour sans que quelqu'un me donne l'impression que j'étais ici chez moi.

— Nous sommes un peuple insulaire, répondit le juge. La présence de visiteurs nous flatte.

Au moment où il se rasseyait, Bergman entendit un murmure d'étonnement, prolongé et de plus en plus prononcé, emplir la salle d'audience. Il se retourna, ainsi que Coleman Wadsworth en face de lui, pour découvrir l'origine de l'agitation. Wadsworth se leva. L'amiral se retourna puis se leva. A la table de l'accusation, Philip Murray et Leslie McAdams se levèrent et, devant les quatre tables de la presse, les chaises claquèrent : tous les journalistes étaient debout.

Dans la salle, au deuxième rang des jurés pressentis, Theodore Okohami, un Hawaïen, se leva à son tour. En même temps, Bruce

Tanaka, un Japonais, l'imita. D'autres jurés se levèrent et, des deux côtés de l'allée centrale, des hommes et des femmes se dressèrent comme si le couvercle qui les contenait avait subitement sauté. La princesse Luahiné venait d'apparaître.

Elle était magnifique. Elle portait une cape de plumes, paon et faisan, cacatoès et perroquet, plumes rouges et vertes, bleues, jaunes et orangées, de toutes les nuances, dans des couleurs chaudes et vives, si légères, si brillantes, que la parure semblait vivre et respirer. Une cape royale, qui avait appartenu à des rois et à des reines, et qui lui appartenait à présent, princesse Luahiné. Elle tombait jusqu'à terre et une chaîne de corail la fixait sous le cou. Rassembler les plumes nécessaires, les préparer et confectionner une cape de cette beauté avait exigé plusieurs décennies. La princesse ne l'avait plus portée depuis son départ du palais Iolani. Elle avait cru qu'elle ne la porterait plus jamais, mais, en quittant son ranch, elle avait décidé que, si elle se rendait aux audiences, il lui faudrait se vêtir selon son rang.

Des barrettes de jade ornaient ses cheveux, et elle portait un collier de perles assorties, offert à l'une de ses ancêtres dans un lointain passé par un navigateur reconnaissant. On aurait dit un magnifique oiseau préhistorique, divinisé par les êtres d'ici-bas, qui avait survécu d'âge en âge et qui descendait à l'instant du ciel. Elle était l'image même de la majesté et, de chaque côté de l'allée, les hommes et les femmes, jeunes et vieux, qui s'étaient réunis sans bruit, humbles et résignés, dans la salle d'audience, furent transportés par sa soudaine présence. C'était une princesse hawaïenne, mais elle était leur princesse à tous. Ils relevèrent la tête en signe de bienvenue et en hommage. Ils ne pouvaient pas s'en empêcher. Leurs saluts emplirent la salle et nul ne prêta attention au maillet du juge tandis que la princesse descendait lentement vers la barre, suivie par Tom Haléhoné.

Elle était fort embarrassée.

— Silence ! dit-elle, mais personne ne l'entendit.

Elle tendit le bras vers Tom.

— Dites-leur de se taire.

— Installons-nous vite, répondit Tom.

Ils arrivèrent au premier rang. Tom demanda à mi-voix aux gens debout dans l'allée de s'écarter, mais la réception spontanée offerte à la princesse se poursuivit.

La voix du juge perça le tumulte de la salle.

— Huissier ! *Huissier !*

Le juge Kesselring avait lâché le maillet et s'était levé pour dominer le maelström que cette femme avait provoqué dans sa cour.

Elle s'était introduite impudemment, à dessein, dans une salle d'audience en pleine séance, provoquant des désordres qui perturbaient le cours légal, solennel, de la justice. Le juge Kesselring eut soudain envie de bondir de la tribune et de jeter tout le monde dehors. Sa propre rage l'épouvanta. Cette femme l'avait presque perverti.

— Évacuez la salle ! ordonna le juge à l'huissier. Demandez de l'aide si nécessaire !

La princesse entendit ses paroles. Elle se retourna, leva les deux mains comme un chef d'orchestre, puis les abaissa lentement en disant :

— Silence !

— Huissier !

Elle se retourna de nouveau : l'huissier se dirigeait vers l'allée centrale. Le public commença à se calmer. Certains s'assirent, mais d'autres restèrent debout pour ne rien perdre de la scène.

— Je suis sincèrement désolée, Votre Honneur, dit la princesse. C'est vraiment la dernière chose à laquelle je m'attendais, ou que je désirais.

Elle se tourna de nouveau et, cette fois, braqua l'index.

— Asseyez-vous et faites silence !

— Huissier !

La princesse s'adressa de nouveau au magistrat.

— Vous punissez ces gens pour une faute qu'ils n'ont pas commise. C'est moi qui suis coupable et non eux. Vous ne songiez pas à les jeter dehors avant que j'arrive. Donc, si quelqu'un doit sortir, c'est uniquement moi.

— Nous ne sommes pas dans votre cour de justice, madame, répondit le juge. Votre autorité ne s'étend pas sur ce tribunal.

— Mon autorité ne s'étend même pas jusqu'au bout de mon nez, répondit la princesse. Tout ce que je vous demande, juge, c'est que vous me laissiez payer les pots cassés. Vous n'avez pas besoin de l'huissier pour ça, lança-t-elle avec un geste de la main. Je peux trouver la sortie toute seule. Ne bougez pas, ajouta-t-elle à l'adresse de Tom, et elle commença à remonter l'allée.

— Votre Honneur !

Bergman s'était levé. Il avait traversé la moitié du Pacifique pour défendre trois personnes accusées du meurtre d'un Hawaïen et, avant même qu'un seul juré entre dans le box, leur *princesse* était évacuée de la salle...

— J'espère que vous m'excuserez d'ajouter mon grain de sel en cette affaire. Peut-être sommes-nous tous partis du mauvais pied ce matin. Sans prendre parti pour ou contre, je dirais que personne n'est venu ici aujourd'hui dans le but de provoquer des troubles et de lancer du sable dans les engrenages de la procédure.

La princesse se trouvait déjà à mi-chemin de la sortie.

— Jamais je n'ai demandé à un magistrat de revenir sur l'une de ses décisions, Votre Honneur, mais j'arrive au terme de ma carrière et l'occasion me paraît aussi bonne qu'une autre.

Bergman sourit et regarda par-dessus son épaule. Elle était presque à la porte. L'huissier, à l'arrière, tendait déjà le bras pour la lui ouvrir.

— Madame !

Le juge Kesselring était encore debout. Quand la princesse se tourna vers lui, il dit :

— Vous pouvez vous asseoir.

— Très obligée, Votre Honneur. J'apprécie votre geste.

Elle descendit l'allée et, quand son regard croisa celui de Bergman, le vieil avocat s'inclina.

Elle s'assit de nouveau à côté de Tom Haléhoné et le juge commença à présenter ses recommandations aux jurés pressentis. Tom vit que Gerald regardait la princesse et il comprit, sentant monter en lui une bouffée soudaine de mépris et de répulsion, pourquoi Sarah Liliuohé n'avait pu se résoudre à pénétrer dans la salle d'audience. « Je ne peux pas les regarder », lui avait-elle dit. Et à présent, à cinq mètres de l'homme qui avait tué Joe, Tom fut submergé par une rage si violente, si totale, qu'il en perdait ses forces. Pendant un bref instant, la présence de Gerald lui fut intolérable. L'assassin de Joe était assis confortablement comme tout le monde. Tom eut envie de le marquer au fer : l'assassin de Joe n'appartenait pas au genre humain. Il sentit que la tête lui tournait. Il ne parvenait pas à surmonter les impulsions qui l'agitaient, impulsions pourtant contraires à toutes les règles de morale qu'il avait juré de défendre quand il avait prêté le serment l'autorisant à exercer la profession d'avocat. Il baissa la tête, enfouit son visage dans ses mains et tomba contre le coude de la princesse.

— Redressez-vous, maître. Ce n'est que le commencement.

Tom baissa les mains et s'assit bien droit, les yeux fixés sur la porte conduisant au bureau du juge. La princesse lui pinça le bras.

— Cessez de vous cacher ! dit-elle, furieuse de le voir se conduire comme un gamin. Ce n'est pas vous qu'on juge, mais eux.

Huit jurés sur le groupe de cinquante hommes tirés au sort se dirigèrent vers l'allée dès que le juge Kesselring se tut. Quatre s'étaient déjà fait une opinion sur l'affaire, deux étaient des employés civils de Pearl Harbor, deux étaient opposés à la peine de mort. Il restait donc quarante-deux hommes quand le juge ordonna aux douze premiers d'entrer dans le box du jury. Theodore Okohami était le juré numéro deux.

— Monsieur Murray, dit le magistrat.

Le procureur de district resta assis et regarda le box au-delà de Bergman.

— Quel métier exercez-vous? demanda-t-il au premier juré.

— Je suis pompier, répondit Oscar Sudeith, ravi de toucher sa paie habituelle avec quelques dollars de plus par jour pendant le procès.

Murray s'adossa comme s'il se trouvait devant une cheminée.

— Acceptable pour l'État, Votre Honneur.

— Monsieur Bergman, dit le juge.

Bergman se pencha en avant, appuya la main à plat sur la table de la défense et poussa pour se lever.

— Excusez-moi, Votre Honneur, mais j'ai ajouté le rhumatisme à mes diplômes, mentit-il. Monsieur Sudeith, lança-t-il en traînant la jambe vers le box du jury. Êtes-vous marié, monsieur Sudeith?

— Depuis dix-huit ans, répondit le pompier. Deux enfants.

— Seront-ils pompiers?

— Pas tant qu'on n'aura pas passé une loi acceptant les femmes, répondit Sudeith, le rire aux lèvres, en frappant sur la barrière du box. Ce sont des filles.

Bergman se tourna vers le magistrat.

— Acceptable, Votre Honneur.

— Monsieur Murray, dit le juge.

Le procureur de district resta à sa place jusqu'à ce que Bergman eût regagné son siège, puis il prit la liste des jurés pressentis et se leva. Tout en lisant la liste, il passa devant la tribune et le greffier, pour se diriger vers le box du jury.

— Theodore Okohami, lut Murray avant de baisser la liste. Vous êtes hawaïen, monsieur Okohami?

— Oui, monsieur, hawaïen. Mère et père hawaïens; grands-mères et grands-pères hawaïens aussi. Tout le monde.

— Quel âge avez-vous? demanda Murray. Comment gagnez-vous votre vie?

— Je suis jardinier.

— Pas beaucoup d'argent dans le jardinage, n'est-ce pas?

Okohami se tourna vers le juge.

— Je paie ce que je dois. J'ai toujours payé ce que je dépense. Nous n'avons jamais rien demandé à personne.

Bergman ne bougeait pas, les mains sur les genoux, observant le procureur de district sans songer à ses faux symptômes de rhumatisme.

Murray leva la liste de noms. Il y avait agrafé les minutes des questions que Tom avait posées à Warren Kamahélé lors de la sélection du jury en vue du procès pour viol. Il répéta toutes les questions de Tom compatibles avec l'âge de Theodore Okohami.

— Avez-vous été arrêté ?

— Non, monsieur. Jamais, dit Okohami en se tournant vers la tribune du juge. *Jamais.*

Bergman regarda Coleman Wadsworth, qui se pencha sur la table pour écouter, mais Bergman se borna à secouer la tête.

Murray était patient. Il renchérit sur les questions de Tom. Il fit retracer par Theodore Okohami les biographies complètes des membres de sa famille et de la famille de sa femme.

— Vous êtes un citoyen honnête et intègre, monsieur Okohami, conclut-il en s'éloignant du box du jury. Acceptable pour l'État, Votre Honneur.

Bergman pivota sur son siège, tournant presque le dos pour étudier les trente jurés pressentis se trouvant encore dans la salle. Il vit plusieurs autres Hawaïens et des Japonais. Il vit un Chinois et deux hommes dont il ne put déterminer l'origine raciale. Il vit aussi l'amiral lui lancer des messages d'avertissement muets.

— Maître Bergman.

— Acceptable pour la défense, Votre Honneur, répondit Bergman.

Il se pencha vers Wadsworth.

— On nous aurait lancé des pierres dans les rues, dit-il. Voyons comment compenser les pertes.

Il entendit des murmures dans la salle et leva la tête. Hester et Jimmy Saunders descendaient l'allée.

La princesse regarda par-dessus son épaule, puis, une main sur la barrière et l'autre sur le banc, se tourna tout à fait pour regarder Hester dans les yeux. La jeune femme avançait comme si elle venait d'entrer en transe. L'amiral se leva pour l'accueillir. La princesse vit Bergman donner un coup de coude à Gerald.

— Votre femme est là. Allez vers elle. Embrassez-la. *Embrassez-la, nom de Dieu !*

Gerald se leva et se pencha par-dessus la barrière pour effleurer de ses lèvres la joue de la jeune femme.

— De drôles de tourtereaux ! dit la princesse Luahiné.

— Pardon ? demanda Tom en se penchant vers elle. Je n'ai pas entendu ?

— Tant mieux.

La princesse se retourna, non sans effort, et s'adossa au banc.

— C'est leur pièce à conviction numéro un, dit-elle. Cette espèce de garce menteuse.

Quand le juge suspendit la séance pour déjeuner, trois jurés étaient désignés. Philip Murray s'arrêta près de la barrière en face de la princesse.

— Longtemps moi pas vu procureur, Philip, dit la princesse.

Murray lui sourit.

— Quelle toilette ravissante, dit-il. Bonjour Tom.

Tom lui rendit son salut, mais sa voix se perdit dans le claquement de la barrière au moment où l'amiral se précipitait vers la tribune. Gerald et Duane York étaient debout; l'amiral passa devant eux comme un éclair, les bousculant de l'épaule, contourna la table de la défense puis tomba sur Theodore Okohami qui se dirigeait vers l'allée du fond de la salle. L'amiral l'écarta comme s'il voulait lancer l'Hawaïen par-dessus bord. Okohami trébucha, tomba en avant, se raccrocha à la barrière et parvint à rester sur ses jambes. Coleman Wadsworth se leva de son siège au moment où l'amiral s'arrêta en face de Bergman.

— Vous êtes abominable! lança l'amiral. Vous avez perdu cette affaire avant même qu'elle ne commence.

— Attendez une minute, dit Wadsworth, le feu aux joues. *Attendez une minute!*

L'amiral ne l'entendit pas.

— Vous vous prétendez avocat de la défense! continua l'amiral, prêt à étrangler Bergman, semblait-il. On vous a averti de ne pas accepter d'indigènes dans le jury! Je vous ai prévenu moi-même!

— Vous ne pouvez pas lui parler sur ce ton! dit Wadsworth, en commençant à contourner la table.

— Vous avez accepté le premier que vous avez vu! Vous avez passé la corde autour du cou de ces gens! cria l'amiral en esquissant un geste vers Doris Ashley. Le procureur peut rester chez lui! Vous faites son travail à sa place.

Wadsworth voulut s'interposer, mais Bergman l'écarta d'un geste.

— Je suis un grand garçon, maître, dit-il. Je livre mes batailles moi-même.

Il se leva et repoussa le bout de sa cravate dans son gilet.

— Vous parlez beaucoup, amiral, reprit-il.

— Je n'ai pas encore commencé.

— Oh si! vous avez commencé, répliqua Bergman. Commencé et terminé. Nous ne sommes pas sur le gaillard d'avant d'un bateau. Nous sommes en plein Pacifique et ce n'est pas vous qui commandez. Vous n'êtes pas membre du barreau. M. Wadsworth l'est. Moi aussi. Vous n'êtes pas autorisé à entrer dans cette partie de la salle.

— On n'aurait pas dû vous y laisser entrer, vous non plus, répliqua l'amiral.

— Cessez donc de hurler, lança Bergman, il y a une centaine de journalistes aux premières loges. Ils ne peuvent pas m'entendre, mais ils vous entendent, vous. Même si cela vous semble nouveau, amiral, la plume est plus puissante que l'épée. D'ailleurs, à vous entendre parler, on dirait que l'invention de la roue vous paraît une nouveauté. Et maintenant, cessez cette scène. Si vous ne sortez pas d'ici en quatrième vitesse, si vous m'adressez de nouveau la parole, si je vois la moindre lueur de ressentiment dans vos yeux, j'irai palabrer avec les jeunes gens de la presse, là-bas, et, quand j'en aurai terminé, quand *ils* en auront terminé, quand les gens de Washington liront vos prises de position sur la liberté et la justice pour tous, vous commanderez une flotte dans les montagnes du Nebraska. Je donne peut-être l'impression que je suis sur le point de rejoindre mon Créateur, mais ne vous y trompez pas, amiral, je Lui réserve encore une surprise ou deux. Vous n'avez qu'un seul rôle dans ce procès : assurer la présence d'Hester Murdoch.

Bergman boutonna son veston croisé.

— Pouvez-vous m'indiquer le chemin d'une bonne assiette de soupe, monsieur Wadsworth ? dit-il.

La princesse, qui avait observé l'altercation de l'amiral avec Bergman, se tourna vers le procureur de district.

— Qu'est-ce qui ronge la marine ?

Murray lança un coup d'œil à Tom.

— Je crois que l'amiral n'aime pas la couleur de peau des jurés.

— Mon Dieu, mon Dieu ! répondit-elle en regardant Philip Murray comme si elle le rencontrait pour la première fois. Après tout, votre père n'a peut-être pas gaspillé tout l'argent qu'il a dépensé pour vous...

Le père de Murray, agent immobilier, gérait depuis toujours les biens de la princesse à Honolulu.

A la fin de la première journée, un autre juré, le numéro quatre, avait été désigné. L'amiral renvoya Duane York à Pearl Harbor avec Jimmy Saunders, et Hester monta à l'arrière de la limousine avec Doris Ashley et l'amiral. Gerald était assis à côté du chauffeur.

— Déposez-moi à mon bureau, ordonna Glenn Langdon.

L'amiral s'installa et prit un bloc de formules pour composer un câble au ministre de la Marine.

HISTOIRE SE RÉPÈTE, commença-t-il en lettres capitales. UN HAWAÏN DÉJA DANS JURY. S'ATTENDRE A D'AUTRES. BERGMAN TOTALEMENT INCOMPÉTENT. PRÉPAREZ-VOUS AU PIRE.

Le lendemain, Bruce Tanaka fut choisi et devint le juré numéro six. Le vendredi après-midi, quelques minutes avant que le juge Kesselring ne décide d'ajourner pendant la durée du week-end, Bergman accepta le juré numéro douze. Outre Theodore Okohami et Bruce Tanaka, il y avait un autre Hawaïen, Ben Hawané, au deuxième rang du jury.

Tom Haléhoné quitta le palais de justice avec la princesse et l'accompagna à la station de taxis. Ensuite, il se rendit à son bureau à pied. Il avait fixé à la porte de son bureau une feuille de papier jaune en haut de laquelle il avait écrit : JE REVIENS A 16 HEURES. LAISSEZ UN MESSAGE S.V.P. Le reste de la feuille était bien sûr vierge.

— Surprise ! dit-il en ouvrant son bureau, dont il laissa la porte ouverte.

Il resta à sa table de travail jusqu'à quelques minutes avant 6 heures. La sonnerie du téléphone était si rare et si inattendue que Tom sursauta.

— Allô ! dit-il, puis il répéta aussitôt, espérant paraître plus âgé, plus sûr de lui : *Allô !*

— Tom, je n'aurai pas terminé avant 7 heures, lui dit Sarah, à son magasin. Donna est souffrante et... De toute façon, inutile de m'attendre. Je risque de finir plus tard. Tu peux rentrer seul.

Il sourit à l'appareil.

— Je rentrerai avec toi.

— Tu es sûr ? demanda Sarah, chuchotant aussitôt : Je ne peux pas parler.

Tom entendit le délic.

Il repassa dans sa tête les événements de ces premières journées d'audience. Sarah refusait d'y assister, incapable de regarder Gerald en face, mais elle lui demandait un rapport détaillé chaque soir. Elle ne s'intéressait qu'à la procédure, non aux inculpés. Tom apprit vite à supprimer Gerald et les autres de son compte rendu. Le bureau devint sombre. Tom n'allumait jamais la lumière. « Économise l'électricité », se dit-il dans le couloir en vérifiant que sa porte était bien fermée à clé. Il attendrait devant la droguerie.

Mais Sarah attendait déjà. Elle lui fit un signe de la main et se précipita vers lui. Tom oublia la feuille de papier vierge devant sa porte, oublia son bureau vide. La présence de Sarah le métamorphosait. Près d'elle, il était un autre homme, un être spécial, intelligent, courant de succès en succès, compagnon brillant d'une jeune femme éblouissante, auprès de laquelle tout le monde paraissait éteint. Ils se dirent « bonsoir » en même temps, comme stupéfaits de se retrouver ensemble après une séparation de presque dix heures. Sarah lui prit la main, concrétisant le lien qui les unissait.

— Le jury est désigné, dit Tom, et il lui résuma les débats de la journée. Le procès commencera donc lundi avec les exposés des deux parties.

Il lui expliqua la procédure en se dirigeant vers la décapotable.

— Si seulement tu n'étais pas obligée de travailler, dit-il.

— J'ai cessé de faire ce genre de vœu, répondit Sarah, puis, d'un ton de défi : Tu as envie de marcher un peu ?

Tom avait l'habitude de ses sautes d'humeur soudaines, de ses émotions-surprises, comme si elle s'attendait à être rabrouée. Ils dépassèrent la décapotable sans s'arrêter.

— N'es-tu pas fatiguée ? demanda Tom.

— Je déteste rentrer à la maison, répondit-elle, au désespoir. Ma mère ne s'aperçoit même pas de ma présence. Elle est morte, elle aussi. Ils n'ont pas seulement tué Joe, ils l'ont tuée aussi. Elle a pris ma voiture en grippe. Elle met tout sur le dos de la voiture. Sans elle, rien ne serait arrivé.

— Peut-être devrais-tu la vendre et en acheter une autre, dit Tom.

Sarah l'arrêta et retira brusquement sa main de celle de Tom. Elle le regarda comme s'il l'avait trahie.

— Jamais je ne la vendrai ! dit-elle. Ma mère a raison ! Joe est mort parce qu'il était dans ma voiture ce soir-là ! Je veux le leur rappeler ! Chaque fois qu'ils voient ma voiture, ils se souviendront que Joe a été tué parce qu'il a fait quelque chose de bien, parce qu'il a refusé d'abandonner une personne qui avait besoin d'aide. Je ne le leur laisserai jamais oublier ! Ils ne peuvent pas continuer d'assassiner des innocents ! Ils ne peuvent pas...

Sa voix se brisa. Elle tourna le dos à Tom, furieuse contre elle-même, refusant le soulagement des larmes. Tom la prit par la taille.

— Ils sont tous responsables, dit Sarah. Ils devraient tous passer en justice !

Ils se remirent à marcher. Plus tard, Tom la conduisit dans une brasserie de quartier et ils s'installèrent au comptoir, sur des tabourets. Tom commanda pour deux. Sarah ne prononça pas un mot et toucha à peine à son sandwich.

— Il se fait tard, dit Tom.

Quand ils retournèrent à la voiture, Sarah lui dit :

— Aide-moi à remonter la capote.

— Je vais le faire.

Il lui ouvrit la portière, mais elle resta debout près de la voiture comme si elle était perdue. Enfin, d'un geste las, elle monta sur le marchepied et se mit au volant.

Tom la regarda pendant le trajet jusqu'à Papakoléa. Elle conduisait comme si elle était seule.

— Sarah ?

Elle ne répondit pas et il renonça. Sarah tourna dans la rue de Tom.

— Je viendrai te chercher demain matin, dit Sarah.

Elle s'arrêta. La rue était vide et silencieuse ; la maison de Tom, obscure. Il se pencha en avant pour lui effleurer la joue du bout des lèvres. Elle ne le regarda pas.

— Tu m'embrasses comme si tu demandais la permission, dit-elle en se retournant vers lui.

Tom eut peur qu'elle se mette à pleurer.

— Tu es impatient de partir, lui dit-elle.

— Ce n'est pas vrai ! Sarah, ce n'est pas vrai.

— Si, répondit-elle tristement. Tu te conduis comme si tu avais honte de... de tout, comme si tu étais ici pour ne pas me froisser.

Tom la prit par les épaules et la força à le regarder.

— C'est faux ! dit-il. Entièrement faux !

Il l'attira contre lui. Il sentit ses lèvres douces, chaudes, entrouvertes contre les siennes. Elle voulut parler, mais Tom ne pouvait plus s'arrêter à présent, après les longues semaines de solitude. Sarah s'accrocha à lui, tordue sur le siège pour être plus près. Quand il la lâcha, ils étaient à bout de souffle, les yeux agrandis de désir.

— Je n'ai rien fait, je ne t'ai pas touchée, à cause de Joe, parce que je croyais que tu te mettrais en colère, dit Tom.

— Pas contre toi, Tommy, répondit-elle. Jamais contre toi.

— Je croyais... commença-t-il, mais elle le repoussa en arrière contre le siège pour l'embrasser. Sarah !... *Oh Sarah !...*

Déjà les mains de la jeune femme se glissaient sous les vêtements de Tom. Elle l'embrassait, l'embrassait, incapable de se contenir.

— Où pouvons-nous aller ? chuchota-t-elle.

— Maintenant ?

Il sentit ses mains brûlantes.

— Maintenant, répondit-elle. Maintenant, Tommy.

Elle l'embrassa, en continuant de fouiller.

— La galerie. Notre galerie.

Il y avait un petit espace abrité derrière la cuisine. Ils descendirent de la voiture comme des cambrioleurs puis se jetèrent dans les bras l'un de l'autre.

— Il ne faut pas faire de bruit, murmura Tom.

Il ouvrit, centimètre après centimètre, la porte moustiquaire. Il passa devant. Il la sentait derrière lui. Il connaissait parfaitement la minuscule galerie. Il lui fit contourner la table et l'entraîna vers le vieux sofa fatigué qui se trouvait contre le mur.

— Tommy, chuchota-t-elle. Tommy, mon amour.

Collée à lui, lèvres contre lèvres, elle releva sa robe au-dessus de ses épaules.

— Viens, mon amour...

Son corps se releva, cambré pour venir à la rencontre de celui de Tom.

— Sarah, dit-il, mais il ne put continuer.

— Je veux être nue avec toi, murmura-t-elle. Je veux que nous soyons nus.

— Pas ici.

— Si. Aide-moi et je t'aiderai.

Ses mains semblaient partout à la fois.

— On ne peut pas, chuchota-t-il, sans conviction. Quelqu'un peut sortir.

— Non. Ils ne sortiront pas. Ils dorment.

Elle se mit à déboutonner la chemise de Tom et glissa les mains dans son pantalon.

— Il faut que nous allions quelque part, murmura Tom. Veux-tu que nous allions quelque part ? Sarah ?

C'était trop tard.

— *Sarah...*

Vers 9 h 30 le lundi matin, par un couloir discret parallèle à la salle d'audience, un huissier conduisit l'amiral, les inculpés et Hester jusqu'à la porte voisine du box du jury. L'huissier ouvrit la porte et s'écarta.

— Retour à l'abattoir, dit l'amiral.

Il voulut prendre le bras de Doris Ashley, mais celle-ci s'écarta, à la vive surprise de Duane York, qu'elle faillit bousculer. Duane dut faire un saut de côté pour lui laisser le passage. Elle ne s'était même pas aperçue de la présence du matelot. A voir la façon dont elle se comportait, Duane se demanda si elle ne se croyait pas toute seule.

— Je... Je ne suis pas prête, dit Doris Ashley.

Les visages qui l'attendaient à l'intérieur, ces gens qui l'entouraient dans la salle et la dévisageaient, les regards qui descendaient sur elle comme des coulées de lave... Tout était devenu intolérable. S'éveiller était intolérable, et s'habiller aussi. Le trajet de Pearl Harbor au palais de justice dans la limousine de l'amiral était son Gethsémani quotidien. Or ce n'était que le prologue, l'ouverture.

Les journalistes attendaient toujours aux aguets, prêts à bondir, et, tandis que leurs questions claquaient comme des coups de fouet, les photographes braquaient leurs appareils ainsi que des carabines, et les flashes l'aveuglaient...

L'amiral congédia l'huissier et envoya Hester, Gérald et Duane dans la salle

— Vous ave le temps, Doris, dit-il. Puis-je vous apporter quelque chose ?

— La liberté.

— Vous serez libre, répondit l'amiral. Vous serez tous libres...

Mais le sort des autres n'intéressait pas Doris Ashley.

— Le pays refusera tout autre verdict que votre mise en liberté... Vous êtes prête ? demanda-t-il au bout d'un instant.

— Accordez-moi une minute de plus, Glenn.

L'amiral posa ses gants dans sa casquette et laissa Doris Ashley seule dans le couloir. Profitant pleinement de sa solitude, elle ferma les yeux et songea à *Windward.* Elle se força à évoquer *Windward,* à *être* là-bas, seule au crépuscule, quand le vent apporte la faible odeur musquée de l'océan jusqu'à la maison. Doris Ashley était certaine de retourner à *Windward,* de revenir chez elle pour de bon. Elle était sûre d'obtenir sa libération. Elle refusait de songer à la façon dont la liberté lui serait rendue, elle savait seulement qu'elle serait de nouveau un être libre. Il était impossible qu'on l'envoie en prison. Les jurés auraient beau la détester et la mépriser, jamais ils ne décideraient que l'on mette Doris Ashley sous les verrous. On ne pouvait pas condamner Doris Ashley à casser des cailloux. Elle ouvrit les yeux et se dirigea vers la porte de la salle d'audience. Elle était prête, à présent, à les laisser regarder leur trophée pendant une autre journée.

A 10 heures, quand le juge ouvrit les débats, le procureur de district se leva pour présenter l'exposé de l'accusation. Il se dirigea vers le jury et s'arrêta entre Bergman et les douze hommes, à qui il s'adressa.

— L'affaire qui oppose la partie civile à Gerald Murdoch, Duane York et Doris Ashley est une procédure criminelle engagée par le Territoire à la suite de l'infraction la plus tragique, la plus odieuse, la plus répréhensible et la moins pardonnable dans toutes les sociétés : le meurtre, l'acte par lequel une ou plusieurs personnes ôtent volontairement la vie d'un être humain, commença Murray. Vous êtes ici pour décider de la culpabilité ou de l'innocence de trois inculpés accusés de *meurtre au premier degré,* c'est-à-dire prémédité. Un meurtre *calculé.*

« Le juge Kesselring vous a exposé ses recommandations et vous avez été interrogés avant d'être retenus dans ce jury, vous connaissez donc déjà certains éléments de l'affaire. C'est une affaire révoltante. Elle suscite la colère, elle révolte. Je suis le procureur de district du comté d'Honolulu. Mon devoir consiste à poursuivre les délinquants, tous ceux qui enfreignent nos lois. Mon travail m'entraîne donc, chaque jour ouvrable, dans les bas-fonds les plus sordides, au milieu des rebuts de l'humanité et des tares morales de ce monde.

« Je suis procureur de district depuis de longues années ; j'ai vu, j'ai côtoyé, beaucoup de personnes mauvaises, beaucoup de malfaiteurs. J'ai une grande expérience et je croyais, en toute sincérité, que rien ne pourrait plus me surprendre, dans l'exercice de mes fonctions et en dehors. Dans le domaine de la honte et de la dégénérescence, je croyais être un expert.

Murray s'écarta pour se placer à côté du premier juré, un peu en retrait. Il regarda Doris Ashley, Gerald Murdoch et Duane York.

— Je me trompais, dit-il. Les trois inculpés de cette affaire ont démontré que je me trompais. Ils se sont abaissés à un niveau qui fait d'eux des êtres particuliers. Ce sont les nouveaux champions de l'inhumain, et j'ai le devoir moral et professionnel de les poursuivre. Je suis ici pour représenter le peuple, la société, qui exige que ces inculpés reçoivent la juste rétribution de leurs actes. Je ne décevrai pas le peuple.

Il s'arrêta et se gratta le bras : le psoriasis attaquait. Il fallait qu'il se ressaisisse vite, car il éprouvait à l'égard des inculpés des sentiments qui le surprenaient, le stupéfiaient. Il se rendit compte qu'en essayant de convaincre le jury il s'était convaincu lui-même ! Il fallait qu'il chasse très vite sa colère, qu'il la domine. Elle ne pouvait que lui porter tort, brouiller ses arguments et affaiblir la position de l'accusation. Il fallait qu'il garde l'esprit vif et clair, en particulier avec un vieux renard comme Bergman en face de lui, à la table de la défense. Murray leva les yeux vers la tribune du magistrat. Il lui fallait un peu plus de temps.

— Excusez-moi, Votre Honneur. Je suis désolé de cette interruption.

Il revint se placer devant le box du jury.

— Je vous présente mes excuses, messieurs les jurés. Mais j'étais accablé par les faits de ce crime hideux, par l'horrible vérité de ce meurtre. Un jeune homme *innocent,* né sur cette île, élevé par des parents soumis aux lois pour devenir un citoyen soumis aux lois, un garçon gentil, ouvert, davantage un gamin qu'un homme par son caractère et son comportement, un adolescent épris de la vie, d'une vie qui pour lui ne faisait que commencer, a été tué, tué de sang-froid. Rien ne saurait justifier un meurtre. Certains hommes ont commis de mauvaises actions, mais Joseph Liliuohé n'avait *jamais* rien fait de mal. Il n'avait jamais fait le moindre mal à un être humain sur cette douce terre. Et pourtant, il a été tué.

« Joseph Liliuohé n'est pas mort à la suite d'une bagarre, d'une dispute ou d'une discussion avec l'un ou l'autre des trois inculpés jugés aujourd'hui pour son meurtre. Joseph Liliuohé *ne connaissait pas* les inculpés. Il ne les avait jamais *rencontrés*.

« Ne l'oubliez pas : il n'avait jamais rencontré l'un ou l'autre des trois inculpés qui décidèrent de le tuer, dit Murray. Réfléchissez sur ce point, messieurs. Il n'avait jamais *vu* l'un des inculpés avant le dernier jour de sa vie. Certes, Joseph Liliuohé avait, dans cette même enceinte, *aperçu* de loin les deux autres défendeurs. Mais c'était à cela que se réduisaient les relations entre ce jeune homme insouciant et rieur, dont la vie a été fauchée par une belle matinée ensoleillée, et les personnes qui ont décidé de sang-froid qu'il devait mourir. Joseph Liliuohé a été tué par des personnes *qu'il ne connaissait pas*.

Le procureur de district se retourna pour faire face à Bergman et aux inculpés.

— Joseph Liliuohé n'est pas mort parce qu'on l'a pris pour un autre. Les inculpés accusés de son meurtre ne l'ont pas tué par erreur. Ils ont tendu un piège pour tuer Joseph Liliuohé. J'ai dit que le crime était prémédité et l'accusation le démontrera.

Murray passa devant Bergman et s'arrêta devant Gerald Murdoch. Ce fut à lui qu'il s'adressa.

— J'ai prononcé le mot *innocent*. La victime de ce meurtre était innocente, et les inculpés de ce procès, de ce procès pour meurtre, sont présumés innocents jusqu'à ce que leur culpabilité soit démontrée, si elle l'est. L'accusation démontrera leur culpabilité..

Le procureur secoua lentement la tête.

— Il n'y a absolument aucun doute dans mon esprit. L'accusation présentera des témoins et offrira des preuves, des preuves solides, incontestables, qui ne nous laisseront, messieurs les jurés, qu'un seul choix : rendre un verdict de culpabilité de *meurtre* au premier degré.

Murray s'avança vers la tribune.

— Merci, Votre Honneur.

A la table de l'accusation, Leslie McAdams poussa sa chaise. Quand le procureur s'assit, McAdams était à sa gauche.

— Beau, lui dit McAdams. A encadrer.

— Nous verrons ce que vous en penserez quand tout sera terminé, répondit Murray.

Le juge, à la tribune, se pencha vers la table de la défense.

— Monsieur Bergman.

Bergman se hissa péniblement sur son fauteuil et resta debout à côté.

— La défense aimerait demander une faveur à la cour, dit-il. Si Votre Honneur l'accepte, la défense aimerait ajourner sa déclaration préliminaire.

Le juge Kesselring ne portait jamais de montre-bracelet en audience. Il regarda, par-dessus son épaule, l'horloge murale au-dessus de sa tête.

— La cour peut vous accorder cette requête, monsieur Bergman, répondit le juge. Nous pouvons suspendre maintenant jusqu'à 2 heures et vous présenterez votre déclaration à la reprise.

— Votre Honneur !

La voix de Bergman arrêta le juge qui se levait déjà de son fauteuil. Bergman attendit que le juge se soit rassis.

— C'est ma faute, Votre Honneur, dit Bergman. Après toutes ces années, je devrais être capable de me faire comprendre clairement dans une salle d'audience. Je présente mes excuses à la cour. Par *ajourner*, je voulais dire *réserver ma déclaration* jusqu'au moment où l'accusation aura terminé sa procédure.

— Jusqu'à ce que l'accusation ait *terminé* ? répéta le juge, mais personne ne l'entendit car trop de chaises craquaient devant les quatre tables où les cent journalistes se penchaient en même temps sur leurs blocs-notes.

Le greffier leva les yeux vers la tribune.

— Je suis désolé, Votre Honneur, mais je n'ai pas tout entendu.

Le juge Kesselring donna un coup de maillet en lançant aux journalistes un regard noir.

— L'audience n'est pas suspendue, messieurs, dit le juge aux journalistes, puis il répéta au greffier : « Jusqu'à ce que l'accusation ait terminé ?... » Vous réclamez une chose inhabituelle, répondit-il à Bergman, qui attendait.

— Excusez-moi, Votre Honneur, dit Bergman. Loin de moi l'intention de *réclamer* quoi que ce soit. Je n'en ai ni le droit ni la volonté. Je n'avais aucun désir de manquer de courtoisie ou de respect, et, si j'ai donné cette impression, j'en demande pardon à la cour.

Il croisa les mains derrière son dos.

— J'accorde volontiers à la cour que ma prière est inhabituelle. A ma connaissance, aucun avocat n'a jamais sollicité ce privilège, cette entorse à la procédure normale. La cour peut repousser ma requête, Votre Honneur. Mais j'aimerais signaler, pour soutenir ma proposition extraordinaire, que je défends trois clients accusés de meurtre, le crime le plus grave, auquel correspond la peine la plus sévère. Je pense, personnellement, qu'un peu d'indulgence est de règle. Ce n'est qu'un sentiment personnel, bien entendu.

Au premier rang près de l'allée, en face de l'amiral, la princesse donna à Tom un coup de coude.

— Qu'est-ce qu'il essaie de faire ? chuchota-t-elle.

— Je crois qu'il capitule parce qu'il n'a rien de positif à dire.

La princesse lui fit la grimace.

— Ce jeune Monsieur Je-sais-tout ! dit-elle.

A la tribune, le juge Kesselring se pencha vers Bergman.

— Je respecte vos désirs, dit-il.

— Je vous en suis très obligé, Votre Honneur, répondit Bergman.

Il posa les mains sur les accoudoirs de son fauteuil et s'assit. Tom ne s'était pas trompé.

— Monsieur Murray, dit le juge au procureur, qui se leva aussitôt. Si nous suspendons maintenant pour le déjeuner, est-ce que l'accusation sera prête à poursuivre la procédure à la reprise ?

— Oui. Votre Honneur.

A 14 heures, Murray fit donc comparaître son premier témoin l'agent Kenneth Christofferson. Kenny avait épinglé son insigne sur le revers de son veston. Murray lui demanda où et quand il avait rencontré pour la première fois les inculpés. Kenny raconta qu'il avait pris en chasse la Pierce-Arrow en excès de vitesse jusqu'au moment où la voiture quitta la route. Les questions de Murray amenèrent Kenny à raconter la découverte du cadavre à l'arrière de la conduite intérieure. Murray présenta les pièces à conviction A et B de l'accusation, les deux automatiques calibre 45 réglementaires de la marine, trouvés dans le sac de sport de Gerald. Les questions de Murray allaient au fond des choses et il semblait accumuler sans fin les détails, mais Bergman ne présenta aucune objection. Seul le juge Kesselring interrompit le procureur pour lui faire observer qu'il se répétait.

Murray montra à Kenny une photographie glacée, format 18/24, de Joe Liliuohé étendu par terre à côté de la voiture de Doris Ashley.

— Est-ce le cadavre que vous avez trouvé à l'arrière de l'automobile ? demanda Murray.

— Oui, répondit Kenny, et Murray demanda que la photo soit enregistrée comme pièce à conviction C.

Il demanda ensuite au témoin si les occupants de la Pierce-Arrow se trouvaient dans la salle d'audience. Kenny désigna les trois inculpés.

— Le témoin est à vous, dit Murray.

Bergman traita Kenny comme si le témoin était un étudiant faisant sa première apparition dans une joute oratoire. Son contre-interrogatoire fut bref et, lorsque Kenny quitta la barre, le procureur fit comparaître le lieutenant Wylie Soames.

Un officier de marine en uniforme bleu s'avança vers la barre et prêta serment. Répondant aux questions de Murray, Soames déclara qu'il était embarqué à bord du *Bluegill* et qu'entre autres responsabilités il était officier armurier du sous-marin. Murray lui montra les deux automatiques. D'après leurs numéros de série, Soames les identifia comme des armes provenant de l'armurerie du *Bluegill*. Bergman ne posa aucune question.

Au moment où Murray se leva pour appeler le témoin suivant, le juge Kesserling déclara :

— Je crois que nous ajournerons jusqu'à demain 10 heures, monsieur le procureur.

— Quelle est votre profession ? demanda Murray le lendemain matin.

— Je suis responsable du laboratoire de la police, au commissariat central, répondit Vernon Kappel, le premier témoin de la journée.

Murray lui demanda de décrire son travail et l'étendue de ses devoirs, puis retourna à la table de l'accusation pendant que Kappel répondait. Il y avait sur la table un paquet enveloppé de toile cirée, que Murray déplia. A l'intérieur se trouvaient en vrac plusieurs grandes serviettes de bain, couvertes de terre et de taches marron — du sang séché. Murray en prit une dans le tas, la secoua et la souleva comme s'il y avait une corde à linge au-dessus de sa tête. On eût dit une bonne ménagère étendant sa lessive au soleil. Il prit de la même manière les autres serviettes, l'une après l'autre, et, quand le paquet de toile cirée fut vide, il les apporta jusqu'à la barre des témoins et les fit enregistrer comme pièces à conviction D.

— Avez-vous déjà vu ces serviettes ?

Kappel répondit qu'elles recouvraient le cadavre de Joseph Liliuohé lorsqu'il gisait à côté de la Pierce-Arrow. Répondant aux questions de Murray, Kappel déclara qu'il avait examiné des échantillons de sang recueillis sur les serviettes. Le sang correspondait à celui du mort.

Le procureur lui montra ensuite les automatiques enregistrés comme pièces à conviction A et B. Kappel attesta que, sur l'une des deux armes, les empreintes digitales correspondaient à celles du lieutenant Gerald Murdoch. Murray revint aussitôt à sa table chercher une petite boîte transparente, dont il sortit une balle de calibre 45, qu'il présenta comme pièce à conviction E.

— Avez-vous déjà vu cette balle ?

Kappel déclara qu'elle correspondait à une balle tirée par l'automatique 45 portant les empreintes digitales de Gerald Murdoch, au stand de tir du commissariat central. Kappel était encore à la barre des témoins quand le juge Kesselring suspendit l'audience en fin de journée.

Jennifer Vogt, quarante ans environ, succéda à Kappel à la barre des témoins. Elle déclara au procureur qu'elle était vendeuse chez Henley & Son, un magasin spécialisé dans le linge de maison. Jennifer expliqua que Doris Ashley était une cliente habituelle. Murray montra au témoin les serviettes tachées de sang et Jennifer reconnut qu'elle les avait vendues à Doris Ashley. Murray présenta comme pièce à conviction F un talon de caisse de chez Henley & Son. Jennifer déclara que l'écriture était bien la sienne et que le talon de caisse correspondait à l'achat de serviettes.

Quand Jennifer Vogt quitta la barre, Murray appela Chester Preston. Un jeune homme chauve avant l'âge, qui portait un insigne de police épinglé à son revers, s'avança aussitôt. Il déclara qu'il avait trouvé une balle de calibre 45 sous un lampadaire, à *Windward,* le jour où Joseph Liliuohé avait été tué. Murray lui montra la pièce à conviction E et Preston la reconnut comme la balle qu'il avait trouvée sous le lampadaire. Quand Murray lança : « Pas d'autres questions », le juge ajourna.

— Nous allons en avoir jusqu'à la Saint-Glinglin, dit Bergman, tandis que Coleman Wadsworth prenait sa serviette. Il a cité à comparaître tous les habitants de la ville, sauf nous deux.

— Monsieur Bergman ?

Gerald s'était avancé vers lui. Bergman se retourna ; sans se lever.

— Je m'adresse aussi à vous, monsieur Wadsworth. Vous n'avez posé pour ainsi dire *aucune question.*

Bergman s'aperçut que le visage de Gerald était rouge. Il appuya ses grosses mains sur la table et poussa de toutes ses forces pour se lever.

— Le fait est, lieutenant, que je n'ai pas eu grand-chose à dire, répondit-il en prenant Gerald par le bras. Pour le moment, mon petit. Pour le moment.

Le lendemain matin, Murray appela Maddox à la barre des témoins. Sur la table de l'accusation, à côté du procureur, se trouvait un objet volumineux recouvert d'un tissu blanc. Murray se dirigea vers la barre, une feuille de papier machine à la main. Il la fit enregistrer sous la lettre G.

— « J'avoue que j'ai violé Hester Murdoch... Joseph Liliuohé », lut-il en tendant la feuille à Maddox. Avez-vous déjà vu ceci, capitaine ?

— Oui.

Il expliqua qu'il avait trouvé la feuille à *Windward* sous une table basse. L'interrogatoire de Murray conduisit Maddox de la corniche dominant la mer où Doris Ashley avait dérapé, jusqu'à *Windward*, puis au commissariat central.

Maddox laissa la barre au quartier-maître secrétaire Milton Penn, du *Bluegill*. A la table de l'accusation, Murry ôta le tissu blanc, révélant une machine à écrire qu'il fit enregistrer sous la lettre H. Le marin déclara que la machine était celle dont il se servait à bord du sous-marin. Avec la permision du juge Kesselring, Murray dactylographia deux lignes sur une feuille blanche, qu'il présenta au témoin en même temps que les aveux préparés par Gerald Murdoch. Le témoin reconnut que les deux textes avaient été tapés sur la même machine.

Le dernier témoin de la journée fut le Dr Arthur Doty, médecin légiste du comté d'Honolulu, que Leslie McAdams interrogea pour établir l'heure et la cause du décès. Murray avait fait répéter McAdams pendant la suspension du déjeuner.

— Faites-vous donner une leçon d'anatomie. Que le jury entende bien tous les détails sanglants. Cette fois, nous n'aurons pas de « jury bloqué ». Pas quand nous en aurons terminé.

Vers 5 heures, cet après-midi-là, Maddox sortit de l'ascenseur, au premier étage du commissariat central, derrière deux agents. Ceux-ci s'arrêtèrent pour entrer dans un bureau et Maddox vit Walter Bergman assis devant sa porte.

— Vous m'accordez quelques minutes, capitaine ? dit l'avocat en souriant, et Maddox comprit, avant même d'avoir pris sa clé, que les ennuis commençaient.

Bergman se leva en prenant appui au chambranle de la porte..

— Un de vos hommes m'a apporté cette chaise, dit-il. L'avantage d'être vieux. Mais c'est un genre de privilège dont je me passerais très bien, croyez-moi. Très chaud aujourd'hui, n'est-ce pas ?

Maddox ouvrit la porte et laissa Bergman entrer le premier.

— S'agit-il d'une affaire officielle ? demanda le capitaine.

— Rien d'officiel.

Maddox prit deux chaises le long du mur, devant la longue table de bois.

— Qu'avez-vous en tête ?

— Vous, dit Bergman. Vous et moi... Vous, moi et Lenore, ajouta-t-il après un silence, tout en prenant son mouchoir pour s'essuyer le visage. Encore très chaud. Je vous ai attendu pour vous dire une chose, capitaine.

— Vous êtes venu me voir.

— C'est exact.

Bergman leva la main, écarta les doigts et tint le mouchoir par le coin, entre le pouce et l'index, à la façon d'un prestidigitateur.

— Il m'appartient, dit-il. C'est un mouchoir d'homme. J'en ai vu un identique dans la chambre de Lenore, à l'hôtel. Qui ne m'appartient pas. Vous pouvez dire que je furetais, c'est la vérité. Oui, je furetais. Qu'est-ce qu'une personne aussi féminine, aussi délicate que Lenore pouvait bien faire avec ce genre de mouchoir ? Posez-le sur un piquet, vous avez de quoi faire une belle tente !

Il s'essuya le visage.

— C'est vous qui lui avez donné le collier de jade, continua Bergman. Dès l'instant où j'ai posé les yeux sur ce collier, je n'ai eu aucun doute sur sa « provenance », comme on dit. Un collier qui vaut beaucoup d'argent. Je le sais parce que j'ai fureté un peu plus. Jamais Lenore n'aurait dépensé une somme pareille pour elle-même. Ce n'est pas dans sa nature.

Bergman glissa deux doigts dans le col de sa chemise.

— Voulez-vous ouvrir les fenêtres, capitaine, je vous prie ? Il fait abominablement chaud ici.

Maddox se leva. Les stores vénitiens baissés avaient maintenu la pièce fraîche toute la journée. Il remonta les stores et souleva les fenêtres.

— Comme ça ?

— Beaucoup mieux, répondit Bergman. C'est la première fois qu'il fait si chaud depuis mon arrivée ici. Est-ce exceptionnel ?

Maddox resta debout à côté de sa chaise.

— Je ne suis pas la météo. Que voulez-vous ?

— Je n'avais pas besoin du mouchoir ni du collier de jade pour m'apprendre qu'une catastrophe se préparait, dit Bergman, comme s'il n'avait pas entendu Maddox. La preuve était sous mes yeux, presque du jour où nous avons débarqué. J'ai vu Lenore s'épanouir, et cela ne venait pas du soleil. J'ai entendu sa voix changer. Je l'ai regardée répondre au téléphone, je l'ai écoutée parler à l'appareil. Quand vous appeliez, je le devinais bien avant qu'elle dise « Capitaine ». J'ai observé et écouté des gens toute ma vie. Je sais quand la vérité fiche le camp. Dans le genre comploteurs, vous êtes encore tous les deux au niveau de la maternelle. Lenore quittait l'hôtel pour faire des courses en ville et rentrait avec des taches de mûres sur sa robe... J'ai été élevé à la campagne, capitaine, poursuivit Bergman en haussant le ton. Je sais reconnaître des taches de mûres quand j'en vois. Quelle chaleur ! Je commence à me fatiguer de ces îles enchantées.

— Je vous ai demandé ce que vous vouliez, mais vous faites tout sauf répondre à ma question, dit Maddox. Je vais donc y répondre moi-même. Vous voulez que je cesse de voir Lenore.

— Il y a une femme et deux hommes, dit Bergman. La femme porte le nom d'un des hommes, et ce n'est pas votre nom.

— Vous devez avoir gagné la moitié de vos procès parce que c'était le seul moyen que l'on avait de vous faire taire, dit Maddox.

Le visage de Bergman devint écarlate.

— Vous êtes un homme arrogant, dit-il. Vous vous croyez supérieur au reste de la Création.

— Tout le monde croit ça, dit Maddox. Sinon, comment pourrait-on vivre jusqu'au bout de la journée ?

Bergman frappa sur la table avec sa main gauche.

— Cessez de voir Lenore !

— C'est elle qui vous a envoyé ? demanda Maddox.

Si c'était le cas, Maddox l'avait perdue.

— Vous ne l'aurez jamais ! dit Bergman. C'est ma femme.

— Elle n'a jamais *été* votre femme, dit Maddox. Elle vous appartient, vous la possédez comme vous possédez votre voiture ou votre villa au bord du lac. Peut-être les avez-vous acquises en toute honnêteté ; mais Lenore, vous l'avez *volée*.

— Vous croyez qu'un *flic* peut me la prendre ? Un pauvre cogne ? Un *déké* de la cambrousse ? Un pedzouille aux pieds plats ?

— Vous devriez baisser le ton, dit Maddox. La baraque grouille de journalistes.

— J'ai besoin d'elle ! cria Bergman. Je ne suis pas le genre de gaga qui n'attend que son fauteuil roulant et un plaid sur les genoux.

Il bâilla, ouvrant la bouche toute grande, avec une innocence d'enfant fatigué.

— Elle devrait vous quitter ce soir, dit Maddox. Vous l'avez enterrée vivante. Vous lui avez ôté la vie. Je la lui ai rendue, et vous venez ici me dire que vous désirez recommencer ?

Maddox s'était avancé et dominait Bergman de toute sa taille.

— Vous n'avez pas affaire à un voyou, dit l'avocat, et sa tête bascula.

Maddox vit de la sueur perler sur le visage de Bergman et sur son front. La tête du vieil avocat se redressa soudain.

— Vous ne pourrez jamais... commença-t-il, puis il bâilla de nouveau et sa tête bascula comme la première fois.

Bergman gardait les yeux ouverts, mais Maddox savait qu'il n'y voyait plus. La jambe gauche de l'avocat glissa vers l'avant, la cheville tordue, la pointe de la chaussure en dedans. Sa tête s'affaissa contre sa poitrine. Son bras gauche glissa de sa cuisse. La transpiration de Bergman, ses cris, son étalage insolite d'agressivité, ses bâillements inexplicables, son apathie soudaine, ses mouvements de plus en plus léthargiques, étaient des symptômes, et des symptômes classiques. Bergman avait glissé progressivement, dangereusement, dans un coma diabétique. Son corps produisait trop d'insuline et il était sous insuline. Son taux de sucre dans le sang était devenu excessivement bas et, dès qu'il s'écroula, sans forces, son cœur se mit à battre à un rythme capable de provoquer la mort. Si on ne lui portait pas secours, de façon compétente et rapide, tous ces symptômes, ces réactions épuisantes de son corps, seraient bientôt mortels. Bergman cesserait de respirer.

Toute sa vie adulte ou presque, Maddox s'était trouvé en présence de morts et d'agonisants, terminant leur vie de façon naturelle ou violente et criminelle. Il comprit donc immédiatement que Bergman était sur le point de mourir. Maddox savait — comme s'il le lisait sur un tableau noir devant lui — que, dans quelques minutes, s'il n'intervenait pas, s'il se rasseyait dans son fauteuil, si personne n'apparaissait à la porte, Bergman serait mort. Tout ce qu'il resterait du mari de Lenore, de l'homme qui venait de dire à Maddox qu'il ne pourrait jamais avoir la jeune femme, serait ce sac d'os, dans son bureau... Quand Maddox irait l'annoncer à Lenore, il pourrait ne plus la quitter.

Tout ceci, dans les moindres détails, traversa l'esprit de Maddox en une fraction de seconde. Déjà il s'élançait, déjà il passait la tête dans le couloir et criait :

— Au secours ! Vite ! Vite !

L'un des agents sortis de l'ascenseur en même temps que Maddox passa la tête par la porte du bureau voisin.

— Ici ! cria Maddox en rentrant aussitôt.

Il se pencha, passa les bras sous les aisselles de Bergman, assura sa prise et se redressa avec son fardeau. D'un coup de pied, il fit basculer la chaise par terre.

— Soulevez-le ! Soutenez-le ! cria-t-il aux deux agents qui arrivaient au pas de course.

Maddox courut devant pour appeler l'ascenseur. Les deux agents sortirent du bureau avec Bergman entre eux.

— Vite, j'ai dit ! cria Maddox. Traînez-le !

Il entendit l'ascenseur et leur fit signe de se hâter, comme s'il était sur la ligne d'arrivée d'une course. Il se mit à taper sur la porte de l'ascenseur avec ses poings.

— Arrêtez cette machine, nom de Dieu ! Arrêtez !

La porte de l'ascenseur s'ouvrit et Maddox la bloqua avec son dos. Il n'y avait personne à l'intérieur.

— Faites-le entrer ! Faites-le entrer !

Les agents maintinrent Bergman en position verticale contre la cloison de l'ascenseur. Maddox appuya sur le bouton.

— Déposez-le dans ma voiture. Ensuite, téléphonez à l'hôpital de la Miséricorde. Dites-leur que j'arrive avec Walter Bergman... un vieillard qui a du diabète et qui s'est évanoui. Il s'est mis à transpirer. à bâiller, puis il a perdu conscience.

Quand l'ascenseur s'arrêta et que la porte s'ouvrit, Maddox courut vers le garage.

Il monta sur le trottoir et s'arrêta parallèlement au bâtiment. Il se pencha sur la droite pour ouvrir la portière du passager. Quand les agents arrivèrent avec Bergman entre eux, Maddox leur lança :

— Dites à l'hôpital de prévoir un chariot devant la porte ! Allez ! Vite !

Il lança la sirène avant même de descendre du trottoir.

Moins de cinq minutes plus tard, Frank Puana gara sa voiture à côté de l'entrée des urgences de l'hôpital de la Miséricorde. Il était en blouse blanche et en pantalon blanc, avec des mocassins et des chaussettes. Il arrivait en avance depuis des jours, pour fuir l'atmosphère de la maison. Mary Sue était devenue une étrangère depuis le soir où il avait appris que Claude Lansing l'avait trahi. Leur maison n'était plus qu'un hôtel et Mary Sue se comportait comme une femme de chambre qui détestait les clients. Chaque jour, le rituel était le même : « Voici ton petit déjeuner », disait-elle, ou : « Le déjeuner est servi. » Ils mangeaient en silence, tandis qu'Eric et Jonathan babillaient, sans s'apercevoir de rien. Si Frank essayait de lancer la conversation, Mary Sue coupait court en répondant par monosyllabes, puis se levait de la table pour s'occuper de telle ou telle besogne. Frank s'était mis à redouter leurs repas en commun. A redouter sa nuit de liberté hebdomadaire. Il jouait avec ses fils jusqu'à ce qu'ils tombent de sommeil, épuisés, et, quand il entrait dans sa chambre, Mary Sue avait le dos tourné et les yeux clos. Ce jour-là, dans l'après-midi, Eric avait tiré sur les lèvres de sa mère.

— Souris, maman, avait-il dit.

Elle était sortie de la pièce en pleurant...

Juste comme Frank descendait de voiture, la porte de la salle des urgences s'ouvrit et Peter Monji en sortit avec un chariot vide, suivi par un autre infirmier.

— A pic, docteur, lança Peter.

Il lui expliqua que la police conduisait à l'hôpital un vieillard diabétique dans le coma.

— Préparez-moi deux flacons de 50 centimètres cubes de glucose à cent pour cent, dit Frank, ravi d'avoir un malade à soigner, ce qui occuperait son esprit. Allez préparer un des flacons pour une intraveineuse et envoyez un autre infirmier pour aider à installer le malade.

— Nous ne sommes que deux, ce soir, docteur, répondit Peter.

Frank le poussa vers l'hôpital.

— Dépêchez-vous donc !

Peter s'arrêta à la porte et s'accroupit pour la bloquer avec une cale de bois. Il entendit au loin les premiers échos de la sirène.

Quand Frank entra dans la salle des urgences et ouvrit le tiroir de l'armoire des instruments pour prendre un paquet d'aiguilles, Peter avait fixé un flacon de glucose au support de la table d'examen. Un tube de caoutchouc pendait.

— Vous le voulez sur la table, docteur ?

— Pas le temps.

Maddox et l'infirmier poussaient le chariot dans la salle.

— Un bras nu, dit Frank.

Maddox retroussa la manche de Bergman.

— Il est prêt. Allez ! Vite, vite ! Venez !

— Vous recommencez à me donner des ordres ? Écartez-vous ! dit Frank en saisissant le tube de caoutchouc. Avec l'aiguille dans une main, il prit, de l'autre, le poignet de Bergman et le fit pivoter en serrant pour faire saillir une veine. Dès qu'il localisa la veine, il enfonça l'aiguille et le glucose commença, goutte à goutte, à se mêler au sang de Bergman et à combattre l'insuline en excès, qui le tuait.

— Et maintenant ? demanda Maddox.

— On attend, répondit Frank.

Maddox sentit soudain la douleur violente entre ses épaules. Il courba le dos. Lenore était seule. Elle commençait sans doute à s'inquiéter. Elle allait passer des coups de téléphone, se mettre à la recherche de Bergman.

— Combien de temps ? demanda Maddox. Dites-le-moi, ou je fais descendre Lansing pour me le dire. S'il est parti, le responsable là-haut me le dira.

Frank quitta le malade des yeux et dévisagea la brute en face de lui. Il n'avait plus rien à perdre.

— Le Dr Lansing est au deuxième étage, dit Frank.

Il se pencha pour prendre le poignet du patient et lui tâter le pouls.

— Peter, donnez-moi...

393

Il vit que l'infirmier lui tendait le stéthoscope. Il fit passer l'instrument autour de son cou, le plaça sur ses oreilles, et écouta le cœur de Bergman. Il souleva une des paupières du malade pour examiner son œil.

— Il ira bien, dit-il. Il faut qu'il passe la nuit ici.

Maddox baissa les yeux vers Bergman sur le chariot près de la table d'examen. L'avocat était livide. Il semblait fragile, il semblait... vulnérable. Son avant-bras nu était un avant-bras vieux. Sa main était vieille. Le col de sa chemise, trop grand. Il avait le cou ridé et sa peau faisait des poches. On voyait des taches sur son visage, ainsi que de longs poils oubliés par le rasoir. Ses vêtements mis à part, Bergman ressemblait aux vieux clochards qui passaient la nuit au violon du commissariat central. Mais cette forme humaine usée, décrépite, ravagée, dont les appétits avaient été rassasiés, dont les désirs étaient émoussés sans doute depuis longtemps, était résolue à priver Maddox du seul bonheur qu'il ait jamais entrevu et recherché.

— Je reviens dans un moment, dit Maddox.

Il ne pouvait pas lui téléphoner. Il ne pouvait lui laisser prendre un taxi toute seule, elle croirait qu'il l'avait ménagée, qu'elle n'apprendrait la vérité, l'horrible et définitive vérité, qu'en arrivant à l'hôpital. Maddox fit hurler la sirène sans discontinuer jusqu'au Western Sky.

La porte de la suite de Bergman, la porte de Lenore, parut se précipiter contre Maddox. Il avait frappé à des centaines de portes. Il avait vu des centaines, des milliers de visages se décomposer sous le coup de la consternation et de l'angoisse pendant qu'il annonçait les nouvelles affreuses — si fréquentes dans son métier. Mais c'était la première fois qu'il était directement concerné. Il n'hésita pas, mais il dit tout de même, à haute voix :

— Cesse de te défiler.

Il frappa.

— Walter ?

La voix de Lenore semblait tendue, pleine d'espoir. Elle ouvrit la porte toute grande et Maddox entendit sa respiration se bloquer.

— Il va bien, Lenore. Très bien. C'est la vérité, lança-t-il tout de suite, dans le corridor.

— Où est-il ?

— A l'hôpital de la Miséricorde. Le diabète. Ils vont le garder jusqu'à demain.

Elle était paralysée.

— Vous voulez prendre votre sac, quelque chose ?

Elle parut s'éveiller. Elle recula pour laisser passer Maddox, puis referma la porte.

— Il n'est pas ?...

— Je ne vous mentirais pas, lui répondit Maddox.

— J'ai téléphoné au palais de justice. On l'avait vu s'en aller, monter dans un taxi. Quand j'ai ouvert la porte, j'ai cru que vous veniez m'annoncer...

— Cela ne s'est pas passé ainsi, dit Maddox.

A présent, il se défilait.

— Je suis prête dans un instant.

Elle le quitta, franchit une porte qu'elle laissa ouverte. Maddox vit un bout du lit, du lit de Lenore. Il rêva d'être avec elle, de veiller pendant qu'elle dormait, de lui apporter sur un plateau son jus de fruits, son café et des surprises. Lenore revint avec son sac à main.

— Voulez-vous attendre pendant que j'appelle l'hôpital ? Je veux être certaine que tout va... Qu'il n'y a pas eu de changement.

Maddox la regarda téléphoner.

— Mme Bergman à l'appareil. Mme Walter Bergman.

Il s'éloigna comme s'il avait été surpris en train d'écouter à une porte.

— Il vient de quitter la salle des urgences, lui apprit Lenore en le rejoignant.

Elle garda le silence jusqu'à la voiture.

— Est-ce loin ?

— Quelques minutes.

Il sentit la main de la jeune femme se poser sur sa cuisse. Il eut envie d'arrêter la voiture, d'attirer Lenore dans ses bras, de la consoler. Il avait l'impression de rentrer au bercail sain et sauf après un long et périlleux voyage.

— Curt ?

Elle marqua un temps, puis murmura :

— Je veux vous dire pourquoi je suis comme ça. En vous voyant, quand vous m'avez appris que Walter était malade, je me suis sentie coupable. Comme si je l'avais abandonné.

— C'est une mauvaise soirée, répondit-il, se défilant encore.

Il ne pouvait cependant pas la laisser arriver à l'hôpital, entrer dans la chambre de Bergman sans rien lui avoir dit.

— Vous ne m'avez pas demandé comment j'ai été mêlé à ceci.

— Je suppose qu'on vous a téléphoné, dit Lenore.

— Personne ne m'a téléphoné.

Il eut envie de poser la main sur celle de Lenore.

— Cela s'est produit dans mon bureau, dit-il.

— Dans votre ?...

Elle laissa sa question en suspens.

— Il s'est senti mal, il s'est évanoui dans mon bureau, dit Maddox. Je l'ai conduit à l'hôpital.

— Que faisait-il dans votre bureau ?

— Vous ne vous en doutez pas un peu ?

Il lui raconta tout, depuis le début, sans rien omettre, et, quand il eut terminé, il s'aperçut que la main de la jeune femme ne reposait plus sur sa cuisse.

— Il a sûrement compris depuis le début, depuis le tout début, dit Lenore.

— J'aimerais pouvoir vous aider ce soir, répondit Maddox. Je me suis creusé la tête pour trouver un moyen de vous aider.

— Comment qui que ce soit pourrait-il m'aider ? C'est mon mari. Je dois être à ses côtés.

Maddox la regarda. Elle lui parlait comme à un chauffeur.

— Vous n'avez rien fait de mal, dit-il.

— Oh ! Curt... murmura-t-elle, d'une voix presque inintelligible, la voix des aveux, qu'il avait si souvent entendue.

— Je sais que vous n'avez rien fait de mal, répéta Maddox. Je sais ce qui est bien et ce qui est mal, Lenore. C'est mon métier, ma spécialité.

Il avait l'impression de sombrer. L'espace entre eux était devenu immense.

Maddox s'arrêta dans l'allée, en face de l'hôpital. Lenore était presque arrivée à la porte avant qu'il ne descende de voiture. Il la rattrapa et lui prit la main. Elle ne résista pas. Il eut l'impression de marcher à côté d'une personne à qui il venait de passer les menottes.

Dans le hall haut de plafond, où tous les bruits semblaient assourdis, elle s'élança d'un pas vif vers l'infirmière au comptoir. Maddox la laissa faire. Quand il la rejoignit, elle lui dit :

— Il est au 311.

Puis elle courut vers les ascenseurs. Elle appuya sur le bouton et se retourna vers Maddox.

— Je vous en supplie, essayez de ne pas m'en vouloir.

— Je ne pourrais pas... Vous en vouloir ? Jamais je ne pourrai, lui répondit-il.

— Curt.

La porte de l'ascenseur s'ouvrit. Elle répéta son nom et il comprit qu'elle lui demandait pardon. Il sut enfin ce qu'il devait faire pour lui faciliter la tâche. Il était déjà seul.

— C'est très bien, dit-il. C'est très bien, Lenore.

Elle entra dans l'ascenseur et appuya sur le bouton de l'étage. Ils étaient face à face, puis la porte de l'ascenseur se referma et elle disparut.

Maddox se dirigea vers l'infirmière, à l'entrée du hall.

— Où est la 311 ?

— Où ?... Au troisième, bien sûr, répondit l'infirmière.

Elle lui tourna le dos pour entrer dans un bureau.

— Attendez, dit Maddox. *Attendez !*

— Ne me parlez pas sur ce ton, hein ?

— Montrez-moi la 311. Pouvez-vous le faire sans bagarre ?

L'infirmière leva la tête.

— La deuxième à partir de l'angle.

Maddox retourna à sa voiture. Il descendit jusqu'à la rue et se gara juste en face de l'hôpital. Tout le troisième étage était éclairé. Vers 9 heures, les lumières des chambres commencèrent à s'éteindre. Celles de l'angle s'éteignirent. Toutes les lumières du troisième s'éteignirent, sauf celle du 311. Il regarda sa montre. Presque minuit. Quand il la regarda de nouveau, il était 1 h 3, et les lumières brûlaient toujours dans la chambre de Bergman. Il tourna la clé et appuya sur le démarreur. Sa maison était dans son dos, mais il roula tout droit, vers la ville, le commissariat central, son bureau. Il n'aurait pas pu rentrer chez lui, dans cette maison vide — vide, nue et inutile —, dans sa chambre vide, dans son lit vide.

Un peu avant l'aurore, Maddox se pencha en avant, croisa les bras sur son bureau et laissa tomber sa tête sur ses poignets. Quand il se réveilla, avec toutes les lampes allumées dans la pièce, il leva aussitôt la tête vers la pendule murale. 9 h 57. Il se leva, ôta sa veste, la posa sur la table et se dirigea vers la porte. Il se lava le visage dans les toilettes. A son retour dans son bureau, il ne referma pas la porte. La pièce sentait le renfermé. Il avait la bouche pâteuse. Il frotta de la main sa barbe de la veille. Il avait besoin d'un bain et de vêtements propres. Il s'assit derrière son bureau pour signaler au standard qu'on pourrait le joindre chez lui.

— Capitaine Maddox ?

Une Chinoise apparut sur le seuil. Maddox acquiesça. Elle s'avança. Elle avait un sac de toile à la main, comme toutes les Chinoises, en tout lieu. Elle s'arrêta devant le bureau et souleva le sac.

— Pour vous, capitaine Maddox.

Elle sortit un paquet maladroitement enveloppé dans du papier froissé.

Maddox connaissait la réponse avant de poser la question :

— D'où cela vient-il ?

— Western Sky, répondit la Chinoise en posant le paquet. Je travaille au Western Sky. La nuit.

Maddox n'avait jamais vu l'écriture de Lenore, mais il savait que c'était elle qui avait écrit « Capitaine Curtis Maddox » et « Commissariat central » sur la carte jointe au paquet. Il glissa la main dans sa poche à la recherche d'un peu de monnaie.

— La dame m'a payée, dit aussitôt la Chinoise.

— Prenez quand même et refermez la porte derrière vous.

Il baissa les yeux vers le paquet. Elle lui avait renvoyé le collier de jade. Maddox l'écarta, comme un homme repu écarte son assiette.

Il se demanda s'il vivrait assez longtemps pour cesser de voir devant lui ce visage, ces yeux, ces cheveux animés par le vent, la robe qui voletait quand Lenore s'avançait vers lui, levait le bras, souriait... Le téléphone sonna.

Il se laissa tomber contre le dossier du fauteuil comme un boxeur s'effondre au tapis. De nouveau, le téléphone sonna. Maddox se pencha en avant comme si tous ses muscles lui faisaient mal.

C'est pour ça qu'on te paie, dit-il, puis il décrocha. « Maddox à l'appareil... »

— Faites comparaître le Dr Evan Magruder, dit le procureur de district, et l'huissier du fond ouvrit une des portes de la salle d'audience. L'homme qui entra à petits pas pressés était un sexagénaire tiré à quatre épingles, aux cheveux gris coupés en brosse. Il avait une moustache grise et une barbe à la Van Dyck, pointue comme un poignard, dont pas un poil ne dépassait. Une barbe tout à fait exceptionnelle en 1931. Philip Murray suivit le Dr Magruder jusqu'à la barre des témoins et attendit pendant que le docteur prêtait serment.

Au premier rang, la princesse chuchota :

— Qui est-ce ?

— Un aliéniste, répondit Tom.

— Ils le sont tous sauf nous, se méprit-elle. Qui est-ce ?

Le juge les regardait. Tom baissa la tête et garda le silence, espérant que la princesse l'imiterait.

— Docteur, commença Murray près de la barre des témoins, dites-nous la différence qui existe entre un aliéniste et un psychiatre.

— Il n'en existe pas, répondit Magruder. Le mot *aliéniste* est synonyme de psychiatre et *vice versa*.

Bergman entendait très bien le témoin mais ne pouvait pas le voir car Murray l'en empêchait. Bergman se leva et écarta bruyamment sa chaise.

— J'aime voir les joueurs de la partie, Votre Honneur, dit-il, puis il fit un signe de la main à Murray comme pour lui donner la permission de continuer.

— Vous êtes qualifié pour exercer la psychiatrie ? demanda le procureur.

Bergman sortit son stylo de la pochette de sa veste.

— Je suis membre de l'Association de psychiatrie des États-Unis, responsable régional et ancien président, répondit Magruder. Je suis membre de l'Institut international de psychiatrie et je représente les États-Unis au sein du bureau de cette organisation. J'ai également présidé le chapitre de Californie de la Société des aliénistes d'Amérique.

Il frisa le bout de sa moustache. Murray se déplaça pour se mettre à côté de Magruder et en face des inculpés, comme le témoin.

— Docteur, avez-vous examiné le lieutenant Gerald Murdoch ?

— Oui.

— Dites à la cour où et quand vous avez examiné l'inculpé.

— J'ai rendu visite au lieutenant Murdoch à la maison, euh... la résidence de l'amiral Glenn Langdon à Pearl Harbor, la semaine dernière. Trois visites couvrant en tout sept heures d'horloge.

— Docteur, d'autres médecins vous demandent-ils parfois d'examiner un de leurs malades ? demanda Murray.

— Oui, des collègues m'appellent souvent en consultation.

— Et combien de temps vous faut-il pour établir un diagnostic ?

— Pas plus d'une heure, dit Magruder.

— Dans ce cas, pourquoi avez-vous examiné l'inculpé, le lieutenant Murdoch, à *trois* reprises pendant sept heures au total ?

— L'inculpé est accusé de meurtre, répondit Magruder. Ôter la vie de sang-froid à un être humain est le crime le plus abominable, le plus détestable, qu'une personne puisse commettre. Le châtiment est à la mesure du crime. L'enjeu est énorme et je savais que mon rôle à la barre des témoins serait crucial. Il fallait donc que mes conclusions s'appuient sur l'examen le plus complet, le plus approfondi...

— Indiquez à la cour votre diagnostic sur le lieutenant Murdoch, dit Murray.

Bergman tripota une gomme sur la table, sans quitter le témoin des yeux.

Magruder frisa le bout de sa moustache.

— Le lieutenant Murdoch est un adulte raisonnablement normal qui paraît capable de vivre sans problème dans une société organisée, dit-il.

Murray quitta la barre des témoins, se dirigea vers la table de la défense et s'arrêta en face de Gerald. Comme s'ils étaient adversaires dans un duel.

— Le lieutenant Murdoch est-il sain d'esprit ?

— Il est sain d'esprit, répondit Magruder.

Murray ne bougea pas. Le silence se prolongea dans la salle, et les spectateurs, mal à l'aise, commencèrent à se racler la gorge et à tousser. Murray continua de fixer Gerald du regard.

— Sain d'esprit, dit-il.

Il s'éloigna de la table de la défense et passa devant le greffier, au pied de la tribune.

— Le témoin est à vous.

Bergman attendit pour se lever que Murray soit assis, puis il s'avança, de sa démarche chancelante habituelle.

— Docteur, vous nous avez dit que vous avez examiné l'inculpé, le lieutenant Gerald Murdoch. *Examiné.* Comment l'avez-vous examiné ?

— Comme je l'ai attesté, en rencontrant l'inculpé à trois reprises, pendant sept heures, répondit Magruder.

— J'étais ici et j'écoutais, dit Bergman. L'ennui, c'est que vous ne répondez pas à ma question. Ma question est : *Comment* l'avez-vous examiné ?

— J'ai interrogé longuement le lieutenant Murdoch. Je l'ai observé pendant mes visites.

— Après l'avoir observé et questionné, vous avez décidé qu'il se portait à merveille ?

— J'estime, en ma qualité d'aliéniste, que le lieutenant Murdoch ne souffre d'aucune perturbation émotionnelle ou psychopathologique et qu'il se trouve en pleine possession de ses facultés, dit Magruder.

Bergman tourna le dos à la barre et traîna la patte jusqu'au jury.

— Mon Dieu, mon Dieu, dit-il. Et vous avez découvert tout ça sans sortir les mains de vos poches, pour ainsi dire.

— J'ai utilisé les outils de mon métier, répondit Magruder.

Bergman s'arrêta à côté du premier juré.

— Les outils de votre métier... dit-il. Un stéthoscope ? Vous aviez emporté un appareil à mesurer la tension artérielle à la résidence de l'amiral ? Vous avez vérifié les yeux du lieutenant Murdoch, ses oreilles, son nez et sa gorge ? Vous lui avez fait une prise de sang ? Vous l'avez radiographié ?

— Vous confondez la psychiatrie et la médecine générale.

— Ah bon ? Corrigez-moi donc, docteur, dit Bergman.

— La médecine du corps est une science exacte, dit Magruder. La psychiatrie ne l'est pas. Rien n'est absolu dans ma profession. Nous ne pouvons pas *voir* dans l'esprit du patient.

— Ah... Ah... dit Bergman en écartant les bras puis en les croisant sur sa poitrine. Donc, quand vous faites un diagnostic, il s'agit d'une *conjecture*.

— Non, monsieur. Absolument pas. Je parviens à un diagnostic en me fondant sur ma formation, mon expérience, ainsi que l'expérience et les découvertes démontrées de mes collègues, d'un bout à l'autre de la planète.

Bergman revint près de la barre.

— Dites-moi, docteur. Est-ce que vous classez les gens en sains d'esprit d'un côté, détraqués de l'autre ?

— Au sens le plus large, oui, dit Magruder.

— C'est l'un ou c'est l'autre, donc, dit Bergman. Comment décidez-vous que quelqu'un est sain d'esprit ?

— En fonction de ses réactions, de ses réponses à des questions judicieusement choisies.

— Donnez-nous un exemple, voulez-vous ?

— Le plus fondamental est évidemment la capacité de distinguer entre le bien et le mal.

— En d'autres termes, un homme sain d'esprit sait distinguer le bien du mal ?

— Exactement, répondit Magruder.

— Bien entendu, un homme sain d'esprit ne vole pas. D'accord, docteur ?

Magruder frisa sa moustache.

— Oui, oui. Je suis d'accord.

— Mais qu'en est-il d'un homme sain d'esprit qui meurt de faim, et qui vole une miche de pain ? demanda Bergman.

La princesse donna un coup de coude dans les côtes de Tom.

— Il l'a lu, lui aussi, dit-elle, songeant aux *Misérables*.

— Votre exemple fait état d'un être humain particulier dans des circonstances particulières, répondit Magruder à la barre des témoins.

Le bras de Bergman se braqua soudain vers Gerald.

— Un être humain particulier qui se trouvait dans des circonstances particulières passe aujourd'hui en jugement, inculpé de meurtre, docteur !

— Il ne mourait pas de faim, dit Magruder, visiblement satisfait de sa réponse.

— Là, vous m'avez attrapé, lança Bergman en passant la main sur ses cheveux pour les lisser. Un point pour vous, docteur. La différence entre un homme sain et un détraqué est-elle aussi nette qu'entre le noir et le blanc ?

— Rien sur terre, *sauf* le noir et le blanc, n'est aussi nettement différencié que le noir et le blanc, répondit Magruder.

— Allons un peu plus loin : vous dites donc qu'une personne n'est jamais complètement saine d'esprit ou complètement détraquée...

— Objection ! s'écria Murray de l'autre côté de la salle. L'avocat souffle sa réponse au témoin.

— Objection retenue, dit le juge. Le jury ne doit pas tenir compte de la dernière déclaration de l'avocat.

— Faisons un autre essai, dit Bergman. Vous avez expliqué au jury que la psychiatrie n'est pas une science exacte.

Il regarda au plafond, sourcils froncés comme s'il se concentrait.

— « Rien n'est absolu dans ma profession », cita-t-il en regardant fixement Magruder. Mais vous continuez à affirmer au jury, ici, qu'une personne est saine d'esprit ou non, sans discussion possible ?

— Vous m'avez mal compris, répondit l'aliéniste.

— Donnez-moi une chance de mieux vous comprendre, docteur.

— J'ai employé le mot *absolu* pour définir nos méthodes, non nos conclusions.

Bergman se frotta la joue.

— En d'autres termes, vous ne pouvez pas nous dire comment un psychiatre arrive où il va, mais il sait tout quand il est arrivé...

— Des spectateurs et des journalistes étouffèrent des rires, puis l'un d'eux ne put se retenir. L'éclat fut contagieux. Toute la salle pouffa jusqu'à ce que le maillet du juge rétablisse le silence.

— Revenons-en à l'homme affamé qui vole une miche de pain, dit Bergman aussitôt. Dans cette perspective, est-ce qu'un homme qui a été sain d'esprit toute sa vie n'est pas capable d'accomplir quelque chose de dément ?

— Je ne peux pas répondre à cette question en tant que psychiatre, dit Magruder.

— Essayons une autre question. Est-ce que quelque chose de particulier peut transformer une personne saine d'esprit en dément pendant un certain temps ?

— Vous faites allusion à l'aliénation temporaire ?

— C'est vous qui le dites, répondit Bergman. Un homme peut-il devenir temporairement aliéné ?

— Oui, certainement.

— Pendant cette aliénation temporaire, sera-t-il capable de faire la différence entre le bien et le mal ?

— Évidemment non, répondit Magruder. Il n'est plus sain d'esprit.

— Pas d'autre question, dit Bergman.

Il s'éloigna du témoin. Le juge Kesselring se tourna vers le procureur de district.

— Avez-vous d'autres questions, monsieur Murray ?

Murray se leva, mais resta derrière son fauteuil.

— Oui, Votre Honneur. Docteur, je m'adresse à vous sans détour. En tant que psychiatre qualifié et éminent, croyez-vous que l'inculpé Gerald Murdoch ait pu devenir temporairement aliéné ?

— Non, répondit Magruder. La réponse est non.

— Pas d'autre question, dit Murray.

— Monsieur Bergman, d'autres questions ? demanda le juge.

— Certes, Votre Honneur, certes...

Il se leva et boutonna son veston croisé. Il baissa les yeux. Ses grosses mains tripotèrent ses papiers, puis il les passa sur sa poitrine et son ventre pour tendre le veston. Il se dirigea vers le jury et s'arrêta tout au bout, à côté de Bruce Tanaka, le dernier juré du premier rang.

— Docteur, un homme peut-il faire quelque chose sans y penser ?

— Je ne vous suis pas, dit Magruder.

— Est-ce qu'une personne peut faire quelque chose avant même de se rendre compte qu'elle a agi ? lança Bergman en élevant légèrement la voix. Vous me suivez, à présent ?

Le témoin se tourna vers le juge.

— Je ne comprends pas la question, Votre Honneur, dit-il.

— Moi non plus, dit le juge Kesselring. L'avocat de la défense peut-il se montrer plus clair ?

— Je l'espère, dit Bergman, et il lança un crochet vers Tanaka.

Le Japonais écarta brusquement la tête, bascula et tomba sur le juré à sa droite, tandis que le bras de Bergman continuait sa course.

Les spectateurs en eurent le souffle coupé. Les journalistes n'avaient d'yeux que pour Bergman. Certains s'étaient levés pour regarder par-dessus les têtes du premier rang. Tanaka se serra contre son voisin, le coude gauche levé pour parer un deuxième coup.

— *Monsieur Bergman !* lança le juge debout. *Huissier !*

Il criait comme un possédé.

L'huissier se précipita. Bergman sourit à Tanaka.

— Merci de votre aide, lui dit-il avant de se diriger vers la barre des témoins. Du calme, jeune homme, lança-t-il à l'huissier en lui donnant une claque sur l'épaule. Vous n'avez pas pensé un seul instant que je frapperais cet homme, n'est-ce pas, Votre Honneur ? Je l'ai manqué d'un kilomètre. Je ne toucherais pas à un cheveu de sa tête. Je n'ai jamais fait de mal à personne. On ne peut pas être avocat de la défense toute sa vie et être accusé de soutenir la violence.

— Je désire une explication de votre conduite, dit le magistrat.

— Simple, répondit Bergman en s'appuyant à la barre des témoins. J'ai demandé au témoin si une personne pouvait accomplir un acte sans y penser. Votre Honneur m'a demandé de me montrer plus clair. J'espère y avoir réussi.

Le juge se rassit et Bergman fixa le témoin du regard.

— Vous avez réussi à provoquer du désordre dans cette cour, dit le juge Kesselring.

— Je n'en avais nullement l'intention, répondit Bergman, et, au témoin : Affirmeriez-vous que le juré a eu le temps de réfléchir avant de baisser la tête.

— Vous faites allusion à un acte réflexe, dit Magruder.

— Exécuté sans y penser, est-ce exact ? demanda Bergman. *Exact ?* répéta-t-il d'un ton plus incisif.

— C'est une réponse automatique en réaction à un stimulus.

— Maintenant, c'est vous qui n'êtes pas clair, dit Bergman.

— Un réflexe est un acte, *en général* un acte, de réaction à un signal venant d'un centre nerveux.

Bergman se pencha sur la barre.

— Écoutez ma question, docteur, dit-il du ton d'un maître d'école sévère. Est-ce que l'individu sait qu'il fait ce qu'il fait ?

— Un réflexe est involontaire, répondit Magruder.

— Donc, le juré à qui j'ai lancé un coup de poing *ne savait pas* qu'il écartait la tête avant d'avoir terminé son geste, est-ce exact ? demanda Bergman.

— Vous pouvez le dire.

— C'est *vous* qui êtes censé le dire. C'est vous l'expert en la matière, lança Bergman. Savait-il qu'il écartait la tête ? Oui ou non ?

— Non.

— Enfin, nous y sommes, dit Bergman.

Il enfonça les mains dans les poches de sa veste puis les souleva, poings fermés. Il tendit les deux mains vers le témoin et écarta les doigts, les paumes vers le haut. Il tenait son stylo dans une main, une gomme dans l'autre.

— Si je vous lance le stylo ou la gomme, vous essayerez de les éviter, et vous qualifierez votre geste de réflexe, n'est-ce pas ?

— Oui. C'est juste.

— Puis-je provoquer un réflexe de votre part sans *faire* quoi que ce soit ? demanda Bergman. Faut-il que je vous donne un coup de poing ou que je vous lance un objet au visage pour provoquer le réflexe ? Faut-il que ce soit *physique ?* Ne puis-je susciter un réflexe en *disant* quelque chose ?

— Est-ce que le langage peut provoquer une réaction réflexe ? La réponse est positive, dit Magruder.

— Comment cela se produit-il ?

— Si l'on nous insulte, si l'on nous met en colère, si quelque chose que nous apprenons, de vive voix ou dans une lettre, nous rend heureux ou malheureux, le corps réagit. Le cœur bat plus vite, la sécrétion gastrique augmente, les muscles abdominaux se contractent, d'autres muscles produisent d'autres réactions.

— Parce que nous entendons ou lisons une chose, dit Bergman. Et dans le cas où nous *voyons* cette chose ? Une photo, par exemple ?

— La réaction dépend de l'individu. De ses associations, de sa participation émotionnelle avec la photo.

— Et si l'individu voit la chose elle-même ? demanda Bergman. Non pas la photo, mais la personne. Peut-il se produire un réflexe ?

— C'est possible.

Bergman se pencha davantage vers lui.

— Est-ce que la vue d'un homme peut provoquer un réflexe ? Oui ou non ?

— Oui, répondit Magruder.

— Oui, un homme placé en face d'un autre homme peut faire quelque chose avant même de se rendre compte qu'il l'a fait, dit Bergman. Exact ?

— Oui. Exact.

Il leva les mains et regarda le stylo et la gomme comme s'ils étaient apparus par enchantement. Il les rangea dans ses poches en souriant au témoin.

— C'était un plaisir de faire votre connaissance, docteur, dit Bergman, et, au juge : Je n'ai rien d'autre à demander à ce témoin, Votre Honneur.

Quelques minutes avant midi, le lundi suivant, Philip Murray se leva.

— Votre Honneur, l'accusation a terminé.

Le juge Kesselring regarda la pendule derrière lui et ne vit donc pas Bergman se lever.

— Nous pouvons suspendre maintenant, dit le magistrat, et l'avocat de la défense pourra commencer après le déjeuner.

— Excusez-moi, Votre Honneur, dit Bergman. J'aimerais demander une autre faveur à la cour. J'ai déjà largement dépassé mon quota, mais, quitte à être pendu pour un œuf, autant l'être pour un bœuf. Si la cour ne s'y oppose pas, j'aimerais mieux avoir un peu de temps devant moi.

Bergman n'avait nulle envie d'affronter des jurés au ventre plein qui auraient sans doute tendance à somnoler.

— J'ai écouté le procureur de district, en le maintenant sur la voie droite et étroite, pendant de si longues journées que j'ai besoin d'un peu de temps pour mettre mon dossier en ordre.

— La défense sera-t-elle prête demain? demanda le juge Kesserling.

— Demain me conviendra parfaitement, Votre Honneur.

— J'ajourne donc jusqu'à 10 heures du matin.

Bergman se rendit près de la barrière, devant Hester, avant que le magistrat n'eût quitté la tribune.

— Demain sera une journée importante, madame Murdoch, dit l'avocat. Peut-être le jour le plus important de la vie de votre mari. Il a besoin de votre présence ici demain. Moi aussi. Pas de prétextes, ma chère... Lieutenant, ne quittez pas Pearl Harbor sans votre femme, lança-t-il à Gerald.

La princesse Luahiné était encore à sa place, près de l'allée. Elle avait vu Bergman bondir de son fauteuil, se précipiter vers la barrière, parler à Hester Murdoch puis se tourner vers Gerald. Elle donna un coup de coude à Tom Haléhoné.

— Je veux voir Sarah. Faites-la venir à l'hôtel pour le déjeuner.

Hester avait déjà décidé de ne pas déjeuner, pour ne plus voir sa mère, l'amiral et les Philippins qui tournaient autour d'elle à chaque repas, attendant en silence qu'elle vide son assiette, comme s'ils allaient être punis si elle ne se gavait pas. Soudain, en pleine salle d'audience, Hester eut envie de voir Bryce. Elle ne pouvait pas s'en empêcher. Elle ne l'avait pas vu depuis l'horrible « surprise » de Ginny au club des officiers. Elle éprouvait une honte immense. Ses accès intempestifs de désir pour lui, qui revenaient fréquemment, l'emplissaient de mépris pour elle-même. Elle avait résolu de résister et elle avait mis au point un moyen de combattre ses impulsions. D'abord, il fallait qu'elle soit seule ; elle se figeait et revivait ses mensonges et sa trahison, sa duplicité, la torture qu'elle avait infligée aux quatre jeunes gens innocents, le décès de l'un d'eux, dont elle était responsable. Elle acceptait le châtiment, elle le souhaitait, et le châtiment ne cessait qu'au moment où son désir pour Bryce s'estompait.

— Je n'ai pas faim, dit-elle en arrivant à la résidence de l'amiral.

Doris Ashley la suivit au premier, sous prétexte de se rafraîchir, et ferma à clé la porte de la salle de bains et celle de sa chambre pour qu'Hester ne puisse pas téléphoner.

— J'aimerais que tu manges quelque chose, mon bébé, dit-elle.
Comme Hester ne répondait pas, elle descendit à table.

Debout devant la fenêtre, Hester se remémora les photos des trois
jeunes gens, allongés sur le ventre, à l'hôpital. Elle revit leurs dos
lacérés. Elle imagina leurs cris de grâce pendant la flagellation,
tandis que leurs chairs se déchiraient. Elle entendit ces cris, puis le
coup de feu au moment où Gerald appuyait sur la détente et mettait
fin à la vie de Joseph Liliuohé. Elle savait qu'elle méritait d'être
torturée, et elle demeurait sans bouger, en attendant que défile
devant elle le cortège sans fin de ses souvenirs.

Le lendemain mardi, à 8 heures, Lenore sortit de sa chambre, dans
la suite du Western Sky. Elle s'était habillée pour se rendre au palais
de justice, car elle avait l'intention d'être aux côtés de Bergman
quand il commencerait sa plaidoirie. Elle était en bleu, avec des
chaussures blanches, et elle tenait à la main un foulard bleu. En
voyant Bergman sur la banquette du salon, elle s'arrêta.

— Tu n'aurais pas dû attendre, Walter, dit-elle. Pourquoi n'es-tu
pas descendu déjeuner ?

— Rien ne presse, dit Bergman. D'ailleurs, j'aimerais faire
monter le petit déjeuner ici, ce matin, si cela ne te dérange pas. Je
crois que j'ai pris un coup de froid la nuit dernière, mentit-il.

— Pourquoi ne m'as-tu pas réveillée ? Tu aurais dû.

— Je réserve ça pour les cas d'urgence, dit Bergman. Pour le jour
où j"aurai vraiment besoin de ton aide.

Il lui laissa le temps de digérer l'avertissement avant d'esquisser un
sourire fier.

— Je vais appeler le médecin de l'hôtel, répondit-elle.

— Non, non, Lenore. Pas de médecin aujourd'hui. C'est aujour-
d'hui mon grand jour d'audience. Je n'ai pas envie d'affronter la
cohue du restaurant. C'est tout. Mieux vaut jouer la sécurité que
regretter sa décision après. Veux-tu appeler la femme de chambre ?
Pour moi, du café et une tartine, merci.

Lenore se dirigea vers le téléphone et vit, pour la première fois
depuis qu'ils avaient débarqué, le porte-documents de Bergman à
côté de l'appareil.

— Nous touchons à la fin, dit-il lorsque Lenore raccrocha.

Elle se retourna brusquement comme si une grille venait de
claquer dans son dos, l'isolant du monde.

— Tu n'as pas encore commencé, s'écria-t-elle, baissant le masque, oubliant de dissimuler ses sentiments.

— Je leur réserve une ou deux surprises, dit Bergman. Cela devrait les soulager après avoir écouté pendant des journées entières cette jeune baudruche.

Il parlait de Philip Murray, qui avait quarante-trois ans. Il observa Lenore, qui essayait de se ressaisir... Elle fit quelques pas sans but, puis s'arrêta devant les portes-fenêtres de la terrasse que Bergman avait fermées quelques heures plus tôt afin de justifier sa maladie imaginaire.

— Je ne vois aucune raison pour que tu perdes ton temps au palais, Lenore.

Il ne tenait pas à ce que les jurés aient sa jeune femme sous les yeux ce jour-là.

— J'ai envie de venir.

Les heures de solitude, avec des souvenirs qu'elle ne pouvait ni éviter ni effacer, étaient pour elle une torture. Elle avait proposé d'accompagner Bergman parce qu'elle avait besoin d'un refuge, d'un havre sûr. La foule, les voix, la pompe de la cour seraient plus faciles à supporter que l'éternel silence dans lequel elle vivait jour et nuit.

— L'intention vaut l'acte, lui dit Bergman. Et d'ailleurs, tu pourrais me rendre service. Nous rendre service. J'en ai jusque-là des cocotiers, et tu dois en être saturée, toi aussi. J'ai lu que la merveille du Pacifique, le paquebot *Lotus,* appareille samedi en huit. J'ai envie de te déposer au bureau de la compagnie en allant au palais, pour que tu nous retiennes une cabine à son bord.

Lenore eut l'impression que ses jambes se dérobaient. Elle posa la main sur les portes de verre et regarda, dehors, la mer plate et vide qui semblait lui faire signe.

— Walter, il faut que je te parle.

Bergman attendait depuis des jours. Il était prêt.

— Tu veux rompre ta promesse ?

— Quelle *promesse ?* Je n'ai fait aucune promesse.

Elle s'avança vers lui.

— A l'hôpital, lança Bergman, tu as dit que tu rentrerais à la maison avec moi. Si ce n'est pas une promesse, c'est un engagement, un marché. Tu n'es jamais revenue sur les conditions d'un marché, Lenore.

Elle s'arrêta près de la banquette. Bergman avait les pieds et les genoux joints, les mains sur les cuisses. Lenore songea aux hommes et aux femmes âgés qu'elle avait vus dans les jardins publics de Chicago attendre patiemment l'aide de quelqu'un, un enfant ou un petit enfant...

— J'ai dit que je voulais te parler. Te *parler,* Walter. Est-ce que parler viole un code moral ?

Elle se sentait pleine de culpabilité, mais aussi de colère. Il était visiblement blessé et elle n'avait même pas *commencé*.

— Ce n'est pas le moment, dit Bergman. Mes clients ont besoin du meilleur de moi-même ce matin.

— Ce n'est pas moi qui ai choisi le moment. Tu m'y as forcée, Walter. En m'envoyant au bureau de la compagnie maritime. En fixant une date. Nous allons partir. Si nous ne parlons pas maintenant, quand parlerons-nous ? *Quand ?*

— Nous pouvons nous en épargner le tracas, répondit Bergman. Nous aurons bien assez de choses à rapporter avec nous, et je ne fais pas allusion aux bagages.

Il se leva et se dirigea vers la table.

— Je n'ai accepté cette affaire que pour une seule raison, reprit-il. Pour te montrer une autre partie du monde. Je ne me souviens pas d'avoir commis une erreur plus grave dans toute mon existence.

Lenore traversa la pièce et lui fit face.

— Pourquoi refuses-tu de m'*écouter ?* supplia-t-elle.

— J'irai moi-même réserver les places sur le bateau, dit Bergman.

Il voulut prendre le porte-documents, mais Lenore posa la main dessus.

— Tu es si injuste ! dit-elle, en se méprisant de succomber à sa propre culpabilité et à l'autorité de Bergman.

— Injuste ? dit-il. Et où donc es-tu allée pêcher ce mot-là ? Tu parles à ton mari. Je parle à ma femme. Au bord du lac, le jour où nous nous sommes mariés, tu as promis d'aimer, d'honorer et d'obéir. Nous savons tous les deux que le mot *aimer* ne correspondait pas à notre situation, pas plus que l'amour dont on fait des chansons. Je n'ai jamais espéré ni demandé d'être honoré. Quant à être obéi, je préférerais entrer dans l'océan avec des gueuses à mes chevilles plutôt que de te donner un ordre. Ce que le pasteur a dit, Lenore, je ne l'ai jamais espéré, je ne l'espère pas et ne l'espérerai jamais. Tout ce que j'ai demandé, le soir où tu es venue à l'hôpital, le soir où le capitaine Maddox t'a conduite à l'hôpital, c'est de te souvenir que je suis tout seul.

Il prit son porte-documents et ajouta :

— Je me souviens du moment où tu étais toute seule, Lenore.

— Tu n'as pas pris de petit déjeuner, répondit-elle. Pourquoi cette hâte ? Pourquoi faut-il que tu m'*accables* de culpabilité ?

— Je crois préférable de filer, dit Bergman. C'est le meilleur moyen de clore la discussion, dans notre intérêt commun.

Du bout de l'index, il tapota le porte-documents.

— Je n'ai pas oublié mon chocolat, dit-il. Je trouverai bien un bar du côté de la compagnie maritime.

Elle était vaincue. Elle eut envie de crier grâce, d'avouer sa défaite. Si seulement il se taisait, s'il cessait de faire étalage de ses infirmités, s'il cessait à jamais de lui imposer ses interminables et irréfutables sermons... Elle lâcha le porte-documents.

— Le paquebot *Lotus,* dit-elle. Tu me déposeras sur le chemin du palais.

Quand Lenore descendit du taxi, Bergman dit au chauffeur :

— Conduisez-moi chez un bonnetier.

L'homme le regarda avec des yeux ronds.

— Un magasin de vêtements pour hommes, précisa l'avocat.

A quelques rues de là, dans la salle d'audience du juge Kesselring, l'huissier fermait déjà les portes du fond.

— Désolé, tout est plein. Désolé.

Derrière lui dans l'allée, à la hauteur du premier rang du public, la princesse posa la main sur l'épaule de l'amiral.

— Excusez-moi, amiral.

Jamais ils ne s'étaient adressé la parole. A côté de la princesse, l'amiral vit une grande femme indigène, dont le visage était plus gris que brun. L'amiral crut que la princesse s'excusait de l'avoir bousculé ; il inclina la tête pour mettre fin à la rencontre et se retourna sur le banc. La princesse lui donna une nouvelle tape sur l'épaule et l'amiral leva les yeux vers l'énorme femme et sa compagne au teint cendreux, qui semblait s'accrocher à elle comme une malade, une folle sortie d'un asile, libérée pour quelques heures sous bonne garde. L'amiral comprit que la princesse n'avait pas l'intention de s'éloigner ni de prendre sa place de l'autre côté de l'allée. Étant en présence d'une personne du sexe féminin, il se leva automatiquement, réagissant à plus de quarante années d'éducation et de discipline, qui avaient débuté à son arrivée à l'École navale. Il se recula et s'écarta, ce qui permit à Hester de voir la princesse et l'autre femme sans obstacle.

— Vraiment désolée de vous déranger, amiral, dit la princesse Luahiné. Mais nous sommes plus serrés que des sardines de notre côté. On ne pourrait pas glisser une feuille de papier à cigarette entre nous. Pourriez-vous faire un peu de place par là ? Cette dame a besoin d'une place. D'une demi-place, devrais-je dire. Elle n'a que la peau et les os. Impossible de la faire manger, la pauvre. Tout le monde a essayé, mais depuis que son fils a été tué...

La princesse s'interrompit et se frappa le front avec le plat de la main. Elle regarda Hester, qui la fixait. Les lèvres d'Hester s'ouvrirent, ses yeux s'agrandirent et, pendant l'instant de silence, on crut qu'elle allait crier.

— Où ai-je donc la tête ? dit la princesse. Je ne vous ai même pas présentés. C'est Mme Liliuohé, la mère de Joe Liliuohé.

Les mains d'Hester étaient à plat sur le banc, le bout des doigts tout blancs.

— Et maintenant, voici que j'oublie son nom, son prénom... Elizabeth ! Je vous présente Elizabeth Liliuohé, la mère de Joe Liliuohé.

La princesse prit par les épaules la femme aussi maigre qu'un échalas et l'attira vers elle.

— C'est l'amiral Glenn Langdon, chère amie. Il va vous aider, n'est-ce pas, amiral ?

Sans attendre la réponse, la princesse poussa Elizabeth Liliuohé vers le premier rang, contre l'amiral qui dut se pencher en arrière, contre la barrière, incapable de répondre, de prononcer un seul mot, de résister au raz de marée qui l'engloutissait.

— Vous pouvez vous asseoir, dit la princesse à Elizabeth Liliuohé en la poussant sur le banc à côté d'Hester. N'ayez pas peur. Je serai là, de l'autre côté de l'allée avec Sarah, ajouta-t-elle, puis elle expliqua à l'amiral : Sarah est la sœur de Joe, la sœur du mort.

Elle se redressa de toute sa taille et demeura immobile un instant, attendant de pouvoir respirer normalement. Sur la gauche de l'amiral, à la table de la défense, Doris Ashley regarda la princesse, puis Hester à côté d'Elizabeth Liliuohé.

— Je vous remercie, amiral, dit la princesse Luahiné.

Elle avait terminé.

Elle avait commencé la veille pendant le déjeuner au restaurant en terrasse du Western Sky, face à l'océan. La princesse s'était assise entre Tom et Sarah, que le jeune homme était allée chercher à la droguerie quand le juge Kesselring avait suspendu l'audience.

— Je n'ai obtenu que quarante-cinq minutes, dit Sarah.

— Je n'en ai besoin que d'une, répliqua la princesse. Je veux votre mère à l'audience demain.

— *A l'audience ?*

Sarah regarda Tom comme s'ils étaient des conspirateurs partageant un secret qu'elle était contrainte de trahir, puis se tourna vers la princesse.

— Ma mère n'est pas sortie de la maison depuis que Joe... depuis qu'il a été tué.

— Ce sera l'occasion demain, dit la princesse.

Sarah se pencha en avant, les coudes sur la table, les mains jointes.

— Elle n'est pas venue aux *obsèques* de Joe. Elle a refusé de sortir de la maison pour les *obsèques* de son fils.

— Peu importe, dit la princesse, et comme le maître d'hôtel

arrivait, elle montra Sarah du doigt. Elle prend le *club sandwich*. Servez-la en premier. Elle n'a pas beaucoup de temps... Vous conduirez votre mère au palais de justice demain, dit-elle à Sarah. Tom vous aidera.

— La conduire au palais de justice...

Sarah ne vit ni le garçon ni le sandwich. Elle fixait la princesse, dont les seins se soulevaient et s'abaissaient tandis qu'elle essayait, d'ailleurs en vain, de se calmer. La princesse leva le bras, gros comme un jambon, et laissa tomber son poing sur la table.

— Cessez de répéter comme un écho.

Elle vit Tom faire la grimace et se tourner vers les autres convives.

— Si le climat ne vous convient pas, maître, vous pouvez vous retirer, lança-t-elle.

Tom posa les mains sur ses cuisses et serra. Il songea à tout ce que la princesse avait fait, à commencer par l'argent de la caution.

— Sarah n'a rien dit qui justifie votre colère contre elle.

— Ah-h-h-h! dit-elle à mi-voix, en un long soupir douloureux, comme si elle se prenait en pitié.

Elle avait besoin de Jack Manakula. Elle pouvait crier sur le dos de Jack jusqu'à ce que la gorge lui brûle. Elle posa la main sur celle de Sarah.

— Mangez votre sandwich, mon chou.

Sarah prit un des deux triangles du sandwich dans son assiette, puis le reposa.

— Ma mère refuse même de sortir pour suspendre sa lessive, dit-elle. Si je ne suis pas à la maison, c'est mon père qui le fait.

La princesse secoua la tête d'un air de pitié. Elle était impatiente que la fille décampe.

— Il faut vraiment que je parte ou je serai en retard, dit enfin Sarah en prenant son sac à main sur la chaise vide.

Tom se leva.

— Désolée, dit Sarah. J'aurais aimé aider, mais rien ne pourra lui faire quitter la maison.

— Ne troublez pas votre jolie frimousse, répondit la princesse... Et vous, revenez me tenir compagnie pendant que je finis cette tranche de baleine, ajouta-t-elle en braquant sa fourchette vers Tom.

Tom suivit Sarah. Aussitôt, la princesse agita la fourchette en direction du serveur. De toute façon, elle avait trop mangé.

— L'addition.

Tom accompagna Sarah à sa décapotable, puis revint vers le Western Sky, en suivant l'allée entre les cocotiers. Au pied de l'escalier de l'hôtel, il vit la princesse qui sortait du hall.

— Je n'avais pas très faim, dit-elle en faisant signe au portier. Taxi.

— Je vais retourner à mon bureau, répondit Tom.

Parfois, quand il était avec elle, il devait vraiment se retenir. Sans son ordre, il serait rentré en voiture avec Sarah puis aurait regagné son bureau à pied. La princesse le prit par la manche et tira.

— Vous me tenez compagnie, dit-elle sans le lâcher jusqu'en bas des marches.

Sur la gauche, le portier réapparut, debout sur le marchepied d'un taxi roulant lentement vers l'entrée de l'hôtel.

— J'ai besoin d'un guide, dit la princesse. Cette ville a tellement changé que parfois je me crois sur la lune.

Le taxi s'arrêta et le portier descendit du marchepied pour ouvrir la portière arrière. La princesse saisit le toit du taxi à deux mains.

— Filez-lui deux ronds, Tom, dit-elle.

Tom tendit 25 *cents* au portier et contourna le taxi par l'arrière pour monter de l'autre côté.

— Au Punchbowl, dit la princesse au chauffeur, et à Tom : Je suppose que vous savez où nous allons ?

— Chez Mme Liliuohé. Sarah vous a expliqué...

— Ouais ! coupa la princesse. Donnez l'adresse au chauffeur.

Elle se trémoussa sur la banquette, essayant de prendre ses aises, puis elle se pencha en avant pour baisser la glace.

— Regardez-les, Tommy, dit-elle en montrant les femmes qui tressaient des orchidées en guirlandes derrière les petits kiosques des marchands de fleurs. Des orchidées et des balais, voilà ce que nous ont légués les bateaux des Blancs. Pouvez-vous m'en vouloir d'avoir tourné le derrière à cette ville ?

Tom ne répondit pas. Il s'était habitué à ses sautes d'humeur. Il savait quand elle avait envie de discuter et quand elle avait besoin de silence. La princesse resta longtemps sans parler. Soudain, elle se mit à frapper la portière avec le plat de la main, sur un rythme lent. Elle regardait droit devant elle.

— Doris Ashley est venue à l'audience avec la marine des États-Unis à ses côtés. Elle a également Harvey Koster à ses côtés. Il se trouve que je sais qui a payé Walter Bergman pour qu'il rapplique depuis l'autre bout du monde. Et depuis le premier jour de ce procès, la petite garce est assise au premier rang, offerte aux regards de ces messieurs du jury. Ils ont peut-être écouté Phil Murray, mais, ce qu'ils ont *regardé,* c'est Hester Anne Ashley Murdoch. Eh bien, il est temps que nous abattions, nous aussi, une carte. Walter Bergman va passer à l'attaque demain, et il nous faut quelque chose d'efficace pour notre camp. C'est encore loin ?

— On arrive bientôt.

— Merci du renseignement !

Le chauffeur avait tourné près du Punchbowl et la princesse regarda de toute part tandis qu'ils quittaient le quartier commerçant de la ville pour s'enfoncer dans les rues où les Hawaïens s'entassaient.

— Au moins, ils ne font plus la cuisine dehors, dit la princesse.

— Oh que si ! répliqua Tom en tendant le bras.

— Où habitent donc ces Liliuohé, nom d'un fichu diable ? cria la princesse, que la pauvreté autour d'elle mettait en fureur.

— Encore deux rues.

Quand le taxi s'arrêta, la princesse regarda la maison aux volets clos, sans lumière. Elle semblait déserte, abandonnée.

— On dirait une tombe, s'écria-t-elle, puis : Tout le monde en ville me prend pour le Christ revenu sur terre, alors autant que j'en profite. Tom, allez lui dire que la princesse Luahiné est à sa porte. Précisez bien que la princesse Luahiné a fait tout ce chemin pour la voir.

— Elle ne voudra pas... commença-t-il.

Il s'interrompit, car la princesse ne l'écoutait pas. Il descendit du taxi, le contourna et s'arrêta à côté de la portière de la princesse.

— Elle est aussi morte que Joe, dit-il.

— A tout de suite, répondit la princesse.

Il tourna le dos au taxi et se dirigea vers la maison sans vie. La princesse regarda son pied infirme soulever la poussière. Elle se demanda si un docteur, aux États-Unis, ne pourrait pas faire quelque chose pour lui. Puis, se rappelant que le jeune homme avait passé trois ans aux États-Unis dans une faculté de droit californienne, elle comprit qu'il devait avoir posé la question à cent chirurgiens. Elle renifla et plissa le nez. C'était un brave garçon. On avait besoin de lui dans le Territoire. On avait besoin de mille hommes comme lui. Elle mit sa main en porte-voix devant sa bouche.

— Ramenez la vedette ! cria la princesse.

Tom se dirigea vers le côté de la maison et remonta le sentier où Sarah garait sa voiture. Il arriva près du fil à linge nu, tendu parallèlement à la maison, continua entre le chemin et le fil, puis disparut.

La princesse se pencha en avant, la tête dans l'axe de la glace baissée, pour regarder la maison dans laquelle, quelque part à l'arrière, Tom avait disparu. Elle n'entendit rien et ne vit rien. Elle eut l'impression qu'une journée entière s'écoulait.

— Excusez-moi, madame... Princesse, je veux dire. Ça va si je fume ? demanda le chauffeur.

Elle ne tourna pas la tête.

— Mais oui, mais oui, dit-elle en songeant à Jack qui roulait ses cigarettes, assis à côté d'elle, tandis que la fumée s'élevait autour d'eux. Allumez-la donc.

La fumée serait la bienvenue. Mais où était donc Tom ?

— Il est parti depuis vraiment longtemps, n'est-ce pas ? dit-elle.

— Je crois que je n'ai pas fait attention, répondit le chauffeur, pas du tout pressé du moment que son compteur tournait. Vous voulez que je...

— Non.

Elle continua de fixer la maison, en se frottant les mains. Elle commençait à transpirer dans ce maudit taxi exigu. Mais que faisait-il donc là-dedans ? Elle recula et, au moment où elle s'adossait au siège, elle vit la porte d'entrée de la maison s'ouvrir devant Tom.

— Madame... *Princesse,* dit le chauffeur.

— Oui, dit-elle à voix basse comme si elle craignait qu'on l'entende.

Tom était sur le seuil. La princesse se glissa vers l'avant et le vit sortir de la maison. Elle le regarda se retourner, persuadée qu'il allait refermer la porte, persuadée qu'il avait échoué, qu'elle avait échoué.

— Idiote ! dit-elle, songeant à elle-même.

Puis elle vit l'ombre, le fantôme, apparaître dans l'embrasure. La femme était grande, d'une taille exceptionnelle pour une Hawaïenne, et, quand elle s'arrêta, hébétée, sur le seuil, perdue même là, dans sa propre maison, la princesse eut envie de l'aider. Elle tendit la main vers la poignée de la porte puis se figea. « Ça gâcherait tout », se dit-elle.

— Vous m'avez dit que la princesse Luahiné était ici, murmura Elizabeth Liliuohé sur le pas de sa porte.

— Elle y est. Dans le taxi.

Il eut envie de crier à la princesse de venir. Pourquoi ne descendait-elle pas ?

Elizabeth Liliuohé se recroquevilla en arrière.

— Sarah et vous me jouez un tour, dit-elle.

Tom la prit par le bras et ne lâcha pas.

— Nous ne ferions pas une chose pareille, madame Liliuohé. C'est la princesse. Jamais je ne vous mentirais, voyons.

Il la tira vers le seuil, lentement, très lentement, en hésitant entre chaque pas pour l'empêcher de faire demi-tour et de fuir.

Dans le taxi, le chauffeur posa sa cigarette dans le cendrier, l'écrasa puis tendit le bras derrière lui pour ouvrir le portière.

— Ne bougez pas ! lui ordonna la princesse.

— Je ne voulais qu'aider...

— Vous nous aidez, répondit-elle, en regardant Tom escorter la pauvre femme triste, maigre comme une rame à petit pois.

— Viens donc, murmura-t-elle.

Elle venait.

— Ne t'arrête pas maintenant !

Elle était vraiment lancée. Tom la tenait et ils avançaient. La princesse distingua bientôt le visage de la vieille dame. Elle s'était laissée mourir de faim. La peau et les os. La princesse eut envie de prendre la malheureuse dans ses bras, mais il fallait encore attendre, encore attendre. La princesse n'ouvrit la portière et ne descendit du siège arrière qu'à l'arrivée de Tom et d'Elizabeth Liliuohé près du taxi.

— Bonjour, mon chou, dit-elle en écartant les bras. Comme la mère de Joe Liliuohé était sortie de chez elle une fois, la princesse était certaine qu'elle en sortirait une deuxième.

— J'ai besoin d'un grand service, dit-elle. Demain.

Le lendemain matin, au Western Sky, la princesse s'éveilla dans sa suite avant Lenore et Walter Bergman dans la leur. Son esprit se mit au travail aussitôt et, quoique en avance de plusieurs heures, elle commanda du café et se leva. Elle était incapable de rester allongée tranquillement quand il y avait quelque chose à faire, même si c'était beaucoup plus tard. Elle ouvrit la porte et la laissa entrebâillée pour que la femme de chambre ne la dérange pas.

A 8 heures, elle se trouvait dans le hall, installée dans un fauteuil avec l'*Outpost Dispatch,* en train de regarder la photo de Bergman sur trois colonnes à la une. La manchette disait : LA DÉFENSE PASSE À L'ATTAQUE. La princesse plia le journal et le jeta dans la corbeille à papiers près d'elle.

— Du vent ! dit-elle.

Elle se hissa hors de son fauteuil en grognant.

Quand la décapotable s'engagea dans l'allée de l'hôtel, la princesse attendait en haut des marches. Elle se dirigea vers la voiture, les yeux plissés pour parvenir à distinguer les trois silhouettes à l'intérieur. Tom descendit.

— Je monte dans le spider, dit-elle.

La princesse sourit à Elizabeth Liliuohé, assise à côté de Sarah.

— Vous avez l'air vraiment bien, dit la princesse. Mais priez pour que j'arrive à me glisser près de vous. Grimper dans ce tacot, c'est comme monter à la grande roue.

Elle posa une main sur l'épaule de Tom pour prendre appui,

agrippa la décapotable de l'autre et hasarda un pied sur le marche-pied. Elle prit son élan et se laissa tomber à côté d'Elizabeth Liliuohé. Elle sourit à la vieille dame consternée.

— Maintenant, je sais de qui Sarah tient son allure.

Elle ne connaissait qu'un moyen d'adoucir tout ce qui risquait de l'effrayer et elle parla d'un bout à l'autre du trajet jusqu'au palais de justice. Elle s'aperçut qu'ils étaient arrivés en entendant Sarah dire :

— Tommy te ramènera à la maison, maman. Je te verrai après mon travail.

Tom ouvrit la portière du côté de la princesse.

— Quoi ?... Vous venez avec nous ! lança la princesse en posant sa main sur celle de Sarah, qui tenait le levier des vitesses.

— Je ne peux pas, répondit la jeune femme en secouant la tête.

— Je vous ai expliqué... commença Tom.

— Décampez ! lui cria la princesse, et, à Sarah : Nous avons besoin de vous dans la salle aujourd'hui.

— Je ne peux pas les regarder.

— Tous ces « je ne peux pas » commencent à me fatiguer. Oubliez ces mots-là. Je ne vous demande pas de vous jeter sous un train. Vous ne ferez que vous asseoir sur un banc dans une pièce. Si je peux le faire et si votre mère peut le faire, vous aussi. Vous direz à votre patron, je ne veux pas savoir qui c'est, de vous retenir une journée de salaire. Aujourd'hui, vous travaillez pour moi.

Elle tendit le bras vers Tom.

— Voici comment nous allons procéder.

La princesse et Elizabeth Liliuohé descendirent donc de la décapotable, que Sarah et Tom allèrent garer. Ils entrèrent tous les quatre en même temps dans le palais de justice, mais la princesse et Elizabeth restèrent sur le balcon dominant la salle des pas perdus pendant que Sarah et Tom se frayaient un chemin au milieu du public qui envahissait la salle d'audience. La princesse tenait Elizabeth Liliuohé par le bras et, sans cesser de parler, doucement, aimablement, elle surveillait des portes. Elle était en train de faire le vœu de botter les fesses de Tom, quand le jeune avocat réapparut enfin.

— Vite, dit-il, et la princesse se précipita à sa suite, un bras autour de la taille d'Elizabeth Liliuohé, comme si elle transportait un mannequin.

Au moment où ils pénétrèrent dans la salle d'audience, l'huissier écartait déjà les bras pour refermer les portes...

Et maintenant, tandis que Bergman se faisait conduire dans un magasin de vêtements pour hommes de King Street, la princesse prenait sa place près de Sarah et de Tom, en face de l'amiral et d'Elizabeth Liliuohé, de l'autre côté de l'allée. Elle se pencha en avant pour adresser un sourire à Elizabeth et lui fit un petit bonjour de la main, en agitant les doigts. « On dirait une silhouette en carton découpé », se dit-elle. Elle essaya de se détendre. Son piège était tendu.

L'amiral était assis sur son banc comme un bleu au mess des officiers, coudes serrés et les mains entre les genoux. Il regarda la femme indigène à côté de lui.

— Vous avez assez de place ?

Elle ne se retourna pas ni ne répondit. Elle avait les yeux ouverts, mais l'amiral eut l'impression qu'elle ne voyait rien.

Elizabeth Liliuohé était très loin et parfaitement seule : dans ses souvenirs. Elle songeait à l'appétit de Joe. Il pouvait manger pour deux, pour trois. Elle préparait toujours un peu plus pour Joe. Quand il mangeait, elle s'asseyait toujours à la table. Elle aimait beaucoup regarder Joe manger. Il disait toujours qu'elle était la meilleure cuisinière. Or elle ne pouvait plus faire la cuisine. Joe était mort. Elle ne pouvait plus entrer dans la cuisine. Elle était incapable de s'asseoir à table si Joe ne venait pas.

Hester sentait la mère de Joseph Liliuohé coincée contre elle, contre son genou, sa cuisse, sa hanche et son bras, comme s'il s'agissait de chaînes, ou de piques qui l'empalaient. La mère de Joseph Liliuohé était si mince qu'Hester pouvait sentir ses os. Elle essaya de s'écarter mais il n'y avait pas de place. La mère de Joseph Liliuohé était venue là pour rappeler à Hester que son fils était un squelette, un squelette au fond de l'océan, dans un cercueil et non dans la décapotable avec les jeunes gens qui l'avaient sauvée. Joseph Liliuohé avait été le premier à s'élancer à son secours. Il l'avait portée jusqu'à la décapotable et, pour le récompenser de sa charité, de la miséricorde qu'il lui avait témoignée, Hester l'avait tué. Elle avait envoyé Joseph Liliuohé sur le chemin de sa mort.

Doris Ashley vit Hester lever son sac à main jusqu'à ce qu'il dissimule son visage. Elle ne put donc pas voir sa fille se mordre les lèvres derrière son sac, enfoncer ses dents profondément pour se faire mal, pour saigner, pour expier la mort de Joseph Liliuohé.

Doris Ashley avait entendu la princesse présenter la femme qui se trouvait à côté d'Hester. Doris se leva, et Gerald, de l'autre côté de la table de la défense, la regarda se diriger vers la barrière. Il vit l'amiral se lever. Doris se pencha vers lui pour que personne ne puisse l'entendre.

— Ramenez Hester à Pearl, murmura Doris Ashley.

— *Impossible !* s'écria l'amiral, en essayant de chuchoter. Vous avez entendu Bergman hier. Il a ordonné personnellement qu'Hester soit ici aujourd'hui.

— La *mère* de l'homme est à côté d'elle, chuchota Doris Ashley. Sa *mère* ! Hester est fragile. Elle est faible. Son corps ne peut pas supporter ce genre de choc. Son système nerveux. Je vous en prie, Glenn, emmenez-la.

— Bergman commence sa défense aujourd'hui, dit l'amiral. Il se bat pour votre vie, pour la vie de vous tous. Il m'a donné l'ordre d'assurer la présence d'Hester.

— Baissez la voix, dit Doris Ashley. On peut vous entendre. Pour l'amour de Dieu, faites ce que je vous demande ! supplia-t-elle tandis que la porte voisine de la tribune s'ouvrait.

Le juge Kesselring entra dans sa salle d'audience.

— Debout, s'il vous plaît ! cria l'huissier.

L'amiral posa la main sur l'épaule de Doris Ashley.

— Cessez donc de vous tourmenter au sujet d'Hester, dit-il.

Onze minutes plus tard, Bergman arriva au palais de justice vêtu de l'imperméable qu'il venait d'acheter (il l'avait boutonné jusqu'au cou). Il tenait d'une main son porte-documents et de l'autre un parapluie, qu'il avait également acheté dans King Street.

Dans la salle d'audience, le juge Kesselring regarda la pendule murale derrière lui.

— Monsieur Wadsworth, êtes-vous prêt à ouvrir les débats ?

Coleman Wadsworth se leva.

— Non, Votre Honneur, dit-il. Quand la cour a ajourné hier, M. Bergman a précisé qu'il exposerait les arguments de la défense ici même ce matin.

Le juge leva les yeux vers la salle. Elle était bondée. Il avait autorisé le public à rester debout au fond et les gens s'étaient entassés d'un mur à l'autre. Les chuchotements étouffés, les murmures, les bruits constants des hommes et des femmes qui remuaient sur leurs sièges empêchèrent le magistrat d'entendre les coups frappés à la porte.

— Dans ce cas, je vais suspendre... commença le juge.

Puis il vit l'huissier ouvrir les portes du fond de la salle et Bergman faire son entrée.

— Horriblement désolé, Votre Honneur.

Il s'engagea dans l'allée, puis s'arrêta pour tousser, la tête baissée.

— J'ai eu une mauvaise nuit, dit-il en arrivant à la barrière. J'ai dû attraper la grippe. J'ai songé à me faire porter malade, mais j'ai préféré ne pas retarder la procédure, Votre Honneur.

Bergman fit passer son parapluie dans l'autre main pour pouvoir ouvrir la barrière, puis il entra de biais comme s'il se glissait dans un tourniquet. Coleman Wadsworth se leva.

— Je vais vous aider, dit-il en tendant la main, mais Bergman se détourna légèrement et se mit à tousser, voûté par la douleur, jusqu'à ce que la quinte cesse.

Il se racla la gorge.

— Le plus mauvais est passé, dit-il en contournant Wadsworth.

Il tenait à ce que personne n'intervienne ni ne compatisse. Il s'arrêta près du fauteuil vide en face de Gerald et posa le porte-documents et le parapluie sur la table de la défense. Il commença à s'extraire de l'imperméable, non sans difficulté.

— Je suis à vous dans une minute, Votre Honneur.

Il posa l'imperméable sur la table et ouvrit son porte-documents. Il en sortit un bloc de brouillon jaune, le rapprocha de ses yeux et étudia la page (elle était vierge). Satisfait, il rangea le bloc dans le porte-documents, déplaça son fauteuil et se mit derrière lui. Tout se passait comme il l'avait prévu. Il s'était tellement concentré sur son entrée dans la salle d'audience qu'il n'avait vu personne en arrivant, en dehors du juge Kesselring et de Coleman Wadsworth. Il était prêt.

— Votre Honneur, quand le procureur de district a terminé son exposé des faits, j'ai demandé à la cour de m'accorder une faveur, commença Bergman. J'ai dit que j'aimerais remettre à plus tard *mon* exposé des faits, et Votre Honneur a eu l'amabilité d'accéder à mon désir. En un sens, j'aimerais le remettre encore à plus tard, dit Bergman, et il éleva la voix pour dominer la réaction du public. Ou plutôt le combiner. Le terme est plus juste. Oui, j'aimerais combiner ma déclaration préliminaire avec mes conclusions finales.

Cette fois, Bergman ne réclama pas l'indulgence de la cour. Il se tut, pour laisser à son public le temps de refaire le silence. Alors que c'est l'accusation, le procureur de district, qui a le premier mot dans un procès criminel — tout comme le plaignant dans un procès civil —, c'est toujours la défense qui présente les conclusions, qui a le dernier mot du procès.

— L'avocat est-il en train de nous annoncer qu'il ne fera comparaître aucun témoin ? demanda le juge.

Aucun inculpé ne peut être contraint à déposer sous serment contre lui-même, et Bergman n'avait jamais envisagé de présenter l'un ou l'autre de ses clients à la barre des témoins. Les exposer à un contre-interrogatoire du procureur de district risquait d'être fatal.

— Il m'a semblé que l'accusation en a fait comparaître suffisamment pour nous deux, Votre Honneur, dit Bergman, en s'accrochant au fauteuil, épaules voûtées, tête basse, comme accablé sous le poids de ses responsabilités, comme entièrement sourd aux rires qu'il avait provoqués.

Il ne vit pas Hester qui essayait de se libérer, de s'écarter de la mère de Joseph Liliuohé, d'écarter son corps de celui de cette femme. Mais Doris Ashley la regarda. Depuis la table de la défense, elle vit Hester se tortiller sur le banc, se retourner et pousser, pousser l'homme qui se trouvait à sa droite. Mais Hester ne pouvait pas échapper au squelette plaqué contre elle, qui la poignardait et s'enfonçait... Elle sentait les os de la femme lui percer la chair. C'était plus qu'elle n'en pouvait supporter. Elle regarda la femme qui fixait le vide devant elle, telle une aveugle, une morte.

— Excusez-moi, je vous prie. Il faut que je parte.

Au milieu des rires provoqués par Bergman, Elizabeth Liliuohé ne l'entendit pas.

— Il faut que je parte, répéta Hester, plus fort.

Doris Ashley vit l'amiral se pencher en avant et se tourner vers Hester.

— On vous a dit de rester à l'audience aujourd'hui, lança-t-il.

— Je ne peux pas, répondit Hester.

Doris Ashley tendit l'oreille mais n'entendit pas.

— Vous resterez, dit l'amiral. C'est le jour le plus important de la vie de votre mari. Vous ne bougerez pas d'ici.

Le maillet du magistrat ramena le silence dans la salle.

— Voulez-vous continuer, monsieur Bergman ?

— Oui, Votre Honneur.

Bergman quitta sa chaise et fit quelques pas vers les jurés.

— Messieurs, tout procès est un mystère, car personne ne sait au départ comment il finira. J'ai passé presque toute ma vie dans une salle d'audience, et pas une seule fois depuis le premier jour où je me suis trouvé face à un jury je n'ai eu un seul indice sur le verdict final. La justice ne peut pas fonctionner autrement. Votre présence ici, la présence de douze hommes libres, est la raison pour laquelle nous possédons un système de justice criminelle qui garantit à chacun un procès équitable. Pour la plupart d'entre vous, c'est la première fois que vous êtes appelés à décider si un homme est coupable de meurtre.

« Nos lois précisent que toute personne accusée d'un délit grave doit passer en jugement devant un jury composé de ses pairs, reprit Bergman. C'est vous. Tous les douze. Je vous ai observés depuis le début de ce procès. Vous êtes les pairs des inculpés, cela ne fait aucun doute. Il n'y a aucun assassin dans le box du jury et il n'y a aucun assassin dans cette salle d'audience non plus.

Bergman se retourna, s'éloigna des jurés comme s'il souffrait et s'avança vers la barre des témoins. Il s'arrêta et posa le coude sur la barre.

— Je sais que j'ai raison, dit-il. Je vais le prouver, messieurs, je vais prouver...

Il se tut soudain en voyant Hester et la femme à côté d'elle. Le coude de Bergman glissa de la barre. Qui était donc la femme au visage pareil à un masque de mort entre Hester et l'amiral ?

— ... prouver qu'il n'y a pas de criminel dans cette salle. Il y a quelques minutes, j'ai dit que je ne citerais aucun témoin, continua Bergman en regardant Hester et la femme, qui semblait perdue, comme une vieille à qui les ravages de la sénilité ont ôté la raison. J'ai dit que l'accusation avait appelé assez de témoins pour tous les deux. Le public a ri, mais il avait tort. Ce n'était pas drôle. Le procureur de district n'a accompli que son devoir. Il vous a montré l'arme qui a tué Joseph Liliuohé. Il vous a montré la balle tirée par cette arme. Il vous a montré les serviettes qui ont recouvert le mort.

Hester se mit à frissonner. Elle recevait chaque mot de Bergman comme une flèche.

— Il a cité un expert pour vous dire à qui appartenaient les empreintes digitales relevées sur le pistolet automatique. Il a même présenté dans cette salle une photographie de Joseph Liliuohé. La seule chose que le procureur de district n'a pas faite, parce qu'il ne pouvait pas la faire, c'est présenter un criminel devant vous.

Il écarta les bras puis frappa des mains entre chaque mot.

— Il... n'y... a... pas... de... criminel... dans... cette... salle...

Il baissa les bras et tendit les mains en arrière pour se tenir à la barre des témoins.

— Il me semble que tout, dans cette affaire, dépend en quelque sorte de ce que vous déciderez, messieurs, au sujet de l'un des inculpés, Gerald Murdoch.

Bergman savait que Gerald était la clé du destin de ses trois clients. Il le savait depuis son arrivée à Honolulu, depuis sa première rencontre avec eux à la résidence de l'amiral.

— Je vais donc vous le présenter, annonça-t-il.

Il quitta la barre des témoins et retourna vers la table de la défense.

— Vous permettrez, j'espère, que je me rafraîchisse un peu la mémoire, Votre Honneur. Autrefois, j'étais capable de garder des choses comme ça dans ma tête, mais...

Il ouvrit le porte-documents, se pencha pour en retirer le bloc jaune et se tourna vers Coleman Wadsworth, de l'autre côté de la table.

— Qui est assis à côté d'Hester Murdoch ?

Wadsworth regarda par-dessus son épaule et Doris Ashley répondit :

— La mère de Joseph Liliuohé.

— *La mè-è-ère ?* s'écria Bergman, comme s'il trépassait. Qui l'a...

— La princesse, coupa Doris.

Bergman se redressa, le bloc jaune à la main. Il vit que la princesse, au premier rang près de l'allée, le fixait d'un regard paisible. Bergman comptait absolument sur Hester. Il avait prévu d'adresser la majeure partie de sa plaidoirie à Hester, debout près de la barrière en face d'elle, pour attirer l'attention du jury sur la jeune femme au destin tragique. La princesse l'avait percé à jour et lui avait coupé l'herbe sous le pied. Elle avait fait d'Hester un poids mort, un danger. Bergman étudia la page blanche le temps de prendre une décision, puis il rangea le bloc dans le porte-documents et se dirigea vers sa gauche, du côté de Gerald, pour s'interposer entre Hester et le jury, pour cacher au jury Hester et la femme à côté d'elle.

— Je dirai que Gerald Murdoch, le lieutenant Gerald Murdoch, de la marine des États-Unis, est la fine fleur de l'humanité. Voici un jeune homme au nom sans tache. Commençons par le travail qu'il accomplit. Il l'accomplit partout où son pays l'envoie, et son dossier à cet égard est également sans tache. Cela m'indique une chose. Cela m'indique que le lieutenant Gerald Murdoch est un homme qui remplit sa mission, qui obéit aux ordres, qui s'entend bien avec les gens, qui les accepte et qui est accepté par eux. Rien de ceci ne fait de lui un saint, mais, d'un autre côté, ce n'est pas non plus le dernier des derniers, comme on disait chez moi dans le temps.

« Si l'on avait demandé à Gerald Murdoch, il y a quelques mois, ce qu'il pensait d'Hawaï, je suppose que le lieutenant aurait répondu qu'il s'y trouvait le mieux du monde, continua Bergman. C'était ici, à Honolulu, qu'il avait rencontré une jeune femme innocente et radieuse. Ils étaient tombés amoureux et s'étaient mariés. Ils semblaient destinés à vivre heureux à jamais. En tout cas, Gerald Murdoch s'attendait à vivre heureux à jamais. Il avait une jeune épouse, il était affecté ici, à Hawaï, où le soleil ne cesse jamais de briller et où la brise est toujours douce et tiède. Je suppose, jeunes comme ils l'étaient, qu'ils avaient tous les deux l'intention de fonder une famille.

Penchée en avant, les ongles enfoncés dans son sac à main, avec la mère de Joseph Liliuohé qui continuait de s'appuyer contre elle, Hester, dans l'impossibilité de s'enfuir, ne cessait de se répéter : « Arrêtez ! Je vous prie, arrêtez ! » Elle suppliait Bergman, de toutes ses forces, prête à se traîner à ses genoux, elle le conjurait de se taire, mais elle était prise au piège, immobilisée, incapable même de lever les mains pour se boucher les oreilles et ne plus entendre les mensonges de l'avocat.

— Fonder une famille, répéta Bergman. Il se trouve que quelqu'un a jeté un grain de sable dans l'engrenage. Le fait est que, la seule fois de sa vie où l'épouse de Gerald Murdoch a été enceinte, elle ne pouvait pas savoir qui était le père. Le fait est qu'un jour Gerald Murdoch planait sur le toit du monde et que, le lendemain, il regardait le monde à travers les grilles de l'enfer, et de l'intérieur. Je ne nie pas qu'il y a énormément de gens qui souffrent à cause d'un acte de Dieu. Seulement voilà, messieurs les jurés, je peux vous dire que ce n'était pas un acte de Dieu qui avait plongé Gerald Murdoch au plus profond du malheur. C'était un acte du diable. C'était l'œuvre du diable, répéta Bergman et, au même instant, Hester cria.

— Non ! cria-t-elle, debout contre la barrière.

Son chapeau glissa sur ses épaules, tomba sur les genoux d'Elizabeth Liliuohé, qui ne s'en aperçut pas, puis bascula sur le sol.

— Non ! cria Hester en secouant la tête, de gauche à droite, de droite à gauche, de plus en plus fort, de plus en plus vite, comme un enfant qui arrive au paroxysme de son caprice. *Non !*

Sa tête continua de s'agiter convulsivement, tandis qu'elle essayait de se débarrasser de tous les mensonges en elle et de l'image de Joseph Liliuohé, dans son cercueil au fond de l'océan.

— Ils ne l'ont pas fait ! cria-t-elle. Ils ne l'ont pas fait. Ils sont innocents !

Doris Ashley bondit de son fauteuil et s'élança vers sa fille, mais Bergman la devança. Gerald s'était précipité derrière lui, et l'amiral, debout, essayait de retenir Hester par-dessus la tête d'Elizabeth Liliuohé.

— Ils sont innocents !

Tout le monde s'était levé, sauf Elizabeth Liliuohé, et tout le monde parlait. Le juge Kesselring, debout, frappait sur la tribune avec son maillet. Les deux huissiers, celui de l'avant et celui du fond, s'avançaient déjà vers Hester. Les hommes et les femmes debout au fond de la salle commençaient à envahir l'allée centrale et, dans l'angle de droite, plusieurs journalistes montèrent sur leur chaise pour mieux voir.

— Ils sont innocents.

Bergman oublia sa fragilité et ses infirmités supposées. Il atteignit Hester le premier et jeta les bras autour d'elle comme s'il voulait l'immobiliser, tout en criant à tue-tête :

— Bien sûr, ils sont innocents ! Bien sûr, ils sont innocents ! répéta-t-il comme pour l'apaiser.

Il avait tout compris et il serra Hester contre lui en lui coinçant les jambes dans la barrière pour lui faire mal et en lui appuyant le visage contre sa poitrine pour la réduire au silence. Doris Ashley la tira par l'épaule.

— Donnez-la-moi ! ordonna-t-elle. Donnez-la-moi !

Elle criait et, à la tribune, le juge criait lui aussi en donnant des coups de maillet.

— Silence. Huissiers ! Huissiers ! Rétablissez l'ordre ! Faites-vous assister !

Sans lâcher Hester, Bergman se pencha vers l'oreille de Doris Ashley.

— Muselez-la ! dit-il. Vous pouvez le faire ? Enfoncez-lui un mouchoir au fond de la gorge, ou votre poing, ou votre bras, mais *qu'elle... la... ferme !*

L'amiral s'était glissé devant les genoux d'Elizabeth Liliuohé.

— Aidez-moi, Glenn ! lui dit Doris Ashley. Aidez-nous !

Les huissiers étaient là : l'un au premier rang derrière l'amiral, l'autre avec Bergman, qui immobilisait Hester. Ils donnaient les ordres mais personne n'y prêtait garde. Gerald restait figé à côté de Bergman, qui lança Hester dans les bras de Doris Ashley, puis recula brusquement, bousculant l'huissier, fit demi-tour sur place et s'élança vers la tribune, avec les pans de sa veste volant comme une muleta.

— Suspension, Votre Honneur ! cria-t-il assez fort pour couvrir les cris étouffés d'Hester. Suspension. Voulez-vous suspendre l'audience, Votre Honneur ?

L'amiral soutenait Hester par la taille et Doris Ashley lui immobilisait les épaules. Sans la lâcher, ils l'entraînèrent le long de la barrière, devant Elizabeth Liliuohé, vers l'allée, vers la princesse Luahiné, debout dans l'allée, qui suivait des yeux la procession comme si elle supervisait le marquage au fer rouge de ses bêtes, dans son ranch de la grande île.

Doris Ashley forçait Hester à baisser la tête et elle avait plaqué la main sur la bouche de sa fille.

— L'audience est suspendue pour quinze minutes ! dit le juge Kesselring et, plus fort : Huissier, évacuez l'allée centrale ! Évacuez l'allée centrale !

Bergman ouvrit la barrière et attendit, sans quitter des yeux Hester, maintenue entre l'amiral et Doris Ashley.

— Faites vite, amiral ! dit-il.

Il fallait qu'ils fassent sortir la jeune femme avant qu'elle ne leur échappe et se mette à déballer ses aveux. Bergman resta près de Doris Ashley.

— Faites-la taire, madame. Il ne faut pas lui laisser dire un mot.

La princesse suivit des yeux le groupe qui s'éloignait vers la tribune, bientôt rejoint par Gerald, qui partit en avant pour ouvrir la porte latérale, à côté du box du jury.

— On aurait dû faire ça beaucoup, beaucoup plus tôt, dit-elle sans s'adresser à personne en particulier, puis elle se retourna et s'appuya au banc pour s'adresser à Sarah. Allez tenir compagnie à votre mère.

Sarah traversa l'allée. La princesse se laissa tomber sur le banc et appela Tom d'un signe du doigt.

— Quelqu'un sait-il à qui cette femme faisait allusion ? demanda-t-elle.

— Nous sommes dans une cour de justice, répondit Tom. La cour soupèse des preuves. Nous venons d'assister à une crise de nerfs.

— C'est évident. Mais puisque vous êtes si malin, est-ce que Hester Ashley... *Murdoch* nous a porté tort ?

Pour la première fois depuis qu'elle l'avait aperçu en haut de la falaise, trempé jusqu'aux os et désespéré, la princesse vit les lèvres de Tom esquisser un vague sourire, presque un sourire d'excuses.

— Non, répondit-il. Elle ne nous a pas porté tort.

Dans le couloir parallèle à la salle d'audience, Bergman ouvrit la porte de la salle des délibérations du jury.

— Ici ! lança-t-il, et il s'écarta pour laisser passer l'amiral et Doris Ashley, qui maintenaient toujours Hester entre eux.

Dès qu'ils furent entrés, Bergman barra le passage à Gerald, le bras tendu en travers de la porte.

— Vous savez vous orienter dans le palais, lieutenant. Allez donc chercher le chauffeur de l'amiral.

Gerald ne parvenait pas à détacher les yeux de la salle du jury. Bergman saisit la poignée de la porte.

— Secouez-vous, lieutenant.

Bergman referma la porte derrière lui. L'amiral se trouvait devant la longue table entourée des douze sièges vides. Sur la gauche, dans l'angle derrière le fauteuil du premier juré, Bergman vit Doris Ashley qui serrait toujours Hester dans ses bras. On aurait dit deux fugitives coincées au terme d'une poursuite désespérée. Bergman comprit sur-le-champ que Doris Ashley se plaçait instinctivement entre Hester et le reste du monde. Il se dirigea vers l'amiral et observa Hester. Elle semblait épuisée, docile, mais Bergman avait déjà vu des gens dociles devenir fous furieux.

— C'est moi le coupable, ici, dit-il. C'est moi qui ai forcé cette jeune femme à assister à l'audience. J'aimerais trouver un moyen d'effacer la douleur que je vous ai infligée, madame Murdoch. Dire que je suis désolé n'y changera rien, ce ne sont que des mots.

Il n'était pas certain qu'elle l'ait entendu.

— Glenn, ramenez-nous à Pearl, dit Doris Ahsley comme si Bergman n'était pas dans la pièce.

— J'ai envoyé le lieutenant Murdoch chercher le chauffeur de l'amiral, dit Bergman. Votre calvaire est fini, madame Murdoch. Pour vous, le procès est terminé. Vous partirez dans deux secondes.

— Je vais te ramener, mon enfant. Je ne t'abandonnerai pas, dit Doris Ashley, comprenant qu'elle ne pourrait plus jamais laisser Hester seule une minute, ni lui faire confiance. Je resterai à tes côtés.

— Pas pour le moment, dit Bergman. On vous attend à l'audience.

Doris Ashley détestait cet homme. Elle le méprisait et le haïssait. Elle faillit lui donner l'ordre de quitter la pièce.

— C'est une affaire privée. Vous vous mêlez d'une affaire privée.

— Je ne peux pas l'éviter, répondit l'avocat. Vous oubliez la réalité, madame. Il y a un procès en cours à côté, dit-il en tendant le bras vers le mur, et vous êtes inculpée. Le juge n'a pas ajourné, il a simplement suspendu l'audience. Il reviendra dans un quart d'heure et vous aussi, si vous ne voulez pas qu'on vous arrête.

— Ma fille a besoin de moi!

Elle ne pouvait pas laisser Hester *en liberté!* Hester pouvait se mettre à courir dans les rues en criant comme un marchand de journaux. Doris Ashley se tourna vers l'amiral.

— Aidez-moi, Glenn.

— Vous l'avez entendu, Doris, répondit l'amiral. Vous êtes inculpée.

Doris laissa Hester s'avancer jusqu'à l'amiral, puis elle leva la tête.

— Dans l'état où elle est, elle est capable... de n'importe quoi.

On frappa à la porte. Doris se précipita vers Hester, bras tendus pour l'envelopper de nouveau dans son étreinte.

— Je ne peux pas abandonner mon enfant!

Bergman se dirigea vers la porte.

— Attendez! s'écria Doris. Attendez!

Elle sentit la main de l'amiral sur son bras.

— Il n'arrivera aucun mal à Hester, dit l'amiral, las de recevoir des ordres de cette femme. Elle sera en sécurité.

Bergman ouvrit la porte et l'amiral se dirigea vers son chauffeur, dans le couloir.

— Conduisez Mme Murdoch à la résidence, sans vous arrêter en route, dit Glenn Langdon. Aucun arrêt. Elle ne doit pas quitter la résidence et ne doit pas rester seule. Quand vous aurez transmis mes ordres, vous reviendrez au palais de justice.

Il se tourna vers la salle des délibérations.

— Hester, dit-il.

— Maman est avec toi, mon bébé, dit Doris Ashley.

Hester ne se retourna pas, ne s'arrêta pas, ne parla pas. Elle sortit de la pièce et s'éloigna à côté du marin en uniforme bleu.

— Je crois que vous connaissez le chemin, madame, dit le chauffeur.

Dans la limousine, le chauffeur murmura : « Aucun arrêt », répétant les ordres de l'amiral. Il connaissait l'amiral comme sa poche. Il fallait qu'il livre cette dame *presto*. Il pouvait la voir dans le rétroviseur, toute seule à l'arrière.

Mais Hester n'était pas seule. Joseph Liliuohé l'accompagnait. Et Elizabeth continuait de se serrer contre elle, exigeant son dû, réclamant justice pour la perte de son fils. Le feu passa au rouge et le chauffeur donna un coup de frein brusque. Hester fut projetée en avant, puis contre le dossier de la banquette.

— Désolé, madame.

Si seulement elle avait été tuée, se dit-elle, tuée sur le coup, comme Joseph Liliuohé était mort. Le feu passa au vert et la voiture démarra. Hester comprit qu'elle ne serait pas épargnée. Elle serait punie chaque jour de sa vie pendant le restant de son existence.

Le chauffeur ne s'arrêtait jamais à l'entrée de Pearl au poste de la police maritime, même quand l'amiral n'était pas dans la voiture. Les sentinelles connaissaient la limousine. Et comme il désirait déposer sa passagère au plus vite, il prit un raccourci. Il contourna le quartier général et le bureau de poste pour longer l'hôpital de la base. Quand la limousine passa devant l'entrée, Hester vit des malades valides qui prenaient le soleil en pyjama et robe de chambre ; d'autres malades se promenaient en fauteuil roulant, chacun accompagné d'une infirmière. Puis elle vit des infirmières ensemble, capes bleues sur les épaules, qui arrivaient à l'hôpital. Il y en avait une autre à une fenêtre, et une sur la pelouse en train de lire au milieu d'un groupe de convalescents attentifs. En train de *lire !* Hester eut envie d'ouvrir la portière en marche. Elle eut envie de sauter de la voiture et de se joindre à elles. Elle était sauvée ! Elle avait trouvé son salut, la seule libération à sa portée. Elle se ferait inscrire à une école, elle deviendrait infirmière. Quelque part à *Windward* ou dans l'ancienne remise se trouvaient sans doute les formulaires d'inscription qu'elle avait sollicités autrefois. Elle les chercherait. Elle passerait sa vie à s'occuper des gens, de tout le monde. Elle sentit que ses yeux s'emplissaient de larmes. Elle était sauvée.

Dans la salle d'audience, le juge Kesselring invita Bergman à reprendre.

— Je vais faire de mon mieux, Votre Honneur.

Il se leva et s'éloigna de la table de la défense.

— J'aurais besoin d'un peu d'aide. Je parlais des grilles de l'enfer. Peut-être le greffier pourra-t-il me rafraîchir la mémoire...

— « Le fait est, dit le sténographe, relisant les minutes, qu'un jour

Gerald Murdoch planait sur le toit du monde et que, le lendemain, il regardait le monde à travers les grilles de l'enfer, et de l'intérieur. Je ne nie pas qu'il y a énormément de gens qui souffrent à cause d'un acte de Dieu. Seulement voilà, messieurs les jurés, je peux vous dire que ce n'était pas un acte de Dieu qui avait plongé Gerald Murdoch au plus profond du malheur. C'était un acte du diable. C'était l'œuvre du diable. »

— Très obligé, dit Bergman. L'œuvre du diable, répéta-t-il en se tournant vers le jury.

Il avait entendu le magistrat ordonner au jury de ne pas tenir compte de l'éclat d'Hester, mais ce genre de remarque ne servait à rien.

— Gerald Murdoch et son épouse étaient des jeunes mariés, reprit Bergman. Et ces jeunes mariés ont été contraints à venir ici, dans ce même palais de justice, exposer à toute la terre leur vie et leur âme. Les distingués membres de la presse se sont chargés de cette mission. Et quand tout a été terminé, Gerald Murdoch s'est retrouvé exactement comme au point de départ : derrière les grilles de l'enfer.

Bergman s'avança en traînant la jambe jusqu'à l'huissier qui se tenait à côté de la tribune. Il prit la bible sur la table de l'huissier et se tourna vers le box du jury, la bible à la main.

— A strictement parler, je ne peux pas dire que je connais Gerald Murdoch comme s'il était mon fils. Je n'ai jamais eu de fils. Mais je peux vous dire ceci, continua-t-il une main sous la bible et l'autre à plat dessus, Gerald Murdoch possède toutes les qualités que j'aurais aimé trouver en un fils... Alors que Dieu m'assiste !

Il reposa la bible sur la table.

— Merci, dit-il à l'huissier, puis il retourna vers le box du jury. J'ai débuté mon exposé aujourd'hui en reconnaissant que le procureur de district avait effectué un travail colossal dans ce procès. Il ne s'est pas arrêté à l'arme, à la balle, aux empreintes digitales et à tout ce que vous m'avez déjà entendu énumérer. Il a cité un médecin, un psychiatre — un aliéniste, comme on les appelle —, un spécialiste venu de la métropole, pour vous dire, messieurs, que Gerald Murdoch n'est pas fou.

Bergman se retourna vers Philip Murray, assis à la table de l'accusation, de l'autre côté de la salle.

— J'aurais pu économiser tous ces frais à l'État. Gerald Murdoch n'est pas fou. Le procureur s'attendait probablement à ce que je me présente ici avec un aliéniste de mon propre cru. C'est ce qui se fait en général.

Il tourna le dos aux jurés.

— Mais je vais vous dire pourquoi je n'ai pas convoqué mon

aliéniste, un éminent spécialiste que j'aurais engagé. J'ai plaidé dans un nombre considérable de procès et entendu une horde d'aliénistes...

Il leva la main, puis tendit l'index.

— Un aliéniste, une opinion. Deux aliénistes, deux opinions différentes, dit-il en continuant de lever les doigts l'un après l'autre. Trois aliénistes, trois opinions différentes, et caetera, et caetera, *et caetera...*

Il revint vers la table de la défense pour étudier de nouveau son bloc-notes vierge.

— Maintenant, venons-en au jour où Joseph Liliuohé est mort, dit Bergman, au jour où Gerald Murdoch s'est trouvé en face de lui. Encore une chose que je peux jurer : Gerald Murdoch, le lieutenant Gerald Murdoch de la marine des États-Unis, l'officier sans une seule tache sur son dossier, n'a pas cherché Joseph Liliuohé parce qu'il avait l'intention de mettre fin à la vie de cet homme. Gerald Murdoch avait souffert si longtemps, son *épouse* avait souffert si longtemps, qu'il en était arrivé au point où il était contraint de voir cet homme, Joseph Liliuohé, face à face. Il fallait que Gerald Murdoch chasse complètement tous les doutes que le monde conservait au sujet de sa femme, de la déposition qu'elle avait prononcée sous serment de sa bonne renommée. Il fallait qu'il entende la vérité. Il apporta donc les aveux, la feuille que le procureur de district vous a montrée, messieurs les jurés.

« Eh bien, Gerald Murdoch a entendu la vérité. Il a entendu Joseph Liliuohé avouer, dit Bergman.

Au premier rang, assise entre l'amiral et sa mère, Sarah entendit l'avocat mentir. Elle resta longtemps sans pouvoir le quitter des yeux. Puis elle regarda Gerald Murdoch, qui avait assassiné Joe. Elle avait envie de le tuer, mais elle sentait qu'elle en serait incapable. Elle avait envie de le renverser avec sa voiture, de lui tendre un piège et de l'écraser quand il traverserait la rue, et elle savait en même temps qu'elle ne le pourrait jamais. Elle ne pouvait que le détester.

— Quand Gerald Murdoch connut enfin la vérité, reprit Bergman, ce fut pour lui un châtiment si douloureux, une blessure si profonde, il avait vu souffrir si longtemps son innocente jeune femme qui ne serait plus jamais jeune, que quelque chose au fond de lui se brisa soudain. Gerald Murdoch devint un homme sans gouvernail et quand Joseph Liliuohé mourut, Gerald Murdoch n'était pas responsable. C'était un être poussé à bout, au-delà de ses limites.

Il quitta la table de la défense et se dirigea vers la barre des témoins.

— Il y a quelques jours, j'ai donné cent pour cent raison au

Dr Evan Magruder, l'aliéniste du procureur de district, lorsqu'il a affirmé sous serment que Gerald Murdoch n'était pas fou. Mais nous sommes tombés d'accord, le docteur et moi, sur un autre point, dit Bergman. Vous nous avez entendus, messieurs. Nous avons tous les deux reconnu qu'un homme peut faire quelque chose *sans savoir* qu'il le fait. Eh bien, Gerald Murdoch ne savait pas que Joseph Liliuohé allait mourir lorsqu'il est mort. Gerald Murdoch *ne se souvient pas. Il ne se souvient pas.*

Bergman quitta la barre des témoins comme pour regagner son fauteuil à la table de la défense, mais s'arrêta à côté de Gerald et lui posa la main sur l'épaule.

— J'aimerais que vous réfléchissiez, messieurs, au genre de vie que Gerald Murdoch a menée depuis le soir où il a retrouvé sa femme à l'hôpital de la Miséricorde. Je ne peux pas vous demander de vous mettre à sa place. Je prie Dieu tout-puissant qu'aucun homme dans cette salle, aucun homme nulle part, ne subisse un tel calvaire. Messieurs les jurés, vous pouvez épargner à Gerald Murdoch un surcroît de souffrances. Vous pouvez mettre fin à son agonie.

Bergman baissa les yeux vers Gerald.

— Nous pouvons enfermer cet homme dans un cocon pour le restant de ses jours, et il aurait encore souffert davantage que tout être humain de ma connaissance. Gerald Murdoch a été suffisamment puni. Messieurs, après avoir entendu le procureur de district et moi-même, vous devez revenir devant cette cour pour renvoyer Gerald Murdoch par ces portes ! dit-il en tendant le bras vers le fond de la salle.

Il quitta la barre des témoins et retourna à son fauteuil.

— Je tiens à présenter mes excuses à chacun de vous, messieurs, pour vous avoir fait attendre ce matin, dit-il. Je n'en avais ni l'intention ni le désir, et j'espère que vous vous rappellerez que le coupable, le seul coupable ici, était l'avocat de Gerald Murdoch et non Gerald Murdoch lui-même.

Quand la cour se réunit de nouveau après la suspension du déjeuner, Philip Murray déposa les conclusions de l'accusation. Il avait préparé son exposé en détail, avec la collaboration de Leslie McAdams, il l'avait répété et déclamé devant sa femme, dont il avait tenu compte des remarques. Il avait sous les yeux un bloc de brouillon jaune, qu'il consultait fréquemment. Il résuma l'affaire telle qu'il l'avait présentée, en citant les témoins qui avaient déposé et les preuves qu'il avait remises à la cour. Il ne cajola ni ne harangua le jury. Il ne se montra ni obséquieux ni impératif. Il ne se départit de son texte préparé qu'à un seul égard : il adressa une partie substantielle de son exposé à la mère et à la sœur de l'homme assassiné, Elizabeth et Sarah Liliuohé, en se tournant à maintes reprises vers le jury pour répéter son thème :

— Vous devez juger cette affaire sur *les preuves* et *uniquement* sur les preuves.

Lorsque le procureur revint à la table de l'accusation, le juge Kesselring annonça qu'il ferait ses recommandations au jury le lendemain.

Devant le palais de justice, voyant que la foule commençait à se déverser dans la rue, le chauffeur de l'amiral tira sur son blouson, redressa sa casquette et quitta la limousine. Dès qu'il repéra l'amiral, il revint ouvrir la portière arrière.

Il n'entendit pas ses passagers prononcer un seul mot de tout le trajet. On aurait dit qu'ils avaient la langue nouée. Il entra dans Pearl, et il se proposait d'aller déposer d'abord le lieutenant au casernement des officiers célibataires comme d'habitude, quand l'amiral lui ordonna :

— Directement à la résidence.

Quand la limousine s'arrêta, face au soleil, très bas sur l'horizon, l'amiral lança :

— Lieutenant, York. Venez à l'intérieur.

— Oui, amiral, dit Gerald, et Duane, assis à l'avant à côté du chauffeur, répondit en écho, du même ton sec et respectueux à la fois.

Il ne savait que penser. Les seuls matelots ayant jamais vu l'intérieur de la résidence étaient ceux qui en faisaient le ménage. Duane descendit et attendit, contre le pare-chocs. Tout ce qu'il pouvait faire, c'était emboîter le pas du lieutenant.

Mme Ashley ne comprit pas pourquoi Glenn invitait Gerald et le marin, et ne s'en soucia pas. Une seule chose l'intéressait : Hester.

Un des Philippins de l'amiral sortit de la maison et attendit près de la porte ouverte. L'amiral prit Doris Ashley par le bras au pied des marches de bois conduisant à la véranda.

— Chaque jour est le pire jusqu'au lendemain, dit-elle.

Elle le précéda dans la maison.

— Excusez-moi, Glenn, il faut que j'aille auprès d'Hester.

— Attendez, dit l'amiral, et comme elle ne s'arrêtait pas, il dit : Doris !

Elle se figea près de l'escalier. L'amiral se tourna vers le Philippin.

— Mme Murdoch va bien ?

— Oui, très bien.

— Parfait, dit l'amiral en tendant le bras vers son salon. Entrez, Doris !

Il fit signe à Gerald et à Duane de passer les premiers.

Doris Ashley était au bout du rouleau. Au palais, Hester avait mis sa vie en danger. Il fallait qu'elle neutralise Hester.

Ma fille a besoin de moi.

Elle fit un pas vers l'escalier et trouva l'amiral sur son passage, comme si elle était un de ses marins.

— Est-ce que vous m'interdisez d'aller voir mon enfant ?

— Vous la verrez le moment venu.

Il ne bougea pas. Doris Ashley était bloquée. L'amiral l'humiliait. Elle regardait par-dessus son épaule, mais Gerald et le marin avaient disparu.

— Que voulez-vous ?

— Nous parlerons dans le salon.

Il voulut la prendre par le bras, mais elle s'écarta.

— Je ne vous reconnais pas, Glenn, dit Doris Ashley. Est-ce Glenn Langdon, mon *ami* ? Mon protecteur ?

— Je l'ai prouvé depuis le jour où cette vilaine affaire a débuté... Vous perdez du temps, Doris, lui dit-il, las de la voir se comporter de façon aussi obstinée. Entrez dans le salon avec les autres.

Elle remonta son manteau sur l'épaule gauche.

— Vous m'emmenez quelque part contre ma volonté, dit-elle. Par la force. Est-ce l'idée que vous vous faites du rôle d'un ami et d'un protecteur ?

Il ne répondit pas. Doris Ashley se retourna et se dirigea vers le salon. Il la suivit, mais s'arrêta sur le seuil. Gerald et Duane étaient près du bonze en bois doré sur son piédestal, et Doris Ashley se dirigea vers l'autre bout de la pièce. Elle s'arrêta près du poste de TSF de l'amiral, dans son petit meuble Empire.

L'amiral ferma la double porte et vint se mettre derrière un vaste fauteuil de cuir — celui qu'il préférait.

— Doris...

Elle leva les yeux vers lui sans dire un mot. Il quitta le fauteuil pour s'avancer au milieu de la pièce, en face des trois inculpés.

— Vous avez tous entendu Hester ce matin, dit l'amiral. Elle a commencé une explication, mais on ne l'a pas laissée terminer. Qu'essayait-elle de dire ?

L'amiral attendit.

— *Qui* est innocent ?

De nouveau, il attendit.

— Elle a dit : « Ils sont innocents. Ils ne l'ont pas fait. » Ils n'ont pas fait quoi ? demanda l'amiral.

L'amiral savait qu'il ne tirerait rien de Doris Ashley. Il se tourna donc vers les deux hommes.

— Lieutenant ?

— Je ne sais pas, amiral, répondit Gerald, au garde-à-vous, la casquette dans sa main droite, contre son genou.

— « Ils ne l'ont pas fait », dit l'amiral. Le mort, l'homme assassiné, a été tué à *Windward*. On l'a trouvé dans la voiture des Ashley recouvert avec les serviettes de bain des Ashley. Il n'y a aucun doute possible. Alors, qui sont ces *ils* ?

— Désolé, amiral. Je ne sais pas, dit Gerald, toujours au garde-à-vous.

— York ?

Duane était lui aussi au garde-à-vous devant Glenn Langdon, mais il regardait très loin au-delà de l'épaule de l'amiral en essayant de ne pas le voir.

— Je ne sais pas, amiral.

— Vous avez entendu Mme Murdoch ce matin, dit l'amiral. « Ils ne l'ont pas fait. » Qui, York ? Qui ?

— Amiral, je jure que je n'en ai aucune idée, répondit Duane.

L'amiral parut avancer sur lui depuis le milieu de la pièce.

— C'est comme le lieutenant a dit, amiral. Je ne sais pas, moi non plus.

L'amiral regarda Doris Ashley, qui lui fit face comme un commandant ennemi, vaincu mais encore plein de défi.

— Doris, pouvez-vous éclaircir ce mystère ? demanda Glenn Langdon.

— J'aurais pu répondre à votre question sans être conduite ici de force. Il n'y a aucun mystère. Toute personne ayant des yeux au-dessous du front peut le voir. Hester a été poussée à bout, au-delà de la limite, de ses limites. Elle a souffert trop longtemps, mois après mois, et aujourd'hui elle a craqué. Elle a perdu contact avec la réalité, avec le monde réel. Elle est dans un autre monde, à présent, un monde privé, dangereux. J'ai peur de la laisser seule. Vous me retenez loin d'elle et il faut que je me rende à ses côtés.

— Je vais vous épargner cette peine, dit l'amiral, qui ne croyait pas un mot de ce qu'il venait d'entendre.

Il se dirigea vers la porte voisine du sofa et l'ouvrit.

— Faites descendre Mme Murdoch, lança-t-il assez fort pour que le Philippin puisse l'entendre de la cuisine.

— Je vous l'interdis ! s'écria Doris Ashley en bondissant en avant.

Gerald la vit devenir une autre personne. Elle n'était plus Doris Ashley.

— Je vous l'interdis !

L'amiral referma la porte et se tourna vers elle. Elle s'arrêta.

— Vous n'avez pas le droit ! lança-t-elle, la gorge brûlante, le visage en feu. Hester a assez souffert ! Vous ne devez pas la harceler !

— J'ai essayé de l'épargner, répondit l'amiral. Je vous ai tous fait venir ici pour l'épargner, mais vous ne m'avez rien dit.

Doris Ashley et l'amiral étaient face à face. Elle leva les deux bras ; ses poings étaient fermés.

— Il n'y a rien à dire ! Hester a perdu la tête !

Elle se retourna brusquement et se précipita vers Gerald.

— Arrêtez-le ! cria-t-elle. Quel genre d'homme êtes-vous donc ? Protégez votre femme !

Gerald était au garde-à-vous devant un *amiral*, à la *résidence* de l'amiral, de l'amiral *Langdon*, commandant en chef de la *14ᵉ région maritime*. Et pourtant, il dit :

— Excusez-moi, amiral...

Il se racla la gorge.

— Si l'amiral pouvait ajourner cette...

— Elle a déjà été ajournée, coupa l'amiral.

Puis il regarda ce jeune homme, ce jeune officier dont la vie entière avait été complètement sabordée.

— Je suis désolé, petit, murmura-t-il.

— Nous ne sommes pas vos prisonniers ! dit Doris Ashley. J'emmène Hester avec moi ! Nous partons !

Elle se dirigea vers la double porte.

— Dans ce cas, vous irez en prison, dit l'amiral, et Doris Ashley s'arrêta en face de la porte. Vous êtes ici avec moi au lieu d'être en prison. Vous comparaissez en justice pour meurtre.

Doris Ashley ferma les yeux. Sa voix était rauque et réduite à un murmure.

— Comment pouvez-vous être aussi cruel ?

— Si je le suis, ce n'est pas de bon gré, répondit l'amiral. Je suis avec vous, Doris. J'ai été avec vous depuis le début. Je me suis porté garant de vous auprès des autorités. Je me suis engagé. Je crois en vous. Je crois que vous êtes les vraies victimes de cette tragédie. J'ai presque abandonné les devoirs de ma charge pour être avec vous au palais de justice, pour montrer à tout le monde ma position, mes sentiments.

L'amiral traversa la pièce vers Doris Ashley, mais elle demeura à l'écart, comme si elle était seule.

— Si quelque chose m'a été dissimulé, je dois l'apprendre. Après tous ces mois à vos côtés, vous ne pouvez pas garder vos secrets sans m'en faire part.

La double porte s'ouvrit.

— Mme Murdoch, annonça le Philippin qui gardait Hester depuis son retour du palais de justice.

Doris Ashley se précipita vers Hester à l'instant où elle dépassa le boy.

— N'aie pas peur, mon bébé, dit-elle. Je te protégerai.

Elle ouvrit les bras pour accueillir Hester, mais celle-ci fit un pas de côté et continua d'avancer, laissant Doris Ashley derrière elle.

Dans sa chambre du premier étage, Hester avait senti la présence constante du Philippin dans le couloir. Elle avait pris un livre sur la table de chevet mais l'avait posé sur ses genoux sans l'ouvrir. Quand le Philippin de garde lui avait annoncé le déjeuner, elle avait répondu qu'elle n'avait pas faim. Plus tard, il lui avait apporté du thé et des gâteaux secs sur un plateau, mais elle n'y avait pas touché. Elle n'avait pas envie de manger. Elle était fatiguée, mais elle ne voulait pas dormir. Elle se sentait libre et *propre*, comme si elle sortait enfin d'une fosse infecte, odieuse, dans laquelle elle avait été enfermée. Elle s'était assise à la fenêtre. Elle avait regardé la mer et les mouettes, et elle avait *compris* les mouettes, dans leur exubérante liberté. Rien de ce qui lui arriverait à l'avenir ne serait aussi horrible que les heures étouffantes depuis qu'elle avait commencé à mentir.

— Je n'ai pas peur, dit-elle, et quand l'amiral répéta les paroles qu'elle avait criées à l'audience, quand il lui demanda *qui* était innocent, elle répondit d'une voix calme : Tous. Ils étaient innocents tous les quatre, et surtout Joseph Liliuohé.

Doris Ashley recula. Elle trébucha mais personne ne s'avança vers elle. Tous fixaient Hester et, tandis que Doris retrouvait son équilibre, l'amiral dit à mi-voix :

— Innocents.

Le mot chuchoté tomba comme un coup de tonnerre.

— Ils m'ont sauvée, dit Hester. Ils m'ont conduite à l'hôpital. Puis ma mère est arrivée...

Elle ne se tourna pas vers Doris Ashley.

— Ma mère s'est occupée de tout. Ma mère a dit que je détruirais sa vie si je disais la vérité. Alors j'ai menti.

— Ne mentez pas maintenant, la prévint l'amiral.

— Non.

Elle continua. Doris Ashley s'effondra dans un fauteuil, assise de biais, voûtée, vieille soudain, le dos tourné aux autres.

Duane écoutait. Peu à peu, sa tête se mit à tourner. Il sentit un mauvais goût monter dans sa bouche. Son estomac se contracta. Il vit les trois types ligotés aux arbres. Il vit leurs *dos*, il vit le sang qui suintait. Autour de Duane, tout se mit à tourbillonner de plus en plus vite, et, au milieu du tourbillon, en plein centre, dix fois plus grand que nature, il vit Forrest Kinselman lâcher sa ceinture et se mettre à vomir, à courir, à vomir... Les deux mains contre sa bouche, tête baissée, Duane York sortit du salon d'un pas chancelant et traversa le vestibule. Il heurta la porte d'un coup d'épaule, essaya de ne pas tomber, de rester sur ses jambes, puis trouva le loquet. Il traversa la véranda d'un bond, bascula en haut des marches et roula jusqu'en bas, où il se mit à vomir, incapable de contenir l'éruption plus longtemps.

Hester parlait. L'amiral se mit à arpenter la pièce, incapable de tenir en place. Il marcha d'un bout du salon à l'autre, puis revint, passa devant Doris Ashley, devant Hester, devant Gerald...

Hester se tut. Elle avait les mains croisées devant elle, les doigts entrelacés, comme une bonne élève venant réciter un poème devant ses condisciples et ses parents. Elle était arrivée au bout, elle s'était vidée. L'amiral s'arrêta à côté de l'énorme globe éclairé, à côté de son secrétaire.

— Continuez, Hester.

— Je vous ai tout dit.

— Tout sauf le commencement, répondit l'amiral en traversant la pièce. Le commencement. Ces quatre hommes vous ont conduite à l'hôpital parce que vous avez été battue. Qui vous avait battue ?

Il s'arrêta devant elle.

— Qui vous avait battue, Hester ?

— Bryce Partridge, dit-elle.

Elle se rendit compte aussitôt qu'elle n'avait pas une seule fois songé à Bryce de la journée, ni dans la salle d'audience quand elle avait essayé de parler au juge, ni dans la salle des délibérations du jury aussitôt après, ni à la résidence, seule dans sa chambre, avec le Philippin à côté de la porte ouverte. Elle avait *oublié* Bryce. Et tandis que le souvenir de Bryce remontait maintenant dans sa mémoire, elle n'avait qu'une envie : l'oublier de nouveau et vite, très vite. Il n'était plus qu'une ombre dans le lointain.

— Qui ?

C'était à elle que l'amiral parlait.

— Bryce Partridge. Le lieutenant Bryce Partridge. Il m'a battue. C'était mon amant. L'enfant était de lui.

Hester entendit le bruit d'un homme qui se retient de vomir et elle vit Gerald. Il se dirigeait vers elle, marchant au pas comme s'il défilait. Il passa devant elle et sortit du salon.

— Le lieutenant... Bryce... Partridge, dit l'amiral, si lentement qu'il semblait épeler les mots.

Par-dessus l'épaule d'Hester, il regarda Doris Ashley tassée sur le fauteuil. Il parut oublier Hester et, quand la jeune femme lui dit

437

qu'elle aimerait retourner dans sa chambre, il hocha la tête et s'avança vers Doris. Il s'arrêta à côté du fauteuil et baissa les yeux vers la maîtresse de *Windward* comme s'il découvrait une tache sur son tapis.

— Vous vous êtes servie de moi, dit l'amiral. Vous vous êtes servie de nous tous, des gens de cette île, de toutes les îles, du peuple des États-Unis, du gouvernement des États-Unis. Vous êtes la pire des criminelles, Doris, la plus coupable qui soit.

Cette accusation amère et sans merci arracha Doris Ashley à son fauteuil. Ce n'était plus la femme prostrée qui avait écouté Hester. Elle avait abandonné *cette Doris Ashley-là.* Glenn Langdon ne lui faisait pas peur. Doris Ashley avait vu les amiraux se succéder à Pearl Harbor. Elle l'affronta sans détours.

— Je n'avais pas le choix.

— On peut toujours choisir la vérité !

— Pas de sermons, je vous prie, dit-elle comme si elle gourmandait une de ses servantes. Ma fille se trouvait à l'hôpital, à l'article de la mort dans un hôpital public ! Sa vie était en jeu. Sa réputation ! Son *avenir !* Vous m'accusez, moi, alors que Bryce Partridge court encore en liberté. C'est lui le vrai coupable, le monstre de cette tragédie. Il m'a forcée à... agir.

— Les criminels sont comme les lâches, répondit l'amiral. Ils se trouvent de bons prétextes, qu'ils vivent dans le caniveau ou à *Windward.*

Personne n'avait jamais parlé à Doris Ashley avec un tel dégoût, une telle aversion. Elle sentait le mépris de cet homme et ne pouvait l'éviter. Elle était prise au piège dans cette maison, avec l'amiral, jusqu'à ce que son cauchemar s'achève.

— Je suis une mère. J'ai agi en mère.

Elle se jura de le lui faire payer.

— Un innocent est mort.

— Un innocent a appuyé sur la détente, répliqua-t-elle, sentant qu'elle avait besoin de Gerald pour le moment. Gerald est un héros. Dans toute l'Amérique, les journaux disent qu'il est un héros. Des sénateurs se sont présentés à la Maison-Blanche pour chanter ses louanges. Vous ne pouvez pas salir un héros, Glenn. *Surtout* vous. Vous avez pris le parti de Gerald depuis le premier jour. Si vous changez, si vous *essayez* de changer, je jurerai que c'est *vous* qui mentez. Je vous contredirai, Glenn, mot pour mot, dans les journaux, devant les juges ou à Washington.

La sincérité de l'amiral, sa bonne foi, qui l'avait sauvé et soutenu en toute circonstance depuis son premier jour de liberté à la sortie de l'École navale, venait de lui être volée. Il lui était impossible, pour le moment, de rester dans la même pièce que Doris Ashley.

— Qui donc engendre les êtres comme vous ? dit-il en la quittant.

Le chauffeur parvint de justesse à ouvrir la portière de la limousine avant l'amiral. Il se mit au garde-à-vous et regarda le soleil s'enfoncer lentement dans le Pacifique. Zut ! Ils sortaient de la maison comme des *trombes !* Le lieutenant Murdoch était passé devant la voiture comme si on le conduisait au poteau d'exécution.

Doris Ashley entendit l'amiral claquer la porte en sortant. Elle traversa le salon et, quand elle entra dans le vestibule, elle entendit un des Philippins dire :

— Madame désire du thé ?

Elle ne le vit pas. Elle ne se tourna pas vers lui et ne lui répondit pas. Elle parvint à l'escalier, saisit la rampe et monta au premier étage. Elle était convaincue qu'elle survivrait, qu'elle triompherait, en dépit de tous les obstacles.

Hester était assise sur son lit, jambes ballantes, en face de la porte ouverte. Stupéfaite d'avoir découvert qu'elle avait vécu un jour entier sans penser à Bryce, elle venait de se rendre compte qu'elle ne parvenait même pas à évoquer son visage. Elle se souvenait bien de lui, de sa silhouette souple et rapide, mais seulement en mouvement et seulement de loin. Bryce reculait dans sa mémoire. Elle le voyait disparaître peu à peu alors même qu'elle essayait de se remémorer ses traits, sa personnalité. Elle était libérée de Bryce, elle restait seule avec Joseph Liliuohé dans son cercueil, en plein océan.

— Je suis ici, mon bébé, dit Doris Ashley. Je suis ici avec toi.

Elle s'assit sur le lit à côté d'Hester.

— Je te pardonne, mentit-elle.

Elle ne pouvait plus nier la vérité, se dissimuler la vérité. Hester était faible. Elle avait l'air saine d'esprit, elle ressemblait à n'importe quelle jeune femme, assise là, sur le lit, un de ses livres à la main. Mais tout n'était que pose, façade, mascarade. Hester était une *attardée*. Elle avait besoin d'un livre comme un bébé a besoin d'un hochet ; les livres étaient ses hochets. La fille de Doris Ashley, sa chair et son sang, n'était pas comme tout le monde. Une sorte de faiblesse inhérente à la constitution de Preston Lord Ashley s'était transmise à Hester. Elle était incapable d'assumer seule sa vie. Doris Ashley en prit conscience soudain. Il faudrait donc qu'elle aide Hester chaque jour — mais cela signifiait aussi qu'elle ne serait jamais seule... Elle embrassa Hester sur le front.

— Nous dînerons ici, dans ma chambre, mon bébé.

Doris Ashley avait besoin d'un bain. Elle avait besoin de se changer. Un bain lui redonnerait des forces. Et elle pourrait se préparer pour le lendemain. Avant toute chose, Doris savait qu'elle ne risquait rien. C'était le plus important. Gerald et le marin se tairaient à jamais. Ils garderaient le silence pour sauver leurs propres têtes. Et Glenn ne pouvait rien. Doris Ashley lui avait déjà cloué le bec. Un amiral ne peut pas se dresser contre le peuple américain et défier des sénateurs des États-Unis. Dans sa chambre, Doris Ashley ôta son manteau. Elle apporta ses cigarettes et un cendrier dans la salle de bains. Elle fumerait dans la baignoire...

Gerald, en quittant la résidence de l'amiral, croisa des matelots et des officiers, s'arrêta pour laisser passer des véhicules, mais sans rien voir ni personne. Il n'entendait rien ; ni les voix, ni les klaxons des voitures, ni les moteurs, et pourtant il y avait dans sa tête et dans tout son corps un grondement continu, augmentant peu à peu de volume sans jamais atteindre son paroxysme. Il se sentait pris dans un étau qui se resserrait à chaque pas ; il avait du mal à respirer et, pourtant, sa cadence restait la même. Son attitude, sa démarche, son comportement ne révélaient aucune défaillance. Seulement, Gerald croyait qu'il était un traître. Il croyait qu'il avait trahi la marine et son pays. Il croyait qu'il ne méritait plus l'uniforme qu'il portait. Tout ce que Hester avait dit, chaque mot qu'elle avait prononcé à la résidence de l'amiral, lui avait paru dirigé contre lui. Il avait contribué à la flagellation d'innocents et il avait tué un innocent. Quelques minutes seulement s'étaient déroulées depuis que Gerald s'était enfui de la résidence de l'amiral sans voir ni entendre le chauffeur qui l'avait salué, mais Gerald était déjà un banni. Il n'appartenait plus à la communauté des gens probes et loyaux. Il avait perdu ce droit à l'instant où l'automatique 45 avait explosé dans sa main, à *Windward*. Il était damné. Il ne conservait aucun doute à cet égard.

Il reconnut les abris des sous-marins en face de lui, puis le *Bluegill,* que seuls ceux qui servaient à son bord pouvaient distinguer de ses frères. Dans la lumière du crépuscule, que le soleil couchant teintait de touches écarlates, Gerald aperçut un marin de corvée travaillant sur le pont, à l'avant de la tour de commandement. Il vit aussi d'autres hommes quitter le sous-marin, et il eut peur d'être en retard — il serait obligé de revenir le lendemain.

Tous ceux qui quittaient le *Bluegill,* officiers et matelots, saluèrent Gerald, et il répondit à ses compagnons d'armes, que sa présence parmi eux avait déshonorés. Il essaya de se rappeler ses premiers mois dans le sous-marin, ses jours et ses nuits de fierté et d'insouciance, quand il était de garde, au port ou en mer. Il en fut incapable. Et le grondement dans sa tête augmenta encore. Gerald monta à bord.

Bryce Partridge se trouvait dans la salle de garde, seul, une dernière tasse de café à la main. Il n'avait pas mis les pieds au club des officiers depuis le jour de la bagarre dans le bar, depuis que le commandant Saunders l'avait sauvé, au commissariat central. Les autres officiers continuaient de l'inviter à leurs beuveries quotidiennes, mais il refusait chaque fois. Il ne pouvait pas prendre le risque de boire, car cela pouvait libérer ses poings, qu'il s'était interdit d'utiliser. A présent, il était toujours le dernier officier à quitter le bord, en dehors de l'officier de garde. Il attendait que tous les autres ne soient plus à portée de vue et de voix pour débarquer du sous-marin et rentrer chez lui. Il entendit des pas et leva les yeux de sa tasse.

— Gerald ! s'écria-t-il en se levant d'un bond. Bon sang de merde !

Il était ravi de le voir. Si Gerald était là, à bord du *Bluegill* et non au tribunal ou au casernement des officiers célibataires, cela ne signifiait qu'une chose : pour quelque raison inexplicable, il était libre !

— Gerald !

Bryce avança, la main tendue. Les bras de Gerald restèrent immobiles le long de son corps, mais Bryce lui saisit la main droite et la souleva. Il posa la main gauche sur le bras de Gerald et le tint ainsi, en un geste d'affection sincère.

— Tu es rentré ? C'est bien fini ? demanda Bryce.

Gerald s'écarta.

— J'aimerais te voir seul, dit-il.

Bryce comprit, instantanément et sans le moindre doute, que les ennuis arrivaient, tous les ennuis qu'il avait réussi à esquiver depuis la soirée à la Whispering Inn. Bryce prit aussitôt du champ, recula pour ne plus être à portée d'un coup de poing, jusqu'à ce que la table les sépare.

— Nous sommes seuls, dit-il.

— J'aimerais te voir en dehors du sous-marin, insista Gerald.

Bryce ne bougea pas.

— Tout de suite, ordonna Gerald.

Bryce le regarda. Il examina son uniforme à hauteur de poitrine et au niveau des hanches. Gerald risquait d'avoir encore une arme. Et il était assez idiot pour recommencer.

— Quel est le problème ?

— Nous en parlerons dehors, répondit Gerald. Tu es libre. Tu peux débarquer. Tu n'es pas de service. C'est Tim Cannon qui est de service ce soir.

— Bien sûr. Mais tu peux tout de même me dire de quoi il s'agit. Veux-tu une tasse de...

— Non! coupa Gerald. Le *Bluegill* ne sera pas impliqué! J'ai jeté assez de boue comme ça sur le *Bluegill,* ajouta-t-il plus fort.

— J'arrive, dit Bryce.

Il n'aurait pas dû discuter. Il ne voulait pas qu'un comité d'accueil se réunisse, attiré par les cris de Gerald. Bryce n'avait plus qu'une envie : mettre le plus d'espace possible entre le *Bluegill* et lui, entre quiconque et lui.

— Je vais chercher mon blouson et ma casquette, vieux.

Gerald se retourna et quitta la salle de garde. Il se dirigea vers l'échelle et attendit que Bryce sorte à son tour.

— Passe devant, lui dit Bryce le sourire aux lèvres, espérant que Gerald se tairait jusqu'à ce que personne ne puisse plus les entendre.

En descendant de l'échelle, Bryce bouscula légèrement Gerald et en profita pour passer la main sur ses reins et ses hanches.

— Désolé.

En tout cas, Gerald était sans arme.

Ils s'éloignèrent du sous-marin et, chemin faisant, Bryce essaya de se convaincre qu'il se trompait, que Gerald n'avait rien appris. Gerald avait toujours été bizarre, beaucoup trop noble pour le monde dans lequel ils vivaient, pour n'importe quel monde d'ailleurs. Gerald était beaucoup trop droit, trop candide, trop sincère, trop plein de... principes. Il adorait les principes. Peut-être Gerald lui avait-il tout dit dans la salle de garde. Il voulait seulement voir Bryce seul, à l'abri des oreilles indiscrètes. Peut-être Gerald ne voulait-il que parler, vider son sac après toutes ces journées dans l'aquarium du palais de justice, en ville.

Ils arrivèrent sur le pont et Bryce était à la hauteur de Gerald quand ils descendirent du sous-marin sur le quai.

— Ma voiture fera l'affaire, vieux, lui dit-il en souriant de nouveau.

Ils quittèrent le quai épaule contre épaule, deux jeunes officiers, minces et bien droits qui marchaient au rythme rapide que quatre années d'École navale avaient rendu automatique. Il ne restait que la moitié du soleil au-dessus de l'océan, et l'eau n'était qu'une tache de sang depuis l'horizon jusqu'aux plages. Bryce ne pouvait se trouver près de la mer sans répondre à son appel. Il était toujours prêt à prendre le large à n'importe quelle heure et par n'importe quel temps. Et, au coucher du soleil, l'air au-dessus des flots semblait chatoyer du rouge intense de l'eau.

— Ne serait-ce pas formidable de mettre à la voile dans ce décor?

Gerald ne répondit pas, ne se tourna même pas vers l'océan, et Bryce abandonna tout espoir d'éviter une confrontation. Il eut l'impression que sa voiture fonçait soudain vers lui. Il s'arrêta à la hauteur du coffre et s'écarta de Gerald.

— Nous sommes seuls maintenant, vieux.

— Cette fois, tu es avec moi et non avec ma femme, dit Gerald, déballant tout le paquet d'un coup. Cette fois, c'est moi que tu vas pouvoir tabasser, au lieu d'Hester.

Il enleva sa casquette et la posa sur le coffre de la voiture. Il se souvint de son humiliation au club des officiers : Bryce l'avait sauvé. Mais il fallait absolument que Gerald fasse *quelque chose*. Il ne pouvait pas provoquer Bryce en duel. Il ne pouvait pas prendre un autre automatique et tuer *encore* un homme, même Bryce Partridge.

— Mon ami Bryce Partridge ! dit Gerald à haute voix.

— J'étais ton ami. Je suis ton ami. C'est la vérité, Gerald.

— Cet enfant était *le tien !* dit Gerald en déboutonnant son blouson. Espèce de porc ! *Ordure !* Espèce d'ordure !

Il lança le blouson sur le coffre en criant :

— Enculé !

Il bondit en avant et lança un crochet, mais Bryce ne se trouvait plus là.

— Tu disais que tu voulais parler. N'essaie pas de faire autre chose, dit Bryce.

Gerald se jeta en avant et décocha un autre crochet, mais Bryce était déjà hors de portée.

— Laisse tomber ! dit-il.

Gerald pivota sur place, bras levés. Il vit Bryce et frappa avec les deux bras — de nouveau dans le vide, car Bryce était déjà derrière lui.

— Pour l'amour de Dieu, Gerald, ça suffit ! supplia Bryce.

— Quel genre d'homme es-tu donc ? Tu ne peux frapper que les femmes ? cria Gerald en se précipitant sur Bryce, les poings levés.

Bryce se pencha sur le côté en esquivant à petits coups de tête l'assaut désordonné de Gerald qui, emporté par son élan, le dépassa. Bryce allongea la jambe gauche et lui fit un croche-pied.

Gerald bascula, tomba les bras en avant, les mains et les genoux dans la poussière. La chute l'avait ébranlé.

— Je t'avais dit de cesser... dit Bryce doucement.

Gerald se redressa et se mit à genoux.

— Que crois-tu donc prouver ? lança Bryce. Lève-toi et je te reconduirai en voiture au casernement des officiers célibataires.

Gerald se jeta en avant pour plaquer Bryce, mais celui-ci s'écarta et Gerald retomba, l'épaule en avant, puis resta étalé sur le dos — ce fut à cet instant que le faisceau du projecteur les découvrit.

Le projecteur était aveuglant. Bryce leva le bras pour se protéger les yeux. Le faisceau se rapprocha et il entendit le moteur du véhicule.

C'était une voiture de la marine affectée à la police navale. Le projecteur, qui transformait le crépuscule en lumière éblouissante, était monté à côté de la portière du chauffeur. Gerald se releva, tête baissée pour éviter le faisceau. Une voix cria :

— Ne bougez pas, Partridge !

Le faisceau quitta les deux hommes pour se poser sur la voiture de Bryce, et ils virent l'officier descendre de la voiture. Ils virent les trois galons sur ses épaulettes et se mirent aussitôt au garde-à-vous. Jimmy Saunders avança vers eux.

— Vous ne pouvez pas garder vos mains pour vous, hein, lieutenant ?

— Mon commandant, je... commença Bryce, mais Saunders le coupa.

— Il y a un gymnase dans cette base, avec un ring de boxe. Je ne vous y ai jamais vu. Vous pourriez vous y livrer à autant d'exercice qu'il vous plairait, lieutenant. Je vous garantirais un peu de sport moi-même... Sans galons, d'homme à homme. Vous et moi, c'est tout.

— Mon commandant, je ne l'ai pas touché. Je ne l'aurais pas touché.

— Il ne m'a pas frappé, commandant, dit Gerald. Il ne m'a pas lancé un seul coup de poing. C'est moi qui ai essayé.

Saunders était écœuré.

— Vous êtes aux arrêts dans votre casernement, lieutenant, dit-il à Gerald. Vous passez en jugement pour meurtre ! Qu'est-ce que vous cherchez de plus, nom de Dieu ?

Il tendit brusquement le bras vers le véhicule de la police navale qu'il avait fait mettre à sa disposition.

— Montez !

Gerald prit sur le coffre le blouson de sa tenue de sortie et sa casquette, puis ouvrit la portière arrière de la voiture.

— Montez, Partridge, dit Saunders.

— Ma voiture est ici, commandant, dit Bryce.

— Sur le siège avant, où je pourrai garder l'œil sur vous, lança Saunders. Sur vous et sur vos poings agiles.

Saunders prit le volant. Il s'arrêta devant le casernement des officiers célibataires.

— Désolé, mon commandant, dit Gerald en ouvrant la portière.

Saunders passa en première. Gerald descendit et la voiture démarra avant que la portière ne se referme. Gerald mit sa casquette et ouvrit son blouson pour enfiler la manche. Il avait les mains sales et il s'était égratigné en tombant. Il tira machinalement sur les poignets de sa chemise pour qu'ils dépassent les manches du blouson. Entendant des voix, il s'enfonça dans l'ombre, le dos contre le mur du bâtiment. Trois hommes sortirent. Après leur départ, quand tout redevint silencieux, il se hâta d'entrer et de gagner sa chambre. Il ferma la porte à clé et resta debout dans le noir, espérant oublier la honte de son affrontement manqué avec Bryce, espérant éliminer la brûlure des aveux d'Hester. Mais il ne put rien effacer de sa conscience. Dans les ténèbres, il vit Hester et Bryce enlacés, il vit leurs corps nus qui se débattaient, il vit en une interminable procession les quatre jeunes gens qu'Hester avait accusés et, en face de lui, Joseph Liliuohé, debout à *Windward* au moment où il avait appuyé sur la détente.

Il poussa un gémissement et chercha l'interrupteur à tâtons. Il enleva sa casquette et se laissa tomber sur le lit, allongé sur le dos, les yeux ouverts, aveuglé par la succession des journées à venir.

Jimmy Saunders se rendit directement du casernement des officiers célibataires au quartier général de l'amiral. Le bâtiment était désert et les bureaux sans lumière. Saunders coupa le moteur.

— Tout le monde descend, dit-il.

Bryce ne bougea pas.

— Que se passe-t-il, commandant? Suis-je aux arrêts?

Saunders ouvrit sa portière.

— A l'intérieur, Partridge.

— J'ai droit à une réponse, commandant. Je n'ai rien fait. Je n'ai contrevenu à aucun règlement de la marine. Je ne me suis même pas défendu quand le lieutenant Murdoch m'a attaqué.

Saunders descendit, contourna la voiture et ouvrit la portière de Bryce.

— L'amiral veut vous voir.

Jamais Bryce n'avait eu aussi peur. La peur s'insinuait dans ses membres et le laissait physiquement épuisé. Pendant un moment, il resta immobile. Ce fut la voix cinglante de Saunders qui le sauva.

— Alors, le dur, ça vient?

Bryce eut envie d'enfoncer son poing dans le ventre gras du commandant, de le toucher juste au-dessous du cœur, à l'endroit de la boule de graisse. Pendant un instant, cette impulsion neutralisa la frayeur paralysante qui le figeait. Il descendit en se lançant des insultes, en s'exhortant à *réfléchir,* à réfléchir *vite!*

L'amiral l'avait fait appeler, lui un lieutenant sous-marinier dont, normalement, il aurait dû ignorer l'existence. Donc l'amiral savait ce que Gerald savait. Hester vivait à la résidence de l'amiral. La garce l'avait mouchardé en public. Mais pourquoi maintenant? Pourquoi *maintenant ?* Elle n'avait pas ouvert la bouche depuis septembre. Quelque chose l'avait poussée à parler ! Pourquoi avait-elle tout déballé maintenant ? « Du calme », se dit-il. Il perdait du temps. Il vit deux hommes de la police maritime dans le bâtiment du QG. L'un ouvrit la porte et tous les deux se mirent au garde-à-vous quand Bryce et Saunders entrèrent.

Ils traversèrent la réception jusqu'à l'escalier faiblement éclairé. « Réfléchis, vieux, *réfléchis.* ». Il nierait tout. C'était la parole d'Hester contre la sienne, l'accusation d'une gonzesse un peu zinzin. Tout le monde savait qu'elle était zinzin, la garce. Au premier, il vit sur le parquet du corridor la tache de lumière provenant d'une porte ouverte. « Détends-toi », se dit-il, puis : « Tu es fou. Je vais voir l'*amiral.* Tu ne peux pas te dégonfler. Quand t'es-tu déjà dégonflé ? »

Dans l'antichambre du bureau de l'amiral, le quartier-maître secrétaire était en train de taper à la machine. Saunders conduisit Bryce vers une porte et frappa. Bryce entendit la voix de l'amiral. Saunders ouvrit la porte. L'amiral était à son bureau. « Aidez-moi ! », se dit Bryce, appelant Dieu à son secours. Il se mit au garde-à-vous à deux mètres de l'amiral.

— Partridge, Bryce, amiral, dit-il en saluant.

L'amiral le laissa au garde-à-vous.

— Vous vous en allez, Partridge, dit-il. Le quartier-maître est en train de taper votre démobilisation.

Bryce sentit l'air quitter ses poumons. D'un seul coup. Il était soudain sans le souffle, complètement vidé.

— Démobilisation ? répéta-t-il d'une voix hésitante, comme si le mot appartenait à une langue étrangère.

— Vous quittez la marine. Vous n'appartenez plus au service.

Bryce avait entendu, mais il ne pouvait pas le croire.

— Non, amiral, dit-il. Non, amiral, répéta-t-il, plus fort. Excusez-moi, amiral, pardonnez-moi, mais je ne m'en vais pas. Je n'ai pas présenté ma démission.

— Je l'ai fait pour vous.

L'amiral le torturait.

— Je ne veux pas démissionner, amiral.

Bonté divine, qu'essayait-on de lui faire ? *Quitter la marine ?* Bonté divine...

— Je n'ai jamais songé à démissionner, dit-il. Je veux dire... depuis ma nomination, ma nomination à l'École navale, amiral. Avant même de *voir* l'École navale, j'appartenais à la marine, amiral.

Il eut envie de grimper sur le bureau et de hurler dans les oreilles de l'amiral.

— Je suis né pour la marine, amiral. Je ne peux pas la quitter ! ajouta-t-il en se tournant vers Saunders pour implorer son aide, mais le commandant semblait tenir à la main la corde pour le pendre.

— Vous êtes déjà parti, dit l'amiral.

Bryce sentit son poing se contracter. Si seulement il avait pu le lancer dans la figure de ce vieux charognard assis devant lui comme Dieu tout-puissant et qui lui annonçait que sa vie était finie. Mais sa vie n'était pas finie !

— Pourquoi démissionnerais-je ? Pour quelles raisons ?

— Hester Murdoch a avoué la vérité, répliqua l'amiral.

— C'est une menteuse !

Il oublia qu'il était au garde-à-vous et fit un pas vers le bureau.

— Elle a menti ! cria-t-il.

L'amiral se leva de son fauteuil.

— Vous n'avez pas entendu ce qu'elle a dit.

Soudain, il n'y eut plus un seul bruit. Le silence absolu.

— Espèce de pourriture, dit l'amiral. J'ai vu la lie de la terre, mais jamais un seul être aussi vil que vous. Si je pouvais, je vous pendrais de mes propres mains.

On frappa à la porte, le quartier-maître secrétaire entra avec une liasse de papiers à la main. Il posa les papiers sur le bureau et se détourna. Bryce le regarda comme s'il représentait la liberté. Quand la porte se referma, il s'écarta du bureau.

— Je ne signerai pas ! dit-il. Vous ne pouvez pas m'y contraindre ! Votre autorité n'est pas sans appel ! Je porterai plainte devant le chef de l'état-major de la marine. Je m'adresserai au ministre ! Je ne démissionne pas.

L'amiral saisit les papiers que le secrétaire avait apportés. Il les tint d'une main et enleva de l'autre main les feuilles de papier carbone.

— Vous ne pouvez pas me garder ici.

— Essayez de sortir, dit l'amiral en prenant son stylo sur le support de marbre.

— Je vous ai dit que je ne démissionnerai pas ! lança Bryce. Je ne démissionnerai *jamais !* Je veux passer en cour martiale.

— Vos forfaits n'ont pas été commis contre la marine, dit l'amiral.

— C'est la vérité ! s'écria Bryce. La pure vérité. Et c'est pour ça que je ne démissionnerai pas.

L'amiral lança le stylo sur le bureau et braqua l'index vers Bryce.

— J'en ai assez de vous ! Vous allez payer pour ce que vous avez fait à Hester et à ce civil, espèce de porc sanguinaire. Je ne vous livre pas à la police parce que je suis pris au piège, dit l'amiral, sincère comme toujours. Nous sommes tous pris au piège à cause de ce procès.

— Pas moi ! lança Bryce, sautant sur l'occasion que l'amiral lui offrait. Pas moi, dit-il à Saunders. Je raconterai au capitaine Maddox le reste de l'histoire. Il apprendra la vérité sur Hester et son « viol » !

— Vous êtes pourri jusqu'à l'os, répondit l'amiral. Vous vous figurez que vous me possédez. Non, monsieur, c'est moi qui vous tiens. Vous pouvez aller trouver Maddox et vous faire emprisonner. Vous n'aurez pas besoin de démissionner, vous serez rayé des cadres pour conduite indigne.

L'amiral s'assit.

— Vous êtes libre de partir.

Bryce bondit vers le bureau et s'y agrippa des deux mains comme aux plats-bords d'un bateau en train de sombrer.

— Amiral !

Il se remit au garde-à-vous. Il transpirait de tous ses pores. La sueur formait un voile sur ses yeux. Il eut envie de les essuyer, d'essuyer son visage, mais il se battait pour sa survie.

— Dégradez-moi, amiral. Je vous en prie. Je repartirai de zéro. Mettez-moi au dernier rang de la liste des enseignes. Je travaillerai, je vivrai d'une manière qui vous rendra fier de moi, qui rendra la marine fière de moi. Vous verrez, amiral. Je vous le prouverai...

Sans la moindre hésitation, l'amiral répondit :

— Vous pouvez soit rester dans les îles, soit retourner aux États-Unis. Si vous décidez de rentrer, la marine assurera votre transport, celui de votre femme et de vos effets personnels, y compris une automobile.

Il prit le stylo et le lui tendit.

— Signez les cinq exemplaires, nom, grade et matricule.

Bryce s'essuya le visage. Sa main était trempée. Il prit son mouchoir et le serra entre ses paumes. L'amiral tendait toujours le stylo. Bryce frotta ses mains au mouchoir. Il ne voyait plus ni l'amiral ni sa main — uniquement le stylo. Quand il se pencha pour signer le premier exemplaire de sa démission de la marine des États-Unis, la pièce lui parut plus sombre soudain et Bryce comprit que, jusqu'à la fin de ses jours, l'obscurité persisterait.

Dans la salle des délibérations du jury, le lendemain matin mercredi, à peine l'huissier avait-il refermé la porte qu'un juré lança :

— Ne faisons pas la même erreur que les types de l'autre procès.

S'ils avaient envoyé ce salopard en prison comme il le méritait, nous ne serions pas ici. Le lieutenant n'aurait pas été soumis à ce calvaire. Ni sa pauvre femme. Ni sa pauvre belle-mère. J'ai une fille à la maison...

Theodore Okohami, le dernier juré entré dans la pièce, ne vit pas qui avait parlé. Il se trouvait encore près de la porte, personne n'était assis, et un groupe s'était formé au bout de la table. Il entendit Oscar Sudeith, le premier juré, déclarer :

— Une minute ! Une minute, s'il vous plaît.

Il tenait à la main le maillet que l'huissier lui avait remis.

— Il faut un peu d'ordre. Ne précipitons rien. D'abord, que tout le monde s'assoie, d'accord ?

Un homme, sec comme un manche à balai et affligé d'une pomme d'Adam énorme, braqua l'index vers le premier juré.

— Ne me donnez pas d'ordre, l'ami.

Theodore Okohami reconnut la voix qu'il avait entendue un peu plus tôt. Donald Cedarholm. C'était un livreur de glace, voûté à force de porter ses pains sur l'épaule, dans les magasins et les maisons, dans les caves et les étages. Ses cheveux étaient coupés en brosse et si courts qu'on avait l'impression de voir un crâne rasé.

— Asseyons-nous, voyons, dit le premier juré. Que chacun prenne place.

Donald Cedarholm tira une chaise vers le milieu de la table. Avant de s'asseoir, il donna du bout des doigts quelques coups secs à une boîte ronde de tabac à chiquer, puis souleva le couvercle, prit une chique entre le pouce et l'index, et la glissa sous sa lèvre inférieure.

— Il faut préserver les formes, dit Cedarholm. Nous ne pouvons pas rappliquer là-bas en quatrième vitesse. La salle ne s'est même pas encore vidée.

Il ricana, la lèvre inférieure gonflée par la chique. On ne voyait que son crâne.

— Ce serait drôle de voir la gueule qu'ils feraient, dit-il.

Bruce Tanaka, qui avait presque soixante ans, prit Okohami par le bras.

— Il y a deux sièges, là-bas.

Ils se dirigèrent à l'autre bout de la table pour s'asseoir à côté de Ben Hawané.

— Démarrez ! lança Cedarholm au premier juré.

— La première chose que je veux dire, c'est que je ne suis pas un expert, dit Oscar Sudeith. Jamais je n'ai fait tout ceci, jamais je n'ai siégé dans un jury.

— Vous savez compter, non ? Dès que vous aurez compté douze mains, nous aurons terminé, dit Cedarholm.

— Ce n'est pas si simple, répondit le premier juré. Vous avez entendu le juge. Il...

— Le juge? coupa Cedarholm. Il n'est pas ici! Il ne vote pas!

Okohami se tourna vers Bruce Tanaka.

— Pourquoi est-il tellement en colère? murmura-t-il.

Tanaka posa l'index sur ses lèvres.

— Il faut que nous suivions les règles, dit le premier juré.

— Les règles sont ce que *nous décidons,* dit Cedarholm en regardant à gauche et à droite.

— C'est un fait, dit l'homme assis à sa gauche.

— Tout de même, fit observer le premier juré. Vous avez entendu le juge aussi bien que moi.

Cedarholm tendit le bras droit vers le premier juré, l'index braqué.

— Vous avez dit ce que vous aviez à dire, maintenant à mon tour. Je ne vais pas faire un pied de nez au peuple américain et au Congrès des États-Unis. Le peuple américain a donné son avis : renvoyez cette dame et les deux types chez eux.

— Vous l'avez lu dans les journaux, dit une voix.

— Vous l'avez vu dans la presse.

— Nous n'étions pas censés lire les journaux, dit un autre juré.

Cedarholm sourit — le crâne ricanait.

— Vous ne me cafardez pas, je ne vous cafarderai pas non plus. Je suis américain et je fais ce que veut mon pays.

— Le juge a dit que nous devions ne tenir compte que des preuves, insista le premier juré. Il a dit que c'était notre devoir.

— J'ai entendu son baratin, répondit Cedarholm. Qu'est-ce qu'on reproche au lieutenant? Il a simplement fait payer à cet enculé ce que celui-ci avait infligé à sa femme. Il avait violé la femme du lieutenant.

— Oh! non, s'écria Okohami, surpris par le son de sa voix.

Cedarholm se tourna vers l'autre bout de la table.

— Oh! *si,* dit-il. Il l'a violée. Il l'a avoué.

— Le lieutenant Murdoch a raconté à son avocat que Joseph Liliuohé avait avoué. Mais Joseph Liliuohé a toujours affirmé qu'il était innocent.

— Qui allez-vous croire sur parole? demanda Cedarholm en lançant son bras en avant comme pour frapper quelqu'un. Vous ne devriez pas siéger dans un jury. Vous ne devriez même pas avoir le droit d'entrer dans ce palais de justice. Tous autant que vous êtes. Voilà tout le problème...

— Nous en avons autant le droit que vous, répliqua Okohami.

Bruce Tanaka lui tira le bras en arrière.

— Nous ne violons pas les femmes, nous, cria le marchand de glace.

— Essayez de baisser le ton, intervint le premier juré.

— Aucun d'entre nous n'a violé qui que ce soit, dit Okohami.

Il écarta la main de Bruce Tanaka. Cedarholm recula son fauteuil.

— Vous traitez donc de menteur un officier de la marine des États-Unis ?

— Joseph Liliuohé n'a jamais avoué qu'il avait violé cette femme, dit Okohami.

Cedarholm explosa. Il bondit, écarta son siège et gagna l'autre bout de la table en deux enjambées. Le premier juré donna un coup de maillet pour rétablir l'ordre. Theodore Okohami eut envie de fuir, mais où ? Il songea à se glisser sous la table, mais s'en voulut aussitôt d'une impulsion aussi lâche. Il vit arriver le grand échalas armé de gros bras, mais fut incapable de bouger. Il était paralysé.

— Arrêtez ! dit Bruce Tanaka. Vous n'êtes pas sur un terrain vague.

Il se leva de son fauteuil pour barrer la route à Cedarholm. Il était tout petit et il avait le double de l'âge du marchand de glace.

— Écartez-vous ! Reculez ! dit-il.

— Poussez votre cul, répondit Cedarholm.

— J'appelle l'huissier ! lança le premier juré.

Cedarholm saisit le fauteuil de Bruce Tanaka et le lança de côté. Il tendit la main vers Tanaka lui-même pour l'écarter à son tour, mais le petit homme prit à deux mains le bras du livreur de glace, comme un fox-terrier sautant en l'air pour attraper un bâton. Avec Tanaka accroché, Cedarholm lança son bras sur le côté et le petit bonhomme alla s'écraser contre le mur. Le premier juré courut vers la porte.

Bruce Tanaka heurta le mur les bras en croix. Il n'avait aucune force. La main droite de Cedarholm, qui avait soulevé des tonnes et des tonnes de glace, se crispa en un poing et traça un large arc de cercle dans le vide avant de toucher Tanaka à la mâchoire. Le coup projeta Tanaka dans l'angle de la pièce, où il glissa lentement vers le sol, comme une flaque qui se répand.

— Pourquoi l'avez-vous frappé ? demanda un juré.

— Vous n'aviez pas à le frapper !

— Vous l'avez tué ! dit une troisième voix.

— Je n'ai tué personne, dit Cedarholm.

Il se retourna. Okohami se dressa en face de lui, persuadé qu'il allait s'évanouir de peur.

— Vous êtes comme le lieutenant, dit Okohami.

Un juré le tira en arrière.

— Écartez-vous de lui ! lança une voix.

— N'approchez pas !

Mais Okohami ne les écouta pas.

— Vous êtes pareil ! Vous croyez que les hommes sont de l'herbe sous vos pieds.

Ben Hawané s'était agenouillé auprès de Tanaka, son mouchoir à la main.

— Il a besoin d'un docteur, dit-il.

— Nous ne sommes pas de l'herbe sous vos pieds, dit Okohami.

L'huissier parut à la porte. Il vit les hommes debout, groupés d'un côté de la table, le grand type à la tête rasée, et, au-delà, une tache de sang : le mouchoir que Ben Hawané tenait devant le visage de Tanaka.

— Faites place ! dit l'huissier en écartant les bras.

Il gagna le bout de la table et s'accroupit devant Tanaka. Il regarda le visage de biais et le mouchoir plein de sang. Du sang s'épanchait de la peau déchirée, les os étaient brisés.

— Nom de... lança-t-il. Faites venir une ambulance, dit-il au premier juré. Vite ! Que quelqu'un aille chercher un autre huissier... Non ! Allez voir si le juge est encore dans son bureau, ou au palais ! Vite ! Courez !

L'huissier regarda autour de lui.

— Qui l'a frappé ?

Personne n'ouvrit la bouche. Cedarholm se pencha pour relever le fauteuil de Bruce Tanaka et Theodore Okohami le montra du doigt.

— C'est lui. C'est lui qui l'a fait.

L'huissier examina Cedarholm comme si le marchand de glace passait devant le conseil de révision.

— Ne me racontez pas que c'était en légitime défense, dit l'huissier. Vous êtes trois fois plus grand que lui. Vous avez intérêt à dire vos prières, salopard. Jusqu'ici, ce ne sont que coups et blessures. Avancez et laissez vos mains à un endroit où je pourrai les voir. Vous êtes arrêté.

L'huissier recula contre le mur, fit signe au livreur de glace de passer et le suivit aussitôt. Au même instant, le juge Kesselring, en bras de chemise, parut à la porte. Le premier juré et un autre huissier étaient derrière lui.

Le magistrat se dirigea aussitôt vers l'angle de la pièce où gisait Bruce Tanaka.

— Mon Dieu !...

Il se retourna et s'avança vers Cedarholm. Il dut se retenir pour ne pas frapper le juré. Il était prêt à le faire.

— Pourquoi avez-vous fait ça ? demanda le juge.

Il fallait qu'il parle pour pouvoir se calmer.

Cedarholm montra Okohami du doigt.

— C'est lui qui a tout commencé, lança-t-il, mais il entendit aussitôt les autres jurés protester, écœurés.

— Conduisez-le en audience, huissier, décida le juge. Il est en état d'arrestation. Je vais l'inculper. Il sera détenu jusqu'au procès. Trouvez-moi un avocat pour assurer sa défense d'office. Pas de liberté sous caution pour un individu de cet acabit.

Il se tourna vers le deuxième huissier.

— Faites venir immédiatement les deux suppléants pour que le jury soit au complet.

Il regarda les hommes debout autour de la table.

— Restez ici. Continuez de siéger.

Theodore Okohami demeura à côté de la forme inerte recroquevillée dans l'angle de la pièce comme un jouet brisé et jeté. La couleur du sang lui faisait tourner la tête, il avait l'impression de flotter. Il s'agenouilla. Il ne pouvait pas abandonner Bruce Tanaka, le laisser là tout seul.

— Ils veulent nous tuer tous, dit-il.

Plusieurs heures plus tard, au crépuscule, quand tout devient solitude et rêverie, Maddox prit la route des collines, vers sa maison. Il conduisait lentement. Il avait quitté le commissariat central pour dîner quelque part, dans un petit restaurant tranquille, mais il avait changé d'avis avant même de sortir du garage. Il n'aurait pas la constance de rester assis le temps d'un dîner complet. Il se dit qu'il trouverait bien de quoi manger chez lui. Il s'arrêta à un feu rouge. Une fois de plus, il allait ouvrir une boîte de conserve, la vider dans une assiette, manger debout dans la cuisine, en engloutissant à toute allure pour en finir au plus vite... Il fit la grimace. Il décida de prendre un bain, de se changer et de redescendre dîner en ville. La perspective lui sourit pendant quelques minutes, puis il renonça. Il résolut ensuite de prendre des vacances. Un mois par exemple. Il visiterait les États-Unis. Non, pas les États-Unis ; pas avec Lenore aux États-Unis. Il irait en Chine. En Chine et au Japon. Puis il renonça aux vacances. Que pourrait-il voir là-bas qu'il n'avait pas vu à Honolulu ? Il avait vécu avec des Chinois et des Japonais toute sa vie. Il ôta son chapeau et posa le bras sur le dossier du siège. Instantanément, il se rappela Lenore à côté de lui. Il se rappela son visage appuyé contre son épaule. Pendant un instant, il aurait juré que son parfum flottait dans la voiture. Il poussa un son grave et guttural, un cri de bête, un cri de souffrance impossible à contenir. Il appuya sur l'accélérateur. Il avait hâte de rentrer chez lui, à présent, comme si, en descendant de voiture, il pourrait laisser tout derrière lui.

Il s'engagea dans son allée. Il laissa son chapeau sur le siège et se dirigea vers la maison sans lumière, la seule maison sans lumière de la rue. Il ouvrit la porte toute grande, comme chaque fois qu'il rentrait, et il s'arrêta brusquement sur le seuil, dans le noir : de nouveau, il sentait le parfum de Lenore. Cela le secoua. Il avait quelque chose de détraqué. Il chercha l'interrupteur sous ses doigts, alluma, puis tendit le bras en arrière pour saisir le battant de la porte. Lenore était devant lui, sur un fauteuil, à cinq mètres.

Elle avait mis la robe marron boutonnée très haut sur le devant qu'elle portait lors de leur première rencontre, sur le bateau, puis pendant le déjeuner. Avec le même foulard blanc autour du cou. Elle avait une veste de laine beige sur les épaules. Ses cheveux étaient retenus en arrière par un diadème en écaille de tortue. Elle était encore plus belle que dans son souvenir. Il en avait le souffle coupé.

— Ne vous mettez pas en colère.

— En entrant, j'ai reconnu votre parfum, dit Maddox. Dans une maison vide ! Je me suis dit que j'avais perdu la tête.

Il resta dans le vestibule.

— Je me suis souvenue que vous ne fermiez pas votre porte à clé, dit-elle. J'ai voulu vous faire une surprise.

— Vous m'avez surpris.

Il enleva sa veste et l'emporta dans le salon. Sa main glissa sur son automatique, dans l'étui. Il lança la veste sur un fauteuil et se mit à tirer sur le baudrier pour enlever l'étui au plus vite. La vue de l'arme le mettait en rage.

— Vous êtes furieux, dit Lenore. J'ai commis un erreur terrible, n'est-ce pas ?

Maddox se laissa tomber dans le fauteuil et glissa l'arme et l'étui dans la poche de sa veste.

— Vous m'avez dit adieu, Lenore. La femme de chambre du Western Sky l'a fait pour vous. Alors pourquoi venir ? Pour me dire bonjour ?

Elle essaya de sourire. Elle espéra qu'il sourirait. Elle espéra qu'il la trouverait courageuse et serait fier d'elle.

— Oui, Curt. Bonjour.

— Vous voulez dire que ce n'est plus vous et lui, dit Maddox. Maintenant, c'est vous et moi ?

Il connaissait la réponse avant même de parler. Elle se mit à jouer avec la manche de son cardigan.

— Il fallait que je vous voie, dit-elle.

— « Il fallait », répondit Maddox. J'ai entendu ces mots plus souvent qu'il ne m'est possible de compter. Dans la bouche de types en prison ou avec les menottes aux poignets. *Il fallait* qu'ils fassent ce qu'ils avaient fait.

Il éleva la voix.

— Personne n'est *obligé* de faire quoi que ce soit, sauf manger et dormir. Tout le reste est un choix.

Il se détourna. Il ne pouvait pas supporter sa présence. Il ne pouvait pas se contenir devant elle.

— Il faut que vous partiez, Lenore, dit-il au mur. Je suis en train de devenir méchant, et cela ne fait que commencer.

— Méchant ? Pas vous, Curt, dit-elle.

— Si, moi. *Moi !* lança-t-il en lui faisant face. Que lui avez-vous dit ? Je sais ce que vous lui avez dit. Vous lui avez dit la vérité. Et est-ce qu'il s'en soucie ? Qu'est-ce qu'une nuit de plus ou de moins pour lui ? Il a gagné, n'est-ce pas, Lenore ? Il a gagné.

Lenore se leva et remonta la veste sur ses épaules. Quand elle regarda Maddox, il s'aperçut qu'elle avait les yeux pleins de larmes. Il la vit tourner la tête, vaincue, sans force, aussi vaincue et impuissante que lui-même. Elle était toute seule et il fut incapable de résister plus longtemps. Il quitta son fauteuil pour l'enlacer et attirer vers lui le visage rougi, humide, de la jeune femme.

Lenore sentit les bras de Maddox autour d'elle. Elle sentit son visage, la peau rêche, si longtemps désirée, contre sa propre peau. Elle l'embrassa. Elle embrassa sa chemise, sa poitrine, son épaule et son cou ; comme pour demander la permission d'aller plus loin. Elle dit : « Je vous aime », lèvres contre lèvres, tout en goûtant ses propres larmes. Elle lui prit le visage entre ses mains et lui écarta les lèvres avec les siennes, pour être enfin dans lui.

— Attendez, dit-il à voix basse.

— Je ne peux pas. Je ne peux pas.

Elle était comme folle. Il sentit qu'elle tirait sur sa chemise, sur son pantalon. Elle l'affola à son tour et il se mit à déboutonner sa robe. Il dégagea ses épaules et elle l'aida en dégrafant son soutien-gorge.

— Ici, mon amour, dit-elle en se libérant de sa robe et, lorsque Maddox se pencha, elle tendit les bras vers lui.

Il la porta, comme la première fois. Il sentit ses lèvres, sa langue. Elle ne pouvait pas s'arrêter, elle ne pouvait pas attendre. Ils tombèrent sur le lit ensemble, en tirant sur leurs vêtements, puis Maddox, nu, fut sur elle ; les jambes de Lenore s'ouvrirent et ses hanches s'avancèrent pour s'emparer de lui.

Plus tard, Maddox s'appuya sur le coude pour la regarder. Il souriait, et pourtant Lenore eut peur.

— Vous ne pouvez pas refaire ça, dit Maddox.

— Je m'attendais à ce que vous le disiez, répondit Lenore. J'attendais cet instant et je le redoutais. Je ne peux pas refaire ça. Je le promets. Je vous donne ma parole. Jamais je n'ai failli à ma parole.

— Nous sommes toujours sincères quand nous disons les choses.

— Vous pouvez me faire confiance, dit-elle. Il fallait que je vienne ce soir. Il fallait que je vous revoie. Nous ne nous étions pas dit adieu. Ce soir est notre adieu.

Elle le regarda.

— Parlez-moi. Je vous en supplie, murmura-t-elle.

— Je n'ai jamais vu personne comme vous dans ma vie, dit Maddox. Une femme aussi belle.

— Vous êtes beau, dit Lenore.

— Ah bon?...

— Oui.

Elle se rapprocha de lui, le corps cambré contre celui de Maddox.

— Je vous ai mémorisé, Curt. A présent, je pourrai vous voir partout où je serai. Je pense à vous partout où je suis. J'essaie de vous imaginer quand vous étiez jeune, quand vous étiez petit garçon. Étiez-vous un petit garçon heureux? Aviez-vous un chien? Étiez-vous un explorateur, avec votre chien? Est-ce que vos camarades recherchaient votre compagnie? Étiez-vous le chef, le capitaine qui entraînait les autres dans l'aventure?

Il ne répondit pas et Lenore bougea, pour le regarder.

— Ai-je dit quelque chose de mal?

Maddox l'embrassa dans les cheveux. Il la serra, lui caressa les cheveux et, après un long silence, il lui parla de lui-même, de sa mère, du placard où elle l'enfermait quand elle recevait un client dans sa chambre, des autres prostituées. Il lui raconta tout, y compris ce qu'il n'avait jamais raconté à personne, pas même à Harvey Koster.

— L'enfant pauvre qui a gravi les échelons à la force du poignet...

Les yeux de Lenore étaient de nouveau brillants de larmes.

— Oh! pas du tout, répondit Maddox. De toute façon, j'avais envie de tout vous raconter, mais je n'en avais pas trouvé l'occasion. Je croyais, d'ailleurs, que l'occasion ne s'en présenterait jamais — le bon endroit et le bon moment en même temps. Mais vous êtes venue ce soir, alors vous pouvez repartir à présent avec toute l'histoire.

Elle le sentait contre elle, peau contre peau, et pourtant ils étaient déjà séparés. Elle serait seule à jamais.

— Vous voulez que je m'en aille? dit-elle.

— Non, Lenore. Je veux fermer les grilles, nous enfermer ici et nous coller l'un à l'autre. Mais vous allez partir et nous ne faisons que nous raconter des blagues.

Ils s'habillèrent puis quittèrent la chambre sans un mot. Lenore s'arrêta.

— Mon cardigan, dit-elle.

Maddox se pencha pour le ramasser et le lui posa sur les épaules.

— Je suis venue en taxi, voulez-vous m'en appeler un ? demanda-t-elle.

— Oui, cette fois je le ferai. Ce serait trop dur de vous regarder entrer dans l'hôtel et disparaître... disparaître. Ce serait trop dur, Lenore.

— Il ne faut pas m'en vouloir.

— Je ne pourrais pas, Lenore.

Il fallait en finir.

— Oubliez le taxi. Prenez ma voiture. Vous laisserez les clés à l'intérieur. J'enverrai quelqu'un la chercher demain matin.

Il passa devant elle et sortit.

Ils se dirigèrent vers la voiture, Maddox ouvrit la portière et s'écarta pour la laisser monter.

— Je vais baisser la glace, dit-il.

Elle leva les yeux vers lui.

— Vous ne m'embrassez pas ?

Il se pencha par la portière et effleura les lèvres de Lenore. Elle leva la main, mais c'était trop tard, il s'était esquivé et la porte se refermait entre eux. Il resta debout près de la voiture. Lenore semblait déjà à mille kilomètres.

Quarante-huit heures moins deux minutes après que l'huissier eut enfermé le jury dans la salle des délibérations, Oscar Sudeith, le premier juré, qui avait la main levée, regarda les onze autres mains se lever une par une.

— Je vais prévenir l'huissier, dit-il.

Maddox fut au courant avant même le juge Kesselring, avant quiconque excepté les jurés et les deux huissiers : le jury était parvenu à un verdict. Quand l'huissier convoqué par le premier juré sortit de la salle des délibérations pour se rendre au cabinet du juge, il fit un signe de tête à l'un de ses collègues, dans le couloir.

— Ils sont prêts.

L'autre huissier entra dans un bureau et téléphona au commissariat central.

— Ils vont sortir, capitaine.

— Merci beaucoup.

Maddox appela aussitôt Harvey Koster.

— Vous serez dans la salle d'audience, n'est-ce pas, Curt ? demanda Koster comme si ce n'était pas une question.

— J'ai sous les yeux un bureau surchargé de dossiers, monsieur Koster, mentit Maddox.

— Je comptais sur vous pour me faire part du verdict.

— Oui, bien sûr. Je vous téléphonerai du palais, monsieur Koster.

Il repoussa le téléphone. Avec un peu de chance, elle ne serait pas dans la salle.

A Waikiki, au Western Sky, Tom attendait avec la princesse. Le téléphone sonna.

— Allô ! dit-elle, puis elle écouta. Merci, Phil, répondit-elle au procureur de district, qui avait promis de l'appeler. J'aimerais que ce soit Vendredi saint, dit-elle à Tom. Le Bon Vendredi — bon pour nous, pas pour eux (elle songeait aux inculpés). Aidez-moi à passer ma cape de plumes.

— Sarah voulait venir.

— Elle risque de ne pas aimer ce qu'ils ont décidé, dit la princesse.

— Elle veut entendre le verdict de ses oreilles.

La princesse eut un geste d'impatience.

— Secouez-vous donc ?

Tom téléphona à Sarah, à la droguerie, et prit rendez-vous avec elle devant le palais de justice.

En tournant dans l'impasse, le long du palais, Maddox vit quelques personnes, surtout des hommes, debout devant l'édifice, assez loin de l'entrée. Elles n'étaient pas ensemble et elles se tenaient à l'écart de la limousine de l'amiral, garée entre les deux poteaux de stationnement interdit. Quand Maddox s'arrêta devant les portes latérales du palais de justice, deux Japonais dépassèrent sa voiture. Ils avaient appris l'imminence du verdict par la fille de l'un d'eux, qui travaillait dans la même droguerie que Sarah Liliuohé. Un autre homme, un Hawaïen qui se trouvait devant le palais, l'avait apprise d'un groom du Western Sky — voyant Bergman et Lenore quitter l'hôtel, celui-ci les avait suivis pour surprendre leur conversation. Un autre Hawaïen était le frère d'un planton de l'*Outpost Dispatch* qui avait entendu Jeff Terwilliger prévenir le rédacteur en chef des informations locales qu'il filait au palais pour le verdict. Chacun d'eux l'avait répété et la nouvelle s'était vite répandue.

Maddox était resté au commissariat central jusqu'à la dernière minute. Il descendit de voiture et prit l'escalier de service jusqu'au premier. Le balcon était presque vide, les portes de la salle d'audience fermées. Il frappa. Ce serait vite terminé. Le temps d'entrer et de ressortir. La porte s'entrouvrit, un huissier passa la tête.

— Bonjour, Wes, lui dit Maddox en se glissant dans la salle.

Il se trouva aussitôt dans la foule. Le public s'était entassé au point de bloquer les portes. Des hommes et des femmes étaient debout contre le mur du fond et Maddox dut se hisser sur la pointe des pieds pour apercevoir le box du jury. A l'instant où il le fit, Lenore se retourna — pour la millième fois. Ils étaient de nouveau ensemble, et Maddox eut envie de disparaître, de s'enfuir, comme si la fuite pourrait le libérer. Lenore enleva le foulard de soie vert clair qui dissimulait ses cheveux.

Elle avait l'impression qu'elle ne cesserait jamais de pleurer pour lui. Et, pourtant, elle ne regrettait pas d'être venue au palais. Elle avait insisté pour accompagner Bergman. Revoir Maddox lui permettrait de se souvenir plus facilement de lui, de son visage, de ses cheveux, de ses mains, de ses mains sur elle.

— Levez-vous!

Le juge Kesselring atteignit son fauteuil, sur la tribune, à l'instant même où l'huissier lançait son appel.

— Je demande aux personnes présentes de témoigner le respect qu'il convient à la cour et aux inculpés de cette affaire.

Il se tourna vers la presse.

— Je sais que vous avez des délais de rédaction et je comprends vos problèmes. Néanmoins, je ne peux pas permettre que la procédure de la cour soit troublée et je compte sur vous tous pour faire preuve de dignité et de retenue.

— Nom de Dieu! dit Duane York, assis à côté de Gerald. Pourquoi ne s'arrête-t-il pas de parler?

Il n'arrivait pas à tenir ses mains en place.

— Messieurs les jurés, êtes-vous parvenus à un verdict?

Oscar Sudeith, le premier juré, se leva. Sarah, assise entre la princesse et Tom, se força à le regarder. Elle avait l'impression d'être sur le point d'étouffer.

— Oui, Votre Honneur.

— Accusés, levez-vous! dit le magistrat.

Gerald bondit aussitôt et se figea au garde-à-vous. Duane se mit au garde-à-vous lui aussi, car il suivait le lieutenant en tout. Doris Ashley se leva, ses gants à la main droite, et essaya de garder la tête haute, face au monde entier. Bergman s'appuya à la table pour se lever.

— Quel est votre verdict?

— Nous avons reconnu les inculpés coupables d'homicide au premier degré, dit le premier juré.

— *Homicide !* dit Tom en lançant au jury un regard noir.

Maddox sortit aussitôt de la salle. A la table de l'accusation, Philip Murray tourna le dos au magistrat.

— Ils iront en prison, dit-il à Leslie McAdams.

Il ne vit donc pas Doris Ashley chanceler.

Un nuage noir s'abattit sur elle. Elle eut l'impression de sombrer. Le sol dérapa... Ses jambes la trahirent, son sac et ses gants lui échappèrent. Duane lui prit le coude mais ne put la retenir. Coleman Wadsworth la saisit par la taille à deux mains, mais il était en perte d'équilibre et elle lui échappa. Duane se reprit, la maintint sous les aisselles et la releva. Avec l'aide de Wadsworth, il parvint à rasseoir Doris Ashley sur son fauteuil. L'huissier emplit un verre d'eau et se dirigea vers elle. Duane se baissa pour ramasser le sac à main et les gants.

Doris remua. Elle ouvrit les yeux. L'huissier lui tendait un verre d'eau : elle comprit qu'elle s'était évanouie. Tout le monde l'avait vue se donner en spectacle ! Elle eut l'impression d'être entièrement nue. Elle prit le verre pour se débarrasser de l'huissier planté devant elle comme un ahuri. Mais ils étaient tous ahuris. Elle les sentait dans son dos. Le juge lui-même la regardait boire.

— Vous vous sentez mieux, madame Ashley ?

Elle vida le verre mais ne regarda pas le juge ni ne répondit.

— Madame Ashley s'est rétablie, Votre Honneur, dit Bergman, et, quand le magistrat eut remercié le jury, l'avocat demanda : J'aimerais présenter une requête, Votre Honneur. J'aimerais que le procureur de district s'avance auprès de la tribune avec moi, si vous n'y voyez pas d'objection.

Murray arriva près du juge avant Bergman, et attendit.

— Votre Honneur, ces inculpés ne sont pas le genre de voyous que l'on rencontre communément dans les tribunaux. Doris Ashley est une femme de classe supérieure et serait reconnue comme telle dans le monde entier. Ils ont traversé une épreuve affreuse et le pire est encore à venir. J'espère que vous ne les garderez pas trop longtemps dans le noir. Imposer la sentence le plus tôt possible sera un acte de charité chrétienne. J'ai désiré la présence du procureur de district à mes côtés parce que j'espère qu'il secondera ma requête.

— Absolument, Votre Honneur, dit Murray. Considérez, je vous prie, qu'il s'agit d'une requête commune.

Le juge Kesselring consulta son calendrier.

— Je rendrai la sentence le 12 à 10 heures du matin, dit-il. Jeudi, dans six jours.

Il regarda Bergman et Murray regagner leurs places.

— Les inculpés comparaîtront le 12 mars à 10 heures, pour entendre la sentence. L'audience est levée.

Les journalistes s'élancèrent des quatre tables de la presse. L'amiral, seul, franchit la barrière et passa devant Doris Ashley comme si elle n'existait pas.

— J'aimerais devancer la cohue, dit-il.

Il s'arrêta et regarda Gerald par-dessus son épaule. Debout à côté de son fauteuil, il n'avait pas bougé.

— Lieutenant !

Le ton de l'amiral était très sec et Gerald claqua les talons. L'amiral fit un geste et Gerald suivit Doris Ashley et Duane York.

Derrière eux, Bergman conduisait Lenore vers la porte proche du box du jury.

— Je ne peux pas supporter la vue de ces journalistes une fois de plus, mentit-il.

Il avait aperçu Maddox au fond de la salle et il n'avait pas l'intention de le croiser.

— J'ai découvert un raccourci, dit-il.

En sortant du palais par la porte latérale, Lenore se trouva juste devant la voiture de Maddox. Elle le chercha des yeux à gauche et à droite.

— Nous trouverons un taxi par là, dit Bergman derrière elle en montrant l'arrière du palais. Le plus tôt sera le mieux.

Il avait reconnu lui aussi la voiture de Maddox.

Lenore n'avait que quelques secondes. Bergman s'éloignait. Il fallait qu'elle le suive. Elle ne reverrait jamais la voiture, ne reverrait jamais Maddox. Il fallait qu'elle fasse quelque chose. Bergman risquait de s'arrêter, de se retourner. Les glaces de la voiture étaient baissées. Malgré son agitation, Lenore lança son foulard dans la voiture et se détourna.

— J'arrive.

Seuls la princesse, Sarah et Tom se trouvaient encore dans la salle d'audience, et seule la princesse était assise.

— Eh bien, Tom, que ressentez-vous ?

— Je pensais aux autres, dit-il. Harry, Mike Yoshida et David. Ils vont revenir ici subir un autre procès.

— Ne pouvez-vous attendre un jour pour penser à ça et vous concentrer sur ce qui s'est passé ici ?

— Ce qui s'est passé ici me révolte ! s'écria Sarah. Ils ont assassiné Joe ! Ils méritent la mort ! Ils méritent la prison à perpétuité ! Au lieu de cela, les voici coupables de simple homicide ! Quelques années de prison et ils seront libres.

— Il faut prendre ce qu'on nous donne, répondit la princesse. J'aimerais que quelqu'un me dise ce que je suis censée ressentir.

— Qu'auriez-vous ressenti si le jury les avait déclarés innocents ? demanda Tom.

— Une colère noire. C'est facile, parce que la colère est toujours facile. Cela signifie-t-il que je devrais être contente ? Je ne me sens pas contente.

— Ils ne sont pas libres, dit Tom. Ils ne sortiront pas au soleil comme Bergman l'escomptait.

La princesse regarda Tom, assis sur la barrière.

— Je vous connais depuis combien de temps ? Vous étiez planté là, à côté de Jack, comme un rat noyé. « Il est fou », je me suis dit sur le moment. Je regrette vraiment de vous avoir écouté. Toute ma vie a été chamboulée depuis que vous êtes venu au ranch.

Elle leva les bras.

— Aidez-moi à sortir d'ici. Il faut que je retienne un bateau pour jeudi prochain. Je suis impatiente de quitter cette ville.

Sarah et Tom prirent chacun la princesse par une main et la grosse dame se mit sur pied. Ils la suivirent dans l'allée déserte puis jusqu'à l'escalier descendant dans la salle des pas perdus.

La princesse posa la main sur la rampe.

— Chez moi, je peux monter au sommet des montagnes, dit-elle. Ici, descendre ce misérable escalier me fait peur.

— Prenez-moi le bras, proposa Sarah.

— Et nous atterrirons toutes les deux sur les oreilles. Écartez-vous donc ! Si je ne portais pas cette cage à oiseaux, je descendrais sur les fesses, comme autrefois, au palais Iolani. Fichez le camp ! dit-elle avec un geste de la main.

Sarah et Tom l'attendirent en bas de l'escalier. Agrippée à la rampe, la princesse entreprit de descendre, une marche à la fois.

— J'ai l'impression d'avoir accompli une journée de travail, dit-elle en les rejoignant.

Aucun d'eux n'avait vu les hommes et les femmes qui attendaient, alignés de part et d'autre de l'entrée. Dès qu'ils sortirent du palais de justice, la princesse s'arrêta.

— Qu'est-ce que c'est ?

— Les quelques personnes que Maddox avaient remarquées en arrivant étaient devenues une foule, une masse énorme. Il les avait vues en descendant l'escalier pour téléphoner à Harvey Koster et, comme il avait craint que des troubles n'éclatent au moment où les inculpés apparaîtraient avec l'amiral, il était revenu, et Lenore avait pu jeter son écharpe dans sa voiture. Maddox se trouvait encore devant le palais, à côté d'un des poteaux de stationnement interdit, attendant la princesse, comme la foule.

Ils formaient deux lignes depuis les portes jusqu'au bord du trottoir et, derrière ces lignes, ils étaient massés jusqu'à l'angle du palais, dans l'impasse latérale et même au-delà. D'autres attendaient sur le trottoir d'en face. Il y en avait partout.

Ils regardèrent la princesse franchir les portes. Sans un mot, sans un bruit. Ils la laissèrent descendre jusqu'au trottoir, puis, lentement, non sans hésitation, comme des fidèles s'avançant vers un prélat vénéré, les hommes, les femmes et les enfants que certains avaient emmenés avec eux entourèrent la princesse, Sarah et Tom. Une femme s'empara de la main de la princesse et essaya de l'embrasser. La princesse retira sa main.

— Ne faites jamais ça ! dit-elle. Jamais ça !

Elle secoua la tête. Un homme s'approcha d'elle, puis enleva sa casquette et s'écarta. Très gênée, la princesse prit le bras de Sarah.

— Une chance que je n'ai pas emporté mon carnet de chèques, chuchota-t-elle. Je me serais complètement ruinée en monnayant mon passage au milieu de cette foule.

Un autre homme s'avança vers elle, s'inclina puis se redressa et souleva son fils vers la princesse.

— C'est la princesse Luahiné, dit l'homme, puis il reposa l'enfant sur le trottoir.

Il s'écarta et une autre personne prit sa place, une femme tenant sa mère âgée par le bras.

— Je crois que nous devrions tous rentrer chez nous, à présent. Rentrons tous chez nous, dit la princesse.

Toujours agrippée à Sarah et avec Tom de l'autre côté d'elle, la princesse fit un pas dans la foule. La foule recula et s'écarta. Un espace se dégagea et se referma aussitôt derrière elle. La princesse aperçut Maddox.

— Vous êtes en vacances ?

Maddox secoua la tête.

— Alors donnez-nous un coup de main.

Maddox secoua de nouveau la tête.

La princesse Luahiné regarda les hommes et les femmes autour d'elle.

— Nous ne faisons qu'aller à la voiture, dit-elle.

Personne ne bougea.

— Sarah, où est votre voiture ?

— Dans la rue perpendiculaire, à deux cents mètres.

Ils arrivèrent à l'angle du palais et tournèrent. Personne ne s'en alla. Ils continuèrent jusqu'à la rue latérale et s'arrêtèrent au feu rouge. Tout le monde attendit.

— Notre voiture est là-bas, dit la princesse.

Le feu passa au vert et la princesse traversa. Tout le monde traversa avec elle. La décapotable était complètement encerclée.

— Ils ne veulent pas vous quitter, chuchota Tom.

— Si jeune et déjà si futé ! lança la princesse. D'accord, dit-elle en se retournant. Nous allons défiler. Nous avons gagné, n'est-ce pas ? Sarah, je vais rentrer à l'hôtel à pied. Si j'en ai la force.

— Je vous accompagne, répondit Sarah Liliuohé.

— Vous aussi, dit la princesse en s'accrochant à Tom. Si j'avais su ce qui allait se passer, j'aurais fait venir un orchestre... Nous rentrons à pied, lança-t-elle, plus fort. Hop, hop, hop !

Les hommes et les femmes s'écartèrent pour faire place à la princesse, à Sarah et à Tom. Ils se mirent à marcher à côté d'eux et derrière. Personne ne poussait. Personne n'essayait de passer devant. Conduite par la princesse entre Sarah et Tom, la longue procession silencieuse et pacifique commença à se dérouler dans les rues d'Honolulu, en direction de Waikiki. Ils entendirent au loin les premiers cris : « Spéciale dernière ! » Les petits vendeurs de journaux distribuaient déjà l'édition annonçant le verdict du jury.

Le lundi matin, trois jours après le verdict d'homicide au premier degré et trois jours avant que le juge ne prononce la sentence, la limousine de l'amiral s'arrêta devant le palais Iolani. Il n'avait pas été convoqué, comme la fois précédente, lorsque le gouverneur avait mis fin au couvre-feu. L'amiral avait sollicité un rendez-vous le matin même.

— Tout de suite, avait-il dit au gouverneur. Je pars tout de suite.

De toute la population mâle d'Honolulu, le gouverneur Martin Snelling était l'homme sur lequel Harvey Koster exerçait le plus d'influence. Le gouverneur était diligent et très attentif à l'exercice de ses devoirs. C'était un bourreau de travail. Il se vantait d'être le premier gouverneur du Territoire à manger régulièrement le menu de la prison pour vérifier la qualité de la nourriture. Il était toujours le premier à lire et à parafer, personnellement, le moindre contrat passé par le Territoire. Étant lui-même comptable, il fut le premier gouverneur à engager des experts indépendants pour examiner les relevés des recettes et des dépenses de l'administration. Il se déplaçait souvent dans les îles, à l'improviste, notamment pendant le week-end. Martin Snelling s'habillait comme Harvey Koster, citait souvent son idole et savait très bien, depuis le jour où il avait appris sa nomination au palais, qu'il n'aurait jamais obtenu ce poste éminent sans la bénédiction d'Harvey Koster.

Le gouverneur ne faisait jamais attendre personne. Quand l'amiral lui téléphona le lundi matin, il annula aussitôt le rendez-vous qu'il avait pris pour cette heure-là. Il était sur le seuil quand l'amiral, seul, se présenta au secrétariat.

— Entrez, je vous prie.

Le gouverneur Snelling suivit l'amiral dans le bureau spacieux aux larges fenêtres, qui avait été jadis la chambre à coucher d'un roi.

— J'ai fait le vide pour vous, amiral, dit-il.

— Vous avez eu raison. A partir de maintenant, vous êtes en alerte tactique.

Le gouverneur aurait aimé s'asseoir, mais l'amiral restait debout.

— Quel est votre problème? demanda le gouverneur.

— J'aimerais que ce soit mon problème, répondit Glenn Langdon. Seulement, c'est le vôtre. Cela tombe dans votre domaine.

Il glissa la main dans la poche de sa veste.

— Je désobéis aux ordres, mais ce ne sera ni la première ni la dernière fois. Lisez! dit-il en posant sur le bureau une enveloppe officielle de la marine.

Le gouverneur chaussa ses lunettes et prit l'enveloppe, qui était ouverte. Il en sortit la dépêche du ministre.

MINMAR A COM-14 SECRET. RÉPÈTE SECRET. LIRE ET DÉTRUIRE. PERSÉCU-TION TROIS CITOYENS AMÉRICAINS DOIT CESSER. NATION RÉVOLTÉE. LIBERTÉ AU PLUS TÔT EXIGÉE PAR AUTORITÉ SUPÉRIEURE.

Le gouverneur baissa le câble et l'amiral le lui prit des mains.

— J'en ai mémorisé le contenu, au cas où vous auriez besoin que je vous en rappelle la teneur, dit-il en froissant la dépêche.

Il prit une bonbonnière métallique sur le bureau du gouverneur et la renversa, faisant un petit tas des caramels qu'elle contenait. Il la reposa, y laissa tomber le bout de papier froissé et sortit une boîte d'allumettes de la poche de sa veste. Il craqua une allumette, protégea la flamme dans le creux de ses mains, puis enflamma le câble qu'il avait reçu le matin même à l'aube.

— Lire et détruire, dit-il en soufflant l'allumette. J'obéis donc aux ordres. Des questions à poser?

Le gouverneur n'aimait pas les gommes. Lorsqu'il était comptable, il corrigeait toujours ses erreurs en recommençant sur une page neuve du registre. Il détestait toute forme de désordre et la vue du tas de caramels sur son bureau le mettait mal à l'aise. Les cendres noires en train de s'affaisser dans sa bonbonnière l'angoissaient. Les manières hautaines de l'amiral, débarquant à l'improviste pour faire du feu dans son bureau, l'offensaient.

— Je sais lire, amiral.

— Liberté au plus tôt, dit Glenn Langdon, citant le ministre de la Marine. *Liberté au plus tôt.* Vous n'avez que trois jours pour établir un plan de bataille. Je les livre au palais de justice jeudi à 10 heures du matin pour la sentence.

— Merci d'être venu me voir, dit le gouverneur, mais l'amiral ne bougea pas.

— Cher monsieur, vous êtes en difficulté. C'est vous le haut fonctionnaire de rang le plus élevé de ce Territoire, c'est donc vous le responsable. Vous n'avez plus affaire à moi, maintenant, et il ne s'agit plus d'un couvre-feu à lever. *Autorité supérieure*, dit-il, citant le câble. Le ministre de la Marine est membre du Conseil du président. Il détient des pouvoirs énormes. Vous n'avez pas besoin d'un dessin pour deviner *qui* possède une autorité supérieure à la sienne. Le président des États-Unis. Le président des États-Unis vous fait dire qu'il veut voir ces trois personnes libres.

L'amiral remit la boîte d'allumettes dans sa poche.

— J'ai déjà câblé au ministre que je prenais rendez-vous avec le gouverneur du Territoire.

Le gouverneur ne raccompagna pas son visiteur à la porte. Il resta à côté de son bureau. Quand il fut seul, il se pencha au-dessus de la corbeille à papier pour y vider les cendres de la bonbonnière. Il prit un caramel.

— Le président, murmura-t-il.

Il se sentit assiégé, acculé. Doris Ashley, sa fille et son gendre ne faisaient pas partie de son travail. Il n'avait mis fin au couvre-feu que pour complaire à Harvey Koster.

— Je suis innocent, dit-il à haute voix.

Soudain, tout le linge sale, dont le palais Iolani avait été épargné jusque-là, se trouvait étalé en vrac sur son bureau comme ses caramels. Le gouverneur Martin Snelling avala ce qui restait du caramel et téléphona lui-même à Harvey Koster, sans passer par la secrétaire qui transmettait en général ses appels.

— J'y serai à 5 heures, lui répondit Koster.

SIXIÈME PARTIE

Maddox était perdu. Il ne dormait plus, mais il ne pouvait ni voir ni se souvenir ; il était incapable de penser, de commander à son esprit. Le téléphone le sauva ; la sonnerie agit comme une sirène. Il se mit à haleter, comme à la fin d'un cauchemar. Il roula sur son lit et alluma la lampe de chevet.

— Maddox, à l'appareil.

— Il fallait que je vous appelle à cette heure-ci, Curt, dit la voix d'Harvey Koster. Je ne pouvais pas courir le risque de vous perdre, euh... de vous manquer.

Maddox posa les pieds par terre et s'assit sur le bord du lit.

— Vous allez bien, monsieur Koster ?

— Oui, oui... Curt, vous êtes le seul en qui je puisse avoir confiance, le seul à qui je *fais* confiance. Je pars à mon bureau dans un instant. Je vous attendrai là-bas.

— Ne pouvez-vous me donner une indication, monsieur Koster ?

— Pas au téléphone. Je vous saurais gré de venir directement. Sans vous arrêter où que ce soit.

Maddox reposa le combiné sur le crochet. Il avait soudain l'impression de peser cinq cents kilos. Il était engourdi, de corps et d'esprit. Il se pencha en avant, tout nu, pour regarder la pendulette sur sa table de nuit. Presque 6 heures. Il s'était réveillé à 3 heures du matin : il avait quitté son lit, s'était rendu dans le salon. Il s'était recouché, puis était revenu encore au salon, avec toujours l'image de Lenore devant lui. Tout ce qui en lui-même avait fait des projets et nourri des espoirs pour le lendemain cesserait d'exister quand Lenore s'en irait. Il était devenu un de ces chevaux de trait qui avancent à pas lents, soumis, d'un bout du champ à l'autre. Il suivait les ordres d'Harvey Koster... Harvey Koster s'était déjà mis en route vers l'entrepôt des quais. Maddox descendit du lit et quitta la chambre pour prendre un bain et se raser. « Je suis fichu », se dit-il...

Quatre heures plus tard, juste avant 10 heures ce jour-là, jeudi, l'amiral descendit de sa limousine devant le palais de justice. Il se retourna pour aider Doris Ashley à descendre à son tour mais ne lui parla pas. Les photographes étaient déjà à l'œuvre : ils mitraillèrent Doris Ashley, Gerald et Duane York. Doris Ashley entendit les questions des journalistes, mais de très loin ; les mots semblaient confus ; le palais de justice était flou. L'amiral lui prit le bras — sans la regarder — et l'aida à franchir la horde des reporters jusqu'à l'huissier chargé d'escorter les inculpés jusqu'à l'escalier interdit au public. En dehors des journalistes et des photographes, il n'y avait personne dans la salle des pas perdus. Aucune trace de la foule qui s'était massée pour la lecture du verdict. Le procès était terminé.

Duane restait à côté de Gerald. Il avait mal partout. Comme à la fin du parcours du combattant, pendant ses classes. Il ne se souvenait même plus s'il avait dormi ou non. Il avait l'impression de marcher vers sa propre tombe.

— Que croyez-vous qu'il va dire, mon lieutenant ?... Le juge ?

Gerald ne répondit pas. Duane le regarda.

— Mon lieutenant ?

Il le toucha. Gerald se retourna mais ne dit rien et Duane eut l'impression affreuse que le lieutenant ne l'avait pas entendu.

Devant eux, Doris Ashley s'avançait vers sa mort. C'était la fin de sa *vie*. Dans quelques minutes, quelqu'un d'autre aurait barre sur elle, peut-être une gardienne de prison sadique, avec un trousseau de clés tintinnabulant sur ses hanches.

Quand Tom Haléhoné prit place au premier rang du public, le procureur de district quitta la table de l'accusation et se dirigea vers la barrière.

— La princesse devrait s'installer, dit Philip Murray, sinon elle manquera la scène.

— Elle ne viendra pas, dit Tom. Elle s'est foulé la cheville.

La veille, en passant du hall du Western Sky à la terrasse du restaurant, la princesse avait fait un faux pas. Elle serait tombée si elle n'avait pas heurté le maître d'hôtel dans sa chute. On l'avait aussitôt aidée à remonter dans sa suite.

— Dommage qu'elle ne soit pas ici à la fin, dit Murray.

— Elle était ici à la fin, dit Tom. Ils sont coupables. Ils iront en prison.

— Ainsi soit-il, dit Murray, en donnant un coup de poing à la barrière. Puisse-t-il en être ainsi...

Il se redressa, parcourut la salle des yeux et vit Maddox entrer et rester près des portes, en haut de l'allée. Il revint à la table de l'accusation.

— Elle s'est foulé la cheville, dit-il à Leslie McAdams.

A 10 heures précises, le juge Kesselring entra dans la salle

470

d'audience. Il portait plusieurs dossiers — les notes qu'il avait prises au cours du procès.

— Que tout le monde se lève.

Debout à la table de la défense avec les inculpés et Coleman Wadsworth, Bergman observa le juge, qui prenait place. Quand tout le monde s'assit, Bergman resta debout comme s'il avait l'intention de s'adresser à la cour. Il avait devant lui un homme intransigeant et intègre. Bergman se laissa tomber dans son fauteuil. Il était très inquiet.

Le juge Kesselring ouvrit un classeur et en sortit une feuille. Il l'étudia un instant, puis dit :

— Ôter la vie est l'acte le plus affreux que puisse commettre un être humain. La mort d'une personne de la main d'une autre personne demeure un crime capital contre l'humanité. Car si un homme est tué, tous les hommes se trouvent en danger. Dans le monde civilisé, il n'y a que deux circonstances dans lesquelles des hommes peuvent tuer *légalement* d'autres hommes. Tout d'abord la guerre. Ensuite, lorsque le gouvernement a établi dans ses lois que l'exécution capitale est le châtiment suprême des personnes reconnues coupables d'un crime.

Le juge regarda les inculpés.

— En toute autre circonstance, ôter la vie est illégal et doit être puni... Les preuves présentées par l'accusation dans cette affaire sont concluantes, reprit le juge. Chaque témoin cité par le procureur de district a ajouté sa pièce à la mosaïque reliant inexorablement les inculpés au délit pour lequel ils ont été reconnus coupables.

« Les inculpés peuvent remercier le jury pour sa clémence à leur égard. C'est un présent qu'ils ne méritent guère et qu'ils n'auraient pas dû obtenir, à la lumière des preuves réunies dans cette affaire. Mais, dans notre système judiciaire, l'opinion de la cour ne pèse d'aucun poids. Les inculpés ont été jugés coupables de simple homicide — et non de meurtre — par un jury composé de leur pairs. Je suis tenu de respecter le verdict qu'ils m'ont apporté et de fonder sur ce verdict la sentence que j'impose. Que les inculpés se lèvent.

Duane York tremblait si fort qu'il avait du mal à tenir debout. Il avait peur de s'effondrer comme la vieille dame quand le jury les avait reconnus coupables. Il regarda le lieutenant : un vrai fantôme, un mannequin en uniforme bleu.

— Gerald Murdoch, dit le juge, puis il marqua un temps. Pour le délit d'homicide au premier degré, je vous condamne à dix ans de réclusion criminelle à la prison du Territoire, sans recommandation pour libération sur parole.

Bergman, debout à côté de Gerald, croisa les mains derrière son dos. Il avait perdu.

Gerald ne bougea pas. Aucun muscle de son corps ne tressaillit. Il ne cligna même pas des yeux. Il semblait seul dans la salle d'audience, figé, paralysé.

— Doris Ashley et Duane York, vous avez été reconnus coupables d'homicide au premier degré, reprit le juge Kesselring. Votre rôle dans la mort de Joseph Liliuohé n'est pas moins horrible que celui de Gerald Murdoch. Duane York, vous avez accompagné le lieutenant Murdoch de votre plein gré. Vous avez kidnappé Joseph Liliuohé également de plein gré. Vous étiez à côté de la victime au moment où elle a été tuée et vous n'avez pas fait un seul geste pour lui éviter la mort. Je vous condamne à dix ans de réclusion criminelle à la prison du Territoire, sans recommandation pour libération sur parole.

Duane se frotta les yeux. Nom de Dieu, la prison ! Dix ans *en prison !* Toutes ses années dans la marine fauchées sous lui d'un seul coup, bang ! Il allait être RDC, rayé des cadres pour conduite indigne. Nom de Dieu !

— Doris Ashley, dit le juge. J'ai envoyé de nombreux accusés en prison. Je ne me souviens pas d'un seul inculpé dont la présence devant la cour ait été aussi choquante, aussi inattendue. Vous êtes, vous étiez, un des phares de la communauté. Cette ville avait les yeux sur vous, était fière de vous, de feu votre époux, de l'exemple que vous donniez. Tout cela est terminé. Vous y avez mis un terme en nous trahissant, en nous trahissant tous. Pour le délit d'homicide au premier degré, je vous condamne à dix ans de réclusion criminelle à la prison centrale des femmes, sans recommandation pour libération sur parole.

Maddox s'engagea dans l'allée centrale.

— Les condamnés sont remis à la garde du shérif, qui les conduira aux lieux de détention respectifs où ils purgeront leur peine. Huissier !

Le juge leva le maillet.

— La séance est levée.

Tom Haléhoné se dirigea vers les portes. Il fallait qu'il téléphone à Sarah et à la princesse. Les journalistes partaient eux aussi : plus de cent reporters s'étaient élancés de leurs tables et remontaient l'allée longeant le mur, près des rangées de bancs presques vides. Les rares spectateurs se trouvaient dans l'allée centrale, certains devant Tom, d'autres à sa hauteur. Maddox dut se frayer un chemin à travers ce groupe, mains en avant, comme s'il pagayait. Le juge quittait déjà la tribune.

— Votre Honneur ! lança Maddox en ouvrant la barrière.

Dans son dos, Tom Haléhoné franchit les portes, aussitôt englouti par la masse des journalistes qui se précipitaient vers les téléphones du sous-sol.

— Votre Honneur ! cria Maddox plus fort, puis il rejoignit l'huissier qui se trouvait près de la table de la défense pour escorter les condamnés. Ne bougez pas, lui dit-il en lui prenant le bras. Ne bougez pas, je vous dis.

Il leva l'autre main et brandit une enveloppe vers la tribune.

— Votre Honneur ! *Juge !*

Bergman avait vu Maddox se précipiter sur la barrière comme on enfonce une porte. Il remarqua l'enveloppe blanche au-dessus de la tête de Maddox. Tout n'était donc pas fini.

Le juge Kesselring, ses dossiers à la main, baissa les yeux vers le capitaine.

— C'est pour vous, monsieur le juge, dit Maddox en lâchant l'huissier pour s'avancer vers la tribune.

Maddox se hissa sur la pointe des pieds et tendit le bras, l'enveloppe au bout des doigts. Le procureur de district se figea à côté de la table de l'accusation, son porte-documents à la main.

— Qu'est-ce que c'est que cette histoire ? demanda Leslie McAdams, les yeux fixés sur la tribune.

Murray ne répondit pas. Il vit le juge sortir de l'enveloppe une feuille de papier pliée. Il remarqua au même instant que l'amiral avait rejoint les condamnés.

Sur la tribune, le magistrat replia la feuille et la remit dans l'enveloppe.

— Je viens de recevoir un ordre exécutoire du gouverneur, dit le juge Kesselring. Il me demande de remettre les détenus au porteur de l'ordre.

Philip Murray se retourna brusquement vers les condamnés, comme prêt à les attaquer.

— Ça sent le pourri, dit Leslie McAdams.

Murray posa son porte-documents et commença à se gratter le bras.

— Le gouverneur attend, messieurs-dames, dit Maddox.

— Passez devant, capitaine, dit l'amiral.

Maddox se dirigea vers la barrière et l'ouvrit. L'amiral se trouvait à côté de Doris Ashley. Gerald et Duane York les suivaient légèrement en retrait. Maddox attendit qu'ils soient passés. Il aperçut Bergman en train de serrer la main à Coleman Wadsworth, et il remarqua que le procureur, debout près de sa table, ne quittait pas la procession des yeux. Il emboîta le pas des condamnés et il ne vit donc pas Walter Bergman se précipiter derrière lui.

Dans l'escalier puis dans la salle des pas perdus, ils furent seuls. Seuls encore lorsqu'ils sortirent du palais. Les photographes attendaient à l'arrière près des portes normalement utilisées pour les détenus entrant ou sortant d'audience. La voiture de Maddox se trouvait devant la limousine de l'amiral. Déjà le chauffeur descendait pour ouvrir la portière arrière. Maddox devança tout le monde et, en se retournant, vit Bergman qui sortait du palais.

— Ma voiture est là, messieurs-dames, dit Maddox en tendant le bras.

— Écartez-vous, lança l'amiral.

— Vous avez entendu l'ordre exécutoire, répondit Maddox. Remettre les détenus au porteur. C'est moi, le porteur.

— Dans ce cas, vous pouvez nous montrer le chemin ou nous suivre, dit l'amiral. Ces personnes sont sous ma responsabilité. Elles le sont depuis que cette vilaine affaire a débuté. Écartez-vous de ma voiture !

Bergman venait de les rejoindre.

— Voyons, amiral ! Capitaine ! commença l'avocat d'une voix apaisante, comme un maître d'école séparant deux gamins en train de se bagarrer. Vous oubliez Mme Ashley et ces deux garçons, messieurs. Leur vie est en suspens et vous vous battez pour des questions de transport. Cela me paraît tout à fait déplacé, non ?

Maddox s'écarta de la portière de la limousine.

— Je vais venir moi aussi, amiral, dit Bergman, si vous n'y voyez pas d'inconvénient.

— Il n'y a pas de place dans ma voiture, répondit l'amiral. Montez dans la sienne.

— Maddox prit Duane York par le bras et le poussa vers sa voiture.

— Vous, montez avec moi, dit-il au matelot, et, à l'amiral : Maintenant, vous avez de la place.

Il tourna le dos brusquement et bouscula Duane.

— A l'arrière, lui dit-il.

Le gouverneur était prêt depuis 10 heures. Il se regarda dans la glace. Le veston croisé dissimulait une bonne partie de sa bedaine. Martin Snelling jura de perdre au moins dix kilos avant le début de sa deuxième législature. Il se dirigea vers son bureau et tira son fauteuil jusqu'à ce qu'il soit exactement au centre — ce qui lui rappela qu'il resterait debout. Il ne pouvait pas s'asseoir en présence d'une dame. Le gouverneur traversa la pièce et ouvrit la porte.

— Vous me signalerez leur arrivée. L'arrivée de la voiture.

Il revint à sa table de travail, se versa un peu d'eau et sortit de sa poche le tube de comprimés de digitaline. Il fallait qu'il se montre prudent. Il décida de travailler jusqu'à leur arrivée. Le travail le détendait toujours. Quand la secrétaire ouvrit la porte, il était en train de vérifier la proposition de budget soumise par l'université d'Hawaï.

— Ils sont là.

— Annoncez-les, répondit le gouverneur.

Il resta à son bureau. Il tendit la main vers un caramel, mais se souvint à temps de son vœu de perdre dix kilos. Il referma le dossier du budget et le posa de côté. Il prit dans le tiroir central le texte de la déclaration qu'il avait préparée et le posa sur le bureau devant lui. Quand la secrétaire vit entrer Doris Ashley avec l'amiral, elle leur dit :

— Je vais vous annoncer au gouverneur.

Le gouverneur se leva et traversa son bureau comme s'il allait déposer une couronne mortuaire. Il ouvrit la porte toute grande.

— Merci, capitaine, dit-il à Maddox, avant de se tourner vers Doris Ashley. Voulez-vous vous donner la peine d'entrer, madame ?

Les autres la suivirent, puis le gouverneur se trouva en face d'un vieillard en costume marron fripé qui lui dit :

— Walter Bergman, gouverneur. L'avocat de la défense.

Quand le matelot, qui était le dernier, passa devant lui, le gouverneur referma la porte.

— J'ai besoin d'un téléphone, dit Maddox dans le bureau de la secrétaire. A l'abri des oreilles. Où puis-je le trouver ?

Harvey Koster lui avait demandé de l'appeler dès l'arrivée des condamnés au palais Iolani.

Le gouverneur revint à son bureau. Ils étaient tous debout devant lui. Il savait son préambule par cœur.

— J'ai suivi l'évolution de cette affaire depuis le premier jour de votre procès, commença-t-il.

— Excusez-moi, gouverneur, lança Bergman. J'espère que vous ne vous en offenserez point, mais ces personnes ont subi une épreuve terrible pendant déjà trop longtemps. Si vous pouvez sauter directement à la raison pour laquelle vous les avez fait venir ici, je suis certain qu'ils vous en sauront gré.

Le vieil homme avait coupé d'un coup l'inspiration du gouverneur. Il n'avait pas le choix. Il prit la feuille sur son bureau. Son intention première était de la lire en entier après son préambule. De toute façon, les journaux la publieraient...

— Ce que vous attendez se trouve tout à la fin, dit le gouverneur.

« En conséquence je commue votre sentence, pour chacun d'entre vous, à 1 heure. »

Il leva les yeux vers la pendule, au-dessus de la porte.

— Dans moins de quatre-vingt-dix secondes, vous serez libres, dit-il en quittant son fauteuil pour leur serrer la main.

Duane York sauta en l'air, battit des mains, se mit à pousser des cris, donna des coups de poing aux dossiers des chaises, se tapa sur les cuisses en riant, en gloussant, en grinçant des dents. Il s'arrêta un instant, enfonça deux doigts dans sa bouche et lança un coup de sifflet strident. Il prit sa casquette, la fit tournoyer au bout de son bras comme un cowboy lançant le lasso, puis s'effondra soudain dans un fauteuil, jambes écartées, le souffle court, en poussant de petits rires nerveux.

Doris Ashley ne vit pas Bergman échanger une poignée de main avec le gouverneur. Elle se détourna des autres et se dirigea vers les fenêtres, pour être seule. Elle allait rentrer chez elle, à *Windward.* Elle allait ramener Hester à la maison. Elles seraient à *Windward,* derrière les grilles, *en sécurité* derrière les grilles, avant l'heure du déjeuner. En sécurité *pour toujours.* Doris Ashley releva la tête. Elle était libre ! *Libre !* Rien ni personne, nulle part, jamais, ni homme ni femme, n'oserait ne serait-ce que s'avancer vers elle sans permission. Elle regarda Gerald debout à côté du marin qui se donnait en spectacle. Jamais plus Doris Ashley ne serait forcée de regarder Gerald Murdoch, l'imbécile, le triple idiot, qui l'avait précipitée, elle, dans un véritable enfer pendant si longtemps. Il ne passerait pas une nuit de plus à l'abri des grilles de *Windward.* Elle l'avait déjà banni.

Gerald restait immobile devant le gouverneur comme s'il se trouvait encore dans la salle d'audience, en train d'écouter le juge Kesselring le condamner à la prison. Il semblait en état d'hypnose.

L'amiral regarda le marin, qui se comportait comme un singe dressé par un joueur d'orgue de Barbarie. Il regarda Doris Ashley, le joueur d'orgue qui leur avait menti, qui avait trompé tout le monde, un pays entier. Il eut envie de les planter là et de les chasser définitivement de son esprit.

A côté du bureau du gouverneur, Bergman les regardait, lui aussi. Il avait vu de la haine et de l'aversion tout au long de sa carrière. Cela ne l'avait presque jamais surpris. Mais ces êtres-là appartenaient à une catégorie différente. Ce n'étaient pas des complices qui s'étaient retournés les uns contre les autres après l'échec. Bergman se rappela Hester avec son mari. Doris Ashley et l'amiral se détestaient mutuellement avec une violence que même Bergman n'avait jamais rencontrée.

— Je crois que les quatre-vingt-dix secondes sont passées, dit Duane York.

Il se leva du fauteuil et regarda le lieutenant, qui se trouvait tout seul, Dieu savait où. Il se dirigea vers le gouverneur.

— Merci beaucoup, monsieur, dit Duane. Merci du fond du cœur. Jamais je n'oublierai ce que vous avez fait, monsieur. Jamais.

— Il faut que je prévienne Hester, dit Doris Ashley en traversant le bureau. Je suis prête à partir, lança-t-elle à l'amiral comme s'il était à ses ordres.

Bergman s'éloigna du bureau du gouverneur en lissant ses cheveux du plat de la main. Il se dirigea vers Doris Ashley.

— Nous avons oublié un point de l'ordre du jour, messieurs-dames, dit-il.

— J'aimerais m'en aller, dit Doris Ashley. Je n'ai pas vu ma maison depuis quatre-vingt-sept jours.

— Il y a une vieille tradition sur le messager qu'on exécute, continua Bergman. Le type qui apporte la mauvaise nouvelle. Pourtant, il faut qu'elle soit annoncée, et il faut que vous l'entendiez, madame Ashley, si amère soit-elle. Vous êtes pressée de rentrer sous votre toit et je ne saurais vous en tenir rigueur. Seulement, le fait est qu'aucun de vous ne devrait rentrer chez lui, ici, à Honolulu. Plus jamais.

Le silence se fit dans la pièce.

— Je ne saurais vous reprocher de l'avoir oublié dans ces circonstances, mais un autre procès vous attend. Le viol de votre fille, madame. Quelque part dans cette ville, trois jeunes gens vivent actuellement sous la menace d'un nuage. Ils voudront que ce nuage soit dissipé, c'est bien normal, n'est-ce pas ? La nature humaine...

— Je refuse d'être traînée dans un autre procès, dit Doris Ashley.

— Vu la façon dont se passent les choses, vous ne serez pas consultée, répondit Bergman. Dans quelques heures, si ce n'est déjà fait, la décision du gouverneur deviendra de notoriété publique. Tout le monde saura que vous êtes libres comme l'air. Il sera peut-être très difficile de trouver un autre jury prêt à décider que ces trois jeunes gens sont coupables de viol sur la personne de Mme Murdoch. Ils ont toujours affirmé leur innocence. Le verdict du jury signifiera donc qu'ils disaient la vérité. Il signifiera que Mme Murdoch a... euh... s'est trompée. S'ils n'ont pas commis l'acte dont elle les a accusés, qui l'a commis ? La police se posera cette question, puis elle la posera à des tas de gens, à commencer par Mme Murdoch, et vous, lieutenant, et vous, madame Ashley. Si je me rappelle bien ce que j'ai lu des dépositions, c'est vous, madame Ashley, qui avez parlé de viol pour la première fois. C'est vous qui avez lancé la balle... Ce type, le capitaine Maddox, recommencera tout à zéro. En un sens, le deuxième jury du deuxième procès, en concluant à l'innocence, fera de Maddox un imbécile. Personne n'aime porter cette étiquette. Le capitaine Maddox s'est trouvé sur mon chemin depuis que je suis arrivé dans ce pays de rêve. Ce qui me frappe chez lui, c'est sa persévérance. A première vue, j'ai l'impression qu'il va s'accrocher à vos basques le temps qu'il lui faudra pour découvrir la vérité.

Bergman prit une tablette de chocolat au lait dans sa poche et commença à en déplier le papier.

— Voilà à quoi je faisais allusion en vous conseillant de ne pas retourner chez vous, dit Bergman. A votre place, je quitterais Honolulu. Je quitterais Hawaï. Tous. Mme Ashley. Vous, lieutenant, avec votre épouse. Vous aussi, York. Filez aussi vite que vous le pourrez. Tenez-vous à l'écart.

Il rompit la tablette de chocolat.

Doris Ashley se tourna vers le gouverneur.

— Merci de m'avoir rendu la vie, dit-elle.

— Merci, monsieur, dit Gerald.

Le gouverneur lui tendit la main et Gerald fit passer sa casquette de la main droite dans la main gauche.

— Bonne chance, lui dit le gouverneur, et, plus fort : Bonne chance à tous.

Ils sortirent du bureau. Bergman fermait la marche ; il s'arrêta près de la secrétaire.

— Pouvez-vous m'appeler un taxi, jeune femme ? Je vous en serai reconnaissant.

Il se dirigea vers les fenêtres et, un instant plus tard, vit le groupe sortir du palais Iolani et se diriger vers la limousine. On aurait dit quatre personnes qui ne s'étaient jamais rencontrées.

Duane surveillait le lieutenant du coin de l'œil depuis qu'ils étaient sortis du bureau du gouverneur. Bon Dieu, le lieutenant était *libre*, mais il ne se conduisait pas comme tel. Peut-être ne parvenait-il pas encore à se faire à cette idée. Peut-être ne parvenait-il pas encore à y croire. Duane attendit près de la voiture que les trois autres fussent installés à l'arrière pour ouvrir la porte à l'avant et s'asseoir à côté du chauffeur.

Pour la première fois depuis qu'il montait dans cette limousine, Duane profita pleinement de la balade. Le soleil était chaud, le ciel lumineux. Pour Duane, une journée radieuse. Il aurait pu rouler ainsi jusqu'au soir, mais il n'était pas sûr des sentiments des autres passagers. L'intérieur de la voiture était comme un caveau. Duane pouvait les voir tous les trois dans le rétroviseur. Doris Ashley se trouvait entre l'amiral et le lieutenant. On aurait dit des figures de cire.

Ils arrivèrent à Pearl beaucoup trop tôt au goût de Duane.

— A mon bureau, dit l'amiral au chauffeur, puis, quand la voiture s'arrêta : Ne bougez pas. Déposez tout le monde et revenez. Mme Ashley et Hester s'en vont. Vous les reconduirez.

L'amiral descendit de voiture et s'en alla sans un regard et sans un mot à Doris Ashley.

Le départ de l'amiral libéra Gerald. Il n'était plus sous l'emprise d'une autorité supérieure. Dès que la voiture démarra, il s'avança sur le bord de la banquette. Il se tassa contre la portière, aussi loin que possible de Doris Ashley, mais ce n'était pas assez. Sa poitrine se gonfla. Une rage froide le consumait. Il crut qu'il allait exploser. Il ne pouvait plus supporter la présence de cette femme.

— Arrêtez.

— Mon lieutenant, dit le chauffeur, je vais déposer Mme Ashley et ensuite...

Gerald lui lança un coup de poing.

— Arrêtez, j'ai dit ! Arrêtez cette voiture.

Il était prêt à passer par-dessus le siège pour tirer sur le frein à main.

— Laissez-moi sortir de cette voiture.

Il ouvrit la portière en marche.

— Oui, mon lieutenant, balbutia le chauffeur. Oui, mon lieutenant.

Ce type était vraiment zinzin et il l'avait déjà prouvé une fois. Le casernement des officiers célibataires se trouvait à deux kilomètres...

Gerald posa le pied sur le marchepied et sauta dès que la voiture ralentit, claquant la portière sans un regard en arrière. Il entendait encore la voix de Doris Ashley dans le bureau du gouverneur. « Il faut que je prévienne Hester. » Il se tourna vers la limousine et regarda la tête de Doris Ashley par la lunette arrière. Il eut envie de lancer des cailloux à la voiture. Lorsqu'il se mit à marcher, il tremblait de rage. Un flot ininterrompu de souvenirs en désordre se précipitait dans son esprit : Hester et ses trahisons ; Hester et Bryce ; Hester en train de jurer, le doigt tendu vers Joseph Liliuohé et les trois autres, dans la salle d'audience ; Hester avec le bébé de Bryce dans son ventre pendant toutes ces semaines dans l'ancienne remise des voitures, dans la même chambre, disant : « Bonne nuit, Gerald », puis lui tournant le dos... La colère s'empara de lui et sa haine monta, vague après vague. Son visage devint rouge : son aversion pour Hester et Doris Ashley était à son comble. Tout bouillonnait en lui. Il se dirigeait vers le casernement des officiers célibataires, mais il ne voyait que la mère et la fille, les deux êtres qui avaient traîné sa vie dans la boue. Jamais plus il ne poserait les yeux sur elles...

A la résidence de l'amiral, Doris Ashley descendit de la limousine et s'arrêta à côté du chauffeur qui lui tenait la portière.

— Je partirai dans une heure, dit-elle.

C'était un vœu. Rien sur terre ne pourrait retenir Doris Ashley sous le toit de cet homme mesquin, cruel et insultant.

— Dans une heure, répéta-t-elle.

Elle s'éloigna de la voiture, déjà en route pour *Windward.*

Dès qu'elle entra dans le vestibule, elle ne put se contenir.

— Hester !

Sa voix porta dans toute la maison. Elle était rayonnante.

— Hester !

Elle s'élança vers l'escalier, puis elle vit sa fille sous la véranda. Elle traversa le salon en courant.

— Mon bébé !

Hester referma le livre qu'elle lisait, l'index glissé entre les pages. Doris Ashley leva les bras, triomphante.

— Nous sommes libres, mon bébé ! Nous sommes libres.

Elle sortit sous la véranda, les mains au-dessus de sa tête, puis tendit les bras vers Hester pour l'embrasser. Elle avait envie de danser.

— Nous rentrons à *Windward !* Chez nous ! Nous sommes libres.

— Pas moi ! répondit Hester en se dérobant à l'étreinte de sa mère.

Elle regarda la mer, et Joseph Liliuohé, quelque part au fond de l'océan. Elle était liée à Joseph Liliuohé sans rémission. Elle ne pourrait jamais être libre. Elle ne pourrait supporter de vivre qu'à condition de commencer, très vite, à expier.

— Pas moi ! répéta-t-elle à l'adresse de Joseph Liliuohé, puis elle se dirigea vers la double porte.

Doris Ashley la rattrapa et l'arrêta. Hester ne résista pas.

— Tu l'es, mon bébé. Nous sommes libres toutes les deux. C'est du passé, maintenant. Nous rejetterons tout dans le passé, dit-elle en prenant Hester par la taille. Laisse faire le temps, mon enfant. Bientôt, ce... cauchemar s'estompera, s'effilochera, s'évaporera. Nous allons recommencer depuis zéro. Pour de bon. Ce sera pour nous l'occasion d'un nouveau départ.

Elle entraîna sa fille à l'intérieur, puis dans l'escalier.

— Nous devons faire nos bagages, dit-elle.

Une fois à *Windward,* Hester allait passer avant tout. Le bonheur d'Hester occuperait toutes les journées de Doris. Une fois à *Windward*, Hester changerait. Doris Ashley en fit le vœu solennel...

Sous le soleil, dans son uniforme bleu marine, Gerald transpirait de tous ses pores lorsqu'il arriva du casernement des officiers célibataires. Il ouvrit la porte à toute volée et s'élança dans le couloir conduisant à sa chambre. Il claqua la porte et la ferma à clé, puis jeta sa casquette blanche sur la chaise. Elle tomba par terre et Gerald la laissa. Il ôta sa veste et la lança sur le lit. Il enleva son uniforme comme s'il y avait le feu, et posa sa chemise, son pantalon et ses sous-vêtements en tas sur le lit. Les vêtements pendaient au bord du matelas et traînaient par terre. Il enleva ses souliers noirs et ses chaussettes.

Il sortit de la commode des sous-vêtements propres et décrocha dans la penderie un pantalon de toile blanche et une chemise hawaïenne à manches courtes. Il se pencha pour ramasser ses sandales blanches. Il serait prêt dans deux minutes.

Le portefeuille de Gerald était dans un tiroir. Il compta son argent. Plusieurs centaines de dollars en espèces. Quoique relevé de son service, il avait continué de toucher sa solde et ses allocations, et, depuis qu'il était aux arrêts au casernement, ses dépenses étaient restées minimes. Il n'avait pas eu l'occasion de gaspiller son argent. Il payait ses repas, mais la cantine de la marine n'était pas conçue pour faire des bénéfices. Il se dirigea vers la porte en enfouissant son portefeuille dans sa poche, sans un regard pour le désordre qu'il laissait par terre et sur le lit.

Il longea le couloir jusqu'au foyer, désert à l'exception d'un enseigne penché sur la TSF — il avait le bras droit cassé, dans le plâtre et en écharpe. Gerald s'assit à la table de correspondance et prit du papier à lettre dans le tiroir. Il y avait un porte-plume dans la rainure devant la lampe et Gerald trempa la plume dans l'encrier. Il se pencha et écrivit rapidement ce qu'il avait déjà composé dans sa tête.

Il n'utilisa qu'une seule feuille, qu'il plia et glissa dans une enveloppe. Il la cacheta puis écrivit : *Amiral Glenn Langdon.*

L'enveloppe à la main, Gerald quitta le casernement et traversa la base jusqu'au bureau de poste de Pearl Harbor. Il plaça l'enveloppe dans la boîte du courrier intérieur, qui était relevé et distribué plusieurs fois par jour. Lorsqu'il ressortit de la poste, le soleil se trouvait à la verticale et Gerald le sentit lui réchauffer la tête et les épaules. Il passa devant le quartier général, puis continua jusqu'à l'arrêt d'autobus.

L'autobus était presque vide. Gerald s'assit près de la vitre, à côté du conducteur. L'autobus ne s'arrêta pas une seule fois avant d'entrer dans le centre ville d'Honolulu. Un kilomètre plus loin, Gerald tira sur le cordon au-dessus de sa tête et, quand l'autobus s'arrêta, il se dirigea vers l'océan. Au bout d'une centaine de mètres, il vit les premières pancartes offrant des bateaux à louer.

Il dépassa les gros bateaux, dont le capitaine attendait à bord. Des voix le hélèrent, mais Gerald ne ralentit pas, comme s'il n'avait rien entendu. Puis, beaucoup plus loin, il vit un canot de six ou sept mètres en train d'accoster. Gerald hâta le pas.

Il y avait un hangar à côté de l'appontement. A l'entrée, une pancarte disait : VACANCES JOYEUSES, et, au-dessous : WILLIAM « BILL » FINCH, PROP.

Finch était un sexagénaire de petite taille à la moustache d'argent, qui portait une casquette de plaisancier et une chemise jaune avec *Billy* cousu sur la poitrine et *Vacances joyeuses* cousu dans le dos. Finch vit s'avancer le jeune péteux qui bombait le torse, prêt à se payer une balade pour pouvoir raconter une belle aventure à ses copains, aux États-Unis. Finch entra dans le hangar et en ressortit avec un bloc à la main.

— Qu'est-ce qui vous ferait plaisir, l'ami ?

— J'aimerais louer un bateau, répondit Gerald.

— Je suis votre homme, dit Finch en précédant Gerald sur l'appontement. Une petite promenade touristique ? En solitaire, n'est-ce pas, l'ami ? Nous en avons de toutes les tailles et pour tous les goûts, comme disent les maquerelles, lança-t-il en écartant les bras.

Gerald s'arrêta devant une vedette aux formes élancées, un beau bateau de huit mètres avec un moteur fixe et une petite cabine à l'avant.

— Vous ne pouviez pas mieux choisir, lui dit Finch. Je suppose que vous avez une certaine expérience de la mer, l'ami ?

— Oh oui ! dit Gerald en montant à bord. C'est combien ?

Finch énonça un chiffre, puis, en voyant la liasse de billets de Gerald, se mordit la langue.

— Plus le dépôt de garantie, se hâta-t-il d'ajouter.

Gerald le paya, puis lui tourna le dos pour examiner la vedette. Le volant se trouvait auprès du tableau de bord dans la paroi de la cabine, du côté tribord du bateau. Il y avait un siège surélevé derrière le volant.

— La clé... le démarreur... le compas, dit Finch en montrant les instruments, derrière le pare-brise.

Il plia l'argent de Gerald et le glissa dans sa poche, puis il posa la main sur l'accélérateur, qui sortait du flanc de la vedette à droite de Gerald.

— Marche avant, marche arrière, dit Finch. Vous avez un moteur de vingt-cinq chevaux sous le capot. Il vous donnera dix nœuds si vous le lui demandez.

Finch tendit son bloc vers l'entrée de la cabine.

— Les gilets de sauvetage se trouvent sur les couchettes, mais la journée est magnifique et le bateau est en parfait état... A propos...

Il lui présenta le bloc. Il était tellement furieux contre lui-même de ne pas avoir flanqué un coup de fusil au type, pour la location, qu'il avait oublié la feuille.

— Il me faut une signature.

Gerald griffonna son nom en s'arrangeant pour le rendre illisible. Finch passa à l'avant pour larguer l'amarre de proue ; Gerald tourna la clé et appuya sur le démarreur. Le moteur vrombit au quart de tour — un ronronnement grave avec le gargouillis habituel des moteurs de bateau. Finch, depuis l'appontement, largua l'amarre arrière, puis Gerald tourna le volant en poussant lentement l'accélérateur vers l'avant. Finch mit les mains en porte-voix et cria quelque chose. Mais Gerald ne pouvait plus entendre l'homme à la chemise jaune — ni quiconque, d'ailleurs : il avait cessé d'écouter.

Gerald traversa le port et fila vers le large. La houle devint plus forte à mesure qu'il s'éloignait des quais. Le bateau chevauchait les vagues. Gerald se retourna, à la recherche d'un point de repère, puis vira parallèlement à la côte. Il se souvenait de tous les détails des funérailles de Joseph Liliuohé, tels qu'il les avait lus dans les journaux. Il se dirigea vers l'anse où Joe et Tom avaient joué et nagé autrefois, l'anse où Joe avait été immergé.

Le goût métallique dans la bouche de Gerald devint plus amer. La brise de mer était vive et la chemise de Gerald se gonflait dans le vent. Malgré le soleil, il était glacé. Les embruns soulevés par l'étrave passaient par-dessus le pare-brise bombé, monté sur la cloison de la cabine. Gerald sentit l'eau salée sur ses lèvres et la goûta. Il s'éloignait d'Honolulu. Bientôt il serait seul. Comme il savait qu'il ne pouvait pas se dérober, il essaya de ne pas avoir peur.

Il arriva dans l'anse beaucoup plus tôt qu'il ne s'y attendait. Il eut envie de protester, de crier : « Trop tôt ! Trop tôt ! », mais il résista à cette impulsion et se força à regarder la côte, à imaginer la foule qui s'était réunie pour honorer Joseph Liliuohé. Quand Gerald se trouva dans l'axe de l'anse, il tourna la barre à gauche toute. Un instant plus tard, il redressa vers la droite et regarda par-dessus son épaule. L'anse se trouvait juste derrière lui. Il mit le cap sur l'horizon. Il fut bientôt à cinq milles nautiques au sud de la plage où Sarah avait décidé d'immerger le corps de Joe.

Il se laissa glisser du siège et resta debout au volant, qu'il maintint fixe. Il continua d'avancer en essayant de ne pas réfléchir, de procéder comme s'il exécutait l'ordre d'un officier supérieur. Il entra dans des eaux agitées, toutes les vagues étaient couronnées d'écume. La vedette montait sur les crêtes, puis se laissait tomber dans les creux avec un bruit de gifle qui ébranlait la carcasse du bateau. La terre avait disparu à l'arrière depuis longtemps, il n'y avait déjà plus de mouettes, Gerald était seul sur l'océan.

Sans lâcher le volant de sa main gauche, il recula vers l'arrière. Lorsqu'il fut à bout de bras, il se retourna et s'accroupit pour ouvrir la glissière du capot de bois du moteur. Il sentit que le bateau tournait sur tribord. Il se mit à genoux, tendit la main vers le bas, derrière le moteur, pour enlever le bouchon de la bonde de vidange. Il céda facilement et Gerald se releva, le bouchon à la main, les bras écartés pour se maintenir en équilibre sur le bateau qui roulait. Il se précipita vers le volant, redressa le bateau puis lança le bouchon à la mer, de toutes ses forces.

Tenant la barre d'une main, il ouvrit la porte de la cabine. Il vit le tas de gilets de sauvetage mais sans pouvoir les attraper. Il lâcha de nouveau le volant et se précipita dans la cabine. Il lança les gilets en arrière, comme un chien projetant la terre pour retrouver son os enfoui. Il sortit de la cabine à reculons, se redressa, saisit le volant d'une main et se pencha pour lancer les gilets de sauvetage par-dessus bord. Quand ils flottèrent dans le sillage du bateau, Gerald poussa l'accélérateur au maximum vers l'avant. Le moteur répondit et l'étrave se souleva au-dessus de l'eau.

Pendant un moment, Gerald se dirigea plein ouest. Le sel des embruns qui éclaboussaient le pare-brise et passaient par-dessus lui piquait les yeux. Sa chemise trempée collait à ses épaules. Il avait froid aux mains. Il serra le poing droit et souffla dans le trou entre le pouce et l'index. Il se souvint d'un jeu d'enfants où chaque participant frappait le haut de son poing gauche avec le bas de son poing droit, mais il ne parvint à se rappeler ni les règles ni l'esprit de ce jeu innocent.

— Répartir les joueurs dans un camp et dans l'autre, sans doute, dit-il à haute voix.

Il coupa le contact. Le moteur s'arrêta.

Tant que le bateau avançait, l'absence du bouchon sur la bonde de vidange ne présentait aucun danger pour Gerald. L'ouverture dans les fonds servait d'écope : elle permettait à l'eau de la cale de sortir du bateau. Mais une fois en panne, par le travers des vagues et en train de rouler, le bateau était vulnérable.

Gerald prit peur. Il s'accrocha au volant comme si cela pouvait le sauver. Il avait du mal à respirer. Il s'appuya sur le siège pour ne pas s'écrouler. Il se figea. Il entendit du bruit et baissa les yeux. Une couche d'eau recouvrait tout le pont; elle roulait vers l'arrière en faisant des remous contre le capot du moteur. La mer montait par la bonde de vidange. La cale était pleine et commençait à déborder. Gerald ferma les yeux, mais ne put maintenir ses paupières closes. Il essaya de ne pas entendre l'eau sur le pont. Il essaya d'imaginer que le *Bluegill* arrivait pour le prendre à bord. Puis il sentit l'eau imbiber ses chaussures de toile et, au moment où l'étrave plongea dans un creux, il sentit l'eau bouillonner par-dessus ses chevilles. Le bateau coulait, le bateau coulait!

Il eut envie de crier au secours. Il chercha des yeux, de tous côtés, les vestes de sauvetage. Il fallait qu'il referme la bonde! Il fallait qu'il arrête l'eau! L'eau montait! Gerald se mit à frissonner. Il tremblait de terreur, mais il ne fit pas redémarrer le moteur. Il était parti rejoindre Joseph Liliuohé.

A Pearl Harbor, deux heures plus tard, Duane York était assis sur une chaise, en équilibre contre le mur de la pièce où il était aux arrêts depuis le meurtre de Joseph Liliuohé. Il fumait. Il avait encore ses chaussures et ses chaussettes noires, ainsi que sa casquette blanche, mais il était en sous-vêtements avec un cendrier de verre sur le ventre. Il tenait la cigarette allumée entre ses doigts comme s'il l'avait oubliée, en laissant se former de longues cendres. Ensuite, juste à temps, il tapait la cigarette sur le bord du cendrier et aspirait une longue bouffée pour remplir à fond ses poumons, avant d'expulser lentement la fumée par la bouche et les narines.

La porte de la penderie était ouverte et la penderie était vide. La commode au pied du lit était également vide. Duane avait fait son paquetage en arrivant. Son sac de toile, bourré à craquer, attendait sur le lit. Son nécessaire de marin, ouvert, se trouvait à côté. L'uniforme de Duane, blouson et pantalon, était soigneusement plié sur le lit lui aussi. Il avait plié les draps ainsi qu'il les avait trouvés à son arrivée. S'il y avait une chose au monde dont Duane ne voulait absolument plus, c'étaient des ennuis, à la base ou en dehors. Personne ne porterait jamais plus Duane York au rapport, si cela ne dépendait que de lui.

Après avoir terminé son paquetage et rangé le lit, lorsqu'il s'était trouvé libre de partir, libre comme le vent, il avait tendu la main vers le paquet de cigarettes et il en avait allumé une. Il s'était dirigé vers la fenêtre, en fumant, et il avait regardé les mouettes tournoyer puis plonger à côté du dépôt de vivres. Puis il avait pris le cendrier sur la table de nuit et calé la chaise contre le mur. Soudain, il n'eut envie de voir personne, d'entendre personne, de parler à personne.

S'il ne voyait plus jamais un seul tribunal ou un seul juge, ce serait tant mieux. Il n'arrivait même plus à se souvenir des jours heureux où ses seuls soucis consistaient à se lever pour l'appel et à se présenter à l'heure au *Bluegill*. Ouais... Et de faire durer sa solde jusqu'au mois suivant. Il n'y parvenait jamais, mais il pouvait toujours compter sur le lieutenant pour lui filer quelques dollars.

Duane essaya de ne pas penser au lieutenant. Ni à Bergman. Ni au conseil du vieux bonhomme de partir aux États-Unis à cause de l'autre procès. Car ces pensées ramenaient toujours Duane directement au même point : le soir où la femme du lieutenant avait tout avoué, à la résidence de l'amiral. Bon Dieu ! Duane éteignit sa cigarette et se pencha en avant pour que les pieds de devant de la chaise touchent le sol. De toute façon, Duane tenait le bon bout : le lieutenant était la seule personne au monde capable de rattacher Duane à ce qui s'était passé dans les bois, un horrible dimanche matin. Et Duane faisait encore plus confiance au lieutenant qu'à lui-même. Il savait qu'il n'avait nullement à s'inquiéter au sujet de cet horrible week-end. Il était tranquille.

Seulement, il n'aimait vraiment pas penser à ces trois types. Et il ne pouvait pas s'empêcher de les revoir, attachés aux arbres. Ils n'avaient rien fait de mal. Aucun des *quatre* n'avait rien à se reprocher... Et comme toujours lorsque Duane pensait aux trois autres, l'image de Joseph Liliuohé s'imposa à lui. Duane pouvait voir Joseph Liliuohé mort, exactement comme les trois autres au moment où il les avait détachés des arbres. Bon Dieu ! Il se leva et posa le cendrier de verre sur la chaise. Il se dirigea vers le lit pour prendre une autre cigarette et des allumettes.

En fait, Duane et le lieutenant étaient aussi innocents que ces quatre types. En fait, les responsables, c'étaient la femme du lieutenant et sa mère, la sorcière. Merde ! elles étaient responsables de tout. Ainsi que le lieutenant Partridge. Chaque fois qu'il pensait au lieutenant Partridge, il avait envie de cracher par terre. Bon débarras !

Il retourna à sa chaise, prit le cendrier et se réinstalla à l'aise. Il poussa avec les pieds et la chaise bascula en arrière contre le mur. Il glissa les talons de ses chaussures sur le barreau inférieur. La meilleure chose à faire, se dit-il, c'était de recommencer comme si rien ne s'était produit. Peut-être que toute l'histoire serait utile, après tout. Peut-être que cela dissuaderait d'autres types d'Honolulu de courir après la femme d'un officier ou n'importe quelle autre femme.

Il fallait que Duane oublie tout ce qui s'était produit depuis le soir où il avait emprunté la voiture du lieutenant à la Whispering Inn. Il fallait qu'il commence tout de suite à oublier. Il décida de s'habiller en civil dans un moment et de quitter la base. Il descendrait au centre ville, choisirait un bon petit restaurant et se ferait servir la plus grosse entrecôte de la boutique. Il secoua la cendre de sa cigarette dans le cendrier et, au moment où il levait la main pour tirer une bouffée, on frappa à la porte.

— C'est ouvert.

Duane s'attendait à un comité de réception, à des camarades de *Bluegill,* mais ce fut le commandant Saunders qui entra.

Duane bondit de sa chaise et se mit au garde-à-vous, conscient d'avoir l'air stupide avec le cendrier dans une main et le mégot dans l'autre.

— Excusez-moi, commandant. Je ne faisais que...

Il s'arrêta. Nom de Dieu, il était en sous-vêtements, en face d'un commandant trois galons, habillé comme s'il passait l'escadre en revue !

— Excusez-moi.

Il écrasa la cigarette dans le cendrier, posa le cendrier et se remit au garde-à-vous. Il se rappela soudain qu'il avait sa casquette. Bon Dieu ! ce qu'il devait avoir l'air con.

— Repos, dit Saunders.

— Oui, mon commandant. Merci, mon commandant.

Il montra son uniforme sur le lit.

— Accordez-moi deux secondes, je passe ma tenue.

— Mais oui.

Saunders se retourna pour refermer la porte puis regarda Duane enfiler son pantalon et prendre son blouson sur le lit. Il oublia qu'il avait sa casquette et elle tomba lorsqu'il enfila les bras dans les manches. Duane se baissa pour la ramasser, en jurant entre ses dents. Il était encore plus manchot que le dernier des bleus. Mais qu'est-ce que le commandant fichait là, d'abord ? L'aide de camp de l'amiral ! Enfin prêt, Duane se mit au repos au pied du lit, jambes légèrement écartées, mains dans le dos, la casquette au bout des doigts.

— A vos ordres, mon commandant. Vous me cherchiez, mon commandant ?

Saunders se tenait toujours debout près de la porte. Bon Dieu, il était *énorme.*

— Avez-vous vu le lieutenant Murdoch ?

— Le lieutenant ? Mais oui. Oui, mon commandant. Nous sommes rentrés à Pearl ensemble.

— L'avez-vous vu depuis votre retour?

— Non, mon commandant.

— Avez-vous eu des nouvelles de lui? demanda Saunders.

— Non, mon commandant. Je n'ai vu personne. Je suis resté ici, mon commandant. Assis ici.

— Aucune idée de l'endroit où je pourrais le trouver?

— Non, mon commandant, répondit Duane. Aucune idée. Excusez-moi, mon commandant, quelque chose qui ne va pas? Pour le lieutenant, je veux dire.

— J'ai besoin de renseignements. Vous pouvez peut-être m'aider.

— Volontiers, mon commandant.

— Qui se trouvait avec vous quand vous avez attaché ces trois jeunes gens aux arbres pour les fouetter?

Duane eut si peur qu'il faillit s'évanouir. Toutes ses entrailles se soulevèrent. Il eut l'impression de n'avoir plus de poids, de flotter.

— York?

— Mon commandant...

Il s'arrêta. Il ne parvenait pas à respirer.

— Je... commença-t-il, mais il s'arrêta de nouveau.

— Vous et qui d'autre? demanda Saunders.

— Mon commandant, je... dit-il en secouant la tête. Je n'ai pas... Vous vous trompez, mon commandant.

— Combien étiez-vous? demanda Saunders debout près de la porte.

— Mon commandant, en toute sincérité. Je le jure. Je le jure, mon commandant. Sur ma mère. Que Dieu me donne la mort, ici, sur place, ici même.

— Dieu... dit Saunders.

— Oui, mon commandant. Que Dieu tout-puissant me foudroie sur place si je vous mens. Je ne sais rien de cette histoire de fouet, d'aucune histoire de fouet, mon commandant.

— Vous êtes bien sûr, n'est-ce pas, York?

— Oui, mon commandant. C'est une erreur. Vous... Quelqu'un a fait une erreur. Je reconnais que j'étais avec le lieutenant quand... ce matin-là à *Windward*. J'étais avec lui depuis le début, depuis la minute où nous avons ramassé Joseph Liliuohé. C'est moi qui l'ai ramassé, mon commandant. C'est moi qui suis sorti de la voiture. Je l'ai fait, oui, mon commandant, dit Duane à toute allure, en essayant de ne pas s'écrouler de frayeur. Mais ce que vous dites, c'est autre chose, reprit-il en secouant la tête. Vous parlez d'*enlèvement,* de *coups de fouet.* C'est une erreur, mon commandant.

Il vit le commandant prendre une enveloppe dans sa poche. Il vit que le rabat était ouvert. Le commandant prit une feuille, la déplia et la lut :

> J'absous par les présentes Duane York et les autres de toute responsabilité dans l'enlèvement et la flagellation de David Kwan, Michael Yoshida et Harry Pohukaïna.

C'était la lettre que Gerald avait adressée à l'amiral.

> Ni Duane York ni les autres ne sont coupables de cet acte et ne devront être tenus responsables de ses conséquences, soit par les autorités civiles, soit par le ministère de la Marine. C'est le soussigné qui a conçu et exécuté l'enlèvement des trois individus cités ci-dessus. Duane et les autres ont suivi mes ordres. Ils sont aussi innocents que les victimes.

Saunders leva les yeux vers Duane.

— Signé : Gerald Murdoch, lieutenant de la marine des États-Unis.

Duane crut qu'il allait se mettre à hurler. Le lieutenant était devenu fou. Il était complètement *loco*.

— Mon commandant, sauf votre respect, dit Duane, je ne le crois pas. Je ne crois pas que le lieutenant ait écrit ça, mon commandant. Non, mon commandant.

Il avait peur de mouiller son pantalon.

— C'est lui qui a écrit cette lettre, dit Saunders en repliant la lettre de Gerald. Et il l'a envoyée à l'amiral.

Il rangea la lettre dans l'enveloppe.

— Mon commandant... Quelqu'un fait une erreur énorme...

— Les autres, demanda Saunders. *Les autres*. Je veux leurs noms.

— Vous vous trompez, mon commandant. Je jure que vous vous trompez. Écoutez...

Il s'arrêta, parce qu'il ne pouvait plus continuer. Il ne trouvait plus ses mots.

— Je vous donne dix secondes.

— Attendez, mon commandant. Écoutez.

Il était prêt à se mettre à genoux. Prêt à faire n'importe quoi.

— Mon commandant... Le lieutenant Murdoch... Il a dû... Excusez-moi, il a dû devenir fou. Quelque chose a dû lui arriver, avec ce procès et tout. Tout ce qu'il a dit... Je veux dire, rien de ce qu'il dit dans cette lettre n'est vrai, mon commandant. Y a pas... Il n'y a pas un seul mot de vrai dans cette lettre. Le lieutenant Murdoch le sait mieux que personne, le *saurait* s'il n'était pas fou, mon commandant.

Duane vit le commandant s'écarter de la porte.

— Ce n'est pas vrai ! dit-il.

Le commandant semblait devenir plus grand à chaque pas vers lui.

— Ce n'est pas vrai ?

Le commandant parut masquer par sa masse toute la lumière de la pièce. Duane recula et sentit le lit contre ses jambes. Le commandant se dressait au-dessus de lui. Duane leva les bras, coudes pointés devant lui, le visage à l'abri derrière ses poings.

Saunders, d'un revers de main, écarta les bras de Duane : il leva la main droite à la hauteur de son épaule gauche et la lança brusquement en plaçant tout le poids de son corps dans la gifle.

Il y eut un bruit mou. Duane glissa de côté, sur sa gauche. Il heurta le pied du lit et bascula contre la commode, puis perdit l'équilibre et se cogna au mur. Il poussa un cri. Ses oreilles se mirent à tinter, sa tête à tourner. Il sentit la douleur dans sa bouche. Il vit le commandant s'avancer et il se retourna, rentra la tête dans les épaules, essaya de se cacher. Le commandant saisit Duane au collet, le releva et le plaqua contre le mur.

— Vous avez dix secondes !

— Je suis innocent, mon commandant.

— Huit.

— Je n'ai rien fait. Je n'ai pas touché à ces types.

— Cinq, dit Saunders. Quatre... Trois...

— Forrest Kinselman, dit Duane, la tête penchée en avant, comme s'il parlait au plancher. Wesley Trask, Conrad Hensel.

— Tous du *Bluegill*?

— Oui, mon commandant.

Saunders le lâcha, traversa la pièce et ouvrit la porte. Les deux hommes de la police navale que Saunders avait laissés dans le couloir se mirent au garde-à-vous.

— Forrest Kinselman, Wesley Trask, Conrad Hensel, leur dit Saunders.

Il répéta les noms en s'arrêtant après chaque syllabe pendant que l'un des hommes les inscrivait sur un petit carnet.

Quelques dizaines de minutes plus tôt, au quartier général, l'amiral avait remis à Saunders la lettre de Gerald. Après l'avoir lue, Saunders s'était tourné vers Glenn Langdon. L'amiral s'était enfoncé dans son fauteuil. Il semblait avoir pris de l'âge, soudain.

— Partridge, avait dit l'amiral. Murdoch. Maintenant York et les autres. Combien d'autres ?

Il avait levé les yeux vers son aide de camp puis s'était mis debout.

— Jimmy, j'ai déshonoré mon commandement.

— Non, amiral, avait répondu Saunders avec énergie. Non,

amiral. Absolument pas. Vous avez pris la défense de vos hommes, amiral, de vos officiers et de vos hommes, et ceux-ci vous ont poignardé dans le dos. Ce sont *eux* qui nous ont déshonorés, amiral, qui ont déshonoré la marine. Nous allons nettoyer tout ça, avait-il dit en enfonçant la lettre de Gerald dans sa poche. Nous allons désinfecter cette base, et vite...

Maintenant, sur le seuil de la chambre de Duane, Saunders regarda les deux hommes de la police navale s'éloigner pour aller arrêter les trois brebis galeuses, puis il se retourna vers la quatrième.

— Mettez votre casquette, York, dit-il. C'est la dernière fois que vous en avez l'occasion. Fini l'uniforme. Vous quittez la marine, espèce de racaille. Vous êtes RDC.

Le même jour, beaucoup plus tôt, vers l'heure du déjeuner, la princesse s'installa sur une chaise longue près des portes ouvertes de la terrasse, dans sa suite du Western Sky. Elle ne prêtait aucune attention aux rideaux, grandes voiles gonflées par la brise venue de la mer. Elle était pieds nus, avec la cheville droite enflée et bleue, serrée dans une bande Velpeau. Le téléphone gisait sur le tapis, à portée de main. Contre la chaise longue se trouvait une grosse canne. Tom, debout dans l'embrasure des portes de la terrasse, semblait perdu dans ses pensées : il revoyait Sarah, lorsqu'elle était entrée dans la cuisine, affolée, le dimanche matin où tout avait commencé ; il revoyait Joe et les trois autres au commissariat central ; il revoyait enfin Joe à la morgue, tandis qu'il essayait de tenir Sarah à l'écart de ce qu'il avait vu.

— J'aurais dû avoir un peu plus de bon sens. Je suis deux fois plus âgée, dit la princesse en cherchant sa canne. Si je vous ai demandé de monter, c'était pour que nous fassions la fête. Thomas. *Thomas !*

Il se détourna de la mer.

— Si nous déjeunions ? dit-elle. Je vais nous faire servir un festin.

— Je n'ai pas très faim.

— Moi, si. Et j'en ai assez de manger toute seule, dit-elle en braquant la canne vers lui. Écoutez-moi, jeune homme. Le spectacle est terminé. La vie continue. La vôtre. La mienne. J'ai un ranch et vous avez un bureau. Un bureau d'avocat. Et une petite amie. Choisissez quelque chose d'épicé. Je vais commander pour vous.

Le téléphone sonna.

Le procureur de district se trouvait dans son bureau du palais, seul.

— Phil Murray à l'appareil, dit-il.

— Vous avez fait du bon travail, Philip, lui dit la princesse. Quand vous viendrez dans la grande île, je vous ferai rôtir quelque chose.

— Ouais... répondit-il tandis que le psoriasis le tourmentait de plus belle. Écoutez, je me suis dit qu'il valait mieux que vous l'appreniez de ma bouche. Le gouverneur à commué leurs peines.

— Répétez, je vous prie. En évitant le jargon.

— Ils sont en liberté. Ils sont libres.

La princesse leva la canne et en frappa le parquet comme si un serpent y était lové, prêt à se jeter sur elle. Elle écouta Murray sans ajouter un mot.

Tom vit la princesse reposer doucement l'appareil sur son crochet et lâcher la canne. Elle ne leva pas les yeux.

— C'était Phil Murray, dit-elle.

Et elle lui expliqua.

— *Libres ?*

La voix de Tom était un hurlement d'angoisse et de rage. Il s'avança vers la princesse et se trouva pris par les rideaux que le vent animait. Pendant un instant, il demeura impuissant. Il agita les bras dans ses efforts pour se libérer, s'abandonnant à la fureur qui l'aveuglait. Puis il se dégagea. La princesse était immobile, le téléphone posé sur son ventre. Elle lui parut soudain hostile, car elle violait son désespoir intime. Il ne pouvait supporter son regard, le regard de qui que ce fût. Il fallait qu'il s'enfuie, qu'il parte en courant — et il se rappela, suprême défaite, qu'il ne pourrait jamais courir. Il quitta la chambre en traînant le pied, malgré les cris de la princesse, qui lui ordonnait de rester.

Dans le corridor, il s'arrêta à côté d'un extincteur mural. Sa poitrine se soulevait comme après une longue poursuite dont il se serait échappé de justesse. Mais il n'avait échappé à rien. *Ils étaient en liberté !* Entendant des pas, il leva les yeux : un jeune couple, bras dessus, bras dessous. Ils s'arrêtèrent devant les ascenseurs. Tom les suivit en tirant sur ses manchettes de chemise. Il entra dans l'ascenseur derrière eux et se réfugia dans un coin. La descente jusqu'au hall fut interminable. L'ascenseur était rempli de voix, légères et joyeuses : les touristes venus visiter les îles faisaient et défaisaient des projets pour l'après-midi et la soirée. Pas un mot sur le procès, sur les condamnés, sur leur crime, sur la sentence rendue par le juge Kesselring. Tom eut envie de leur imposer le silence pour leur exposer la tricherie du gouverneur, pour leur apprendre qu'un assassin était en liberté à Hawaï.

Il fut le dernier à descendre de l'ascenseur. Le hall du Western Sky était un kaléidoscope de couleurs et de voix. Pour Tom, tous ces gens étaient des traîtres, des ennemis, des membres de la vaste conspiration omnipotente. Puis il sentit qu'il n'existait pas, qu'il n'existerait jamais, aux yeux de tous ces joyeux vivants pour qui la commutation de peine du gouverneur constituait le dénouement attendu et désiré d'un malencontreux incident. Il se mit à les mépriser. Ils étaient tous coupables.

Il parvint à l'entrée, dépassa les taxis et les voitures sur l'allée en forme de croissant desservant l'hôtel, puis s'engagea dans Kalakau Avenue. Il s'aperçut alors qu'il avait cessé de fuir, mais ne savait pas où aller. Il ne pouvait pas se présenter devant Sarah, il n'aurait pas la force de lui dire qu'ils étaient trahis. Il songea à retourner au palais de justice, mais il ne pourrait pas faire cause commune avec Philip Murray et ajouter sa voix aux épithètes dénuées d'effet que le procureur adressait sans doute à Snelling. Il ne pouvait pas rentrer chez lui, affronter son père et sa mère, écouter leurs protestations futiles contre la perfidie du gouverneur. Il ne pouvait pas non plus arpenter les rues, et ce fut le besoin irrésistible d'être seul, entièrement seul, le besoin de se cacher, qui dirigea ses pas vers son bureau.

Il monta l'escalier raide dans un état de lassitude profonde, générale. Il s'arrêta en haut des marches et prit la clé dans sa poche. La feuille de brouillon jaune portant les mots : JE REVIENS À 4 HEURES. VEUILLEZ LAISSER UN MESSAGE, vierge comme toujours, le mit en fureur. D'un geste rageur, il arracha le papier de la porte.

— Quel message ? dit-il.

Il entra dans son bureau et referma enfin la porte sur le reste du monde. Il tourna la clé et vérifia qu'on ne pouvait pas ouvrir, puis il se laissa tomber dans son fauteuil. Le bureau sentait le renfermé, le moisi. Les bruits de la circulation, au-dessous, semblaient à des kilomètres. Tom était enfin seul.

A la première sonnerie du téléphone, Tom comprit qu'il s'agissait de Sarah. La princesse avait téléphoné à la jeune femme. Il y eut quatre sonneries, puis le téléphone se tut de nouveau. Tom se sentit somnolent. Il songea un instant à s'allonger sur le bureau ou sur le tapis de sisal que sa mère avait apporté pour recouvrir le parquet. Il s'enfonça dans son fauteuil, pencha la tête en arrière, ferma les yeux — et demeura pleinement éveillé, en proie à son tourment.

Plus tard, entendant des pas, il comprit que Sarah arrivait. Il entendit ses talons résonner sur le palier avant qu'elle ne frappe.

— Tom ? dit-elle.

De nouveau, elle frappa.

— Tommy ? Si tu es là, ouvre-moi, je t'en supplie, Tommy.

Elle resta longtemps à la porte avant de partir. Il écouta ses pas s'éloigner — et il se méprisa de son attitude. Il bondit de son siège, se précipita vers les fenêtres et souleva les rideaux. Le soleil violent le fit cligner des yeux. Il s'escrima sur le verrou puis souleva... Sarah était repartie...

Le bureau était inondé de lumière et il vit des colonnes de poussière s'élever du parquet. Il décida de nettoyer son bureau. Il ouvrit un tiroir, mais le referma aussitôt, sans même un regard pour le chiffon à poussière que sa mère avait apporté. Il n'avait pas besoin d'avoir un bureau propre. Personne ne sollicitait les services de Thomas Haléhoné.

— Avocat! dit-il tout haut, de la voix du vaincu qui se rend.

Il ne parla plus. Le téléphone resta muet. Personne d'autre ne monta l'escalier. Il n'entendit qu'un ou deux coups de klaxon, de temps à autre, puis ce furent les cris des petits marchands de journaux. Il revint à la fenêtre ouverte pour les écouter.

— Ils sont en liberté!

— Le gouverneur commue la peine prononcée par le juge!

— Doris Ashley et Murdoch libérés par le gouverneur!

Un des gamins avançait au milieu de la rue, en brandissant son journal au milieu des voitures. Tom put lire le gros titre sur la première page. LE GOUVERNEUR LIBÈRE LE TRIO MEURTRIER! disait la manchette de l'*Outpost Dispatch.* Tom resta à la fenêtre comme s'il était au pilori, contraint et forcé. Il suivit le crieur de journaux jusqu'à ce qu'il ne puisse plus le voir ni l'entendre. Le téléphone se mit à sonner et s'arrêta au moment où Tom allait arracher le câble du mur. Aussitôt, Tom se rassit et, Dieu merci, s'endormit.

Des coups frappés avec insistance l'éveillèrent. Le soleil s'en était allé et il y avait des ombres dans le bureau. *Sarah!* Tom se sentit submergé de gratitude. Il se leva d'un bond, comme s'il venait de guérir d'une longue fièvre. A l'instant où il arriva près de la porte, il entendit une voix d'enfant.

— Maman, où sommes-nous?

Aussitôt, d'autres coups.

— Monsieur Haléhoné? Êtes-vous là, monsieur Haléhoné? demanda une voix de femme.

— Maman! dit l'enfant.

— Chut! lança la mère.

Tom redressa sa cravate et ouvrit la porte.

Deux enfants accompagnaient la femme et, malgré la faible lumière, Tom remarqua ses traits tirés. Elle tenait dans ses bras l'un des deux gamins, un petit garçon aux cheveux blonds comme ceux de sa mère. L'autre garçon se serrait contre sa jambe, en quête de sécurité dans ce lieu inconnu.

— Je suis Mary Sue Puana, dit-elle. L'épouse du Dr Puana. Le Dr Puana de l'hôpital de la Miséricorde.

— Le docteur de la salle des *urgences*? demanda Tom, et Mary Sue acquiesça.

— Je peux entrer?

Tom s'aperçut qu'il bloquait le passage. Il s'écarta.

— Eric! dit Mary Sue en tendant le bras vers son fils.

Elle posa la main sur les cheveux noirs ébouriffés de l'enfant, qu'elle poussa devant elle. Tom referma la porte et se retourna.

— Ces chaises sont peut-être un peu poussiéreuses, dit-il. Non, elles le sont *vraiment.*

Il ouvrit le tiroir du bureau, en sortit le chiffon et se mit à épousseter les chaises; d'abord les sièges, puis les dossiers.

— Je n'ai pas beaucoup fréquenté ce bureau, dit-il. En fait, je n'y ai pas mis les pieds depuis longtemps. Ni personne d'autre.

— Eric, assieds-toi là. Ce sont mes enfants. L'aîné s'appelle Eric. Il a presque six ans. Et voici Jonathan, qui aura deux ans le 4 juillet. Pour la fête nationale... dit-elle.

Tom avait enfin un client. Or, justement, il n'avait pas envie que cette femme l'engage. Elle était venue avec ses enfants, elle avait sans doute décidé de divorcer du Dr Puana. Tom n'avait aucune connaissance en matière de divorce. Il ne saurait même pas quel avocat lui recommander.

— S'agit-il d'une affaire pénale? demanda-t-il.

— D'une affaire pénale? Oh oui, c'est pénal, répondit Mary Sue en asseyant Jonathan sur ses genoux. Mentir est pénal, n'est-ce pas? Mentir sous serment. N'est-ce pas ce que l'on appelle un « faux témoignage »? Mentir à la barre des témoins...

— Faux témoignage, oui.

Tom tenait encore le chiffon à poussière. Il le posa dans le tiroir, qu'il referma. Il sentit un nœud au creux de l'estomac, qui remontait sous ses côtes. Il écarta son fauteuil du bureau et s'assit.

— Pourquoi êtes-vous venue ici, madame Puana?

— Vous pouvez m'appeler Mary Sue. En fait, je tiens à ce que vous m'appeliez Mary Sue. Je suis l'une de vous, à présent. Ainsi que mes enfants, mes fils...

Elle posa les lèvres sur les cheveux de Jonathan.

— Jonathan est l'un de vous. Eric aussi. Frank... Mon mari... C'est lui que je dois remercier pour cela. Parce que ce n'était pas forcé. Nous aurions pu rentrer à la maison, je veux dire chez moi aux États-Unis. Je l'ai supplié de partir. Il m'a promis qu'il le ferait mais... il ne l'a pas fait.

Tom ne voulait ni la bousculer ni la mettre en colère. Mais il ne pouvait tenir en place. Elle avait dit *faux témoignage,* et Tom avait entendu des mensonges, avait été plongé dans les mensonges, pris au piège par des mensonges pendant si longtemps qu'il ne pouvait pas la laisser poursuivre son autobiographie.

— Vous parliez de faux témoignage...

— De faux témoignage, répondit Mary Sue. Oui, de faux témoignage. Aujourd'hui, je n'ai pas pu continuer. Le dernier brin de paille qui brise le dos du chameau. D'abord, j'ai entendu à la TSF qu'ils étaient condamnés à dix ans. Ça ne m'a pas semblé beaucoup pour un meurtre, mais, au moins, ils allaient en prison. Ils paieraient pour leur crime. Ensuite, j'ai appris que le gouverneur les avait graciés.

— Il a commué leur peine, corrigea Tom.

— Ils sont en liberté ! Des gosses sont passés dans la rue en criant : « Spéciale dernière, ils sont libres ! » J'étais en train de faire mon repassage, et je me suis dit : « Après tout ce qu'ils ont fait, ils peuvent aller n'importe où et moi je ne peux pas. » Je me suis dit : « C'est moi qui suis en prison. »

— Je veux rentrer à la maison, dit Eric.

Mary Sue le prit par l'épaule et l'attira vers elle.

— Bientôt, mon chéri.

Elle regarda Tom et parla comme s'ils étaient dans une église.

— Je lui fais peur. Je suis infirmière. Je l'étais. Je devrais être plus habile et je fais peur à mon propre enfant.

Tom lui accorda une minute.

— Madame Puana... Mary Sue... Qui a commis un faux témoignage ? dit-il lentement, à mi-voix.

— Tous. Hester Ashley. Elle a menti à la barre des témoins. Claude Lansing, le *docteur* Claude Lansing a menti. Et Frank, le merveilleux Frank qui n'a aucun estomac...

Le cœur de Tom battit plus vite. Il tremblait, il ne parvenait pas à calmer ses mains. Il avait peur de l'interrompre, mais il lui fallait prendre des notes.

— Laissez-moi sortir un bloc et un crayon, madame... Mary Sue, dit-il en reculant pour ouvrir son tiroir, qu'il faillit arracher du bureau. Bon Dieu !

— Je vous en prie, répondit Mary Sue ; elle se pencha sur Eric : Ce ne sera plus long, mon amour.

Tom avait ouvert un bloc grand format et écrivait très vite.

— Vous me direz quand vous serez prêt.

Tom hocha la tête sans cesser d'écrire.

— Je suis prêt.

— Hester Murdoch a affirmé que ces quatre jeunes gens l'avaient violée et, six semaines plus tard, avec un retard de règles supposé de trente-deux jours — vous pourrez vérifier les dates —, elle est revenue à l'hôpital de la Miséricorde pour un curetage. Les journaux ont raconté que c'était à cause du viol, six semaines après le viol.

Mary Sue se tut. Tom cessa d'écrire et leva les yeux vers elle.

— Elle était en réalité enceinte de douze semaines. De douze semaines. Enceinte de trois mois.

Tom en oublia son bloc.

— Pouvez-vous le prouver ? demanda-t-il.

— C'est Frank qui a fait le curetage, répondit Mary Sue. Claude Lansing avait tout préparé, mais il était trop ivre ; il n'aurait même pas pu couper une tranche de pain. Il a assisté Frank. Il a dit à Frank qu'il mettrait son nom, Claude Lansing, sur le compte rendu de l'opération, mais il a menti même à ce sujet. Il a regardé Frank travailler, puis il est retourné dans son bureau et il a raconté des mensonges à la presse. Sept à huit semaines !

Tom repoussa le bloc, posa le crayon sur son bureau, puis il se leva.

— Pourquoi votre mari ne s'est-il pas rendu à la police ? Pourquoi n'est-il pas allé voir le procureur de district ? Il aurait pu me le dire, *à moi !* Il aurait pu le dire *à tout le monde.*

Mary Sue le regarda dans les yeux.

— Il ne l'a pas fait.

— Rien de tout cela ne serait arrivé ! dit Tom. Il aurait pu arrêter tout ! Arrêter tout ! Joe Liliuohé serait encore *vivant !*

Mary Sue souleva Jonathan et prit la main d'Eric.

— Nous rentrons à la maison, maintenant, mon chou, dit-elle ; et, à Tom : Pourquoi croyez-vous que je suis venue ?

— Je vais vous assigner à comparaître, vous *et* votre mari, dit Tom. Je vais tous vous assigner à comparaître.

— Je suis prête, répondit Mary Sue. Ouvrez-moi la porte, je vous prie.

Elle était à peine sortie qu'il courait vers le téléphone, oubliant qu'il boitait. Il avait envie de hurler, de passer la tête par la fenêtre et de hurler. Il fallait qu'il parle à Philip Murray. Tom avait une ville entière de faux témoins à assigner ! Philip Murray n'en croirait pas ses oreilles. Tom le forcerait à le croire. Il avait Mary Sue. Le bureau du procureur de district ne répondit pas.

Tom supposa qu'il avait donné à la standardiste un faux numéro. Il essaya de nouveau. Sans succès. Il allait rappeler la compagnie du téléphone pour signaler un dérangement lorsqu'il remarqua la lueur douce de l'éclairage public par ses fenêtres. Il regarda sa montre. Le palais de justice était fermé depuis deux heures.

Tom appela les renseignements et demanda le numéro de téléphone personnel de Philip Murray. Il n'était pas dans l'annuaire. Tom téléphona à Leslie McAdams.

— Philip a passé des heures difficiles, lui répondit McAdams. Ça ne peut pas attendre ?

— J'ai besoin de son numéro, dit Tom. J'en ai besoin.

Il se pencha sur le bureau pour inscrire le numéro à côté des notes qu'il avait prises.

Il n'obtint pas de réponse. Il se dirigea vers la fenêtre et y resta un moment, telle une personne qui commence à se détendre après une longue journée. Puis, comme si un signal d'alarme venait de se déclencher, il leva les bras pour refermer la fenêtre ouverte. Il revint vers son bureau, arracha du bloc les pages où il avait pris ses notes et les glissa dans la poche de son veston. Ses gestes étaient précipités, presque affolés. Il sortit du bureau et descendit l'escalier sans se soucier du bruit qu'il faisait. Il fallait qu'il raconte tout à Sarah. Qu'il parle à la princesse. Il fallait qu'il arrive au palais de justice à l'ouverture des portes, *avant* l'ouverture des portes. Mais comment ferait-il passer le temps jusqu'au lendemain matin ?

Le lendemain, vendredi, Sarah et Tom partirent très tôt de Papakoléa.

— Hier soir, j'ai regretté que la femme du docteur soit venue à ton bureau, dit Sarah. Je croyais que tout était terminé, que le gouverneur avait tiré un trait.

— Nous ne faisons que *commencer !* répondit Tom comme si Sarah l'avait mis au défi, comme si elle était un adversaire.

L'allégresse proche de l'euphorie qu'avait provoquée la déclaration de Mary Sue faisait place maintenant à un sentiment d'urgence irrésistible. Il fallait contrer la commutation de peine par le gouverneur, contrer la remise en liberté de Gerald Murdoch, Doris Ashley et Duane York. Le gouverneur avait triomphé de la justice, mais Tom refusait d'accepter cette défaite. Si la voiture de Sarah était tombée en panne, il serait allé au palais de justice sur le ventre.

— Nous n'avons jamais eu un jour à nous, une seule journée du matin jusqu'au soir, seuls ensemble, dit Sarah.

— Nous en aurons, murmura Tom automatiquement. Nous en aurons.

Il se tourna vers elle. Elle ne dit rien et continua de conduire comme s'il n'était pas là. Quand elle s'arrêta devant le palais de justice, Tom lui sourit.

— Ne sois pas si triste, dit-il.

— Ils ont détruit notre vie ! répondit Sarah, et sa voix était comme un cri de souffrance.

— Sarah...

Il lui prit la main, mais elle la dégagea, la posa sur le volant et regarda droit devant elle. Tom descendit de voiture et, debout sur le bord du trottoir, regarda l'élégante décapotable jaune et noir s'éloigner puis disparaître au coin de la rue. Tout seul, il s'avança vers l'entrée d'honneur et, tout en marchant vers les portes, il entendait à chaque pas la voix de Sarah : « Ils ont détruit notre vie ! Ils ont détruit notre vie ! Ils ont détruit notre vie ! » Il se dirigea vers le bureau du procureur de district comme s'il était un assassin.

Il arriva avant les secrétaires. Il alluma les lumières, se dirigea vers un bureau et décrocha un téléphone. Il avait appris le numéro personnel de Philip Murray par cœur. Pas de réponse. Et tandis que Tom attendait, en écoutant les sonneries se succéder, le procureur apparut à la porte.

— Je vous appelais, dit Tom en s'avançant vers Murray entre les bureaux. J'essaie de vous joindre depuis hier soir. Votre téléphone doit être en dérangement.

— Nous ne sommes pas rentrés, répondit Murray. Nous étions sur le bateau.

Murray possédait un cotre, la passion de sa vie.

— J'avais décidé de prendre la mer jusqu'à lundi, mais ma femme a eu une rage de dents, expliqua-t-il. Sinon, je ne serais pas ici. Je l'ai déposée chez le dentiste.

Tom suivit Murray dans son bureau.

— Ce crapaud visqueux ! dit le procureur, songeant au gouverneur, et il se laissa tomber dans son fauteuil. Dites-moi ce qui vous ronge.

— Vous devez fixer une date pour le nouveau procès, dans l'affaire Hester Murdoch.

— Oui, oui. Je le ferai.

Tom s'écarta pour inviter Murray à aller s'en occuper.

— Maintenant.

— *Maintenant ?* s'étonna le procureur en se redressant. J'ai quitté la salle d'audience il n'y a pas vingt-quatre heures. Je n'ai même pas les yeux en face des trous !

— Tout ce que je vous demande, c'est une date.

— Mais pourquoi cette hâte, bon sang ?

— J'ai de nouvelles preuves, répondit Tom.

Dans une action pénale, l'accusation est obligée, sur requête, de communiquer à la défense un inventaire complet de ses preuves —

procédure qui porte le nom de *discovery*. La défense n'a pas d'obligation réciproque. La défense ne communique aucun de ses arguments à l'avance.

— Très bien, très bien. Ne les lâchez pas.

Tom ne bougea pas.

— Faites inscrire l'affaire sur le rôle des causes, dit-il.

Murray repoussa son fauteuil en arrière. Il songeait à son cotre au mouillage, aux provisions qu'il avait achetées pour le week-end et qui attendaient dans son réfrigérateur.

— Écoutez... maître... Laissez-moi reprendre mon souffle. Pourquoi cette précipitation ? Pourquoi faut-il que ce soit aujourd'hui ?

— Parce que le gouverneur a agi hier, répondit Tom en se penchant par-dessus le bureau. Il a décidé que *vous* pouviez tuer n'importe lequel d'entre *nous* et sortir du tribunal libres comme l'air. Non seulement libres, mais triomphants. Gerald Murdoch est un *héros* ! Avez-vous lu les journaux ? Les articles publiés aux États-Unis ? Ils parlent de Murdoch comme si c'était Lindbergh ! Ils ne croient pas que *nous* soyons des êtres humains. Ils viennent ici, ils s'installent sur le sable de Waikiki, ils mangent le porcelet rôti et ils rentrent chez eux raconter à leurs amis qu'ils sont allés dans la jungle ! Voilà pourquoi le procès doit être inscrit au rôle des causes aujourd'hui ! Aujourd'hui !

Philip Murray se frotta les yeux.

— Ah ! la rage de dents de ma femme, dit-il en se levant.

Il sortit du bureau et Tom le suivit.

— Je vous téléphonerai.

— J'attends ici.

Il s'appuya à un bureau inoccupé, en face de la porte. Le procureur revint au bout d'une demi-heure. Tom se dirigea vers lui.

— Le 20 avril, lui annonça Murray. Avec Neil Ostergren comme juge.

— Merci, dit Tom, pressé de s'en aller. Merci beaucoup.

Il descendit jusqu'au sous-sol. La salle de presse provisoire était presque déserte. Les employés du téléphone enlevaient les lignes installées pour le procès de meurtre. Les longues tables étaient déjà démontées. Quelques journalistes travaillaient sur des machines à écrire portatives : des articles de synthèse pour les éditions du dimanche de leurs journaux. Tom aperçut les correspondants de l'*Outpost Dispatch* et de l'*Islander* qui « couvraient » le palais de justice. Il leur annonça la date du nouveau procès. Ni l'un ni l'autre ne réagit.

— Il y a de nouvelles preuves importantes, dit Tom.

Le reporter de l'*Islander* sortit un paquet de cigarettes de sa poche et lui tourna le dos.

— D'accord, lança Tom. Je parlerai à l'Associated Press.

Le journaliste ôta la cigarette non allumée de sa bouche.

— Eh ! une seconde. Quel genre de preuves ?

— *Médicales*. Des preuves *médicales*. Et la preuve de faux témoignage. De *faux témoignage*.

Le journaliste prit un bloc-notes dans sa poche et l'homme de l'*Outpost Dispatch* lança :

— Allez-y.

— Tout sera révélé au cours du procès, répondit Tom.

De retour à son bureau, il appela l'Associated Press, puis l'United Press. Il téléphona aux journaux d'Hawaï en langue étrangère. Il téléphona à toutes les stations de TSF d'Honolulu. Il transpirait. Il leva les yeux. Il n'avait pas ouvert les fenêtres. Il se leva puis, debout dans la brise douce, il sortit de sa poche les notes qu'il avait griffonnées la veille. Il tourna le dos au soleil et relut ce qu'il avait écrit quand Mary Sue se trouvait dans son bureau. Il décida de la citer avant tous les autres témoins.

Vers 1 heure de l'après-midi, le même jour, Doris Ashley remonta dans sa chambre avec une légère migraine. Elle était encore en peignoir et elle profitait pleinement de sa liberté retrouvée. L'arrivée à *Windward*, intact et serein, l'avait profondément émue. Elle avait dîné avec Hester sur la terrasse et, longtemps après qu'Hester se fut endormie dans sa chambre de jeune fille, attenante à la chambre de sa mère, Doris Ashley avait erré de pièce en pièce dans toute la maison. Le matin, elle s'était réveillée très tôt et, en prenant bien soin de ne pas déranger Hester, elle s'était précipitée au rez-de-chaussée pour redécouvrir son domaine.

Elle était presque euphorique, en sécurité de nouveau, quand, vers 9 heures, Amelia avait répondu au téléphone.

— Il dit : « Commandant Saunders. »

Doris Ashley n'avait plus envie d'entendre parler de la marine de sa vie entière.

— Allô !

— Madame Ashley, le commandant Saunders à l'appareil. Le lieutenant Murdoch est-il auprès de vous ?

(La migraine de Doris Ashley remontait précisément à ce coup de téléphone.)

— Le lieutenant Murdoch ne réside plus à *Windward,* répondit Doris Ashley.

— Excusez-moi, madame, dit Saunders. Nous essayons de retrouver le lieutenant Murdoch. Il aurait pu aller chez vous chercher sa voiture, ses vêtements.

— Il n'est pas ici.

Elle raccrocha, puis appela Theresa et, quand la porte de la cuisine s'ouvrit, elle lança :

— Plus de coups de téléphone aujourd'hui.

Dans l'après-midi, elle conduirait Theresa et Amelia à l'ancienne remise des voitures pour leur faire ranger les effets de Gerald et supprimer toute trace de sa présence...

Doris Ashley referma la porte de sa chambre et se dirigea vers son lit. Elle souleva le couvercle de sa boîte à cigarettes puis le referma. Une cigarette ne ferait qu'aviver sa migraine. Elle ferma les yeux pour effacer le monde, mais elle entendit au même instant une voiture qui remontait l'allée. Personne de sa connaissance n'oserait venir à *Windward* sans téléphoner auparavant. Elle entendit, faiblement, la sonnerie de la porte. Amelia et Theresa avaient reçu l'ordre de renvoyer toute personne qui se présenterait, que ce soient des fournisseurs ou des journalistes. Un instant plus tard, on frappa, un seul coup discret, à la porte de la chambre, puis le visage de Theresa apparut.

— L'amiral, il est venu.

Doris Ashley se leva du lit comme si on l'en avait éjectée.

— Je vous ai dit... commença-t-elle, mais la rage lui coupa le voix.

— Je l'ai dit *à lui,* répondit Theresa en agitant la tête comme une possédée.

— Renvoyez-le ! lança Doris. Fermez la porte ! Fermez la porte à clé !

— Il est à l'intérieur. Il dit : « Très important. »

Doris Ashley parut sur le point de frapper la petite femme boulotte en uniforme, mais elle ne bougea pas. Quand elle leva la main pour refermer la porte de la chambre, elle ne vit pas Theresa. Elle vit la salle d'audience où on l'avait emprisonnée, croyait-elle sincèrement, pendant des semaines et des semaines. Elle vit, elle entendit, le juge Kesselring prononcer la sentence. Elle traversa la chambre et sa colère fit place à de l'appréhension. Jamais elle n'avait baissé la tête, même pas devant son père dans l'appartement du Bronx qu'elle détestait. Elle ne baisserait pas la tête à présent.

Elle prit deux aspirines puis choisit dans sa garde-robe une toilette pour la rencontre. Elle ne se hâta pas et, quand elle arriva en haut de l'escalier, elle s'arrêta un instant et se rappela la silhouette du policier, Maddox, debout dans le vestibule, le jour où il était venu lui annoncer qu'Hester se trouvait à l'hôpital de la Miséricorde. Elle se rappela le trajet jusqu'à l'hôpital avec cet homme, puis le visage mutilé d'Hester et ses aveux. Doris Ashley n'avait pas flanché au cours de cette première nuit de catastrophe, elle n'avait pas flanché depuis. Elle tendit la main vers la rampe. Rien ne pouvait être pire.

Quand elle arriva au pied de l'escalier, elle était prête. Elle se trouvait dans *sa* résidence à présent, et non dans celle de l'amiral. A *Windward*, c'était *elle* qui commandait. Elle entra dans le salon et vit Glenn Langdon près de la longue table d'acajou, à côté des paravents chinois.

— Je n'ai pas l'habitude de recevoir des personnes que je n'ai pas invitées.

L'amiral la regarda. Elle essayait encore de jouer à l'impératrice. Elle ne méritait pas le service qu'il allait lui rendre...

En fin de matinée, le commandant des gardes-côtes d'Honolulu avait prévenu l'amiral : une de ses vedettes rapides, alertées par Billy Finch, dont Gerald avait loué le bateau, avait trouvé deux ceintures de sauvetage en haute mer.

— A ce qu'il prétend, le loueur a compris qu'il... s'agissait du lieutenant Murdoch seulement quand le bateau n'est pas rentré à l'heure, expliqua le commandant.

L'amiral fit venir son aide de camp.

— Vous pouvez cesser de rechercher Murdoch, dit-il à Saunders, et il lui répéta sa conversation avec le commandant des gardes-côtes. Il ne reste donc plus que le matelot... Hensel. Aucun signe de lui ?

La veille, après les aveux de Duane York à Saunders, la police navale avait arrêté Forrest Kinselman et Wesley Trask. Mais Conrad Hensel avait quitté Pearl Harbor en permission de week-end. Saunders avait enfermé Duane et les deux autres dans des cellules séparées de la prison militaire. Il avait doublé la garde et ordonné que les trois détenus soient isolés, nourris dans leurs cellules et accompagnés individuellement aux latrines. Jimmy Saunders voulait éviter que la nouvelle de leur arrestation parvienne aux oreilles de Conrad Hensel. Saunders tenait à ce qu'Hensel se présente à l'appel le lundi matin, à son retour de permission.

— Non, amiral. Pas encore.

Il avait l'intention de remettre personnellement les quatre salopards entre les mains de la police.

— Vous me préviendrez quand Hensel se présentera, dit Glenn Langdon.

— Oui, amiral. Mais ce n'est pas tout. A propos de l'affaire de viol, leur avocat affirme qu'il détient de nouvelles preuves.

Saunders avait entendu des commentaires sur le nouveau procès à la TSF pendant les informations.

— Jimmy, répondit l'amiral. Il est temps que je fasse, moi aussi, mon opération de désinfection...

A *Windward,* l'amiral attendit, pour répondre, que Doris Ashley soit arrivée près de la table d'acajou.

— Il ne s'agit pas d'une visite de politesse. Ne perdons pas d'énergie à nous lancer des pointes. J'ai appris que de nouveaux ennuis se préparaient et je n'ai pas l'intention de les attendre bras croisés.

Toutes les résolutions que Doris Ashley avait prises pendant qu'elle s'habillait, tout le courage dont elle s'était armée en haut de l'escalier, la désertèrent soudain.

— Parlez! Qu'attendez-vous?

Elle n'avait pas fait allusion à Murdoch et l'amiral comprit qu'elle n'était pas au courant. Cela lui faciliterait les choses.

— J'ai envoyé une de vos femmes chercher Hester, dit l'amiral.

— Dites-moi ce que vous savez. *Tout de suite!*

— J'aurais dû écouter Walter Bergman, hier, dans le bureau du gouverneur, dit l'amiral. Pour une fois, il avait raison. Il nous a mis en garde contre le nouveau procès. Il est inscrit au rôle pour le 20 avril. Leur avocat possède des preuves médicales importantes. Il parle même de faux témoignage. On dirait qu'il sait tout. J'ai suivi la tactique de ce garçon pendant des jours au cours du procès d'Hester. Il ne bluffe pas. Il ne revient pas devant la cour avec l'intention d'envoyer les inculpés en prison. Ce sont ses clients, ses amis. C'est vous qui irez en prison. Vous et Hester. Et, à Washington, les sénateurs et le président auront une nouvelle raison de s'échauffer. Cet île deviendra un champ de bataille. Nous ne pouvons pas nous permettre d'attendre le 20 avril. Le 20 avril, vous ne serez plus ici. Vous ne serez plus ici demain soir.

— Je ne serai plus...

— Écoutez le reste : vous embarquez avec Hester à bord du paquebot *Lotus* demain.

Avant de se rendre à *Windward,* l'amiral avait retenu lui-même deux cabines attenantes. Et il avait bloqué les accès à la base de Pearl Harbor, par terre et par mer. Des vedettes rapides de la marine, équipées de projecteurs pour la nuit, patrouillaient aux abords de Pearl. Tout véhicule automobile appartenant à un officier ou à un matelot serait fouillé avant d'entrer. Aucun civil ne serait admis dans la base sans que Saunders se rende en personne au poste de garde pour approuver l'homme ou la femme.

— Vous pourrez passer la nuit dans ma résidence, dit l'amiral à Doris.

Quand les deux femmes seraient à Pearl, entièrement protégées de toute intrusion, il leur apprendrait ce qui était arrivé au malheureux Murdoch.

— Votre résidence? lança Doris Ashley. Plus jamais je ne quitterai *Windward.*

— C'est leur avocat qui a demandé de fixer le procès au plus tôt. Il a des preuves médicales. La preuve de faux témoignage.

Doris Ashley ouvrit les bras tout grands.

— Regardez autour de vous, dit-elle. Vous avez voyagé. Vous avez traversé les sept mers. Regardez : c'est *Windward.* Et vous me demandez de quitter *Windward* à cause d'un rat d'égout boiteux?

L'amiral savait — et personne d'autre, pas même Jimmy Saunders — que Doris Ashley partirait pour la métropole dans vingt-quatre heures, qu'elle le veuille ou non. Si elle poussait l'amiral à bout, il ferait venir Jimmy Saunders avec suffisamment d'hommes pour l'emmener de force. Elle resterait sous bonne garde jusqu'à ce que le *Lotus* débarque le pilote, au large de Diamond Head, le lendemain. L'amiral avait décidé qu'il ne recevrait plus de câbles MINMAR, qu'il ne lirait plus de manchettes dans la presse contenant des menaces émanant du sénateur Floyd Rasmussen et de ses coupeurs de gorge à Washington. L'amiral avait décidé qu'il ne passerait pas un jour de plus à s'abîmer les fesses sur le banc dur du palais de justice d'Honolulu. Si Doris Ashley remuait ciel et terre au sujet de son départ forcé, si MINMAR lui cherchait des crosses, l'amiral avait décidé de démissionner. La pensée de se retrouver en civil lui était intolérable, mais il ne pourrait plus continuer d'exercer un commandement sous la coupe des civils.

— Oh! Hester... Bonjour, dit-il comme la jeune femme entrait par la porte de la cuisine. Vous vous demandez sans doute pourquoi je vous ai fait appeler.

L'amiral répéta tout ce qu'il avait dit à Doris Ashley.

— Je suppose que je dois faire mes bagages, répondit Hester.

Elle se détourna, mais Doris Ashley la prit par le bras et l'arrêta.

— Je te l'interdis! lança-t-elle. Nous ne faisons pas nos bagages! Nous ne quittons pas *Windward!*

— Vous n'avez pas le choix, dit l'amiral. Vous quitterez *Windward* de toute façon. Maintenant ou après le procès. Maintenant, vous êtes libres. Vous ne le serez plus quand cet avocat en aura terminé.

L'amiral était prêt à appeler Jimmy Saunders et la police navale, mais il vit le bras de Doris Ashley retomber. Elle avait lâché Hester.

— Ne prenez que ce dont vous aurez besoin pendant le voyage, dit-il. Vous vous ferez envoyer le reste.

— Ce dont j'aurai besoin pendant le voyage... répéta Hester.

Elle se dirigea vers la cuisine, qu'elle traversa jusqu'à la porte de sortie. Elle descendit les marches puis baissa la tête pour passer au-dessous des fenêtres. Elle avança courbée presque jusqu'à l'allée circulaire, devant la façade de *Windward*. Le chauffeur de l'amiral était vautré sur le siège avant de la limousine, la tête contre la portière. Hester resta sur la pelouse, derrière la voiture. En arrivant à la grille ouverte sur Kahala Avenue, elle se mit à courir. Elle refusait de s'embarquer avec sa mère, de rester avec sa mère. Elle ne pourrait pas être infirmière aux États-Unis. Il fallait qu'elle fasse sa pénitence ici, à Hawaï.

Dans le salon, l'amiral dit :

— Plus tôt vous arriverez à Pearl, mieux cela vaudra. Vous y serez en sécurité.

Mais Doris Ashley ne parvenait pas à se résigner.

— Si Hester s'en va, il ne peut pas y avoir de procès, dit-elle, choisissant *Windward*.

— Ils vous assigneront à comparaître. Cet avocat sera deux fois plus dur pour vous. Vous ne tiendrez pas sous ses attaques.

Doris Ashley se détourna, prête à fuir, mais l'amiral resta près d'elle et la suivit sur la terrasse. Quand elle parla, elle s'adressait, semblait-il, à la mer.

— Vous me dites de partir avec vous, de m'embarquer demain. Mon esprit ne peut pas l'accepter. Que deviendrai-je, sachant que je ne reverrai jamais *Windward* ? dit-elle en se tournant vers l'amiral. Tuez-moi, mettez fin à mes tourments.

— Je vais appeler vos servantes. Elles vous aideront à préparer vos bagages.

Ni l'amiral ni Doris Ashley n'avaient prononcé le nom de l'autre.

Deux heures plus tard environ, au commissariat central, Maddox, qui revenait d'un déjeuner tardif et solitaire, entendit son téléphone sonner au moment où il franchissait le seuil de son bureau.

— Le chef veut vous voir, capitaine, lui apprit l'agent en uniforme qui servait de secrétaire à Leonard Fairly. Tout de suite.

Maddox lança son chapeau sur le bureau. Il n'était pas entré dans le bureau du chef depuis le jour du meurtre de Joseph Liliuohé, quand Leonard Fairly avait remis Doris Ashley, le lieutenant et le matelot à la garde du commandant Saunders. Il avait aperçu le chef deux fois, au garage et dans le hall, mais chaque fois Fairly s'était détourné.

Le chef était assis à son bureau. Il leva les yeux mais ne salua pas Maddox, qui s'arrêta derrière un fauteuil et posa les coudes sur le dossier. Il était prêt à attendre ainsi jusqu'au lendemain matin.

— Nous avons un problème grave, dit Fairly. Hester Murdoch a disparu.

Maddox se sentit soudain très fatigué. Il contourna le fauteuil et s'assit.

— Encore celle-là ! Quand s'est-on aperçu de sa disparition ?

— A l'heure du déjeuner. Vers 1 heure.

— Elle est peut-être allée se promener à pied, dit Maddox. Elle a pu s'endormir dans un bois ou sur une plage. Elle a pu s'enfermer dans sa chambre parce qu'elle a envie d'être seule. Depuis l'automne dernier, elle n'a pas eu beaucoup de répit. Et puis elle a le crâne un peu fêlé.

— Elle a disparu, dit le chef. Laissez tomber ce que vous êtes en train de faire et trouvez-la. Le facteur temps est extrêmement important.

Maddox ne broncha pas.

— Qu'est-il arrivé au bureau des personnes disparues ? Pourquoi ne l'avez-vous pas mis sur l'affaire ?

— Parce que c'est *vous* que je charge de sa recherche, répondit Fairly en prenant son coupe-papier. Je vous ordonne de la trouver. Et de garder la chose pour vous. C'est confidentiel.

Maddox croisa les jambes.

— Hester Murdoch est partie. Je suis censé la retrouver très vite. Et bouche cousue. Vous devriez me mettre dans la confidence.

— Je vous ai dit qu'elle était partie, lança le chef en braquant le coupe-papier vers Maddox. Vous perdez du temps.

— L'un de nous deux perd du temps. Vous ne m'avez rien dit.

Il leva le bras d'un geste las, comme s'il voulait sortir un mouchoir de sa manche.

— Je vous ai dit qu'elle avait disparu ! cria le chef. Je vous ai dit de la retrouver ! Allez-vous obéir, oui ou non ?

Maddox se pencha en avant, comme un athlète épuisé sur un banc de vestiaire. Il se releva avec la même lenteur.

— Au lieu d'en faire un autre affrontement entre nous, soyez plus malin, dit-il. Si je pars maintenant, je vais prendre ma voiture et faire le tour de la ville en regardant les passants dans les rues... Hester Murdoch a filé. Pour quelle raison ? Le nouveau procès dont on parle dans les journaux ? Mais il ne commence que le 20 avril, pas demain. Il y a donc autre chose. Vous savez autre chose. Quelqu'un vous a appris qu'elle avait disparu. Qui ?... Quelqu'un vous a précisé que le facteur temps était important. Pourquoi ?... Et pourquoi est-ce confidentiel ?

Maddox s'arrêta.

— Alors, vous me déballez toute l'histoire ? dit-il.

De nouveau, il attendit.

— A votre guise.

Il se retourna et boutonna son veston.

— D'accord, oui, dit le chef. J'ai dit oui, répéta-t-il plus fort.

Maddox s'arrêta au coin du bureau.

— L'amiral m'a téléphoné.

Il lui exposa tout ce que lui avait appris l'amiral.

— Embarquement demain ? dit Maddox.

Le chef Fairly se leva et repoussa son fauteuil pour contourner le bureau.

— Personne ne doit le savoir. Je l'ai juré à l'amiral. Ce que vous venez d'entendre ne doit pas sortir de ce bureau.

— J'aurai besoin d'aide. D'au moins une personne.

Fairly garda le silence un instant puis capitula.

— Qui ?

— Al Keller.

— Vous avez confiance en lui ?

Maddox regarda le chef Fairly dans les yeux.

— C'est le seul homme de ce service en qui j'ai vraiment confiance.

Quand Keller arriva, Maddox était dans son bureau, penché au-dessus d'une carte étalée sur la longue table de bois. Maddox avait demandé au rouquin de ne pas venir en uniforme et il portait des vêtements de clochard qu'il avait adoptés pour la planque à Pacific Heights.

— Qu'est-ce qui se passe, capitaine ?

— Hester Ashley. Elle a filé.

— Elle essaie de fuir le nouveau procès ?

Maddox sourit.

— Vous ne deviendrez jamais chef, Al, lui dit-il. Vous n'êtes pas assez con. Autant que vous entendiez le reste tout de suite, dit-il en se relevant, le dos voûté par un point de douleur.

Quand il eut terminé, il replia la carte.

— Je prends tout ce qui se trouve en deçà du Punchbowl, dit-il. Vous vous occuperez de ce qui est à l'ouest. Nous couvrirons tous les hôtels, toutes les pensions de famille, tous les bouges à cent sous de la ville. Prenez votre voiture personnelle. Si elle a retenu une chambre quelque part, elle l'a fait sous un autre nom et elle a dû payer gros. Il vous faudra donc convaincre le type, ou la femme en face de vous, de se mettre à table. Convainquez-les. Si vous la trouvez, vous l'emmenez avec vous. Si vous avez besoin de menottes, utilisez des menottes. Et vous la ramenez ici, ajouta-t-il en frappant du poing sur la table. Ici.

Après le départ de Keller, Maddox ôta son veston, le lança sur la table et s'installa à son bureau. Il ouvrit l'annuaire du téléphone. Il était certain que personne ne lui mentirait quand il indiquerait son nom. Maddox commença par le Western Sky. Elle était assez idiote pour aller là-bas.

— Arnold Klemeth, dit Maddox et, dès qu'il eut le directeur-adjoint à l'appareil, il l'avertit : Gardez cela pour vous et ne me faites pas perdre mon temps en me posant des questions. Je recherche Hester Ashley Murdoch. Elle a pu se présenter à n'importe quelle heure cet après-midi.

— Je vous rappelle.

— Il faut que je le sache tout de suite. Secouez-vous.

En attendant, il tourna les pages de l'annuaire et inscrivit les numéros de téléphone des hôtels de Waikiki.

— Maddox ? Pas de chance, dit Klemeth. Aucune femme seule n'est venue à l'hôtel aujourd'hui.

— Très bien. Merci beaucoup.

— Maddox ? Aucune femme n'est venue, mais il y a un départ prévu. Je me suis dit que vous aimeriez l'apprendre au cas où vous voudriez dire *aloha*. Les Bergman s'en vont demain. Le vieux bonhomme m'a annoncé qu'ils allaient...

Maddox n'entendit pas le reste. Il baissa l'appareil et la voix de Klemeth devint un gargouillis monocorde. Maddox le remercia, puis raccrocha. Il semblait pétrifié. Il baissa les yeux sur les numéros qu'il venait de copier, mais il ne vit que Lenore. Il leva la tête et la vit. Elle était partout, son visage était partout. Il la voyait nettement. Il l'entendait... Elle disait : « Curt, Curt. » Doucement, en l'attirant vers elle, plus près, plus près. Maddox bondit de son siège, fit le tour de son bureau et se précipita vers la porte comme si on l'attaquait. Il sortit dans le couloir et se dirigea vers le distributeur d'eau en face de l'escalier. Il ne but pas. Il posa les mains contre le mur frais pour assurer son équilibre.

— Oh ! mon Dieu, dit-il à mi-voix.

Il regarda à gauche et à droite, craignant qu'on le surprenne ainsi. Il était seul. Il retourna dans son bureau à pas lents.

Il resta suspendu au téléphone, comme à une bouée de sauvetage, jusqu'à ce qu'il ait appelé tous les hôtels de la moitié orientale d'Honolulu. Il regarda la pendule. Plus de 5 heures. Il se leva, s'étira et se dirigea vers la grande table pour examiner la carte. Où était-elle donc ?

Maddox se rassit. Il appela les hôpitaux et les cliniques. Il appela la capitainerie du port pour demander si l'on avait signalé des noyades. Il appela le shérif du comté au cas où un adjoint aurait trouvé Hester dans la nature au-delà des limites de l'agglomération. Quarante-cinq minutes plus tard, il repoussa le téléphone en essayant de ne pas penser à Lenore. Al Keller ne tarderait pas. Le rouquin téléphona quelques minutes avant 6 heures.

— Je n'ai pas eu de chance, capitaine. Puis-je faire quelque chose d'autre ?

— Sans doute, mais je ne vois pas quoi. Revenez ici.

Maddox se pencha de nouveau sur le plan de la ville. Il le regarda, secoua la tête puis sortit du bureau pour retourner au distributeur d'eau fraîche. Cette fois, il se pencha pour boire.

Il se rassit parallèlement à son bureau, les yeux fixés sur le mur. En entendant la porte s'ouvrir, il se retourna. Keller venait d'entrer.

— Capitaine, cela va vous paraître idiot, mais avez-vous appelé le bureau des personnes disparues ?

— Les relations de la dame ne veulent pas de vagues. Le chef m'a recommandé de ne pas mêler le bureau. Pas d'autre idée ? demanda-t-il en tendant le cou pour essayer de chasser le point douloureux entre ses épaules.

Keller leva les bras et les laissa retomber.

— Si c'était un homme, j'aurais un ou deux endroits où chercher.

Maddox tapa sur son bureau du bout des doigts.

— Nous n'avançons pas, dit-il en se levant de son siège. Ah ! allons dans les cinémas.

Ils prirent la voiture de Maddox.

— S'il y a un balcon, nous commencerons par le balcon ; sinon, elle pourrait nous voir arpenter les allées de l'orchestre, prendre peur et filer. C'est la meilleure heure, l'heure du dîner. Les salles doivent être presque vides.

Il se gara juste devant le théâtre et plaça le carton POLICE derrière le pare-brise. Keller attendit que Maddox contourne la voiture, puis ils se dirigèrent ensemble vers la caisse et le hall d'entrée. Maddox montra son insigne au contrôleur.

— Y a-t-il un balcon ?

— Non. Seulement l'orchestre. Vous cherchez quelqu'un ? Vous croyez qu'il est à l'intérieur ?

— Continuez de faire votre boulot sans vous soucier de rien.

Maddox fit signe à Keller. Deux portes permettaient d'accéder à la salle, l'une à chaque angle du foyer.

— Nous entrons en même temps, dit Maddox en quittant le rouquin.

Une fois à l'intérieur, Maddox s'arrêta près de la porte en attendant que ses yeux s'habituent à l'obscurité. Sur sa gauche, au-delà de la partie centrale de la salle, Maddox vit Keller descendre lentement son allée. Maddox s'avança en regardant à gauche et à droite.

Keller arriva au premier rang et vit Maddox dès qu'il fit demi-tour. Il revint sur ses pas plus lentement à la hauteur de Maddox, dans l'autre allée. Ils sortirent de la salle et Keller se dirigea vers la rue.

— Al, lança Maddox en traversant le hall. Jetons un autre coup d'œil. Changeons de côté.

Comme ses yeux étaient davantage habitués à l'obscurité, Maddox ne marqua aucun temps d'arrêt. Keller restait toujours à sa hauteur, de l'autre côté du parterre central. Ils arrivèrent au premier rang en même temps, pygmées à côté des personnages gigantesques sur l'écran, puis ils se retournèrent pour repartir vers le foyer. Maddox était presque arrivé à la porte lorsqu'il effleura quelqu'un au passage. Un bras de femme pendait dans l'allée, par-dessus l'accoudoir. La femme était assise de côté, le visage caché sous son autre bras. Elle dormait. Maddox se pencha.

— Bonsoir, Hester.

Elle s'éveilla, la tête claire. Elle ne résista pas. Elle avait entendu l'homme dire : « Je suis le capitaine Maddox... »

Une fois installée dans la salle, tout en regardant les pantalonnades des acteurs — c'était une farce d'étudiants —, Hester avait vite compris le caractère vain de toute tentative de fuite. Elle ne pourrait pas échapper à sa mère à Honolulu. Mais il lui suffirait d'attendre que le bateau accoste en Amérique, où que ce soit. Elle abandonnerait sa mère sur le quai, demanderait l'adresse de l'hôpital le plus proche et s'y rendrait à pied. Tandis que le public épars dans la salle riait de la grosse farce, Hester s'était mise à pleurer de soulagement puis, épuisée, s'était endormie...

Il était presque 20 heures quand Maddox s'engagea sur le parking du commissariat central.

— Eh bien, à demain, capitaine, lança Keller en se dirigeant vers sa voiture.

— Ah !

Le rouquin s'arrêta et se retourna. Maddox se trouvait dans la tache de lumière devant les portes du commissariat. Keller s'avança vers lui. Le capitaine avait l'air vraiment épuisé.

— Vous voulez quelque chose, capitaine ?

Keller attendit.

— Rien ne presse, dit-il, puis il attendit encore. Capitaine ?...

— Vous compterez vos heures supplémentaires, dit enfin Maddox.

Le rouquin ne pouvait pas l'aider. Maddox poussa l'une des portes et affronta l'odeur forte du commissariat. Personne ne pouvait aider Maddox parce que personne n'était « dans le coup » avec lui. Partout où il irait dorénavant, il serait seul.

Dans son bureau, Maddox téléphona au chef Fairly, chez lui, pour lui signaler qu'il avait remis Hester entre les mains de l'amiral. Il raccrocha puis il repoussa son chapeau en arrière sur sa tête.

— Le spectacle est terminé, dit-il à haute voix, comme s'il espérait s'en convaincre.

Il resta dans son fauteuil, les yeux fixés sur la porte comme s'il y avait des lettres de feu sur le panneau de bois, ou au-delà dans le couloir : des mots profonds, d'une importance capitale et qu'il était le seul à pouvoir comprendre.

— Eh bien, rentre donc chez toi ! lança-t-il tout fort, furieux contre lui-même.

Il leva les mains et les posa sur les accoudoirs du fauteuil comme un homme qui a pris sa décision, mais il ne bougea pas. Il resta assis en face de la porte pendant presque trois heures.

Il regarda défiler sous ses yeux tous les jours de sa vie. Il se souvint du moment où Harvey Koster l'avait découvert dans l'entrepôt et de la première fois où il avait entendu quelqu'un prétendre qu'il était en réalité le fils de son bienfaiteur. Harvey Koster le savait et maintenant Lenore le savait aussi. Maddox était le fils d'une prostituée, le fils d'une putain. Il faisait partie des bannis longtemps avant de fuir sa mère. Il était *haolé*, d'accord, il vivait dans le monde des *Haolés,* mais Maddox ne s'était jamais laissé abuser.

— En réalité, tu n'es jamais sorti du trou, dit-il à haute voix.

Ensuite, il ouvrit l'annuaire du téléphone. Il tourna de gros paquets de pages puis s'arrêta, tourna une seule page, puis une deuxième. Il se pencha sur les petits caractères en suivant de l'index gauche la colonne des noms. Il s'arrêta, le doigt sur la colonne, et recopia le numéro avec sa main droite. Il referma l'annuaire tout en se levant. Soudain, il était pressé.

Il traversa le hall sombre d'un pas vif et entra dans la cabine publique. Il glissa une pièce dans la fente mais ne regarda pas le numéro qu'il avait copié. Il le savait par cœur. Il entendit une sonnerie, puis une autre. Après la cinquième, Maddox entendit un « Allô ! » endormi. Pour être certain, il attendit.

— *Allô !* répéta la voix.

— Ici Maddox. J'arrive. Je suis au commissariat central et je pars tout de suite. Mettez-vous quelque chose sur le dos et rappliquez dehors dans une dizaine de minutes.

Maddox raccrocha, respira à fond une fois, deux fois, soupira lentement et dit :

— Ouais....

Quand il sortit de la cabine pour se diriger vers le parking où l'attendait sa voiture, Curt Maddox laissait derrière lui — consciemment et dangereusement — toute sa vie passée.

Il se dirigea vers le Punchbowl. En arrivant à Papakoléa, il s'arrêta à un coin de rue et se pencha par la portière pour lire le nom de la rue. Il n'était pas très sûr de la direction, et il tourna à gauche, un peu au hasard. Il s'arrêta au carrefour suivant : il était de nouveau en terrain connu. Il tourna encore à gauche et, deux rues plus loin, à droite. Il freina. Presque toutes les maisons étaient plongées dans l'obscurité et il n'y avait pas d'éclairage public. En arrivant à la hauteur de la rue suivante, il vit l'avocat surgir dans la lumière des phares, face à la voiture. Maddox traversa la rue, s'arrêta et éteignit ses lumières.

Maddox repoussa son chapeau en arrière. Jamais, même dans son enfance, quand il vivait dans les rues et les terrains vagues, comme un paria, il ne s'était lié avec l'un d'*eux*. Jamais il ne s'était assis à la même table que l'un d'*eux*. Jamais il n'avait adressé la parole à un Hawaïen ou à l'un des « autres », excepté dans l'exercice de sa profession — à un agent, un témoin ou un suspect. Il achetait ses vêtements à des *Haolés*. Son médecin et son dentiste étaient des *Haolés*. Son coiffeur et son garagiste étaient des *Haolés*. Mais, quand l'avocat arriva à la hauteur de la petite conduite intérieure, Maddox se pencha sur le siège et ouvrit la portière.

— Montez.

Maddox se remit au volant. Tom Haléhoné resta debout sur la chaussée de terre battue, près de la portière ouverte, à deux mètres de la voiture.

La vue de Maddox, de la voiture noire, banalisée mais de mauvais augure, les souvenirs déchirants que faisait resurgir le capitaine, révoltaient Tom. Maddox demeurait pour lui une créature puissante et maléfique, prête à détruire tout être humain passant à sa portée. Tom le haïssait et s'en voulait de ne pouvoir surmonter la peur que l'autre lui inspirait.

— Pourquoi m'avez-vous appelé ? Pourquoi êtes-vous venu ? lança Tom en élevant peu à peu la voix. Vous croyez sans doute que *nous* avons tué Gerald Murdoch ? Vous avez peut-être déniché un *nouveau* témoin, quelqu'un qui a vu quatre types sortir de l'eau pour éventrer son bateau !

D'abord dans l'*Islander,* puis dans la première édition de l'*Outpost Dispatch,* Tom avait appris la disparition de Gerald.

— Vous faites trop de bruit, répondit Maddox. Montez.

— Dites-moi pourquoi vous êtes venu.

— Si vous ne montez pas... Et puis, comme vous voudrez.

Il n'était pas venu pour se bagarrer avec ce jeune homme. Il était à Papakoléa à cause d'un autre combat : entre lui-même et lui-même ; un conflit qu'il ne pouvait plus ignorer, oublier, étouffer, réprimer ; une situation dont il ne pouvait plus s'accommoder ; un problème à résoudre et à résoudre de suite, ce soir, ici. Maddox aurait suivi l'avocat jusqu'en haut d'un poteau télégraphique. Il ôta son chapeau, passa sur l'autre siège et descendit de voiture. L'avocat portait des sandales, un vieux pantalon de coton aussi collant que des bandes molletières et un tricot de corps. Il était affreusement maigre. Un vrai courant d'air. « Tu t'es trouvé un drôle de partenaire ! » se dit Maddox.

— Vous êtes au courant de ce qui est arrivé à Murdoch, mais vous ne savez pas tout. Vous êtes en train de perdre Doris Ashley. Elle s'embarque demain pour San Francisco avec Hester, à bord du *Lotus.*

— *Elles ne peuvent pas !* cria Tom, suffoqué par cette nouvelle qui signifiait une defaite définitive. *Elles ne peuvent pas !* lança-t-il comme si sa protestation, dans les rues sombres de Papakoléa, allait arrêter les deux femmes dans leur fuite.

— Elles sont déjà en sécurité, aussi en sécurité qu'à mi-chemin des États-Unis, dit Maddox. Dès qu'on lui a annoncé la date du procès, l'amiral a pris les choses en main. Il les a emmenées à Pearl. Il reste à peine quinze ou seize heures pour les arrêter. Je ne suis pas sûr que vous puissiez les arrêter, en tout cas seul.

— Je vais les assigner à comparaître. Toutes les deux. Doris Ashley et Hester Murdoch.

— Vous avez besoin de la signature d'un magistrat. J'en connais plusieurs, dit Maddox. Et il faudra commencer tôt.

Pour la première fois, il offrait son aide à l'un d'*eux.*

— D'accord, dit Tom, et il se détourna.

Maddox le regarda pendant un moment puis contourna sa voiture par l'arrière pour se remettre au volant. Le jeune Hawaïen était quelque part dans l'ombre, Maddox ouvrit la portière.

— Capitaine !

Maddox essaya de percer les ténèbres devant lui.

— Attendez, capitaine...

Il entendit Tom s'avancer puis il le vit. Le boiteux qui ne pouvait pas courir arrivait en courant. Lorsqu'il s'arrêta près de la voiture, bien qu'il n'eût franchi que vingt mètres, Tom Haléhoné avait fait autant de chemin que Maddox.

— Merci, dit-il.

Maddox dévisagea l'avocat. C'était vraiment l'avorton de la portée. Mais Maddox se souvint de lui devant le juge d'instance : il avait tanné la peau de Phil Murray et fait réduire la caution des quatre adolescents qu'Hester Murdoch avait identifiés. Maddox avait appris que la princesse avait avancé la caution. Ensuite, il avait observé l'avocat en audience pendant le procès du viol d'Hester. En fait, c'était à cause de ce gamin, de ce Tom Haléhoné, que Maddox se trouvait à Papakoléa. Une ligne divisait l'île, passait au milieu du Territoire comme une frontière séparant deux pays, et il fallait l'effacer. Maddox était certain que, si cette ligne n'était pas détruite, il y aurait bientôt d'autres victimes que Joseph Liliuohé et Gerald Murdoch. Et il sentait que jamais ce changement ne se produirait si l'on n'aidait pas un peu les jeunes comme ce petit boiteux en tricot de corps. Ce gamin valait bien dix Martin Snelling et, avec un peu d'aide, il pourrait finir au palais Iolani un jour.

— Merci, capitaine, répéta Tom.

Maddox regarda droit devant lui et Tom eut l'impression d'être repoussé dans un coin.

— Ne me laissez pas tomber, lança Maddox.

Et Tom comprit qu'il ne parlait pas seulement du lendemain mais de bien davantage.

Ce qu'il venait de dire serait valable durant toute l'existence de Tom.

Le samedi matin, Lenore s'éveilla avant le jour. Elle se leva aussitôt et alluma les lumières de sa chambre et de sa salle de bains. Elle ouvrit les robinets de la baignoire et, le temps que son bain coulait, elle posa ses valises sur le lit et les ouvrit. Elle se baigna rapidement, enfila son peignoir et vida la petite armoire de toilette. Elle ferma les couvercles, vissa les bouchons, puis rangea les pots, les flacons et les tubes dans son nécessaire de voyage. Elle aperçut les premières lueurs du jour au coin des rideaux et elle les écarta pour ouvrir les portes de sa terrasse. Le soleil levant était caché par des nuages, mais la surface de la mer semblait couverte d'une pellicule de feu.

Elle se détourna, incapable de rester sans rien faire, de laisser son esprit libre. Elle se dirigea vers sa commode, choisit des bijoux pour la journée : une bague et un collier. Elle dénoua son peignoir et ouvrit la porte de la penderie. Elle voulut prendre une robe mais son bras retomba. Elle avait porté cette robe-là avec Curt. Elle posa la main sur une autre, mais elle l'avait également portée au cours d'un rendez-vous. Elle en saisit une troisième, bien décidée à la passer — jusqu'au moment où elle la sortit de la penderie. A la lumière de la terrasse, elle la reconnut : c'était la préférée de Curt. Elle revint sur ses pas, comme une aveugle, serra la robe entre ses poings contre sa poitrine et s'effondra dans un fauteuil en sanglotant. Elle n'entendit pas le premier coup discret frappé à sa porte.

— Lenore ?

Elle vit la porte s'ouvrir et bondit du fauteuil.

— Une minute !

Elle se précipita dans la salle de bains et accrocha le cintre de la robe à une patère. Elle fit couler l'eau froide et se mouilla les joues. Quand elle repassa dans la chambre pour faire entrer Walter Bergman, elle se croyait en sécurité derrière son masque.

— J'ai remarqué de la lumière sous ta porte, je me suis dit que tu étais réveillée.

Il s'aperçut au premier regard que Lenore avait pleuré. Il était entièrement habillé.

— Je suis prêt, dit-il. Prêt à partir. Je piaffe, comme on dit. Nous pourrons filer dès que tu seras prête, Lenore. Le plus tôt sera le mieux.

— Ce matin ? Je n'ai pas fait mes bagages !

— Je vais demander à quelqu'un de t'aider, répondit-il aussitôt. Je te bouscule pour une raison. Deux raisons, en fait. D'abord, je préférerais éviter les journalistes aujourd'hui. Ensuite et en prime, le capitaine du *Lotus* a envoyé un message : il nous invite à déjeuner.

Bergman mentait. Il était allé voir le capitaine le jeudi pour lui annoncer son intention d'embarquer de bonne heure et il avait parlé du déjeuner jusqu'à ce que l'officier l'invite. Bergman croisa les mains derrière le dos.

— Ce ne sera pas la kermesse à laquelle nous avons été soumis pendant la première traversée, dit-il. Nous serons seuls avec le capitaine dans sa cabine, si je ne me trompe. Je me suis dit que cela te plairait.

Lenore fut incapable de lui répondre. Elle était mal à l'aise, elle se sentait coupable. En face d'elle, sur le seuil de sa chambre, se trouvait un homme qu'elle connaissait depuis sa tendre enfance, un homme qu'elle avait vu presque chaque jour de sa vie, sauf pendant ses années de faculté. Et cet homme avait été pour elle un père, puis un époux. Il était *son* époux. Elle savait qu'ils allaient partir de l'hôtel ensemble, embarquer ensemble, quitter ensemble Honolulu et Curt, rentrer à la maison, dans *leur* maison. Lenore savait qu'elle conserverait pour lui la même affection que dans le passé. Elle viendrait lorsqu'il l'appellerait, ferait ce qu'il lui demanderait, mais elle venait de découvrir, à l'instant, dans l'hôtel qu'ils quittaient, qu'elle n'avait rien à lui dire. Elle recula comme si un inconnu était apparu devant elle. Elle parvint à hocher la tête, pour lui indiquer qu'elle avait bien enregistré le rendez-vous avec le capitaine du *Lotus,* puis elle ferma la porte.

Le claquement de la porte rassura Bergman. Il se dirigea vers le téléphone près de son lit et appela la réception. Il demanda à l'employé d'envoyer une femme de chambre aider son épouse, puis il sonna le garçon d'étage. Il commanda un petit déjeuner copieux et varié, qui permettrait à Lenore de choisir. Il n'avait pas envie de s'asseoir à ses côtés dans la salle à manger pendant une heure ou plus — Maddox avait peut-être décidé d'y prendre son petit déjeuner.

COM-14 A MINMAR. SUJET : NOUVEAU PROCÈS. MENACE NULLE. TÉMOINS EMBARQUÉS ÉTATS-UNIS SANS RETOUR A BORD LOTUS. LANGDON.

Dans son bureau de Pearl Harbor, l'amiral relut le câble qu'il venait de rédiger en lettres majuscules. Il le glissa dans le tiroir de son bureau. Il ne l'enverrait qu'au moment où le *Lotus* aurait congédié le pilote du port. L'amiral avait l'intention de rester à bord jusqu'au départ du pilote. Il se leva puis revint à son bureau avec une carte. Il était en train de la déplier quand on frappa à la porte. Il traversa la pièce d'un pas vif. Il se sentait déjà beaucoup plus jeune que la veille.

— Bonjour, Jimmy.

Comme l'amiral, Jimmy Saunders était en uniforme blanc impeccable et portait un baudrier de cuir blanc avec un automatique 45 dans son étui.

— Je ne vous ai pas laissé beaucoup de repos, Jimmy.

— Je suis content de pouvoir rendre service, amiral. Tout sera terminé ce soir.

— C'est la raison de votre présence. Nous devons absolument nous assurer que tout sera bien fini. Nous allons étudier ensemble le fil des événements entre le moment où nous quitterons Pearl et celui où le paquebot prendra la mer.

Il entraîna Saunders vers son bureau. Le commandant vit la grande carte en couleurs d'Oahu.

— Je veux que nous levions l'ancre à 9 heures.

— Nous serons prêts, amiral. Mes hommes sortiront de la cantine à 7 heures. Le convoi pourra prendre la route cinq minutes plus tard.

— Votre convoi partira mais vous ne serez pas à bord, dit l'amiral. Vous serez avec moi. Avec les deux passagères, dans ma vedette rapide. C'est *nous* qui les conduirons à bord du *Lotus*. Vous et moi. Elles embarqueront par la mer. Je ne veux pas les laisser dans les rues de cette ville. Elles ont déjà quitté Honolulu.

L'amiral prit un crayon gras à grosse mine et se pencha sur la carte. Il traça une croix sur la tour Aloha. Il en dessina une autre à l'entrée de la baie de Pearl Harbor et il réunit les deux croix par un grand arc de cercle.

— Combien aviez-vous de vedettes de patrouille en mer la nuit dernière, Jimmy ?

— Elles sont encore aux ordres, amiral. Huit.

— Elles nous escorteront, dit Glenn Langdon. Cette opération se déroulera sans accroc.

Tom sortit de sa chambre d'un bond, pieds nus et en short. Il était certain d'avoir dormi trop longtemps. Après le départ de Maddox, la veille au soir, il était resté éveillé pendant des heures : les révélations du capitaine l'avaient plongé dans un tourbillon de pensées. Hester et Doris Ashley s'enfuyaient ! Elles avaient tué Joe, elles avaient marqué les trois autres garçons pour la vie, mais elles disparaîtraient à jamais s'il ne parvenait pas à empêcher leur évasion. Il fallait qu'il les arrête ! Il était allé chercher sa serviette et il avait traversé la maison sombre en espérant gagner la cuisine sans éveiller ses parents. Il s'était installé à table pour faire la liste de tous les juges dont il se rappelait le nom, puis il avait recopié dans l'annuaire les numéros de téléphone des magistrats de sa liste. Il ne se souvenait plus qu'il s'était recouché et, quand il s'éveilla, il crut que le bateau avait déjà appareillé.

— Quelle heure est-il ?

— Tôt, répondit sa mère.

Le père de Tom était parti depuis longtemps sur la plage avec sa canne à pêche et son seau d'appâts.

— Même pas 8 heures et nous sommes samedi. Va donc te recoucher, dit sa mère.

Il se précipita dans sa chambre, enfila son pantalon et revint dans la cuisine avec sa serviette. Sa mère ébaucha un sourire.

— Est-ce qu'un « client » est venu ? demanda-t-elle.

Elle avait si souvent répété ce mot magique qu'il faisait désormais partie de son vocabulaire. Tom secoua la tête. Il apporta une autre chaise près du téléphone et y posa sa serviette ; elle lui servirait de bureau.

— Je n'ai pas de client, dit-il. C'est...

Il s'interrompit. Il la vit se détourner comme s'il l'avait giflée.

— Maman ! Maman !

Il traversa la cuisine en courant, lui prit le bras et la força à se retourner.

— Je n'aurais pas dû t'embêter, dit-elle.

Il eut envie d'implorer son pardon.

— C'est au sujet du nouveau procès, dit Tom.

Il n'avait pas le temps ! Il était en train de perdre du temps.

— Je t'expliquerai plus tard, promit-il. Ce soir ou demain.

Il l'embrassa sur la joue et sentit qu'elle posait les mains sur ses bras, incapable de s'en empêcher.

— Quand ton père sera revenu. Il aime écouter, lui aussi, dit-elle.

Tom revint près du téléphone et appela le juge Neil Ostergren, qui présiderait le nouveau procès. Pas de réponse. La meilleure chance de Tom était donc exclue d'emblée. Tom donna à la standardiste le numéro personnel du juge Samuel Walker.

— Qui est à l'appareil ? demanda l'épouse du magistrat. Il est en train de camper à Maui, expliqua-t-elle à Tom lorsqu'il lui eut donné son nom. Il ne reviendra que la semaine prochaine.

A l'instant où Tom raccrocha, le téléphone sonna.

— Vous avez réussi ? demanda Maddox.

Maddox était assis sur son lit, habillé de pied en cap, y compris l'arme dans son étui.

— Je viens juste de commencer, dit Tom.

— Je viens juste de terminer. Oubliez ces types-là...

Il donna à Tom les noms des magistrats qu'il avait appelés. Il avait commencé à 7 heures du matin et il en avait délogé plusieurs de leur lit. Il se leva sans lâcher l'appareil et resta debout devant la table de nuit, les yeux fixés sur le téléphone comme s'il interrogeait un suspect.

— Prenez mon numéro. J'attendrai le temps qu'il faudra.

Maddox se rassit sur le lit. Pendant un instant, il garda le téléphone à la main, puis il le posa sur la table de nuit. Il regarda la pendulette à côté de l'appareil, puis sa montre-bracelet. Il sortit de la chambre et traversa la maison jusqu'à la porte d'entrée. Il traversa la pelouse en courant pour ramasser, dans son allée, le numéro roulé de l'*Outpost Dispatch*. Il rentra dans la maison et se mit à faire les cent pas en faisant claquer le journal contre sa cuisse, l'oreille tendue au cas où le téléphone sonnerait. Il ne pouvait pas s'empêcher de regarder sa montre toutes les deux minutes.

A Papakoléa, Tom essaya un autre juge. Il refusa de lancer les assignations à comparaître. Le magistrat suivant refusa aussi. Tom regarda la pendule et appela un autre numéro. Il ne lui restait que deux noms sur sa liste quand Sarah entra en coup de vent.

— Ton numéro sonne occupé depuis une heure !

La mère de Tom, qui avait aperçu la décapotable, entra dans la cuisine.

— Sarah ! Cómme vous êtes belle !

— Je suis au téléphone ! lança Tom comme si les deux femmes participaient elles aussi à la conspiration contre lui.

Il était presque 9 heures ! Il appela un des deux derniers juges de sa liste. Sarah s'avança près de lui. En entendant le magistrat refuser de lancer les citations à comparaître, la jeune femme comprit tout.

— Elles ne peuvent pas partir ! Comment sais-tu qu'elles s'en vont ?

Tom lui raconta rapidement sa rencontre avec Maddox la veille au soir. Sarah le regarda comme s'il était passé à l'ennemi.

— Le capitaine Maddox ! cria-t-elle, folle de rage. *Maddox !* Est-ce que tu as oublié...

Il se leva, lui coupant la parole.

— Je n'ai rien oublié.

— C'est l'un d'*eux.*

— Pas depuis hier soir, répondit Tom, espérant l'apaiser. Sarah...

Il tendit les bras vers elle. Il avait encore un nom sur sa liste.

— Pourquoi le capitaine Maddox s'intéresse-t-il soudain à ca ? lança Sarah.

— Il s'y intéresse. Il est venu me voir parce qu'il s'y intéresse.

Il se rassit pour téléphoner au dernier magistrat de sa liste. Sarah entendit Tom supplier, puis le vit baisser lentement la tête, comme accablé par un fardeau trop lourd. Elle le vit raccrocher et ranger le bloc dans sa serviette.

— Je croyais pouvoir les arrêter, dit-il.

Quand il se redressa, elle eut envie de le serrer dans ses bras.

— Je ferais mieux de m'habiller...

Mais il resta debout entre les deux chaises.

— Il faut que j'appelle le capitaine Maddox, dit-il en se rasseyant.

Il leva les yeux vers Sarah.

— Je n'avais besoin que d'un homme. Un seul homme qui n'ait pas peur du gouverneur, de Doris Ashley, d'Harvey Koster et du reste.

Tom n'avait pas le droit de renoncer. Il téléphona à Philip Murray.

Pas de réponse à son domicile. Il appela Leslie McAdams et celui-ci lui apprit que le procureur de district était sorti en mer dans son cotre, avec sa femme.

— Personne ne vous a jamais enseigné à vous détendre ? demanda McAdams.

— Hester Murdoch s'embarque aujourd'hui ! répondit Tom. Elle part pour de bon. Avec sa mère. Je vais perdre mon procès parce que je n'ai pas réussi à trouver dans toute la ville un seul et unique magistrat assez indépendant et intègre pour avoir le cran de respecter le serment qu'il a prononcé !

— Quels salopards ! répondit McAdams. Retrouvons-nous au palais. Quels salopards !

Tom raccrocha et, de nouveau plein d'espoir, se tourna vers Sarah.

— Veux-tu me conduire en ville ?

Il sortit de la cuisine en courant, puis s'arrêta devant sa mère et pivota brusquement.

— Le capitaine Maddox !

En entendant la sonnerie, Maddox lança le journal roulé sur le sofa et se précipita. Il était dans sa chambre à la fin de la première sonnerie.

— Tom Haléhoné à l'appareil.

— Bon ou mauvais ? demanda Maddox.

— J'ai rendez-vous avec Leslie McAdams au palais. Il va m'aider.

— Ouais...

— Capitaine ?

— Je suis là... Je vous appellerai au palais.

Il éteignit la lampe de chevet et traversa la maison, de la salle de bains à la cuisine, en éteignant toutes les lumières. Il passa de pièce en pièce lentement, comme s'il cherchait quelque chose, puis il s'arrêta pour prendre son chapeau sur le dossier d'une chaise dans le salon. Dehors, il s'arrêta de nouveau à côté de sa voiture pour ouvrir la portière et baisser la glace avant d'entrer. Il sortit de son allée en marche arrière, puis ralentit et enfonça son chapeau sur ses yeux pour se protéger du soleil.

— Bonne chance ! dit-il en songeant à Tom et à Leslie McAdams. Bonne chance...

Il était presque 9 heures et demie quand Sarah et Tom arrivèrent au palais de justice. Sarah descendit de la décapotable en même temps que Tom.

— Tu vas être en retard à ton travail...

— Je veux rester près de toi aujourd'hui, répondit-elle.

Tom lui prit la main et ils s'élancèrent dans la petite rue latérale.

Leslie McAdams attendait dans les bureaux du procureur, debout à côté du siège d'une secrétaire.

— Voici la liste de tous les magistrats du comté, dit-il. Cochez ceux que vous avez déjà appelés et nous nous partagerons le reste. Bonjour, lança-t-il à la jeune femme.

Ils s'installèrent à des bureaux voisins et se mirent à téléphoner à chaque magistrat du parquet d'Honolulu. Certains ne répondaient pas. D'autres étaient sortis et leurs femmes ou leurs enfants prenaient le message urgent, désespéré. Parmi ceux qui répondaient en personne, certains se montraient laconiques, d'autres présentaient des excuses à n'en plus finir. Mais tous refusèrent de lancer les assignations à comparaître.

— Il faut renoncer, dit Leslie McAdams.

Il était près de 11 heures. Il prit la liste des magistrats, les yeux plissés comme s'il examinait un manuscrit ancien, rare et précieux.

— Si quelqu'un m'avait affirmé que je ne pourrais pas trouver dans cette ville un seul homme qui accepte de mettre son nom en bas d'une assignation, je lui aurais cassé la gueule, dit McAdams.

Il lança la liste, qui tournoya comme une feuille morte. Le substitut du procureur braqua l'index vers Tom.

— Est-ce que vous avez appelé le juge Kesselring ?

— Personne chez lui.

Leslie McAdams se pencha pour ramasser la liste et, tandis qu'il cherchait le numéro personnel de Geoffrey Kesselring, un téléphone sonna. C'était celui du bureau le plus proche de la porte. Tom, Leslie et Sarah se précipitèrent. La jeune femme arriva la première, décrocha et tendit l'appareil à Tom.

— De la chance ? demanda Maddox.

— Nous allons essayer de rappeler le juge Kesselring... Le capitaine Maddox, ajouta-t-il tout bas à l'intention de Sarah et de McAdams.

— Qu'a-t-il dit la première fois ?

— Il n'était pas chez lui.

— J'attends au bout du fil.

Maddox utilisait un téléphone public mural, dans un restaurant. La cuisine était ouverte et les odeurs s'échappant des fourneaux étaient hypnotiques.

La standardiste lui dit :

— Vos trois minutes sont écoulées. Indiquez-moi quand votre correspondant reviendra en ligne.

Presque aussitôt, il entendit la voix de Tom :

— Pas de réponse.

— Ouais... Ne bougez pas, dit Maddox. Restez où vous êtes, au palais.

Il ne voulait pas que Tom ou quiconque lui fasse perdre une minute de plus. Maddox glissa une autre pièce dans la fente, comme le lui ordonnait la standardiste, puis quitta le restaurant. Il était sur Kalakau Avenue, à cent mètres du Western Sky.

— Est-ce que je l'avais prévu ?

Il fit demi-tour sur l'avenue, ce qui était interdit, et, lorsqu'il redressa sa voiture, l'hôtel se trouva sur sa droite. A travers les murs, il vit la suite où Lenore et Bergman étaient en train de boucler leurs bagages, ou bien d'attendre un porteur, à côté de leurs malles fermées, ou bien de suivre un groom dans les corridors, ou dans l'ascenseur, ou de descendre de l'ascenseur, de traverser le hall, de sortir de l'hôtel, de s'embarquer sur le bateau, de partir aux États-Unis, de partir pour toujours... Maddox marmonna quelques mots inintelligibles, très bas, d'une voix désespérée, puis s'engagea dans l'allée curviligne de l'hôtel et passa devant la queue des taxis. Il s'arrêta, klaxonna derrière lui et vit le portier en uniforme de l'hôtel descendre les marches quatre à quatre en lui adressant de grands gestes. Maddox glissa la pancarte POLICE derrière le pare-brise.

— Vous avez de la place là-bas, cria le portier.

— Touchez à cette voiture et je m'occuperai personnellement de vous, répondit Maddox en s'élançant sur les marches, vers le hall.

Lenore pouvait franchir ces portes à tout instant. Que lui dirait-il ?

Il entra dans le hall. Elle n'y était pas. Il se dirigea vers les ascenseurs. Il n'avait plus qu'une chance : le palier de l'étage. Il sortit de l'ascenseur. Il n'aurait pas dû s'arrêter, mais il s'arrêta. Il n'aurait pas dû se retourner, mais il se retourna et, au même instant, la porte de la suite s'ouvrit. Il leva la main à son chapeau. Il n'avait jamais fui devant quiconque, et il baissa le bras, le chapeau à la main — une femme de chambre sortit de la suite de Lenore avec une brassée de linge sale.

— Ils sont partis aussitôt après le petit déjeuner, dit-elle.

Maddox se retourna, plus pressé que jamais. Il longea le couloir jusqu'à l'autre bout et s'arrêta à la porte de l'autre suite d'angle, du côté de la mer. Il frappa à la porte, oubliant la sonnette, et, quand il baissa la main, il entendit la princesse :

— C'est ouvert.

Elle était allongée sur le sofa, dans le salon, avec le téléphone sur le tapis à côté d'elle, près de sa canne.

— J'aurais dû fermer à clé, dit-elle en voyant apparaître Maddox sur le seuil. La dernière fois, vous avez eu la décence de téléphoner.

Elle n'avait pas oublié l'intrusion de Maddox le soir où l'amiral avait décrété le couvre-feu.

— Vous auriez refusé, dit Maddox.

— Je refuse de toute façon. Quoi que ce soit.

Maddox ne bougea pas.

— Décampez. Vous avez gagné, non ? lança la princesse.

— Toujours le même refrain. *J'ai* gagné... Je ne suis pas ici pour croiser le fer avec vous, dit-il, plus fort. Vous pouvez marcher ?

— Je ne me suis pas envolée de mon lit. Filez, Maddox. J'en ai jusque-là de vous. De vous et de tout le monde dans cette ville. Je veux retourner dans mon ranch. J'y suis bien et c'est chez moi.

— J'ai besoin de votre aide, répondit Maddox. *Nous* avons besoin de votre aide. Tom Haléhoné et moi.

La princesse prit sa canne à deux mains et dévisagea Maddox.

— Vous et Tom, dit-elle, et Maddox comprit qu'elle l'accusait de mentir.

— Écoutez...

Il lui raconta tout ce qui s'était produit depuis que le chef de la police lui avait ordonné de retrouver Hester Murdoch. Il parlait d'un ton pressant, sans s'interrompre.

— Nous avons besoin de deux assignations à comparaître, conclut-il. Et il nous les faut très vite.

— Qu'est-ce qui vous fait croire que je puisse vous les obtenir ?

— Il ne nous reste personne d'autre. Peut-être n'y parviendrez-vous pas ; mais, dans ce cas, Doris Ashley et sa garce de fille quitteront l'île au coucher du soleil.

— Vraiment original, dit la princesse. On m'a déjà demandé bien des choses, mais jamais une assignation à comparaître.

Maddox avait envie de la tirer de son sofa.

— Le temps presse !

La princesse posa par terre son pied valide et, en prenant appui sur sa canne, parvint à s'asseoir.

— N'ayez pas trop d'espoir, Maddox.

Il s'écarta et fit le tour de la table basse.

— Je vais vous aider.

La princesse l'arrêta, la canne levée.

— Vous feriez mieux de descendre pour me héler un taxi.

Maddox glissa la main dans sa poche et la ressortit avec son insigne.

— Les taxis n'ont pas ceci.

— Vous risquez de ne pas apprécier l'endroit où nous allons.

Maddox écarta la canne.

— Il y a là-bas un paquebot prêt à appareiller.

La princesse se pencha pour ramasser le téléphone par terre, puis elle le posa sur ses genoux. Elle leva les yeux vers Maddox.

— Je vous ai prévenu.

Et sans le quitter des yeux, elle donna un numéro à la standardiste de l'hôtel.

Les doigts de Maddox se crispèrent sur son insigne. Il sentit le relief du métal dans sa main.

— Harvey? Je viens vous voir... Vous le découvrirez à mon arrivée, dit la princesse au téléphone.

Elle reposa l'appareil par terre et se tourna vers Maddox.

— Maintenant, vous pouvez m'aider.

Harvey Koster raccrocha l'appareil et se dirigea vers l'escalier. Il se déplaçait sur le parquet sombre ciré de sa demeure à petits pas rapides, comme un de ces minuscules oiseaux des plages qui sautillent sur le sable. Il monta l'escalier quatre à quatre, presque caché par la rampe monumentale. Il courut jusqu'à sa chambre et appuya sur le bouton, à côté du miroir de son dressing-room. Le miroir pivota et les lumières du plafond s'allumèrent. Koster franchit le seuil, en sécurité au milieu de ses adorables créatures. Elles lancèrent une telle clameur, chacune exigeant son attention personnelle et exclusive, qu'il fut contraint de protester.

— Je vous en prie ! Silence tout le monde !

Mais elles insistèrent et Koster se rendit compte qu'on était samedi, qu'elles avaient attendu leurs vacances toute la semaine. Elles étaient incorrigibles et Koster dut se montrer sévère et leur parler sèchement.

— Ce n'est pas l'heure de la fête, dit-il et, comme le tumulte continuait, il tapa dans ses mains.

Il ne pouvait pas se faire entendre au milieu de leurs cris. Il prit une décision radicale. Il éteignit les lumières, puis les ralluma.

— Êtes-vous disposées à vous montrer raisonnables ? Je l'espère. Vous aurez votre fête. *Je vous promets que vous aurez votre fête.* Mais plus tard. Maintenant, j'ai besoin de votre aide. Je suis venu vous demander votre aide.

Il s'assit sur son tabouret pour réfléchir calmement et découvrir une raison à l'appel de la princesse. Il cherchait encore quand retentit dans toute la maison l'alarme qu'il avait fait installer après la précédente visite de la princesse. Il se leva.

— Je vous raconterai tout ! promit-il.

Il attendit dans le dressing-room que le miroir se soit remis en place. L'alarme sonna de nouveau tandis qu'il descendait l'escalier.

— Bonjour, Lu.

— Bonjour, Harvey.

La princesse s'appuyait sur sa canne et tenait le chambranle de la porte avec l'autre main. Koster remarqua son pied nu.

— Je me suis foulé la cheville, dit-elle.

Dans le salon, la princesse brandit sa canne vers les fauteuils.

— Apportez-moi quelque chose de dur pour m'asseoir. Sinon, vous aurez besoin d'un treuil et d'une grue pour m'extraire de ces trucs-là.

Koster sortit et revint avec une chaise de salle à manger, au grand dossier de bois.

— Une jolie chaise, dit la princesse en s'asseyant. Une jolie maison. Une *belle* maison, Harvey. Vous avez fait tout ça? Vous avez choisi tout ça vous-même?

— C'est ma maison.

— Rien n'est laissé au hasard, hein? Vous êtes à la fois le capitaine et l'équipage. Harvey Koster n'aime pas s'associer. Vous avez toujours tout choisi vous-même, sauf ce fils que vous avez. Curt Maddox ne faisait pas partie de vos calculs, n'est-ce pas?

— Pourquoi êtes-vous venue, Lu?

— Vous avez lu les journaux, vous avez entendu parler du nouveau procès d'Hester Murdoch...

Koster garda le silence. Depuis que la princesse l'avait appelé, il savait qu'il y aurait des problèmes. Le nouveau procès était une autre malédiction. Tous ces procès étaient en train de les ronger vivants, de les dévorer. Tout ce qu'ils s'étaient efforcés de réaliser, tout ce qu'ils avaient accompli, allait être détruit, rasé, oblitéré par les spectacles gratuits du palais de justice.

— Harvey?

— Êtes-vous impliquée? demanda Koster.

— Votre question arrive un peu tard, répondit la princesse. Et vous en connaissez déjà la réponse. J'ai été impliquée dans cette affaire dès que j'ai versé la caution pour ces quatre jeunes gens. Avant que le marin en ait tué un. *Oui,* je suis impliquée.

Elle apprit à Koster ce que l'amiral avait fait.

Koster essaya, mais en vain, de dissimuler le soulagement, la joie pure, que cette nouvelle lui apportait. Mais son allégresse fut de courte durée. La princesse n'avait pas quitté le Western Sky pieds nus, une canne à la main, pour lui faire plaisir. Il garda le silence.

— Ne vous réjouissez pas trop tôt. Elles n'ont pas encore pris la mer. La marée n'est pas encore bonne. Pourquoi ne me demandez-vous pas la raison de ma visite?

Dans sa tête, Koster vit la ligne de l'eau monter lentement sur le sable des plages.

— Désirez-vous une tasse de thé, Lu?

— En attendant que la marée monte ? Vous êtes mignon, Harvey, mais nous nous sommes suffisamment échauffés. Il est temps d'engager la partie. Ces personnes prendront la mer aujourd'hui si on ne leur présente pas des assignations à comparaître. Si elles s'en vont *après* avoir été assignées, elles se feront étriller le 20 avril : elles seront en fuite... Je suis venue demander ces assignations à comparaître, Harvey, dit la princesse en braquant sa canne vers Koster.

— A moi ? Vous me demandez de ?... Vous voulez que je ?...

La voix de Koster se brisa et il se tut. La déclaration de la princesse était si inattendue, si choquante, si incompréhensible, qu'il en restait sans voix.

— C'est cela, Harvey, je veux que vous m'obteniez ces assignations.

— Lu ! Lu !... commença Koster.

Il se tordait les mains, en essayant de comprendre, de *la* comprendre.

— Pourquoi vous adressez-vous à moi ? *Pourquoi moi ?*

— Vous êtes le seul homme, femme ou enfant d'Honolulu — bon Dieu, de tout le Pacifique ! — en mesure de le faire, répondit la princesse.

— De le faire ! De le faire ! lança Koster incapable de surmonter sa stupéfaction. Ai-je l'air d'un juge ?

— Vous les connaissez tous. Appelez-en un.

De la canne, elle montra le téléphone.

Enfin, Dieu merci, Koster fut de nouveau capable de réfléchir, de digérer l'impossible requête de la princesse, d'assimiler et d'affronter la raison et les conséquences catastrophiques de sa présence.

— Vous les connaissez tous, vous aussi, Lu, répondit-il. Vous n'êtes pas aussi étrangère à la vie de l'île que vous vous plaisez à le prétendre.

— Bien sûr, je les connais. Un certain nombre, en tout cas. Mais aucun d'eux ne me doit quoi que ce soit. Or il y a toujours *quelqu'un* qui vous doit quelque chose, Harvey.

Koster ne répondit pas. Pourquoi l'avait-elle choisi, *lui ?* Elle savait qu'il compterait les secondes jusqu'au départ du bateau, jusqu'à ce que cesse enfin la malédiction qui s'était abattue sur le Territoire au cours des derniers mois.

— C'est une affaire de justice, Lu, dit enfin Koster. Nous ne pouvons pas faire obstacle à la justice.

— Vous regardez la pendule, Harvey. Vous attendez la marée haute. N'y comptez pas. Le rôle des magistrats est de lancer des assignations. Ce que je vous demande ne fait pas obstacle à la justice.

— Lu...

Il laissa le nom de la princesse résonner dans la pièce, puis il se rapprocha.

— Nous avons eu ces derniers temps assez de publicité pour toute une vie, dit-il. Pour deux vies entières. Il faut y mettre fin, Lu. Nous devons en finir, chasser le nuage qui est tombé sur nous en septembre dernier.

— Harvey, je...

— Vous adorez ces îles, coupa Koster. Jamais vous n'aurez besoin de me le prouver, Lu. Ni moi de vous le prouver. Écoutez-moi, Lu. Faites-moi confiance. Je sais ce qui est le mieux pour nous tous, y compris votre peuple.

— Mon peuple, répliqua la princesse. Vous recommencez avec ces âneries ! Appelez un magistrat.

Elle braqua de nouveau sa canne vers le téléphone.

— C'est samedi, lança Koster.

— Oui, sinon je ne serais pas ici mais au palais de justice.

— Je ne saurais pas par où commencer. Pourquoi un magistrat m'écouterait-il ?

— Harvey, il me faut ces assignations et vous allez me les obtenir.

— J'ai essayé de vous faire comprendre. Je regrette que vous ne puissiez pas voir cette affaire sous le même angle que moi.

Il commençait à en avoir assez de la princesse. Il fit un pas vers la porte.

— En attendant, l'heure tourne... lança-t-elle.

Elle tendit la canne pour bloquer Koster, comme à la barrière d'un passage à niveau.

— Obtenez-moi ces assignations, Harvey.

— J'ai essayé de me montrer raisonnable et gentil, répondit Koster, sincère. J'ai essayé de vous expliquer. Je vous ai laissée entrer dans ma maison ; je vous ai accueillie dans mon salon ! Maintenant j'en ai assez ! J'en ai assez de tout cela et même de vous. Je suis ravi que Doris Ashley et Hester quittent Honolulu ! Bon débarras ! Doris Ashley s'embarque ! Hester s'embarque ! Bravo !

— Accordez-*vous* une faveur, dit la princesse. La plus grande faveur de toute votre vie. Il y a une minute, vous disiez : « Faites-moi confiance. » Je vous renvoie la balle. Faites-*moi* confiance, Harvey. Obtenez-moi ces assignations.

— Jamais ! lança Koster, furieux. Jamais !

— Vous me contraignez à vous forcer la main, dit la princesse à mi-voix, puis elle leva les yeux vers cet homme au teint jaune, dans sa maison splendide. Vous vous souvenez du soir du couvre-feu, Harvey, le soir où je suis venue vous voir. Je ne suis pas entrée par la porte de la façade. Elle était fermée à clé. Je suis passée par l'entrée de service et j'ai découvert pourquoi vous n'aviez pas entendu la sonnette, Harvey. La musique de l'orgue de Barbarie, le *show-boat* du Mississippi... Je suis montée au premier et je vous ai vu avec vos filles. Ensuite, je suis redescendue et je me suis mise à crier.

Autour d'Harvey Koster, la nuit tomba soudain dans la pièce. Il ne voyait plus rien. Il tourbillonnait. Il tombait dans le trou noir. Il tombait de plus en plus vite, comme une pierre, de plus en plus bas, dans un vide sans fond. Il ne pouvait pas s'arrêter. Il était perdu. Il ne remonterait jamais.

La princesse vit Harvey Koster se métamorphoser sous ses yeux. Il était devenu fou. Ce n'était plus le même homme. Son visage était rouge, d'un rouge brillant, pareil au soleil couchant. Les yeux lui sortaient de la tête. Elle crut qu'il allait s'effondrer. Il avait l'air de couler et de se répandre sur le parquet de bois ciré. Elle était sur le point de se lever pour lui porter secours quand il se mit à hurler.

— Garce ! Sale garce ! Sale garce d'espionne !

Sa voix ressemblait aux cris d'un bébé... Il se jeta soudain sur la princesse et elle dut lever la canne pour se protéger. Mais il s'arrêta, poings serrés.

— Femelle ! cria-t-il. Femelle ! Femelle !

Et à mesure que les mots jaillissaient de ses lèvres, il sautait en agitant les bras comme s'il battait le tambour avec ses poings. Soudain, il fit demi-tour et se mit à courir à travers la pièce pour se jeter sur le sofa. Le visage dans les coussins, il se mit à pleurer, à sangloter. La violence de ses convulsions secouait tout son corps. Une sorte d'ululement s'élevait puis retombait à chaque sanglot, de plus en plus fort, jusqu'à ce que la pièce entière semble vibrer de ces échos. Les sanglots atteignirent leur paroxysme et le corps de Koster se mit à trembler sur le sofa. Alarmée, la princesse se leva et s'avança lentement. Puis les cris commencèrent à diminuer d'intensité. Bientôt, ils cessèrent. La princesse n'entendit plus que le bruit rauque mais régulier des halètements de Koster qui essayait de reprendre son souffle. Quand elle arriva près de lui, il était calme.

— Harvey.

Elle le vit s'asseoir comme un homme s'éveillant après un somme. Il resta au milieu du sofa, les mains sur les genoux. Son visage était baigné de larmes, mais il semblait ne pas en avoir conscience. Auprès de la princesse, il n'était pas plus gros qu'un poulet, mais elle se sentit soudain en danger.

— Personne ne vous croira, dit Koster.

— Nous verrons très vite si vous avez raison. Je vais de ce pas chez un imprimeur. Je ferai imprimer des tracts, *aujourd'hui,* avec tous les détails sur votre harem. J'engagerai tous les gosses d'Honolulu pour les distribuer à chaque coin de rue. Je louerai des avions pour les éparpiller sur tout Oahu et dans les autres îles. Comme un nuage envahissant le ciel de l'archipel entier. *Archipel* — je me demande si c'est un de nos mots. Non seulement vous avez volé les îles, mais vous avez volé notre langue... Aïe !

La douleur de sa cheville monta dans sa jambe, mais elle se retourna et continua de s'éloigner vers la porte.

— Attendez ! dit Koster derrière elle.

La princesse s'arrêta. Koster quitta le sofa et se dirigea vers le téléphone en faisant un écart pour ne pas se rapprocher de la princesse. La douleur de sa jambe augmentait, mais elle resta debout, penchée sur sa canne. Il fallait en finir tout de suite. Koster, ses poupées et sa maison étaient malsains. Elle avait hâte de partir. Elle pouvait voir Koster au téléphone et l'entendre, mais il parlait à voix trop basse, elle ne distingua pas un seul mot. Quand il raccrocha, la princesse ne put rien lire sur son visage. Il était sans doute vaincu, mais en sécurité. Personne n'apprendrait jamais l'existence de sa lamentable maison de poupées. Certainement pas Curt Maddox, ni même Jack Manakula.

— Le juge Kesselring, dit Koster. Il est aux écuries Palama. Il vous attend.

Les chevaux étaient l'unique passion de Geoffrey Kesselring. De son écurie de chevaux de polo, disparue en même temps que la fortune de son père, il ne restait qu'une jument, pour ses promenades de week-end. Koster savait où trouver Kesselring. Et il savait qu'il n'aurait pas besoin de rappeler au magistrat que son condisciple de Punahou l'avait fait nommer au parquet.

Koster passa devant la princesse et attendit à côté de la porte fermée. Il ne l'ouvrit qu'au moment où elle parvint à sa hauteur.

— Ma foi, Harvey... commença la princesse, mais elle s'interrompit.

Elle se sentait de nouveau en danger et elle ne se trompait pas.

— Ne revenez jamais, lui dit Koster.

Il avait déjà décidé que si elle disait un seul mot de ses poupées à quiconque, où que ce fût, il la ferait assassiner. Il engagerait un tueur et il l'enverrait dans la grande île.

Il resta sur le seuil à écouter le claquement sec de la canne. Le bruit cessa et il attendit d'entendre un moteur d'automobile démarrer puis s'éloigner, car il ne voulait plus se laisser surprendre. Aucun bruit ne lui parvint et, au bout d'un instant, laissant la porte entrebâillée, il sortit en longeant les hibiscus géants, à l'abri des regards. Lorsqu'il arriva près de la clôture, il reconnut la voix de la princesse :

— Vous avez obtenu ce que vous demandiez...

Il se tassa contre les hibiscus et il vit Maddox qui aidait la princesse à remonter dans sa voiture. De nouveau, le monde devint un trou noir, et Koster s'agrippa aux branches des vieux hibiscus pour ne pas s'effondrer. Il entendit le moteur, il entendit la voiture démarrer et changer de vitesse, mais le bruit s'éloigna et disparut avant qu'il ne retrouve la force de se diriger vers la porte ouverte, vers les filles — rien d'autre ne lui restait, maintenant...

Dans la voiture, avec la princesse à côté de lui, Maddox décrocha le radiotéléphone du tableau de bord. Il appuya sur le bouton d'appel.

— Maddox. Téléphonez à Phil... Téléphonez au bureau du procureur de district, au palais de justice. Demandez Tom. Quand vous l'aurez, branchez-le sur ma fréquence.

Maddox savait qu'après ce qu'il avait fait depuis la veille au soir, il n'obtiendrait plus jamais les confidences du standardiste ou de quiconque.

Il garda le radiotéléphone et conduisit d'une main jusqu'à ce qu'il entende la voix de Tom.

— Capitaine Maddox ?

— Le juge Kesselring. Il est aux...

— Vous les avez ? hurla Tom.

— Nom de Dieu ! cria Leslie McAdams.

— Il les a ? demanda Sarah en battant des mains.

— Écoutez, lança Maddox dans la voiture. Mais écoutez donc ! Kesselring est aux écuries Palama. Vous avez une voiture ?

— Oui, bien sûr. Oui !

— Écoutez-moi ! Rendez-vous sur les quais, dit Maddox, sachant que le jeune avocat aurait besoin d'aide. Attendez ! *Écoutez-moi !* (Il fallait qu'il le lui dise tout de suite sans plus attendre.) Ce n'est pas moi qui ai obtenu ces assignations. C'est votre amie la princesse. D'accord ? Aux écuries Palama. D'accord ?

Maddox raccrocha le radiotéléphone. La princesse le dévisagea.

— Qu'est-ce que c'est que tout ça, Curt Maddox ? dit-elle. Vous avez eu des visions ou quoi ?

— Vous m'avez bien entendu. Nous sommes tous copains, maintenant.

— Vous n'êtes le copain de personne, répondit la princesse.

Il en avait assez de sa langue de vipère. Le coup de téléphone à Harvey Koster, le trajet jusqu'à la demeure de son protecteur, l'éternité pendant laquelle il avait attendu, impuissant, dans sa voiture, avaient entièrement vidé Maddox. Au premier croisement, il donna un brusque coup de volant à droite, comme s'ils étaient poursuivis. Il tomba sur la princesse, qu'il bouscula contre la porte, puis il braqua aussi violemment sur la gauche, et, tandis qu'elle tanguait en tous sens dans le véhicule qui zigzaguait, il cria .

— Vous non plus !

Et il appuya sur le bouton de la sirène pour lui clore définitivement le bec.

Le paquebot *Lotus* avait un air de fête. Il était entièrement blanc, et d'un blanc éclatant. Il avait quitté la cale sèche juste avant d'appareiller pour Honolulu et il était splendide. Il arborait deux cheminées rouge vif, avec une seule bande noire, et, vers l'avant et l'arrière, les pavillons du bateau flottaient dans le vent. C'était un paquebot élégant, aux lignes fines et élancées. Depuis la première esquisse, son architecte l'avait adoré et il était demeuré son enfant chéri. Il jurait qu'il n'avait pas son pareil. Il avait rêvé d'un bateau d'une beauté sans égale et il ne parvenait pas à se séparer de ses plans. Les armateurs avaient dû les lui arracher des mains. Il était littéralement tombé amoureux de sa création le jour où il avait vu poser sa quille et, lorsque le *Lotus* avait été baptisé, il avait compris qu'il avait mis au monde une reine, une beauté.

Il demeurait une beauté. C'était en outre le paquebot de la chance. Des passagers écrivaient régulièrement d'étranges lettres aux bureaux de la compagnie, à San Francisco. Une malade incurable avait miraculeusement recouvré la santé. Un homme au bord de la ruine avait appris en arrivant au port qu'un inexplicable retournement du marché l'avait sauvé. Un ambassadeur anglais, rentrant dans son pays en disgrâce, avait découvert en débarquant que sa bonne foi avait été reconnue et que des honneurs l'attendaient.

C'était un paquebot romantique, depuis sa première traversée. On tombait toujours amoureux à bord du *Lotus* et ses capitaines mariaient chaque fois des personnes qui ne se connaissaient pas au moment de l'embarquement.

L'arrivée du *Lotus* à Hawaï était chaque fois un événement et, quand il se préparait à appareiller — comme en ce moment —, les quais étaient toujours animés par une foule nombreuse. Jimmy Saunders avait envoyé cent hommes et officiers de la police navale. Ils formaient une garde d'honneur de part et d'autre de la passerelle d'embarquement. Ils portaient des brassards de la police navale et des matraques. Les officiers avaient tous des armes de poing.

L'orchestre du paquebot, dont les musiciens étaient vêtus de couleurs vives et décorés de *léis,* avait pris place sur le quai en face de la passerelle. A côté se trouvait une table-comptoir sur laquelle étaient étalés les plans des ponts, le relevé des cabines et la liste des réservations pour la traversée. A mesure que les passagers arrivaient et présentaient leurs billets, les commissaires de bord cochaient les noms sur le manifeste. Deux lieutenants de la marine examinaient chaque personne montant à bord.

Maddox avait coupé la sirène en arrivant au Western Sky pour déposer la princesse, mais il l'avait remise en marche en ressortant de l'allée de l'hôtel. Dès qu'ils entendirent la sirène se rapprocher, les deux agents affectés au quai du *Lotus* pour le départ firent dégager les abords. Ils étaient à côté de la voiture quand Maddox en descendit.

— Quel est le problème, capitaine ?

— Je viens voir le paysage, répondit Maddox.

Il les quitta pour se diriger vers la cohue. Le paquebot était prêt à partir. Leonore devait donc être quelque part, là-haut. Peut-être accoudée au bastingage. Peut-être en train de regarder l'orchestre. Maddox remarqua les uniformes blancs de la marine, tous en ligne. Il repéra les deux lieutenants. L'amiral ne prenait vraiment aucun risque. Maddox décida d'aller jusqu'à la passerelle d'embarquement sans lever les yeux, puis il entendit un rire de femme et il renonça. Il leva la tête. Elle n'était pas là. Maddox ôta son chapeau et en essuya l'intérieur avec son mouchoir — ce qui lui rappela Bergman dans son bureau, avec, à la main, le mouchoir qu'avait pris Lenore. Bergman avait gagné sur toute la ligne.

Quand l'orchestre se tut, les musiciens suivirent le chef à bord du bateau. Les hommes et les femmes qui vendaient des fleurs et des souvenirs commencèrent à ranger leurs marchandises dans des cartons et à replier leurs étals montés sur tréteaux. Un petit marchand offrit à Maddox un plateau de fruits à moitié prix. Puis les sirènes du paquebot retentirent pour la première fois, rugissement assourdissant qui engloutit les quais comme une bourrasque de cyclone. Même les hommes de la police navale rompirent les rangs un instant, surpris par le tonnerre brusque et prolongé qui annonçait le départ du bateau. Le quai se vidait déjà. Les marchandes de *léis*, d'orchidées, de corsages, de chapeaux, de photos, de coussins brodés, de chemisettes et de sandales s'éloignaient en procession ininterrompue, emportant leurs invendus. Maddox ne put pas s'empêcher de lever de nouveau les yeux vers le paquebot, très haut au-dessus de lui. Il vit les chaloupes recouvertes de toile de bâche, suspendues à leur place, sur le pont supérieur. Lenore n'était pas là. Tout près, Maddox entendit une voix chuchoter ·

— Je crois que c'est lui.

Maddox se retourna. L'un des deux lieutenants, au pied de la passerelle d'embarquement, montrait quelqu'un du doigt et son compagnon répondit :

— ‵C'est bien lui. Le commandant a dit qu'il boitait.

Maddox regarda. Tom et Sarah se dirigeait vers la passerelle. La jeune fille était en prime. Maddox ne s'attendait pas à sa présence.

Elle prit l'avocat par le bras et lui chuchota quelque chose. Tom lui répondit. Maddox était beaucoup trop loin pour saisir leurs propos, mais il entendit l'un des lieutenants :

— Et le commandant a envoyé cent hommes pour *ce type*?

Les deux jeunes gens se rapprochèrent et Maddox distingua leurs visages. Ils avaient peur, mais ils continuaient d'avancer. Un des lieutenants se tourna vers les commissaires du *Lotus*.

— Nous nous occupons de ces deux-là.

L'autre lieutenant le rejoignit. Ils se placèrent devant la passerelle et, lorsque Sarah et Tom arrivèrent, l'un d'eux lança :

— Trop tard. Vous ferez vos adieux d'ici.

Maddox introduisit deux doigts dans sa bouche et siffla. On pouvait l'entendre à trois cents mètres. Il se plaça aussitôt à côté de Sarah.

— Circulez ! dit le lieutenant qui avait déjà parlé. Circulez, tous les trois !

Maddox vit les deux agents arriver en courant. Il ne connaissait même pas leurs noms. Il se tourna vers les deux lieutenants de la marine et leur sourit.

— J'aurais dû me présenter, dit-il comme s'ils se trouvaient dans un bar, et il tendit la main bien à plat pour qu'ils puissent voir son insigne doré. Je vais vous éviter une corvée, mes amis. Je vais m'occuper de ces jeunes gens... Restez à mes côtés, lança-t-il aux deux agents en uniforme qui arrivaient au pas de course.

Il fallait qu'il continue de parler, qu'il avance. Les cent bonshommes au garde-à-vous pouvaient très bien les jeter à l'eau tous les cinq. Il contourna Sarah et Tom pour se diriger vers la table des commissaires.

— Je désire certains numéros de cabine, dit-il. Faites-moi voir votre registre.

Il le saisit, le retourna et lut.

— Attendez une minute, capitaine, lança l'un des lieutenants de la marine. Nous avons reçu des ordres.

Maddox feuilleta le registre et, quand il se retourna, il était tout sourire.

Il avança entre l'avocat et la jeune fille et les prit chacun par un bras.

— Bien sûr, mais il s'agit d'une affaire de police, dit-il d'une voix affable, ajoutant à l'adresse des deux agents : S'ils essaient de m'empêcher de monter, arrêtez-les. Sans brutalité, hein ? lança-t-il d'une voix sévère.

Chaque agent se dirigea vers un lieutenant.

— Vous avez entendu le capitaine ? fit l'un d'eux en poussant pour dégager la passerelle.

Maddox était derrière eux, avec Tom et Sarah.

— Vous êtes avocat, murmura Maddox. Vous auriez dû savoir qu'il vous faudrait un huissier.

— C'est samedi. Je n'ai trouvé personne.

— Ouais. On dirait que la chance nous sourit depuis ce matin...

Ils montèrent à bord. Maddox arrêta le premier homme d'équipage qu'il vit.

— Une seconde ! Où est le pont A ? Cabines 39 et 41. Dites *gauche* et *droite* pour que je puisse vous comprendre.

Le matelot lui expliqua. Maddox repoussa son chapeau en arrière.

— Suivez-moi, l'avocat. Nous allons cueillir nos pigeonnes.

Il se demanda soudain si la princesse avait dit à Koster le nom de son chauffeur.

Ils longèrent le pont jusqu'à un escalier et Maddox les précéda. En bas, il les entraîna dans un couloir.

— Par ici.

C'était pire que sur le quai, une vraie cohue de passagers, de visiteurs, de matelots, de stewards portant des plateaux de rafraîchissements au-dessus de leur tête. Partout, des bagages. Ils marchèrent à la queue leu leu jusqu'au bout, puis Maddox tourna à droite. Il s'arrêta après quelques mètres. Un couloir parallèle au premier s'ouvrait sur la gauche. Maddox lut les numéros sur une plaque vissée à la cloison.

— Presque arrivés, dit-il.

Il se retourna. Le commandant Saunders se trouvait en face de lui.

Il n'était pas seul. Et ses hommes avaient tous des baudriers, des étuis et des automatiques. Ils étaient si nombreux que Maddox ne parvenait pas à voir au-delà de leur masse.

— Vous n'auriez pas dû monter à bord, capitaine, dit Saunders. Faites demi-tour. Emmenez-les avec vous. Emmenez la jeune dame et l'avocat avec vous.

Maddox ne s'arrêta pas. Tom regarda Sarah. Très pâle, elle fixait Saunders.

— Reste ici, lui dit Tom.

Elle suivit Maddox.

En face, Saunders avança d'un pas et s'arrêta devant ses hommes.

— Terminus, capitaine.

— Voici la cabine 39, dit-il. Et voici la cabine 41. Cet homme est ici pour remettre des assignations à comparaître.

— Personne n'entre dans ces cabines, dit Saunders.

— Toujours la même chanson. Vous faites encore le travail des autres à leur place.

Le capitaine l'ignorait, mais c'était bien le cas. S'ils avaient été seuls, Saunders lui aurait parlé de la lettre de Murdoch, des trois matelots qu'il avait emprisonnés à la base en attendant le retour d'Hensel afin de livrer les quatre hommes ensemble au commissariat central.

— Quittez le bateau, dit Saunders. Emmenez ces gens et quittez le bateau, capitaine.

— Les assignations, dit Maddox.

— Vous n'entrerez pas.

— Vous vous trompez. Cette fois, vous vous trompez. Vous êtes ici dans la ville d'Honolulu. Ce quai se trouve sous la juridiction de la ville. Je suis officier de police. L'homme qui m'accompagne est officier de justice du comté d'Honolulu. Et aujourd'hui, il n'y a pas de chef de la police pour vous laisser faire son boulot à sa place ! C'est moi qui suis en face de vous, commandant, pas le chef de la police !

— Vous ne passerez pas.

— Nous nous retrouvons face à face depuis un bout de temps, dit Maddox. Vous m'avez volé des gens depuis la première fois que je vous ai rencontré. Mais je viens de vous le dire : nous sommes seuls cette fois et vous entravez le cours de la justice. Alors, quoi que je fasse, ce sera pour défendre la loi, et vous serez en infraction. Cet homme va présenter ses assignations. Vous pouvez essayer de l'en empêcher, mais il faudra d'abord que vous m'arrêtiez. Et cela exigera davantage que votre musculature d'athlète. Il vous faudra un revolver. Songez-y, et songez aussi que vous allez sacrifier votre vie pour une garce qui ne vaut même pas un coup de cidre. Vous risquez de mourir pour cette garce. Si vous mourez, je passerai en justice, mais je vous aurai tué dans l'exercice de mes fonctions. En revanche, si vous me tuez, ce sera un meurtre. Un *meurtre !* répéta Maddox plus fort. Vous ne pourrez pas tuer un flic et vous en sortir indemne, même à Hawaï. Et le gouverneur ne peut quand même pas remettre tous les tueurs en liberté...

— J'ai mes ordres, dit Saunders.

— *Vos* ordres ! cria Maddox. Vos ordres, vous pouvez vous les foutre où je pense ! Votre amiral nous a bousculés assez longtemps.

Les sirènes du paquebot retentirent de nouveau, graves et rauques dans le couloir.

Maddox tendit le bras et, dès qu'il put de nouveau se faire entendre, lança :

— J'entre là-dedans ! J'entre là-dedans avec eux. Restez derrière moi, contre moi ! dit-il à Sarah et à Tom.

Il glissa la main en arrière et poussa la jeune femme derrière lui pour la protéger, puis il avança en fixant Saunders du regard. Il continua d'avancer et comprit aussitôt que le commandant avait cédé. Il passa devant Saunders. Il sentit la jeune fille trébucher contre lui lorsqu'il s'arrêta devant le 41. Il poussa la porte d'un coup d'épaule, la fit claquer contre la cloison et bondit de côté pour saisir Tom et l'entraîner dans la cabine. Sarah, accrochée à Tom, trébucha de nouveau et faillit tomber.

L'amiral se dressa devant eux. Doris Ashley était assise dans un angle, toute seule.

La cabine parut électrisée. Elle explosa.

— Jimmy ! rugit l'amiral en se précipitant vers le couloir.

Il bouscula Sarah et Tom. Doris Ashley se leva d'un bond. Saunders entra. Sa masse sembla emplir la cabine déjà envahie. Maddox se mit à crier, en gesticulant dans tous les sens.

— Où est la fille ? Hester Murdoch ! Hester Anne Ashley Murdoch !

Dans sa bouche, le nom semblait une insulte. Il éclatait enfin, après s'être retenu depuis la veille au soir, depuis le tout début, en fait. Et maintenant, il fallait qu'il en finisse, qu'il termine tout.

— Il y aurait eu un autre meurtre, amiral, dit Saunders derrière lui.

— Pourquoi sont-ils ici ? demanda l'amiral. Ils vous l'ont appris, non ? Pourquoi sont-ils ici ?

Maddox se dirigea vers Doris Ashley.

Elle était seule, entièrement seule, abandonnée. On l'avait arrachée à *Windward* et, maintenant, on allait la livrer au flic et à l'avorton boiteux. Elle entendit Maddox lancer :

— Vous ne tarderez pas à le découvrir, amiral.

Et il s'avança vers *elle*. Elle se réfugia dans le coin, derrière le fauteuil.

— Où est votre fille ? demanda Maddox, ajoutant plus fort : Faut-il encore que je lui coure après ?

— Capitaine... dit Tom.

Maddox se retourna. Hester se trouvait dans l'embrasure de la porte de communication avec la cabine voisine.

— Ouais, dit Maddox. Toute la bande est là.

Moins d'une minute s'était écoulée depuis son entrée dans la cabine. Il poussa Tom en avant.

— Allez-y.

Tom enfonça la main dans sa poche.

— J'ai des assignations à comparaître pour Hester Anne Ashley Murdoch et pour Doris Ashley, dit-il en montrant les deux documents pliés. Je détiens des ordonnances de la cour du comté d'Honolulu qui vous placent sous la juridiction de cette cour. Vous êtes citées à comparaître dans la salle d'audience 22 du palais de justice du comté d'Honolulu à 10 heures, le 20 avril 1931. Affaire 3263, l'État contre David Kwan, Michael Yoshida et Harry Pohukaïna.

— Vous avez eu votre procès, dit l'amiral, peu disposé à se laisser manœuvrer. Ces trois hommes sont en liberté. Ne l'oubliez pas avant d'agir.

— Ils sont innocents, dit Tom, comme s'il avait l'intention d'assigner également l'amiral. J'ai l'intention de prouver leur innocence !

Maddox se rappela les deux coups de sirène du paquebot.

— Finissez-en, Tom.

C'était la première fois qu'il appelait l'avocat par son prénom. Tom s'écarta de l'amiral.

— Doris Ashley, par les présentes, je...

— Non ! coupa soudain Sarah.

Elle devança Tom et s'interposa entre Doris Ashley et lui, bras écartés.

— Non, dit-elle. Non, Tommy, non.

Maddox s'avança.

Tom regarda Sarah, stupéfait. Elle protégeait Doris Ashley ! Il crut d'abord que Sarah avait été achetée, que Doris Ashley lui avait donné de l'argent. Mais cela n'avait aucun sens. Il se dit que Sarah avait perdu la raison.

— Sarah, il faut que je lise ces assignations, dit-il d'une voix hésitante, comme on s'adresse à une personne temporairement dérangée.

— Tu ne peux pas. Je t'en empêcherai.

Elle se lança sur les feuilles, comptant prendre Tom au dépourvu, mais elle se heurta à Maddox. Elle se mit à le frapper des deux mains, poings crispés, avec les poignets et les avant-bras, mais il la prit par la taille et la souleva du sol.

— Calmez-vous, lui dit-il doucement, comme il l'avait fait à dix mille cinglés en dix mille occasions, en uniforme et en bourgeois. Calmez-vous, on en discutera. On en discutera plus tard.

Il lui donnait sa parole.

Sarah baissa les bras et son corps parut se recroqueviller. Elle regarda autour d'elle comme une personne qui a agi sur une impulsion, et très mal. Mais elle les regarda tous sans honte et se retourna pour parler à Doris Ashley.

— Je ne veux pas d'elles ici !

— Sarah, elles vont passer en justice, dit Tom en tenant les assignations hors de portée de Sarah.

— Pourquoi ? Joe est mort !

— *Pourquoi ?* répéta Tom. Justement parce que Joe est mort ! Parce qu'elles ont accusé des innocents, sachant qu'ils étaient innocents ! Parce qu'elles ont menti sous serment ! Elles iront en prison. Cette fois, elles iront en prison. Il le faut !

— Et ensuite ? Qu'est-ce que cela prouvera ? cria Sarah en repoussant les cheveux qui tombaient sur son front. Tommy, je ne veux pas d'elles ici ! Elles n'apppartiennent pas à nos îles. Jamais elles n'en ont fait partie. Elles ne sont venues ici que pour voler. Elles continuent de voler.

Sarah s'écarta, tournée vers Doris Ashley.

— Elle *s'enfuit.* Laissons-la s'enfuir. Laissons-les s'enfuir toutes les deux. Les gens sauront qu'elles s'enfuient, lança-t-elle.

— Les gens dont vous parlez crieront bravo ! lui répondit Maddox.

Il aurait pu prendre les assignations des mains de Tom et les remettre lui-même, mais il fallait chasser les idées folles de la tête de cette fille. Elle était l'amie de Tom et, si elle ne voyait pas les choses sous le même angle, cela signifiait que Maddox avait choisi un mauvais cheval.

— Ils applaudiront, répéta-t-il. Ils ont fait la loi ici depuis que les premiers bateaux ont relâché dans l'île. Et cela continuera si vous n'empêchez pas ces deux femmes de fuir. Il faut leur faire comprendre que c'est terminé, qu'ils ont fini d'établir la règle du jeu, de la modifier à leur gré, de l'oublier ou de cracher dessus quand ça leur chante.

— Ils *nous* crachent dessus, cria Sarah.

— Seulement si nous les laissons partir ! répondit Tom. Ne peux-tu le comprendre, Sarah ? Si nous les laissons partir, ce sont des héroïnes ! Oui, des héroïnes ! Si Gerald Murdoch était ici et que tu le laissais partir, la foule l'attendrait sur les quais de San Francisco pour lui décerner une médaille.

— *Écoutez !* lança Maddox, prêt à la soulever et la secouer pour enfoncer un peu de bon sens dans sa tête. Votre frère a été assassiné, le procureur l'a démontré, ces deux femmes ont été condamnées — mais, une heure plus tard, elles étaient dans les rues. *Une heure* plus tard ! Le prochain type qui tuera le frère de quelqu'un battra sans doute ce record si vous ne mettez pas un terme à tout cela. *Vous*. Tom. Moi. Elles ne peuvent pas continuer de faire des pieds de nez à la loi. C'est inadmissible. Et c'est pour cette raison qu'elles doivent aller en prison. Doris Ashley doit aller en prison. Sa fille doit aller en prison.

— Joe... Tommy... murmura Sarah en reculant.

Maddox hocha la tête, content d'elle. Il lança à l'avocat un coup de coude dans les côtes.

— Allez, allez...

— Doris Ashley... dit Tom, et il lui remit l'assignation. Hester Anne Ashley Murdoch... et il lui remit l'assignation, puis il répéta les recommandations du juge Kesselring.

Doris Ashley prit l'assignation comme si celle-ci était contaminée — et elle se sentit elle-même contaminée. Elle frissonna, elle avait la chair de poule. *La prison !* On l'envoyait *en prison !* Elle allait être jetée dans une *cellule !* Elle crut voir la salle commune, avec les pensionnaires : les épaves, le rebut, les intouchables. Elle poussa un gémissement. Seule Hester pouvait la sauver. Elles seraient ensemble. Elles partageraient la cellule et compteraient les jours en attendant leur retour à *Windward*. Doris Ashley tendit la main vers Hester. Elle n'était pas là.

Hester était auprès du flic, auprès de Maddox. Elle avait son porte-documents à la main et elle serrait entre ses doigts son assignation — sa liberté, la liberté que Tom Haléhoné venait de lui octroyer.

— Puis-je m'en aller, maintenant ?

— Hester ! cria Doris Ashley.

— Vous êtes libre jusqu'au 20 avril, répondit Maddox.

— Hester !

Doris Ashley voulut lui prendre le bras, mais la jeune femme fit un bond de côté, bousculant l'amiral.

— Je ne vais pas avec toi ! répondit-elle, libre enfin, libre pour toujours. Inutile d'envoyer quelqu'un me chercher pour me ramener. Je ne reviendrai jamais. Tu as entendu le capitaine Maddox. Je suis libre.

Preston Lord Ashley avait légué à sa fille davantage d'argent qu'il ne lui en faudrait jamais.

— Tu ne peux pas m'abandonner, dit Doris.

Hester s'éloigna.

— Hester ! *Mon bébé ! Je t'en supplie !* Je t'en supplie, mon bébé, ne me quitte pas...

Hester ne se retourna pas.

Tom Haléhoné l'avait sauvée. La prison ne serait qu'une étape sur le chemin. Hester connaissait enfin sa destination, son port, sa vraie demeure. Elle attendait ce moment depuis que, sur son lit d'hôpital de la Miséricorde, elle avait regardé Joseph Liliuohé et l'avait envoyé à la mort. Hester était déjà embarquée pour son long voyage, son voyage sans retour. Personne ne la repousserait à Molokai. Puisqu'elle était, elle aussi, lépreuse, elle apprendrait à soigner les malades de la léproserie.

Dans la cabine, Doris Ashley chancela et s'effondra dans le fauteuil.

— Hester, dit-elle dans un sanglot, comme si elle appelait à l'aide, seule dans le noir.

Elle resta ainsi, telle une épave abandonnée, un être perdu, dépassé par des événements qu'il ne parvient pas à comprendre. Dans la cabine pleine de monde, elle était absolument, irrévocablement seule. Une défaite totale.

— Renvoyez vos hommes, Jimmy, ordonna l'amiral. Ce sont eux qui commandent ici, ajouta-t-il en montrant Maddox.

— Oh... Vous l'avez amenée, amiral, ramenez-la, répliqua Maddox en secouant la tête.

Il regarda la femme accablée sur le fauteuil et se souvint qu'elle avait refusé de s'asseoir sur le siège avant à côté de lui. Il se retourna, passa devant Saunders et sortit de la cabine.

Sarah et Tom le rattrapèrent dans le couloir.

— Vous allez sans doute avoir pas mal d'ennuis, dit Tom.

— Ouais... Je crois que vous pouvez vous orienter sur ce baquet sans moi, non? lança-t-il.

Il avait encore un arrêt à faire.

Il héla un matelot.

— Où se trouve le pont promenade?

L'homme le lui expliqua. Maddox monta un escalier, tourna et se trouva au pied d'une échelle. Il était comme en bas d'un gratte-ciel. Il monta, tourna, monta, tourna. Ses cuisses lui faisaient mal. Il refusa de s'arrêter pour se reposer. Il commençait à s'essouffler lorsqu'il vit les mots PONT PROMENADE au-dessus de lui. Il était écarlate et il tremblait en dedans, mais cela ne venait pas de ses efforts. Il entra dans un couloir, tourna dans un autre puis s'arrêta pour lire la plaque de métal portant les numéros des cabines. Il était arrivé au bout et, malgré son interminable ascension, il avait l'impression d'arriver trop tôt.

Il s'arrêta devant la cabine 103. Il avait le choix : 103 ou 105. Il se mouilla les lèvres.

— Fais-le! dit-il.

Il frappa au 105. Il leva la main pour frapper de nouveau et la porte s'ouvrit.

— Bonjour, Lenore.

Maddox comprit, irrémédiablement, qu'il était perdu. Jamais il ne l'oublierait. Jamais il ne cesserait de la désirer, de souffrir pour elle, de ressentir le besoin de sa présence, avec lui, près de lui, à côté de lui, en train de l'attendre, prête à l'accueillir. Jamais il ne verrait une autre femme rire sans que Lenore lui manque. Il porterait son deuil chaque jour de sa vie, jusqu'à la fin. Et qu'allait-il donc faire du reste de sa vie ?

— Bonjour, Curt.

Elle était condamnée. Elle se sentait mutilée, comme si une partie d'elle-même lui était arrachée. Elle avait trouvé, puis perdu, ce qui aurait pu compter dans sa vie, le temps d'un éclair, en quelques brèves semaines haletantes. Elle s'était éveillée à la vie ici, sur cette île avec Curt, et, maintenant, on lui enlevait tout. Elle n'avait été récompensée que pour être ensuite punie d'avoir trouvé la récompense. Tout ce qui était important pour elle, les espoirs et les rêves, la splendeur de ses journées avec Curt, allait disparaître avec lui. Elle se sentait vieillie, fanée, froide. Elle aurait toujours froid désormais.

— Je vous ai rapporté une chose qui vous appartient, dit Maddox.

Il fouilla dans la poche intérieure de son veston et lui tendit le foulard vert pâle qu'elle avait glissé dans sa voiture, à la sortie du palais de justice.

— Vous devez l'avoir oublié, dit-il.

— Oui, je suppose.

Ils savaient tous deux la vérité, comme ils savaient que Maddox n'était pas venu jusque-là pour lui rendre un foulard pareil à ceux que les boutiques de Chicago vendaient par centaines.

— Je ne cesse de vous dire adieu, dit-il. Depuis le soir de l'hôpital. Mais ça ne marche pas, Lenore. Vous ne disparaissez pas.

— Ni vous, avoua-t-elle dans un murmure.

La voix de la jeune femme le galvanisa.

— Ne partez pas. Ne partez pas, Lenore.

Il refusait de la perdre. Il la regarda, il chercha ses yeux, à l'affût d'un peu d'aide, d'une lueur d'espoir.

— Vous appartenez à cette île, avec moi, dit-il, la gorge nouée, douloureuse. Partout où vous irez, vous demeurerez avec moi. Vous pouvez traverser six océans et je serai encore là, seulement nous ne serons pas ensemble. Il faut donc que vous restiez, Lenore. Il le faut.

— Je pensais bien que c'était vous, dit Bergman en s'avançant dans le couloir.

Maddox eut l'impression de recevoir un coup de poignard dans le dos. Les doigts de Lenore effleurèrent les siens pour prendre le foulard, puis Bergman se trouva avec eux, devant la cabine 103.

— En tournant au coin du couloir, je me suis dit : « Voici un type qui est le portrait tout craché du capitaine Maddox. » Vous avez fait tout ce chemin pour nous dire au revoir, capitaine ?

— Non.

Le mot resta suspendu dans le vide.

— Je ne crois pas que nous nous reverrons, capitaine, dit Bergman. Je vous souhaite bonne chance.

Maddox le regarda.

— Je n'ai pas terminé.

Personne ne bougea. Personne ne parla. Puis Maddox se pencha pour ouvrir la porte de la cabine 103.

— C'est la vôtre, n'est-ce pas ?

— Il ne vous reste pas beaucoup de temps, répondit Bergman.

Il entra dans la cabine mais ne referma pas la porte.

— Vous l'avez entendu, Lenore, dit Maddox. Il ne nous reste pas beaucoup de temps. Nous avons devant nous tout le temps du monde, mais pas ici, pas sur ce bateau.

Il lui prit les mains ; elles étaient comme de la glace.

— Venez, Lenore. Vous ne lui devez rien. C'est lui qui vous doit tout.

— Lenore ?

La voix de Bergman était faible et tendue. Lenore retira ses mains de celles de Maddox.

— C'est notre dernière chance. Je vous l'ai dit un jour. Personne n'a deux chances dans la vie, mais cela nous a été accordé, contre toute attente. C'est vous et moi, Lenore. Vous m'appartenez. Nous l'avons prouvé dès le début.

— Curt... Je...

— Pas *je !* dit-il. Nous ! *Nous !*

— Lenore.

La voix de Bergman semblait encore plus faible. Maddox tendit la main à la jeune femme.

— Accrochez-vous à moi. Oubliez vos robes. Elle sont à lui. Laissez tout. Nous repartirons à zéro. Nous serons tout neufs.

— Pas comme ça, répondit Lenore, et Maddox laissa retomber son bras.

— Il n'y a pas d'autre moyen. Il n'y en aura jamais.

— Vous ne comprenez pas, dit Lenore. Il mérite...

— *Nous* méritons ! coupa Maddox. Il a eu son temps. C'est notre tour.

— Curt... Mon amour... Il faut que je lui parle, que je lui dise...

— Lenore ?

La voix de Bergman n'était plus qu'un souffle.

— Aidez-moi, Curt. Vous m'avez toujours aidée. Vous avez toujours été mon sauveur, mon véritable ami. Laissez-moi seule avec lui.

— Ne lui permettez pas de nous couler, dit Maddox. Il va tout essayer, tout invoquer. Fuyez. Fuyez s'il le faut. Mettez-vous à courir et continuez...

Lenore leva les yeux vers lui et ils furent de nouveau ensemble, comme depuis le premier jour. Elle posa le bout des doigts sur ses lèvres, puis sur celles de Maddox, et se retourna.

— Oui, Walter.

Maddox se retrouva seul. Il fit un pas, puis un autre, et un autre. Il écouta : c'était elle ; il la vit : elle courait vers lui puis lui prenait la main pour qu'ils courent ensemble. Il sortit sur le pont promenade, très haut au-dessus du quai. Un steward se dirigeait vers lui. Il tenait dans une main un disque de métal fixé à une corde et, dans l'autre, un bâton pareil à une baguette de tambour avec, au bout, une boule recouverte de feutre. A deux pas de Maddox, le steward frappa le gong avec la boule. *Bong-g-g-g-g-g !* Un son grave, riche d'échos, mélodieux, qui retentit d'un bout à l'autre du pont. Puis le steward dit :

— Le paquebot appareille ! Le paquebot appareille !

Maddox arriva près de l'échelle et se retourna. Il ne vit que le steward. *Bong-g-g-g-g-g !*

Il descendit sur le pont suivant ; un homme et une femme, enlacés près du bastinguage, s'embrassaient. Maddox passa devant eux, puis devant deux prêtres en grande conversation, comme s'ils ne voyaient pas les amants. Maddox arriva devant un autre escalier. Un enfant de huit ou neuf ans se précipita dans ses jambes et tomba. Derrière lui, la mère du gamin se précipita et fusilla Maddox du regard.

— Vous ne pouvez pas regarder où vous mettez les pieds ?

L'enfant se releva et repartit en courant. Maddox descendit l'escalier et tourna.

Bong-g-g-g-g-g !

— Le paquebot appareille ! Le paquebot appareille !

Maddox quitta le pont principal et, au milieu de l'escalier, aperçut en bas l'amiral et Doris Ashley. Saunders les accompagnait, ainsi qu'un steward avec un chariot de bagages. Maddox eut envie de ralentir, de faire demi-tour, de remonter vers Lenore. De la prendre dans ses bras et de la porter jusque sur les quais. Il descendit sur le pont A et continua d'un pas régulier vers les quais. Un steward parut devant lui.

Bong-g-g-g-g-g!

— Le paquebot appareille ! Le paquebot appareille !

Maddox transpirait. Il marchait pourtant près du bastingage, la tête levée pour recevoir la brise de la mer. Il parvint en haut d'un autre escalier. Une dame montait, avec un loulou de Poméranie dans les bras. Maddox s'écarta. La femme arriva en haut.

— C'est toujours agréable de rencontrer un gentleman, dit-elle.

Maddox la croisa et descendit les marches de fer. Sa poitrine lui faisait mal.

Il arriva sur la passerelle d'embarquement. Les commissaires étaient en train de remonter leur table-comptoir à bord.

Bong-g-g-g-g-g!

— Le paquebot appareille ! Le paquebot appareille !

La planche se trouva libre. Maddox descendit sur le quai et se retourna. Lenore... Elle n'était nulle part.

— Capitaine ?

Il pivota brusquement, comme s'il était pris dans une embuscade. Les deux agents en uniforme l'avaient attendu.

— Tout est réglé, capitaine ?

Maddox acquiesça d'un signe de tête.

— On peut faire quelque chose pour vous ?

— Non, non.

Il se retourna. Il était juste en face de la passerelle. Personne. Il écarta les bras pour saisir les deux rampes. Les sirènes du paquebot retentirent, un long mugissement caverneux. Maddox parcourut les ponts du regard.

« Lenore ! » Le silence retomba sur le quai. Où était-elle ? « Lenore ! » *Bong-g-g-g-g-g!*

— Le paquebot appareille ! Le paquebot appareille.

« Lenore ! »

Il fallait qu'elle se dépêche. Le temps pressait, maintenant. « Lenore ! » Les lèvres de Maddox articulèrent quelques mots.

— Je t'en supplie.

Bong-g-g-g-g-g!

— Le paquebot appareille ! Le paquebot appareille !

« Lenore ! » Si elle venait, il fallait que ce soit à présent. *A présent!* « Lenore ! »

Bong-g-g-g-g-g!

— Le paquebot appareille ! Le paquebot appareille !

Il fallait que ce soit à présent. Maddox, bras écartés, s'accrochait aux deux rampes comme si quelqu'un essayait d'enlever la passerelle.

— Lenore ! cria-t-il.

Sur le quai, des hommes en bleus s'avancèrent vers les amarres d'étrave et d'étambot.

— *Lenore !*